기후변화 세계사

THE EARTH TRANSFORMED

지구 생성부터
기후 재앙 시대까지

기후변화 세계사

The Earth Transformed

피터 프랭코판 지음
이재황 옮김

책과함께

일러두기

- 이 책은 Peter Frankopan의 THE EARTH TRANSFORMED(Bloomsbury Publishing, 2023)를 우리말로 옮긴 것이다.
- 옮긴이가 덧붙인 설명은 〔 〕로 표시했다.
- 200쪽이 넘는 방대한 양의 후주는 원서 종이책에 수록되지 않고 블룸버리 출판사 홈페이지(bloomsbury.com)에서 PDF로 내려받도록 되어 있다. 지은이와 원서 출판사의 의도를 존중하여 한국어판도 같은 방식으로 처리했다.
  (후주 다운로드 웹페이지 bloomsbury.com/uk/discover/superpages/non-fiction/the-earth-transformed-notes)

차례

제1권 | 차례

서론 23

1장 태초 이후의 세계 57
대략 45억 년 전부터 대략 700만 년 전까지

2장 인류의 기원 79
대략 700만 년 전부터 서기전 12000년 무렵까지

3장 인간과 생태의 상호작용 107
서기전 12000년 무렵부터 서기전 3500년 무렵까지

4장 초기 도시와 교역망 129
서기전 3500년 무렵부터 서기전 2500년 무렵까지

5장 분수에 넘치는 삶의 위험성 155
서기전 2500년 무렵부터 서기전 2200년 무렵까지

6장 첫 연결의 시대 175
서기전 2200년 무렵부터 서기전 800년 무렵까지

7장 자연과 신에 대한 관심 195
서기전 1700년 무렵부터 서기전 300년 무렵까지

8장 스텝 변경과 제국들의 형성 235
서기전 1700년 무렵부터 서기전 300년 무렵까지

9장 로마의 온난기 267
서기전 300년 무렵부터 서기 500년 무렵까지

10장 고대 말의 위기 299
500년 무렵부터 600년 무렵까지

11장 제국의 전성기 327
600년 무렵부터 900년 무렵까지

12장 중세 온난기 363
900년 무렵부터 1250년 무렵까지

13장 질병과 신세계의 형성 403
1250년 무렵부터 1450년 무렵까지

14장 생태 지평의 확대 441
1400년 무렵부터 1500년 무렵까지

제2권 | 차례

15장 구세계와 신세계의 융합 471
1500년 무렵부터 1700년 무렵까지

16장 자연과 인간을 착취하다 499
1650년 무렵부터 1750년 무렵까지

17장 소빙기 537
1550년 무렵부터 1800년 무렵까지

18장 대분기와 소분기 575
1600년 무렵부터 1800년 무렵까지

19장 공업, 수탈, 자연계 615
1800년 무렵부터 1870년 무렵까지

20장 격동의 시대 651
1870년 무렵부터 1920년 무렵까지

21장 새로운 이상향 만들기 701
1920년 무렵부터 1950년 무렵까지

22장 지구 환경의 재편 739
20세기 중반

23장 불안의 증폭 785
1960년 무렵부터 1990년 무렵까지

24장 생태 한계의 끄트머리에서 833
1990년 무렵부터 현재까지

결론 877

감사의 말 902
옮긴이의 말 906
도표 출처 909
찾아보기 910

15장 구세계와 신세계의 융합

1500년 무렵부터 1700년 무렵까지

또 하나의 대규모 역병이 이 땅을 덮쳐
토착민들에게 죽음과 파괴를 가져왔다.
— 디에고 무뇨스 카마르고(16세기 말)

대서양을 건너는 길을 뚫은 것은 세계의 큰 땅덩어리 대부분을 한데 묶는 훨씬 광범위한 연결망의 한 요소였다. 콜럼버스가 서쪽으로 출항한 지 불과 5년 후에 바스쿠 다가마가 아프리카의 남쪽 끝을 돌아 북쪽으로 향해 오늘날 케냐의 말린디까지 올라갔다. 거기서 다시 나아가 인도양을 건너고 지금의 인도 남부 케랄라 해안에 도착했다.

다른 사람들은 재빨리 그가 밟은 길을 따라 아프리카 해안을 따라 올라가고 심지어 홍해, 페르시아만, 남아시아까지 항해했을 뿐만 아니라 그 너머의 스리랑카, 동남아시아, 동아시아까지 갔다. 불과 수십 년 사이에 배들이 태평양을 이리저리 휘젓고, 세계화된 상업 체계라고 무리 없이 묘사할 수 있는 것을 만들어냈다.

이는 그 성격, 범위, 영향 면에서 역시 세계적이었던 극적인 생태계 변화와 함께 진행됐다. 관심은 흔히 식민 활동에 의해, 그리고 새롭고 심지어 더 깊숙한 접촉과 국지·광역·세계 수준에서 이루어진 통합의 사회적·경제적 결과에 의해 재정리된 정치적 변동에 쏠리지만, 자연환경의 변화는 아무리 과장해도 지나치지 않은 영향을 미쳤다. 동식물이 새로운 환경으로 옮겨졌다. 의도적인 경우도 있었고, 그렇지 않은 경우도 있었다. 기후 조건에 따라 구분됐던 생태적 경계가 인간의 접촉의 경계가 되었다. 자연계에 대한 대중의 상상과 개념화는 매우 극적인 방식으로 변화해, '구세계'가 '신세계'를 차지하고 자기네 형상대로 변형시키는 과정에서 역사에 관한 생각을 왜곡시켰다.

예를 들어 현대 세계에서 우리는 토마토를 그리스나 이탈리아 요리와 동의어로 여긴다. 아니면 에스파냐 요리일 수도 있다. 라토마티나La Tomatina(해마다 발렌시아 인근에서 열린다) 같은 토마토 던지기 축제가 벌어지는 곳이다. 파프리카는 헝가리 국민음식 구야시gulyás와 연결한다. 파인애플은 열대 아프리카나 동남아시아와, 고추는 인도와, 땅콩은 태국·말레이시아의 사테이satay 양념과, 감자는 영국에서 주말에 가족이 모여 먹는 특유의 음식인 선데이로스트Sunday Roast와 연결한다. 그러나 모두 유럽, 아프리카, 아시아 원산이 아니다. 이 모두는 아메리카에서 왔다.[1]

중요한 것은 갖가지 농작물을 더 쉽게 구하고 그것을 세계 여러 지역으로 확산시키는 것이 아니라 전면적인 세계 생태계의 혁명이었다. 이 과정은 환경을 변화시키고 생태계를 바꾸고 인간의 정착 형태를 변화시킨 자원을 이용하고 개발하고 소비하는 과정이었다. 씨를 뿌리고 수확하고 추출하고 식품, 광물, 자재, 상품을 돈을 지불할 능력과 의지가 있는 사람들에게 수송하기 위해 필요한 인력을 배치한 결과다. 그것은 다시 경제 성장과 사회 변화의 동력을 제공했다. 치우치게 권력 중심에 집중돼 있던 것이었다. 그 중심에 있는 자들은 핵심 자원에 대한 통제를 강화하고 유지하며, 무역로에 군사를 배치해 지키며 스스로를 국내외의 경쟁자와 적수로부터 보호했다.

그 결과는 세계 제국(무엇보다도 유럽에 중심을 둔)의 창설이었다. 그것은 상품의 한계를 끊임없이 극복하는 것이었다. 지리적 경계를 확장해 더 많은 천연자원을 차지하고 개발하는 것이었다. 갈수록 많은 물자(광물의 형태든 농작물의 형태든)를 추구하게 되면서 환경의 전면적인 변화를 초래했다. 귀금속 광맥이 채굴되고 삼림과 평지가 경작지와 농장으로 바뀌었다. 이는 생태계를 희생시키는 것이었지만 또한 분명한 경제적 결과를 산출했다. 큰 이익을 남기던 귀금속이나 환금작물 산출이 급증해 종종 쉽게 해소될 수 없는 공급 과잉 상태가 됨으로써 가격이 하락했다.

물건을 구하기 쉽고 가격까지 떨어지니 그 자체로서 좋은 점이 있었다. 접근성이 확대되면서 그것이 사회 변화를 일으키는 데 이바지하고 유럽 주민들의 '근면혁명Industrious Revolution'에 매우 적합한 상황을 만들어냈다. 이 주민들은 갈수록 많은 양의 상품을 갈수록 싼 값에 살 수 있게 되어서 가처분 재산이 늘고 소유권 잔치(이전 장의〈아르놀피니 부부의 초상화〉에서 충분히 볼 수 있었다)에 더 많이 참여하는 순환을 가져왔다.[2] '구세계'에서 그 결과는 엄청났지만, 그것은 '신세계'에서 큰 대가를 치른 결과였다. '신세계'에서는 이득이 사회적으로나 생태적으로 공평하게(또는 정당하게) 분배되지 않았다.

한때 상류층의 사치품이었던 설탕은 이 과정의 완벽한 사례를 제공한다. 사탕수수 농장은 대서양의 마데이라, 카나리아제도, 상투메에 만들어지고 이어 네덜란드인에 의해 브라질과 이어 카리브해의 섬들 여기저기에 도입됐다. 그것은 더욱 확산돼 나중에 루이지애나와 무엇보다 쿠바에서 생산이 급증했으며, 쿠바는 19세기에 세계에서 가장 생산성 높은 설탕의 섬이 되었다. 이 무렵에는 지금의 인도네시아 자바섬이 중요한 생산 중심지가 되었고, 타이완섬도 마찬가지였다. 인도양의 모리셔스와 레위니옹, 태평양의 피지에도 중심지가 자리 잡았다. 그 후에 브라질의 거대한 농장들은 에탄올을 생산하기 위해 사탕수수를 엄청난 규모로 재배했다. 일종의 '지속 가능한' 연료로서였다.[3]

설탕은 온갖 상품 가운데 하나일 뿐이었다. 면화, 커피, 카카오, 고무, 목재, 모피, 그리고 다른 많은 것들이 비슷한 대규모 팽창의 궤적을 따랐고, 그 팽창은 다시 서로 연결된 네 가지 요인에 의존했다. 첫째, 땅의 강제 점유다. 때로는 폭력에 의존해서였다. 가장 생산성 높은 지역을 차지해 확보하고 환금작물 재배로 전환했다. 둘째, 자원을 심고 재배하고 거두고 추출할 노동력의 구득 가능성이다. 셋째, 상품 수송을 위한 물류 기반시설과, 산지와 운송 과정과 산지에 대한 재산권을 보호하는 제도적 틀이다. 마지막으로 수요가 많고 임의적인 구매력이 있는 시장의 존재다.

일부 학자들은 특히 대서양을 건너 밀려들어온 제품과 산물들이 공업 혁명과 유럽의 흥기에 불을 붙였다고 주장했다.[4] 사실 콜럼버스의 대서양 횡단과 그 직후에 이루어진 아시아로 가는 해상로 개척은 오랫동안 경제학자들에게 인상을 남겼다. 애덤 스미스는 "아메리카 발견"과 불과 6년 후 바스쿠 다가마에 의한 "희망봉을 돌아 동인도 제국으로 가는 항로 발견"은 "인류 역사에 기록된 가장 위대하고 또 가장 중요한 두 가지 사건"이라고 1776년에 썼다. 새 항로들은 "세계의 가장 먼 지역들"을 한데 묶어 "서로의 필요를 채우고 서로의 즐거움을 늘리고 서로의 산업을 자극할 수 있게" 했다. 스미스는 부에서 나오는 이득이 공평하게 분배된다고 보는 장밋빛 눈의 세계주의자는 아니었다. 그저 이런 것이었다. "이 발견이 이루어진 바로 그 시기에 힘의 우위는 마침 유럽인들 쪽에 매우 무겁게 실려 있었다." 그들은 이를 기괴한 방식으로 활용하며 먼 나라에서

"아무런 처벌도 받지 않고 온갖 불의를" 저질렀다.[5]

스미스는 기본적으로 새로운 무역로(그것이 결국 세계의 모든 대륙을 하나로 연결했다)가 열린 후에 따라온 정치적·경제적 변화에 관심을 가졌다. 그가 글을 쓰던 1770년대에 유럽인들은 근 300년 사이에 사방으로 뻗어나가고 있었다. 무엇보다도 강제로 뽑아내거나 싸게 살 수 있는(그러나 다른 곳에 가면 비싼 값에 팔 수 있는) 자원, 제품, 산물을 찾으려는 노력이 그 동력이었다. 이 식민화 과정은 나중에 종교에 관한, 인종에 관한, 과거의 해석에 관한, 그리고 심지어 과학 탐구에 관한 가치관과 관념의 장려 쪽에 상당한 무게를 두게 된다. 그러나 1490년대 이후 팽창의 동력은 상업자본의 투입과 수익이었다.

따라서 애덤 스미스가 지적했듯이 수많은 사람들에게 고통과 부당함을 가져다준 식민지 팽창이 새로운 세계 무역 체제에 의해 제공된 기회로부터 가장 많은 이득을 얻은 나라들에서 다른 결과를 낳았다는 것은 놀라운 일이거나 우연한 일이 아니었다. 상업을 통해 부자가 된 사람들은 자기네 자산을 지키는 데 단호했다. 정부가 요구하는 세금을 최대한 깎고, 일반적으로 거래에 간섭하거나 그 수혜자(기업가, 위험 부담자, 투자자)를 겨냥하는 군주의 권력을 제한함으로써였다.

역설적으로 세계 여러 지역에서 벌어진 유럽인에 의한 노예화, 살인, 강탈은 자기네 고국에서의 권리 확보와 신장에 반영됐다. 의회, 법원, 그리고 왕으로부터 독립된 기관들이 설립되었고, 때로 콕 집어 군주의 권력을 제한하고 한편으로 귀족의 이익도 보호하는 일을 하기도 했다. 귀족들은 자기네의 독립성을 유지하는 데, 그리고 자기네의 재산을 추가적인 정치·사회·경제 개혁을 요구하고 시행하는 데 사용하리라 결심하고 있었다.[6]

당연히 이들 개혁의 목표는 경제 성장의 토대를 더욱 단단히 다지고 추가적인 제도적 개선을 이루는 것이었다. 그것들은 한결같지는 않았다. 북유럽(잉글랜드와 네덜란드)의 이익집단들은 남쪽 에스파냐 및 포르투갈의 이익집단에 비해 훨씬 효율적인 것으로 드러났다. 특히 1650년 이후에 그랬다. 무엇보다도 이례적인 세금을 방지하고 이웃 나라와의 전쟁을 줄이며 대출을 신중하게 하는 국회의원들의 상대적인 능력은 금리를 상당히 낮은 수준으로 유지시켰고, 이것이 세계 무역에서 경쟁 우위를 제공하는 데 도움이 되었다. 또한 낮은 위험 수준을 보장하는 데 이바지해 장기적인 투자를 촉진했다.[7]

유럽의 입장에서 이는 경제학자들이 '소분기Little Divergence'라고 부르는 것으로 이어졌다. 이 시기는 북유럽이 사회경제적·정치적 성취라는 측면에서 남쪽 나라들보다 앞서 나간 시기였고, 그것이 더디지만 장기적으로 보아 한결같았던 민주화의 물결로 이어졌다.[8] 그러나 더 높은 수준의 정치 과정 참여로 가는(그리고 절대군주로부터 벗어나는) 길은 초기의 파열로 거슬러 올라갈 수 있다. '힘의 우위'가 유럽인들로 하여금 세계의 다른 지역에 살고 있는 사람들의 희생 위에서 이득을 얻을 수 있게 했던 시기다.

대서양을 건너간 첫 번째 물결의 사람들은 가져갈 수 있는 재산에 집중했고, 무엇보다도 귀금속, 보석, 좋은 물건을 챙겼다. 관심은 금세 바뀌어 정치 체제의 정복으로 향했다. 그것이 가장 크고 가장 수익성 높은 전리품을 제공했다. 그중 가장 중요한 것이 중앙아메리카의 아스테카와 안데스 산지의 잉카 제국이었다. 둘은 모두 명성과 부를 찾아 에스파냐를 떠난 비교적 소수의 사람들에 의해 사실상 해체됐다.

침략자들의 성공은 얼마간 유럽에서 수백 년에 걸쳐 벌어진 전쟁을 통해 연마한 군사적 기술, 특히 총과 기타 무기의 사용 덕분이었다. 물론 이것이 결정적인 역할을 했던 장소와 방식은 밝혀내기 쉽지 않지만 말이다. 말 또한 통신과 수송, 그리고 군사적 대결에서 결정적인 우위를 제공했다. 그러나 지역적인 동맹을 맺고 왕국 안팎의 지배층 사이의 불화를 활용하는 개개 유럽인의 능력 역시 소수의 외부인이 튼튼하고 탄력 있으며 수준 높아 보이는 국가 조직을 무너뜨리는 데 중요했던 것으로 드러났다.[9]

귀금속이 아메리카 바깥으로 대거 빠져나갔다. 일부 배들은 너무 꽉꽉 차서 금을 바닥짐으로 사용하기까지 했다.[10] 금과 은이 세비야로 밀려들어 밀 더미처럼 쌓였다. 때로는 그것이 너무 많아서 무역청Casa de Contratación으로 불리던 세관에 "이를 다 수용할 수 없어 파티오patio(안뜰)에까지 쌓아 놓아야" 했다.[11] 이런 전리품은 일회적이고 예외적으로 옮겨온 부의 일부였다. 그것은 원주민 지도부로부터 대량으로 탈취한 것이었는데, 그들이 중앙집권화에 성공해 왕국 전역에서, 때로는 그 바깥에서도 공물 수취를 통해 끌어모은 것이었다.

그러나 초기의 폭발적인 탈취 이후 수입을 뽑아내기 위한 또 다른 방식이 필요해졌다. 농작물을 통해서든 포토시 같은 곳에서의 채굴을 통해서든 말이다. 포토시 은광은 100년 이상 동안 전 세계 은 생산량의 절반 이상을 차지했다. 거기에는 노동력의 대량 투입이 필요했다.[12]

콜럼버스 자신은 카리브해와 남·북아메리카 현지 주민들의 노동력에 의존하는 가능성에 주목했을 뿐만 아니라 그들에게 강제로 일을 시킬 수 있는 능력에 관해서도 내비쳤다. "그들은 명령을 내려 일을 시킬" 만하며, "농사를 짓고 필요한 다른 모든 일을" 할 수 있다고 그는 썼다.[13]

남·북아메리카 토착민들을 노예로 부린 것은 이 시기를 연구하는 역사가들이 흔히 그저 지나가는 말로 언급할 뿐이다. 정말로 그런 언급이 있다면 말이다. 그러나 현지 주민들이 강제로 일한 것을 이야기하는 사람들은 수십만 명, 어쩌면 100만 명에 이르는 사람들이 자유를 잃은 채 대서양을 건너온 유럽인들을 위해 일해야 했다고 주장한다.[14] 이사벨 여왕이 토착민을 노예화한 데 질겁을 하고 그들을 해방시켜 자기네 고향으로 돌아가게 하라고 명령하고, 심지어 1501년에는 그들이 자유로운 신민이며 제대로 대우받으며 왕국에 공물을 바쳐야 한다고 선언했음에도 불구하고 그런 일이 벌어졌다.[15]

이런 생각은 신이 모든 인간을 그 본성에 의해, 그리고 전능자를 인식한다는 측면에서 평등하게 창조했다고 주장한 바르톨로메 데 라스카사스 같은 성직자들도 지니고 있었을 뿐만 아니라, 반복적으로 법에 의해 유지된 것이었다. 1512년 부르고스 법, 1537년 교황 파울루스 3세의 칙서, 1540년대 에스파냐 국왕이 발포한 추가 입법 등이 그렇다.[16] 식민 제국 건설 과정의 다른 여러 사례에서 그랬듯이 이론과 현실 사이, 세계 한편에서의 법률 선포와 다른 곳에 있는 현장의 구체적인 현실 사이에는 심각한 괴리가 있었다.

첫 유럽인들(그들은 필요와 기대를 가지고 있었다)의 도착은 토착민들의 강력한 저항에 직면했다. '신세계' 첫 정착지였던 에스파뇰라섬의 라나비다드La Navidad(에스파냐 선박 산타마리아호의 잔해를 이용해 건설했다)는 타이노족에 의해 파괴됐다. 어떤 경우에 저항은 땅의 점유에 대한 소극적인 반발의 형태를 띠었다. 해마다 심던 농작물 심기를 거부하는 것 같은 일이다. 이런 방책에 대해 당대의 논자 곤살로 페르난데스 데 오비에도Gonzalo Fernández de Oviedo는 '흉계'라고 말했다. 에스파냐 정착자와 현지 주민 모두의 목숨을 빼앗는 것이었다.

에스파냐인들은 살아남기 위해 필사적으로 움직였다. 눈에 띄는 가축을 죄다 잡아먹었다. 자기네가 가져온 것을 포함해서였다. 나중에는 도마뱀, 도롱뇽, 뱀까지 잡아먹었다. 뱀은 "여러 종류였지만, 독이 있는 것은 없었다." 그들의 눈에 띄는 모든 생물은 "불에 올려져 삶기거나 구워졌다."[17]

이런 경험들의 결과로 식량의 불안정을 줄이기 위해 구상된 여러 가지 조치들이 취해졌다. 하나는 유럽인들에게 단백질 공급원으로 익숙한 생물 종의 도입이었다. 가장 중요한 것이 돼지였다. 무엇보다 왕성한 번식력, 짧은 임신 기간, 많은 한배 새끼, 뭐든지 잘 먹는 능력 때문이었다. 이것은 양, 염소, 소의 도입으로 가속화된 대규모 생태계 격변의 한 부분이었다.

이 과정을 17세기 초의 한 목격자가 포착했다. 그는 "말, 노새, 황소, 암소, 양, 염소 같은 가축 떼의 엄청난 무리"가 있었다고 적었다. 그들에게는 "눈길이 닿는 가장 먼 곳까지" 사방으로 펼쳐져 있는 "어느 철이든 언제나 파릇파릇한 초지"가 있었다.[18]

물론 이것은 모든 종류의 토종 동물들에게 극적인 영향을 미쳤다. 그러나 또한 표층 토양과 식물에도 큰 영향을 미쳤다. 예를 들어 어떤 경우에는 과도한 방목이 토양 침식을 초래하면서 토양의 질을 급격하게 떨어뜨렸다. 그 결과 구할 수 있는 사료의 양이 줄어 사육 동물의 평균 체중을 줄이고 동물의 번식률에 영향을 미쳤으며 이에 따라 동물 무리의 규모에 영향을 주고 그것이 구할 수 있는 단백질과 피륙 공급원을 줄였다.

삼림 파괴도 마찬가지로 여러 가지 결과를 초래했다. 예컨대 수자원 상황을 악화시켜 어떤 경우에는 땅이 장기적으로 거주하기 부적합해지고 건조 지역 생물 종 확산을 부추겼다. 인위적인 요인에 의한 변화(무의식적이든 그렇지 않든)가 남·북아메리카에 심대한 충격을 안겨준 것이다.[19]

생물 혁명의 충격은 너무도 광범위해서 일부 역사가들은 여기에 일종의 '생태 제국주의ecological imperialism'라는 이름을 붙였다. 토착 생물군이 새로운 습관, 생활방식, 요구를 가진 새로운 사람들의 도래로 인해, 그리고 그들이 데려온 가축으로 인해 자리를 빼앗기고 변형됐다. 그 가축들의 "식습관, 짓밟는 발굽, 배설물, 그리고 그들이 가져온 잡초성 초목의 씨앗들"이 식민화된 지역의 "토양과 식물을 영원히 바꿔놓았다."[20]

유럽인들은 '큰 가방 생물상'을 가지고 왔다. 일부는 계획적이었고 일부는 실수였다. 재배 농작물과 가축(그것들이 퍼져 토종 동식물과 함께 자라며 영향을 미쳤다)에 더해 잡초, 씨앗, 해충 역시 그 유럽인들이 접촉하게 된 사람, 장소, 생물체의 모든 측면에 심대한 영향을 미쳤다.[21] 병원균 역시 마찬가지였다. 현지 주민들은 유럽인들이 가져온 여러 질병들을 접촉하거나 경험한 적이 없었다. 그들은 면역학적으로 무방비 상태였다.

천연두와 홍역은 중앙아메리카 주민들에게 파멸적인 것으로 드러났다. 1520년대의 물결이 파멸적인 인명 손실로 이어졌다. 일부 기록은 묻히지 않은 채 썩어가는 시신의 수가 엄청났다고 말한다.[22] 1540년대의 코콜리스틀리cocoliztli 대유행병 역시 큰 재난이었는데, 이는 문헌 기록뿐만 아니라 막대한 인구 손실을 보여주는 남부 멕시코 한 묘지에서의 화학 분석에서도 분명히 드러난다.[23]

이 시신들에 대한 후속 연구는 이들의 사망 원인이 살모넬라의 아종인 C형 파라티푸스였음을 보여주었다. 이는 세균으로 인한 창자의 열병인데, 아마도 유럽인 보균자가 대서양 너머로 가져온 것으로 보인다. 그 보균자는 증상이 없었거나 어쨌든 대서양을 건넜을 때 살아 있었을 것이다. 당대의 기록은 이 병이 돌 때 토착민과 유럽인이 모두 죽었다고 주장하고 있는데, 이는 그 병이 매우 독했음을 시사한다.[24]

1576년에 또 한 차례의 참혹한 전염병이 발생했다. 디에고 무뇨스 카마르고Diego Muñoz Camargo는 이렇게 썼다. "또 한 차례의 대규모 역병이 이 땅을 덮쳐 토착민들에게 죽음과 파괴를 가져왔다." 너무도 많은 사람이 죽어 "원주민은 거의 절멸"됐다고 그는 덧붙였다. 대유행병은 불길한 천체의 조짐과 함께 왔다. "태양에 피를 흘리거나 폭발하는 태양들처럼 보이는 세 개의 원이 있었고, 그 안에서 여러 색깔이 합쳐졌다."[25]

이 처참한 고통에 대해서는 다른 사람도 기록했다. 그중 한 명인 프란체스코회 탁발수도자 후안 데 토르케마다Juan de Torquemada는 "사망률이 매우 높은 역병"이 중앙아메리카의 에스파냐가 지배하는 영토 곳곳에 확산됐다고 썼다. 그것은 "너무도 맹렬해 거의 모든 지역을 허물어뜨리고 파괴했다. 누에바에스파냐로 알려진 곳은 거의 빈껍데기만 남았다." 너무도 많은 사람이 죽었다고 그는 덧붙였다. "병자를 돕거나 죽은 자를 묻어줄 수 있을 만큼 건강하거나 기력이 있는 사람은 아무도 없었다. 크고 작은 도시에서는 커다란 도랑이 파였다. 사제들은 아침부터 해가 질 때까지 죽은 자의 시신을 옮겨다 그저 구덩이에 던져 넣는 일만 했다. 죽은 자에게 통상 치러주는 엄숙한 의식은 없었다. 도무지 그럴 시간이 없었기 때문이다. 밤이 되면 그들은 도랑을 흙으로 덮었다." 토르케마다에 따르면 역병으로 200만 명 이상이 죽었다.[26] 현대의 연구는 이 추산이 그리 크게 틀리지 않았음을 보여준다. 한 연구는 1540년대 대유행병으로 토착민의 80퍼센트가 죽었고, 30년 후에는 사망률이 45퍼센트에 이르렀음을 시사한다.[27]

일부 유럽인들은 토착민들이 그들의 신앙 체계 때문에 신에 의해 벌을 받았다고 생각했다. 그것은 이교도적이라기보다는 끔찍하고 사악했다.[28] 따라서 그에 대한 대응책은 현지 주민들에게 강경한 종교 생활을 강요하는 것이었다. 그렇게 되자 이는 또한 개별 선교 사제들에게 신도를 보살필 수 있도록 더 많은 자원을 호소하는 기회를 제공했다. 위기는 곧 기회라는 고전적인 사례였다.[29]

그러나 파멸적임이 드러난 것은 전염병 하나만이 아니었고, 한꺼번에 쏟아져 결국 서로 긴밀하게 연결되는 여러 가지 요인들이었다. 강제노동, 노예화, 재정착, 영양실조가 어우러져 저항력이 약해지고 질병과 고통에 대한 취약성이 증대했다. 에스파냐 탁발수도자 바르톨로메 데 라스카사스는 유럽인 정착 초기의 경험을 바탕으로 이렇게 썼다. "나는 (…) 어떤 생명체도 보았거나 보리라고 생각할 수 없었을 정도로 엄청난 규모의 잔인함을 보았다." 이 겁에 질린 보고는 고국에 있는 사람들에게 '신세계'에서 무슨 일이 일어나고 있는지를 알려주기 위해 쓴 것이었다.[30]

16세기의 헤로니모 데 멘디에타Jerónimo de Mendieta도 같은 생각을 가지고 있었다. 토착민들은 "매일매일 쓰러져 비인간성과 잔인성에 희생되고" 있었다. 에스파냐인들의 탐욕이 너무 커서 정착자들은 "그들이 파리처럼 죽는 것을 무정하게 바라보고" 있으며, "그들이 아직 살아 있는 짧은 시간에 그들을 착취"하고 있었다. "오래지 않아서 그들은 아무도 남아 있지 않을 것이기 때문"이었다.

광대한 지역이 탐욕에 의해 파괴되었지만 한때 그곳에 살았던 수많은 주민들에 대해서는 아무런 기록도 남기지 않았다.[31] 좋지 않은 기후 조건은 새로 도착한 사람들의 삶을 더욱 어렵게 만들었고, 아마도 토착민들에게도 같은 상황이었을 것이다.[32]

지금의 미국 뉴멕시코로 가는 1540년대의 원정은 정복을 기다리는 부유한 도시가 있다는 짜릿하고 과장된 소문에 이끌린 것이었는데, 여기서 에스파냐인들은 고古푸에블로인들을 상대로 강간이나 고문 같은 폭력을 일삼았다. 그 규모가 너무 무시무시해서, 그들은 잔학 행위를 조사하기 위한 왕립위원회에 회부됐다. 당대 자료들은 새로 온 사람들과 현지 주민들 사이에 주거지를 놓고 벌어진 경쟁으로 적대감이 커져 결국 원주민들이 쫓겨났을 뿐만 아니라 그들이 살던 집이 불태워지고 "매우 혹독한 추위에 대비해 마련해놓은" 땔감도 약탈당했다고 주장했다.[33]

일부 현대 역사가들이 보기에 침략군이 한심할 정도로 현지 상황에 대처할 장비를 갖추지 못했고 따뜻한 옷도 없었다는 사실이 결정적이었다. 식량이 떨어진 것과 담요 및 칠면조(그 깃털은 외투를 만드는 데 사용됐다)를 약탈한 것이 마찰과 대립의 근원으로 드러났다. 가장 악명 높은 사건은 1599년에 터졌다. 에스파냐 병사들과 그 원주민 보조원들이 아코마푸에블로Acoma Pueblo에서 1천 명 가까운 남자·여자·아이들을 학살했다. 적어도 그 이유 중 하나는 "식량 문제보다는 난방 문제가 최악의 어려움을 던져준" 때문이었다.[34]

북아메리카 동남부와 서남부의 극도로 추운 날씨도 여기에 한몫했다. 꽁꽁 얼어붙는 겨울과 폭설(1540년대 캘리포니아 여러 곳에서 그랬다), 그리고 16세기 말의 가뭄과 폭풍우가 갈마드는 기후 패턴은 버지니아 정착자들의 삶을 힘겹게 만들었다. 한 목격자는 이곳을 "불임과 죽음"의 땅이라고 표현했다.[35] 남캘리포니아에서는 식량 부족, 구알Guale 원주민의 적대감, 거기에 궂은 날씨가 복합돼 생긴 압박으로 전초 기지가 버려졌다. 한 당대인은 곡식이 익어야 할 때 "계속해서 비만 주룩주룩" 내렸다고 적었다. "그래서 우리는 여기서 당황하고 나이 들고 지치고 온갖 병을 앓았다."[36]

16세기 말 아메리카 대륙에서는 삶이 더욱 고단해졌다(앞으로 보겠지만 다른 곳에서도 마찬가지였다). 1586년 멕시코의 콜리마산, 각각 1595년과 1600년의 안데스 네바도델루이스산과 와이나푸티나산, 그리고 1592년 무렵 알려지지 않은 곳에서의 대규모 화산 폭발 등 일련의 분출 이후였다. 그중 어느 것도 특별히 큰 규모는 아니었지만, 6세기에 있었던 연쇄 반응의 폭발과 비슷한 영향을 미쳤다.

한편으로는 급속한 냉각 국면으로 이어져 유라시아와 북아메리카 일대에서 기온이 급격하게 떨어졌다. 1601년, 북반구 일대의 기온은 그 장기 평균보다 섭씨 1.8도 정도 낮아 지난 2천 년 가운데 가장 추운 여름이 찾아왔다(그리고 같은 기간의 가장 추운 10년의 일부가 되었다). 나이테 기록이 믿을 만하다면 말이다.[37]

17세기 말은 북아메리카에서 재난이 지속된 시기였다. 상황이 너무 나빠서 많은 에스파냐인들은 자기네가 점령한 땅을 고수하는 것이 가치가 있는지 의문을 품기도 했다. 한 논자는 에스파냐령 플로리다가 "불모지"여서 "아무리 노력해도 수확이 적다"고 경고했다. 북아메리카에서 식민지를 지원하는 전체 사업은 잘못된 것이라고 알론소 수아레스 데 톨레도Alonso Suárez de Toledo는 에스파냐 국왕 펠리페 2세에게 말했다. "플로리다를 유지하는 것은 그저 비용만 드는 일입니다. 그곳은 과거에도 현재에도 전혀 수익성이 없고, 그 인구를 유지할 수도 없기 때문입니다. 모든 것을 외부에서 들여와야 합니다."[38] 곤란함의 정도를 분명히 보여주기라도 하듯이 잉글랜드의 첫 식민지(지금의 노스캐롤라이나 로어노크에 있었다)가 실패했다. 주민들은 학살되거나, 굶어 죽고 흩어지고 달아난 것으로 알려졌다.[39] 아마도 놀라운 일은 아니겠지만, 수아레스 데 톨레도는 펠리페 2세에게 에스파냐인들이 북아메리카에서 맞닥뜨려야 했던 문제가 무엇

이든 잉글랜드인은 거기에 포함되지 않는다고 보고했다.[40]

추위는 모든 지역에(그리고 모든 민족에) 같은 방식으로 영향을 미치지도 않았고, 대응과 대처 전략에도 많은 차이가 있었다.

미국 동부의 뉴트럴 이로쿼이는 추위에 민감하지만 단백질이 풍부한 콩을 먹던 데서 사슴 사냥을 더 하는 쪽으로 옮겨갔다. 사슴은 단백질 공급원이기도 했지만 가죽도 제공했다. 물론 이는 사냥터를 둘러싼 경쟁을 유발했다.[41] 다른 이로쿼이 집단들은 이주를 했다. 분권화된 씨족 및 친족 체제에 의존해 결핍의 시대에 균형 잡힌 자원 배분을 확보했다. 한편 체서피크와 포토맥의 알곤킨족 사회들은 다른 방식으로 대응했다. 권력과 권위를 세습적인 지배층의 손에 집중시켰다. 위계적인 사회·경제·정치 체제의 일환이었고, 이는 이전 조직 체계로부터의 급격한 이탈을 의미했다.[42] 서남부와 동부 삼림 지대에서 정착 형태가 변한 것은 일부 지역에서 더 높은 인구 밀집도와 요새화된 마을 건설을 동반했는데, 이는 계급의 등장뿐만 아니라 폭력과 더 높은 수준의 자원 경쟁의 등장을 반영한 것이었다.[43]

이것은 북아메리카 일대에서 세대를 거치며 전해 내려온 여러 민족들의 다양한 구술사에 포착된 변화의 일부일 뿐이다. 그것은 많은 기후 및 환경 위기를 상기시키며, 역경에 대한 탄력과 승리의 교훈으로서 간직되어온 것이었다.[44]

토착민들의 역사는 그들과 유럽인 및 새 정착자들과의 상호작용의 틀 안에 머물지 않는다. 현지 집단들 사이뿐만 아니라 그들 내부에도 복잡한 관계가 있기 때문이다.[45] 그러나 유럽에서 온 사람들에게 정복되거나 지배되는 지역에서는 패턴이 매우 달랐다. 그곳에서 인구 붕괴의 규모는 엄청났다. 정확한 수치를 얻기는 쉽지 않지만, 일부 추산은 1500년 무렵

멕시코 분지에 150만 명가량이 살았으나 70년 후에는 32만 5천 명으로 줄었다고 주장한다. 17세기 중반에는 이 수치가 불과 7만 명으로 줄었다. 다시 말해서 1650년 무렵의 인구는 유럽인들이 도착하기 전 수준의 단 5퍼센트에 불과했다.[46]

손실 규모가 너무도 커서 토착민 역사가 에르난도 데 알바라도 테조조목Hernando de Alvarado Tezozómoc과 돈 도밍고 치말파인Don Domingo Chimalpahin은 유럽인의 대서양 횡단이 시작되기 이전 시대의 행적과 사건들을 기억하는 사람이 곧 아무도 남지 않으리라는 두려움에서 조상들에 관한 기록을 쓰기 시작했다.[47]

더 최근의 논자들은 인구 규모 격감의 다른 결과들에 초점을 맞추었다. 가장 눈에 띄는 주장은 대규모의 인명 손실이 환경과 기후의 극적인 변화를 초래했다는 것이다. 한 연구는 인구 감소의 결과로 토지 이용이 급속히 감소해, 경작되고 있던 수천만 헥타르의 땅이 원래의 상태로 되돌아가고, 16~17세기의 이산화탄소 수준과 지구 표면 대기 온도에 영향을 미쳤다고 주장했다.[48]

폭력, 영양실조, 질병으로 야기된 아메리카 대륙 토착민의 '떼죽음Great Dying'이 기후 변화로 이어졌다는 가설은 기발하지만 추정적이고 문제가 있다. 우선 이는 1492년 이전의 인구 규모, 그리고 그 100년 후와 더 후대의 인구 규모에 대한 가정에 의존하고 있다. 그것을 정말 정확하게 평가하기는 매우 어렵다. 어떤 모형이 계산에서 허용하는 오차범위의 거의 전부에 이를 정도로 말이다.[49]

또 하나, 아메리카 대륙에서 삼림이 회복되었는지가 분명하지 않다는 점이다. 만약 회복되었다면 그것이 정확히 어디서 어떤 영향을 주었느냐는 것이다. 게다가 설령 삼림이 다시 늘어나고 그 결과로 식물의 생물량

biomass이 증가했다 하더라도, 16~17세기는 아시아에서 삼림 파괴가 급속하게 이루어지던 시기이고 그것이 (아마도) 아메리카에서 일어난 변화의 일부를 상쇄했으리라는 점을 지적해둘 필요가 있다.[50]

그러나 아마도 가장 분명한 문제는 얼음 시료 자료에서 나온 증거가 1590년대 지구 대기의 이산화탄소 농도가 급격히 떨어졌음을 말해준다는 것이다. 전염병의 대유행으로 인해 파멸적인 사망률을 기록했던(적어도 중앙아메리카의 여러 지역에서) 1540년대와 1570년대의 두 시기(또는 그 중 한 시기)가 아니다. 그 시기가 엉뚱하다는 점은 기후 변화의 원인이 인구 붕괴나 토지 이용의 변화와는 별로 관계가 없고, 인간과 관계가 없는 다른 요인과 더 관계가 있음을 시사한다. 예컨대 화산 분출 같은 것이다. 바로 이 시기에 화산 폭발이 일어났다.

인구 손실이 남·북아메리카와 유럽과 아프리카의 운명에 미친 더 광범위한 영향은 아마도 논란이 덜할 것이다. '신세계'의 생태적 이점은 초기 대서양 횡단 무역의 핵심 요인이었다. 가장 대표적인 것이 설탕이었고, 이어 담배가 뒤를 따랐다. 담배는 거의 기적적인 약효를 지닌 것으로 여겨졌다. 정착과 식민화는 우연히 이루어진 것이 아니고 계획에 따라 이루어졌다. 양자는 새로운 환경의 개발, 그리고 이를 통해 얻을 수 있는 부와 밀접하게 연결돼 있었다.[51]

그러나 핵심은 심고 기르고 거두고 땅의 과실을 가공할 수 있는 노동력의 확보 가능성이었다. 이는 특히 환금작물에 중요했다. 노동집약적이고 연중 계속되는 과정이었다. 유럽에서 새로 온 사람들은 처음부터 설탕 생산의 분명한 해법은 강제노동과 노예 사용이라고 생각했다. 이 일에는 도랑을 파고, 새 가지를 심고, 잡초를 제거하고, 자란 것을 잘라서 으깨고 가공하는 과정이 필요하다. 즙이 발효되기 전인 24시간 내에 해야

하고, 끓여서 정제하는 가공 과정은 흔히 지옥의 불에 비유된다.[52]

브라질에서는 수만 명이 노예가 되어 사탕수수 농장에서 일해야 했다. 때로는 바이아의 내륙으로 노예사냥 원정을 나갔는데, 이를 둘러싸고 유럽인들 사이에 다툼이 벌어졌다. 일을 시킬 수 있는 토착민들(그들은 수천 킬로미터 밖에서 온 이방인들을 위해 이익을 창출해야 했다) 가운데서 노른자위를 누가 차지하느냐의 문제였다.

따라서 아메리카에 살고 있는 사람들의 대량 사망은 큰 문제를 안겼다. 1550년대의 이질, 10년 후의 가래톳페스트 발생과 그 직후의 반복된 천연두 발병으로 바이아의 농장에서 일하던 많은 사람들이 죽었다. 여기에 인구 감소의 압박으로 인해 식량 재배가 감소하면서 굶주림까지 찾아왔다.[53] 한 예수회 선교사는 이렇게 썼다. "20년 동안 이곳 바이아에서 죽은 사람의 수는 믿을 수 없을 정도다. 그렇게 많은 사람들이 그렇게 짧은 시간 안에 소모되리라고 생각한 사람은 아무도 없었다."[54]

인구 감소는 아메리카 대륙 전역에서 고르게 일어난 것은 아니었고, 심지어 같은 지역 안에서도 차이가 있었다. 수인성 질병에 노출되기 쉬운 해안 후미, 강가, 또는 수원지 부근에 사는 사람들이 내륙에 사는 사람들보다 훨씬 더 위험했다. 내륙 사람들은 빽빽한 숲에서 동물을 사냥할 수 있었고 땅에서도 잉여물이 산출됐다. 이는 에스파냐인들이 처음 정착한 이후 100여 년 동안 북아메리카의 대서양 연안에서 자주(어쩌면 상시적으로) 토착민들과 대결을 벌여야 했던 이유를 설명해주며, 이는 인구 감소의 지역 편차가 매우 컸음을 시사한다. 한 중진 학자가 말했듯이 해안 공동체들의 경우는 "대규모 인구 감소가 일어나지 않았다."[55]

유럽인 정착자들은 질병과 기타 요인에 의한 인구 재난의 첫 번째 파도가 닥치기 전에도 노동력을 늘리는 일에 집착했다. 여기에 중요했던 것이 '농장 복합체'의 개발이었다. 이곳에서는 막대한 양의 설탕과 여타 환금작물들을 재배하고 생산할 수 있었다. 이탈리아인과 포르투갈인들은 카나리아제도 같은 대서양의 해안 앞바다 섬에서 경험을 통해 농업 생산을 배웠다.[56] 이런 곳들의 경제적·생태적 이용에서는 서아프리카 노예 시장에 접근하는 것이 중요한 역할을 했다. 그것이 이제 대양 건너에서 이익을 추구하는 데 핵심적인 부분임이 입증됐다.[57]

16세기 초에 많은 수의 아프리카인들이 대서양의 한쪽에서 다른 쪽으로 수송됐다. 너무 많은 사람들이 에스파뇰라섬의 사탕수수 농장에서 일하는 바람에 "이 땅은 에티오피아의 판박이나 그림처럼 보였다"라고 어느 에스파냐인 작가는 썼다.[58] 그러나 새 정착자들은 노예, 부자유민, 계약 노동자들이 대거 수송돼오는 것을 보며 약간의 두려움을 느꼈다. 적어도 논리적으로 한 가지 우려는 이슬람교가 '신세계'로 실려 온다는 것이었다. 1543년에 어느 왕은 이런 명령을 내렸다. "신앙의 씨앗이 최근에 뿌려진 이런 새로운 곳에서는 무함마드의 종교나 다른 어떤 종교도 전파되는 것을 허용하지 않아야 한다."[59] 이는 유럽인의 대서양 횡단 이전에 에스파냐와 포르투갈로 데려온 아프리카인들에게 강제로 세례를 베풀고 계획된 종교 교육을 시켜(심지어 '우상숭배자'를 선한 기독교도로 탈바꿈시켜) 적어도 그들이 제기하는 위협을 줄이게 했던 오랜 두려움의 반복이었다.[60]

이슬람교의 확산보다 더 우려되는 것은 수적 열세였고, 그것은 곧 초기에 아메리카에 정착한 유럽인들에게 깊숙한 불안의 근원이 되었다. 이미 1503년에 에스파뇰라 총독 니콜라스 데 오반도Nicolás de Ovando 같은 일부 사람들은 아프리카인들을 대서양 건너로 수송하는 일을 전면 금지하자는 데 지지하는 입장이었다. 그들이 달아나 토착민들 속으로 들어가서 그들에게 "나쁜 관습"을 퍼뜨릴 것이라는 이유에서였다.[61]

이런 걱정은 폭동에 대한 공포에 뿌리를 둔 것이었고, 이슬람교도 아프리카인들이 반란을 선동하는 데 능하고 토착민들까지 부추겨 봉기하게 할 것이라는 주장의 틀 안에 있었다. 그들의 공포는 근거가 없지 않았다. 1520년대에 첫 번째 대규모 폭동이 일어나 에스파냐 국왕으로 하여금 거듭 포고령을 발포하게 했다. 특별 허가 없이는 아프리카 출신의 이슬람교도 노예 판매를 금지한다는 내용이었다.[62]

한 가지 대안은 사람들이 자발적으로 이주하게 유도하거나 장려책을 주어 이주하는 형태를 취하는 것이었다. 잉글랜드에서는 이런 생각이 튜더 시대 이래로 드러나고 있었다. 주로 아일랜드와 관련해서였다. 잉글랜드인의 상상 속에서 아일랜드는 황무지였다. 정착자들이 건너가서 "아일랜드 사회의 잡초"를 정리하고 아일랜드를 "우리의 신세계"로 만들어 문명화해야 했다.[63]

대서양 건너편의 자연환경에 대한 보고들은 변모를 기다리는 미개척지라는 장밋빛 묘사에 의존했다. 그런 기록들 가운데 토머스 해리엇Thomas Harriot의 글은 북아메리카의 들판과 삼림에서 자라고 있고 자랄 수 있는 원자재와 산물에 세심한 관심을 기울이고 있는데, 이런 글들이 유럽과 특히 잉글랜드에서 꼼꼼하게 읽히고 있었다. 잉글랜드의 경우 엘리자베스 1세 여왕이 이 새로운 땅이 제공하는 기회에 큰 관심을 갖고 있었다. 그 기회 자체도 중요하지만 그곳은 나라에 도움을 주고 나라를 본국 부근에 있는 가톨릭계 경쟁국과 적국으로부터 보호할 잠재적 원천이 될 수 있었다.[64]

처음에 북유럽에서 자발적으로 대서양을 건너간 사람들은 그 수가 많지 않았다. 1580년대에 잉글랜드인들이 아메리카에 정착하려고 시도한 이후 50년 동안 식민지 개척자들은 버지니아, 뉴잉글랜드, 버뮤다, 바베이도스, 리워드제도 등에 정착했다. 그러나 공동체들이 매우 드문드문 있어서 일부에서는 '신세계'로 건너간 사람의 총수보다 북아프리카에서 무어인들에게 붙잡혀(보통 바다에서 붙잡혔다) 노예가 된 브리튼제도 출신자가 더 많다고 주장했다.[65]

그러나 정착자들의 물결은 17세기 내내 꾸준하게 증가했다. 많은 경우 농업 생산의 이득은 공포와 폭력에 의해 통제되는 노동력의 강제를 통해서 거두는 것이 아니라 협력과 거래를 통해 거두는 것이었다. 그러나 일부 초기 정착자들은 많은 현지 주민들이 전염병으로 죽은 탓에 생겨난 기회를 놓치지 않았다.

잉글랜드 국왕 제임스 1세는 뉴잉글랜드로 알려지게 되는 곳에 대한 권리를 주장하는 1620년의 한 헌장에서 "근년에 신이 내린 천벌로 엄청난 전염병이 유행"한 결과로 "그 땅 전체가 완전히 파괴되고 황폐해지고 사람이 떠나갔다"라고 선언했다.[66] 이 발병으로 많은 사람이 죽었다. 아마도 렙토스피라병이 악화된 바일 증후군 때문이었을 것이다. 토양과 식수 오염이 원인이었고, 그것은 다시 유럽에서 온 쥐 때문이었다. 그 대량 사망이 식민화를 위한 길을 닦는 데 도움을 주었다.[67]

그러나 역설적으로 그것은 또한 최고의 자원을 위한 경쟁이 누그러지면서, 그리고 살아남은 사람들이 재편과 힘의 재건으로 내몰리면서도 거래나 협상을 추구하도록 장려되면서 국지적으로 협력할 수 있는 길을 열었다.[68]

유럽인들에게 그런 경험은 신의 섭리로 보였을 것이다. 그러나 그것은 또한 마법처럼 열린 기회를 활용할 수 있는 노동력 확보의 필요성을 상기시켰다. '신세계'와 그곳의 기후 및 자연에 관한 평가는 대개 엉뚱하고 단편적이고 완전히 틀린 것들이었지만, 제공되는 보상을 설명하려는 일치된 노력 또한 있었다.

예를 들어 1630년대에 존 윈스럽John Winthrop은 고국의 런던으로 보낸 한 편지에서 보스턴은 "매섭고도 긴" 겨울로 유명하며, "원주민들은 천연두로 거의 다 죽어 신께서 우리가 차지한 땅의 권리를 허락하셨다"라고 썼다. 그것으로는 관심을 끌기에 충분하지 않았을지 모른다. 목사인 프랜시스 히긴슨Francis Higginson 같은 사람은 매사추세츠보다 "더 우리 잉글랜드인의 신체에 적합한 건강에 도움이 되는 곳은 이 세상에서 찾을 수 없음"을 남들에게 알려주기 위해 세심하게 노력했다. 그는 이어 이렇게 말했다. "예전 잉글랜드에서 병약했던 많은 사람들이 이곳에 온 뒤 완전히 나아 건강하고 강한 사람이 되었다."[69]

뉴잉글랜드의 기후는 잉글랜드에서 나고 자란 사람들에게 "가장 적합"하며, 그 땅은 "잉글랜드 사람들이 아이를 낳고 살아가기에 가장 적합"하다고 토머스 모턴Thomas Morton은 썼다. 북아메리카에서의 경험을 쓴 그의 책은 1637년에 출간돼 그를 일종의 유명인으로 만들었다. 얼추 비슷한 시기의 필립 빈센트Philip Vincent는 "잉글랜드인과 스코틀랜드인"이 다른 사람들에 비해 또 하나의 이점을 지니고 있다고 썼다. 즉 "신이 브리튼섬 사람들에게 부여한, 세계의 어느 나라 사람들보다도 더 많은 아이를 낳을 수 있는 능력"이다.[70]

빈센트의 표현대로 좋은 '양육자'가 되는 데 초점을 맞춘 것은 중요했다. 그것이 노동력 부족 문제를 거론하고 그 극복을 시도하기 때문이다. 아이를 더 많이 낳는 것이 확실한 해법이지만, 그렇게 인구를 늘리는 데는 시간이 필요하며 높은 영아 사망률(그것이 인구수를 낮게 묶어둔다)에 대한 해결도 필요하다.

더 빠른 해결책은 예속 노동을 계약하는 고용 계약이다. 개인이 지정된 주인 밑에서 정해진 기간 동안 일하기로 동의하는 것이다. 대서양 건너편의 합의된 장소로 데려다주는 대가다.[71] 해외 노동자들을 유혹하기 위해 들고 흔드는 엄청난 자원과 보상을 극찬하는 일에도 노력이 기울여졌다. 카리브해에 "금이 얼음보다 많고 은이 눈보다 많으며 진주가 우박보다 많은" 섬이 있다고 보증하는 "과장된 찬사"가 있다고 어느 냉소가는 썼다.[72]

잉글랜드의 경우(그리고 프랑스도 어느 정도는) 노동력의 확보와 그들의 대서양 건너편으로의 이주는 16세기의 더 폭넓은 사회경제적 변화 이야기의 일부였다. 이 세기에는 영농 개선과 생산력 증대가 이루어지면서 농민들에게 일거리가 부족해졌다. 상업자본은 이 잉여를 재빨리 '신세계'의 노동력 수요 증가와 연결시켰다. 고용 계약을 활용해 기회, 수송, 그리고 고정된 기간의 노동을 제안했다. 기간은 보통 4~5년이었고, 계약이 끝나는 시점에서 현금을 지불했다.[73]

17세기 초의 인물인 프랜시스 베이컨 같은 일부 사람들은 '신세계' 농장에서 일하기로 동의했거나 때로 강제된 사람들의 질에 대해 탐탁지 않게 생각했다. 그곳이 "인간쓰레기와 사악한 범죄자"들로 가득하다는 것이었다. 다른 사람들에게 버지니아나 바베이도스 같은 곳의 초기 식민지 개척자들은 "오입질, 도둑질, 기타 방탕한 일"에나 관심을 쏟는, "대체로 보아 부랑자"였다.[74]

그러나 모든 사람이 그렇게 생각하지는 않았다. 식민지에서 노동 시장을 여는 것에 더해 미숙련 노동자 무리를 보내는 것은 잉글랜드에서, 그리고 스코틀랜드와 아일랜드에서 내부의 잠재적인 말썽꾼을 제거하는 일이었다. 그와 동시에 모국과의 의존 관계도 강화하는 일이었다. 브리튼제도에는 "수천 명의 게으름뱅이들"이 있다고 리처드 해클루트Richard Hakluyt는 17세기 초에 썼다. 이들은 "일을 시킬 방법이 없는" 자들이었다. 이들은 "반항하면서 상황의 변화를 추구하거나, 적어도 공공의 복리에 매우 부담이 되고 때로 크고 작은 도둑질이나 다른 방탕에 빠진다." 해외로 보내지 않으면 그들은 결국 교수대로 가기 십상이었다.[75]

빈자(반항적이든 그렇지 않든)를 위한 고용 계약은 해외로 떠나는 사람에게 자신의 노동을 바탕으로 한 미래의 수익을 담보로 돈을 빌릴 수 있는 신용 기제를 제공했다. 1640년에 상원 의원들이 묘사했듯이 세계 반대편에서 그들이 도착하자 "값싼 노동력을 원하던 농장주들이 기쁨에 차서 환영"했다.[76] 이것은 노동자와 소유주 모두에게 적합한 해법이었다.

농장주들은 흔히 유럽 출신의 기간제 노예와 아프리카에서 배에 실려온 노예를 별 차이 없이 보았다. 전자는 흔히 '백인 노예'로 불렸다.[77] 어떤 경우에는 아프리카인 노예가 유럽인 계약 노예보다 훨씬 적었다. 1645년, 약 2만 4천 명이 바베이도스에 정착했다. 그들은 금세 플랜테이션 경제 성장의 필수적인 동력이 되었다. 얼추 4분의 3 정도의 주민이 백인이었고, 많은 사람이 과거에 계약제 노예였거나 아직 그런 신분이었다.[78]

아프리카인이 훨씬 선호됐다. 그것은 가격에 반영돼 백인 계약 노동자의 거의 두 배에 이르렀다. 물론 이 차이는 또한 정해진 기간 이후 돌려주는 것이 아니라 자유를 영원히 박탈당한 사람들에게 투자하는 태도를 반영한 것이기도 했다. 따라서 그들의 노동은 그들이 살아 있는 한 '소유주'에게 '속하는' 것이었다.[79]

학자들은 '신세계'의 많은 아프리카인들이 높은 평가를 받고 소중히 여겨졌다고 지적했다. 특정 분야에 대한 그들의 지식과 전문성 때문이었다. 말과 소를 기르는 전통이 확립된 서아프리카의 월로프, 풀라, 만딩가 지역 출신자들은 가축 관리에 능한 사람들이었다. 이 기술은 17세기에 들어서도 계속 소중하게 여겨졌다. 채굴과 진주 채취 능력 역시 아프리카 출신 노예 노동자들을 찾는 이유였다.

이와 비슷한 것이 에스파냐인 정착자들이 중앙아메리카에서 금속 세공을 하면서 토착민들의 제련과 기술적인 능력을 소중하게 여겼을 뿐만 아니라 그것을 이용한 일이다. 또 다른 유사 사례는 남아메리카 아라와크족이 도움을 준 일이다. 영농 지식과 감각이 매우 뛰어났던 그들은 '자유민'으로 남게 해주겠다는 약속을 받았다. 그러나 그 약속은 곧바로 깨지고 말았다.[80]

노예나 기간제 노예나 기타 자유롭지 못한 사람들에 대한 의존은 유럽인들이 아메리카 대륙에서 마주친 새로운 세계와 관계를 맺는 특징적인 방식이었다. 진주에서 귀금속까지, 설탕에서 담배까지 모든 종류의 자원을 뽑아내는 데는 인력이 필요했다.

잉글랜드의 정치적 위기는 그런 수요의 증대를 자극했다. 늘어지고 피비린내가 진동한 1640년대의 내전은 올리버 크롬웰이라는 새로운 지도자를 등장시켰을 뿐만 아니라 대외 문제에서 중대한 방향 전환과 야망을 불러일으켰다. 왕당파와 경쟁자들을 박멸하려는 크롬웰의 결단은 아일랜드에 대한 개입으로 이어져 300만 헥타르 이상의 땅이 가톨릭교도 소유주로부터 몰수돼 그의 지지자들에게 넘겨졌다.

한편 1651년에는 함대 하나가 바베이도스에 파견돼 바로 직후의 자메이카 정복의 길을 열었다. 그것은 에스파냐가 서인도제도에서 보유한 귀중품을 탈취해 그들을 약화시키려는 더 광범위한 노력의 일환이었다.[81]

잉글랜드의 제국주의적 야망은 카리브해의 섬들 및 그 너머 지역과의 관계 설정에 변화를 가져왔다. 토착민인 타이노족과 중앙아메리카 일대의 주민들은 16세기에 이미 혹사, 영양실조, 유행병으로 인해 궤멸됐다.[82] 노동력 부족을 해결하려는 생각은 곧 아프리카에서 해법을 찾았다.

그러나 아프리카로부터의 공급은 단순히 숫자의 문제만이 아니었다. 누에바에스파냐와 여타 식민지의 에스파냐인들은 흔히 아프리카인 한 사람이 토착민 노동자 네 사람 몫을 한다고 이야기했다. 이에 따라 노예를 사기 위해 지불되는 돈도 편차가 매우 컸다. 체력에 대한 인식은 실제와 일치할 수도 있고 그렇지 않을 수도 있었다. 1650년대의 한 논자가 지적했듯이 더욱 중요한 것은 아프리카인 노예 노동자가 "새벽 3시에 일을 시작해 밤 11시까지 일하는" 데 비해 토착민 노동자는 "아침 8시나 9시부터 저녁 6시까지" 일한다는 것이었다.[83]

카리브해의 섬들을 정복함으로써 직접적이고 의미 있는 방식으로 세계 문제에 투자한다는 잉글랜드의 결정은 대서양을 건너는 노예의 급증을 초래했다. 그 동기 가운데 하나는 1647년에 시작된 바베이도스의 대규모 황열병 발생이었다. 황열병은 카리브해 일대에 퍼졌을 뿐만 아니라 중앙아메리카에까지 확산됐다. 이것은 가치 있는 자원과 수익을 창출하는 데 도움이 되는 수익성 높은 꿀단지의 이용법을 발견할 필요성에 한껏 집중하게 만들었다.

자메이카 같은 곳에 온 유럽인들의 기대수명은 형편없었고, 특히 도시지역에서 그랬다. 더구나 그것은 1655년 잉글랜드인들이 이 섬을 점령한 뒤 150년 동안 개선되기는커녕 하락했다.[84] 황열병은 특히 백인 정착자들에게 치명적인 것으로 드러났다. 아프리카에서 실려 온 노예들보다 더했다. 물론 아프리카인들이 이 질병에 대한 면역을 가지고 있지는 않은 듯하지만 말이다(많은 역사가들은 면역이 있었다고 본다).[85]

황열병은 파멸적인 것으로 입증된 여러 가지 질병 중 하나일 뿐이었다. 발진티푸스, 천연두, 유행성감기, 말라리아와 함께 말이다. 이들 질병은 모두 토착민뿐만 아니라 더 먼 곳에서 온 사람들에게도 상당한 위협을 제기했다. 노예, 계약 노동자, 아프리카 출신의 비자유민, 그리고 온갖 부류의 유럽인 정착자들 모두였다. 각각의 질병 환경은 달랐지만, 어떤 것은 널리 퍼지려면 특별한 조건이 필요했다. 가장 위험하고 맹렬한 두 가지 질병인 말라리아와 황열병은 모기에 의해 확산됐는데, 덥고 습한 조건에서 알을 까고 기생충 및 바이러스를 인간에게 확산시켰다.[86]

남·중앙·북아메리카의 대서양 연안 지역(그리고 카리브해의 섬들)은 이 모기와 이들 두 치명적인 질병에 완벽한 번식 장소를 제공했다. 특정 곤충 종에 완벽하게 적합한(그리고 그 결과로 대다수의 인간에게 부적합한) 이 생태 환경은 이 지역 일대뿐만 아니라 유럽에서도 정치적·경제적·군사적 운명을 좌우했다. 아메리카에서 특정한 종(학명 *Anopheles quadrimaculatus*)의 모기 암컷에 의해 전염된 황열병과 말라리아는 이른바 콜럼버스 교환(1492년 콜럼버스의 항해 이후에 나타난 사람, 음식, 관념, 병원균 등의 이동)에 대해 치러야 할 대가였다.

수백만 명이 유행병으로 인해 죽었다. 그 유행병들은 대체로 한 학자가 '모기 제국Mosquito Empires'이라고 부른 후속 세기에 형성된 나라들의 경계를 긋는 데 역할을 했다. 모기가 이끄는 곳에는 오직 경솔하거나 용감하거나 강요당한 사람들만이 따라갔다.[87] 다시 말해서 유럽인들만이 세계의 모습을 변화시킨 식민지 개척자는 아니었다. 곤충들도 식민지 개척자였다.

17세기 중반까지 아프리카에서 대서양을 건너간 노예의 규모는 비교적 작았다. 연평균 2700명 정도였다. 존엄성 및 자유의 상실과 고향에서 수천 킬로미터 떨어진 곳에 열악한 상태로 강제 정착한 충격적인 경험의 공포를 너무도 쉽게 덮을 수 있는 숫자였다.[88] 자기네의 의지에 반해서 대양 저편으로 보내진 사람의 수는 극심한 변모의 순간이라고 묘사된 시기에 이제 극적으로 증가했다. 사실상 '카리브해의 아프리카화'나 다름없었다.[89]

환금작물에 스스로를 빌려준 토양이 제공한 생태적 기회, 이익 추구 과정에서의 효율적인 자본 투입, 삼각무역 체제의 창설, 공급사슬의 개발, 인간 생명의 희생 등 모든 것이 어우러져 일부 사람들에게는 기회를, 그리고 수많은 다른 사람들에게는 고통을 안겼다.

16장 자연과 인간을 착취하다

1650년 무렵부터 1750년 무렵까지

제발, 당장 그걸 (잡아주세요.)
— 윌리엄 벡퍼드(1758)

잉글랜드의 카리브해 진출로 정복과 식민화의 원칙이 국가사업으로 확립됐다. 오래지 않아 새로운 기관이 설립돼 해외 투자를 공식화했다. 그중 가장 중요한 것이 1660년에 설립된 왕립아프리카상사(RAC)였다. 이는 수십 년 전 설립된 동인도상사(EIC) 및 레반트상사와 분명히 비슷한 것이었지만, 아프리카상사는 오래지 않아 금속과 농산물에서 갈라져 나와 노예를 취급했다. 실제로 1663년 국왕 찰스 2세는 아프리카상사에 서아프리카에서 "판매되거나 발견되는 흑인 노예, 상품, 제품, 물품 등 사고팔고 교역하고 교환 가능한 모든" 것에 대한 면허를 내주었다.[1]

이런 전개는 카리브해, 남·북아메리카, 그리고 바로 아프리카의 생태계에 극적인 영향을 미쳤다. 노예 수송이 급증했다. 17세기 중에 거의 열 배로 늘었다. 18세기 중반에는 매년 8만 명 이상에 이르렀다. 1680년에 노예는 유럽의 아프리카 무역의 절반 정도를 차지했다. 100년 후 대서양 횡단 노예무역이 절정에 달했던 1780년대에는 그것이 90퍼센트 이상을

차지했다(90만 명 이상이 아프리카 해안에서 송출됐다).[2]

노예 수요는 담배, 면화, 쪽, 설탕에서 얻을 수 있는 막대한 이익에 의해 추동됐다. 모두 많은 노동력이 필요한 것들이었다. 자본에 돌아오는 이득은 상당하고도 신속했다. 노예 구매에 들인 돈은 18개월 안에 회수됐다. 카리브해에 갔던 누군가의 말대로 "신의 은총으로" 말이다.[3] 돈을 벌고자 하는 욕망은 기술적·정치적 변화 또한 불러왔다. 대서양을 건너 수송되는 사람들의 폭동을 막기 위해 방비를 강화하고 특별히 설계된 선박이 만들어졌다.[4]

잉글랜드의 선주들은 더 크고 더 좋고 더 빠른 배를 건조하는 데 투자할 기회를 잡았다. 또한 그런 배를 더 많이 만들 기회를 말이다. 1570년 이후 100년 남짓 사이에 잉글랜드 선박 톤수가 일곱 배 증가했다.[5] 에스파냐와 포르투갈이 대서양 횡단 무역의 첫 100년을 지배했지만, 잉글랜드와 나중의 대영제국이 지배적인 위치를 확고히 다지면서 단연 최대의 노예 운송자가 되었다. 18세기에 약 250만 명을 운송해 전체의 약 40퍼센트를 차지했다.[6]

네덜란드 또한 빠르게 움직였다. 1500년에서 1700년 사이에 톤수를 네 배로 늘렸다. 그들 역시 노예무역에 깊숙이 뛰어들어, 일부 당대인들은 그들이 대서양 서부 식민지들의 "모든 무역을 관리"해 바베이도스 같은 섬들에 "흑인, 구리, 강철, 그리고 설탕을 만들기 위한 기기와 관련된 다른 것들"을 들여놓았다고 주장했다.[7]

이런 진전은 상선대商船隊의 발전과 군사력의 진화에 중요했다. 군대의 해상 지배는 나중에 제국 권력과 세계 제국의 기반임이 입증된다. 가장 유명한 것이 대영제국 해군이었다. 잉글랜드와 나중의 대영제국 전반의 선원 수요는 인구 증가를 훨씬 앞질렀고, 시각을 바꾸는 데 이바지했다.

브리튼제도는 한때 유럽의 고립된 북쪽 구석이었지만 이제 세계의 중심으로 변모해 그 주민들은 세계 다른 지역의 민족, 언어, 상품, 기후와 접하게 되었다.[8]

장거리 무역은 흔히 삼각무역 체제라고 불리는 것의 일부였다. 직물과 제조품이 유럽에서 실려 아프리카로 가서 노예와 교환되고, 그 노예가 대서양 건너로 수송되며, 그런 뒤에 배는 설탕, 담배, 면화를 싣고 고국으로 돌아왔다.

장거리 무역은 보험 시장이 형성되는 데도 중요한 역할을 했고, 보험 사업은 위험에 정확한 가격을 매기는 데 의존했다. 이는 다시 수학적 모형 및 여러 요인들에 대한 정확한 평가와 연결돼 있었다. 그 요인은 선장의 능숙도와 경험에서부터 항해하는 해로와 수송되는 화물(인간이든 아니든)의 가치에 이르기까지 광범위했다. 이는 또한 금융시장의 등장과 상업 권력(그것이 런던 및 암스테르담 같은 도시들을 경제적 강자로 자리 잡게 했다)의 중심지 형성에 장기적인 영향을 미쳤다.[9]

그런 효율성은 엄청난 결과를 가져왔다. 가장 눈에 띄는 것이 노예 가격의 하락이었다. 1664년 이후 불과 10년 남짓 만에 서인도제도의 노예 평균 시장 가격이 25~30퍼센트 떨어졌다. 같은 기간에 공급은 두 배 이상 증가했다. 다시 말해서 강제노동자가 갈수록 싸지면서 수요를 더 자극했다.[10]

시간이 지나면서 그것이 태도를 변화시켜 노예주들의 마음을 무정하게 만들었다. 그들은 같은 인간을 그저 일회용품이라도 되는 듯이 대하게 되었다. 18세기 중반의 한 농장주는 이렇게 말했다. "노예를 최대한 부려먹는 것이 싸다. 돈을 적게 들이고 세게 부린다. 나가떨어져서 쓸모가 없고 일을 하지 못하게 될 때까지 말이다. 그런 뒤에 새로운 노예를 사서 그 자리를 메운다." 역사의 어떤 이상한 우여곡절 속에서, 서아프리카의 남자·여자·아이들을 거래한 악명 높은 노예상인 존 뉴턴John Newton(그는 노예제를 반대하는 얘기를 공개적으로 한 마디도 한 적이 없었다)은 찬송가 〈놀라운 은총Amazing Grace〉을 지었다. 20세기 민권운동과, 정의를 위해 투쟁하는 사람들 사이에 불리게 되는 노래다. 가사에 이런 황홀한 구절이 나오기 때문이다.

내 사슬 사라졌네
나는 해방됐네
나의 주, 나의 구세주가 대속해주셨네.[11]

한 중견 학자가 지적했듯이 노예들은 의도적으로 "과로사를 당했다." 카리브 사람들의 '도살장'이라는 표현이 딱 들어맞았다.[12] 대서양을 건너는 선박들은 최대의 이익을 뽑아내도록 설계됐다. 가장 작은 공간에 가능한 한 많은 인간을 욱여넣게 했다. 통풍이 제대로 되지 않는 끔찍한 조건에 위생시설도 엉망이어서 질병이 확산되기에 딱 알맞은 환경이었다. 한번은 바다를 건널 때 천연두가 돌아 포로 200명이 죽었다. 승선 전에 분명히 질병의 징후를 놓친 것이었다. 모든 사람이 건강함을 확인하기 위해 꼼꼼하게 검사했을 것이고 또 그렇게 했어야 함에도 말이다.[13]

상인의 입장에서 볼 때 그들이 바다에서 죽는 것은 자본을 허비하는 것이었다. 17세기에 에스파냐 배에 타고 아프리카를 떠난 사람의 30퍼센트, 잉글랜드 배에 탄 사람의 20퍼센트는 대서양 건너편에 닿지 못한 것으로 추산됐다. 오래지 않아 이 수치는 개선되기 시작했다. 거래 시에 좀 더 엄격하게 검사하고 횡단 도중에 좀 더 잘 살폈기 때문이다. 그렇다고 해서 비인간적인 상황을 벗어났다고 하기는 어렵겠지만 말이다. 잉글랜드는 여기서도 선구자였다. 18세기 후반에 사망률을 10퍼센트로 끌어내렸다.[14]

포로들은 통상 매일 갑판에 나가 신선한 공기를 마시고 운동을 해야 했다. 아홉 가닥 채찍으로 때리겠다고 위협하며 반항적인 사람들의 마음을 집중시켰다.[15] 그런 위협을 통해 배설물을 처리하고 타르, 담배, 유황 연기로 숙소를 소독하게 했다. 그런 다음에는 그들에게 식초를 먹였다. 도움이 되게 하려는 것이었지만 전염병을 막는 데는 그리 도움이 되지 않았다.[16] 그럼에도 불구하고 이런 조치들은 생명의 손실을 줄이려는, 아니 더 정확하게 말하자면 수익성을 높이려는 노력의 일환이었다.

끊임없는 개선 과정은 다른 중요한 파급효과를 가져왔다. 효율성을 높이고 더 많은 투자 수익을 제공한 기술적 진전과는 별개로, 해상 세계에서 흘러들어온 여러 가지 다른 진전이 있었다. 그중 하나가 선박은 물론이고 항구와 정착지에 식량과 물자를 공급하는 데 필요한 물류의 정교화였다. 그것은 흔히 수천 킬로미터나 떨어져 있는 곳이었고, 일급의 관리자와 행정가(자기네의 잘못으로부터는 물론 서로에게서 배운)를 필요로 하는 일이었다. 이는 다시 경제를 전문화하는 데 도움을 주었고, 그 점은 정부 기구에 대해서도 마찬가지였다. 이것이 정확하게 어떤 향상을 가져왔느냐를 측정하기는 어렵지만 매우 중요했다는 것은 두말할 필요도 없다.[17]

그런 교훈은 개인의 책임이 크고 의무감이 낮으며 감독이 없어 유혹을 참기 어려운 곳에서는 제대로 공유되지 않았다. 실제로 최근 연구가 보여주듯이 1570년에서 1815년 사이 마닐라-아카풀코 간 에스파냐의 태평양 횡단 무역(은과 함께 연지벌레 염료, 고구마, 담배, 초콜릿을 수송했다)의 경제성은 선박의 과적, 만연한 관리의 부패, 선장 매수와 관련된 형편없는 의사 결정 등으로 인해 손상됐다. 이것이 나중에 이루어진 많은 항해에서 계절풍과 해류를 운에 맡기게 했고, 파선의 위험을 극적으로 높였다. 모든 갈레온선이 왕의 소유였으므로 1694년 산호세호(에스파냐 제국 전체 GDP의 2퍼센트에 상당하는 화물을 싣고 있었다) 같은 선박 손실은 에스파냐 경제에 파멸적인 결과를 초래했다.[18]

국가와 상업계의 관계는 북유럽에서는 달랐다. 물론 무 자르듯 아주 분명한 것은 아니었지만 말이다. 결국 엘리자베스 1세 자신은 노예무역의 초기 투자자였다. "검둥이는 에스파뇰라에서 아주 좋은 상품이고 검둥이 공급은 기니 해안에서 쉽게 할 수 있다"는 존 호킨스John Hawkins의 말에 설득당했다. 이는 왕실 재정을 늘리기 위한 것이었다.[19]

노예선의 과적은 이익 추구뿐만 아니라 배에 실리는 사람들에 대한 인간성 말살과 연결된 것이었다. 최근에 인종, 인종차별, 노예제, 그리고 피부색·종교·성별이 다른 사람들에 대한 대우를 정당화하고자 하는 방식 등과 관련된 문제에 대해 상당한 관심이 기울여지고 있는데, 우리가 이런 문제들을 대하는 방식을 근본적으로 바꿔놓는 데 도움이 되는 관심들이다.[20]

당시에 마음가짐은 고전기 세계의 관념과 영향을 바탕으로 세워진 것이었다. 유럽인들은 이제 자기네가 그 진정한 상속자라고 생각했다. 예를 들어 헤로도토스는 "온화한 땅은 온화한 사람을 낳게 마련이다"라고 생각했다. 정치적 지도력에 대한 이야기가 아니라 지리적 수혜에 관한 이야기였다. "같은 나라에서 훌륭한 작물과 뛰어난 전사가 동시에 나오기란 불가능하다."[21] 억세다는 것은 근면이 필요한 곳 출신임을 의미했다. 쉬운 삶이 제공되는 곳에서는 게으른 사람이 나오게 마련이었다.

몽테스키외는 자신이 읽은 것으로부터 많은 영향을 받았다. 플리니우스, 스트라본, 비트루비우스 같은 저자들이 쓴 글의, 널리 퍼져 있을 뿐만 아니라 거의 의심할 바 없이 되풀이되는 견해를 비틀었다. 몽테스키외는 1748년 〈법의 정신De l'esprit des lois〉에서 사람들은 "추운 기후에서 더 활발"하고 "더 자신감을" 드러내며, 더 "용감"하고 "자신의 우월성"을 더 잘 인식한다고 썼다. 따뜻한 곳에 사는 사람들에 비해서다. "더운 나라의 사람들"은 "노인과 같다"고 그는 덧붙였다. 소심하다는 것이다. 아시아에 사는 사람들은 "정신이 게으르고 어떤 분투나 노력을 할 수 없다"고 했다.[22]

이런 단호한 언설은 북유럽의 추운 날씨가 어떻게 유럽의 세계 제국들을 건설했는가에 대한 정당화와 설명을 찾아내려는 노력에 관해 많은 것을 보여준다. 그들은 또한 인종에 대한 관념과 유럽인들이 먼 나라, 먼 대륙의 다른 민족과 문화를 지배할 권리에 대한 관념에 흠뻑 젖어 있었다. 유럽에 사는 사람들(물론 그들은 그런 지혜를 남들에게 제공할 수 있는 이상적인 곳에 살고 있었다)과 달리 더운 나라에 살고 있는 사람들은 현명한 입법자가 절실히 필요하다고 몽테스키외는 말했다.

추운 공기는 신체의 섬유질을 통제한다고 그는 썼다. 사람들이 "젊고 용감한 사람"처럼 산다는 얘기다. 세계 다른 지역의 사람들이 사치의 유혹을 경험하는 것과는 대조적으로 추운 나라의 사람들은 "쾌락에 거의 흔들리지 않는다." 실제로 러시아 사람들은 매우 억세고, 편안함에 매우 단련되어서 심지어 살아 있음을 느끼려면 가죽을 벗겨야 할 정도였다.[23]

몽테스키외가 느꼈듯이 그런 자명한 진실(북쪽의 기후가 우월한 기질을 만들고 인종적으로 우월하며 남들을 지배하는 것이 당연하다는)을 설명하려면 정교한 지적 재주넘기가 필요했다. 그런데 그의 말이 사실이라면 북유럽이 왜 로마 제국 시대에 이방인 부족들의 차지가 되었고 문화, 학술, 철학 측면에서 지중해 지역에 비해 그렇게 산출해낸 것이 적다는 말인가? 늘 그렇듯이 몽테스키외는 해답을 가지고 있었다. 게르만 부족들이 "일어나고 숲을 떠나 대제국을 전복"시키지 않았는가? 다시 말해서 결국은 춥고 고요한 북쪽이 승리를 거둔 것이었다.[24]

몽테스키외 같은 사람들은 더운 기후에서 제국을 건설한 다른 사례들도 있음을 잘 알고 있었다. 그래서 다시 수를 써서 유럽인처럼 "상당한 신체와 정신의 활력"을 지니고 "길고 고통스럽고 위대하고 용감무쌍한 행동"을 할 수 있는 사람들의 성취와, 적도 가까이 또는 그 부근에 사는 사람들의 성취를 구분하고자 했다. "뜨거운 기후" 속에 사는 사람들은 비겁한 병통이 있고 그 때문에 "그들은 거의 언제나 노예가 된다." 유럽인이 도착하기 전에 멕시코와 페루에서 일어났던 제국은 근본적으로 열등했다고 그는 주장한다. 그들은 "전제적"이었다고 그는 말했다. 아마도 유럽의 제국과는 달랐으리라는 것이다.[25]

이는 아프리카 출신자들에 대해 어떻게 쓰고 어떻게 대하고 어떻게 반응했는지에 비하면 아무것도 아니었다. 차마 읽기가 고통스럽고 힘들 정도다. 대서양 건너로 보내지기 위해 팔린 아프리카인들은 구매자들에 의해 사람이 아니라 마치 동물인 것처럼 검사를 받았다. 심지어 '검은 소'를 샀다고 비유되기도 했다.[26] 18세기 중반에 한 대법관은 견해를 확인하기 위해 고등법원 판결문을 인용했다. "검둥이 노예는 (…) 다른 무엇이기에 앞서 재산"이라고 했다.[27]

비슷한 견해가 악명 높은 종Zong호 사건 때 피력됐다. 이 배는 선장이 과적을 한 데다 항로를 잘못 잡는 바람에 식수가 부족해졌다. 식수 부족과 질병이 심각해지자 130여 명의 아프리카인들(상당수는 묶이고 쇠고랑이 채워져 있었다)이 배 밖으로 던져져 익사했다. 선주는 리버풀을 근거지로 하는 조합이었는데, 손실에 대한 보험금을 받기 위해 소송을 제기했다.

소송을 심리한 재판장은 윌리엄 머리William Murray 백작으로, 해사법의 권위자였다. 머리는 바다에 던져진 사람들은 "말을 배 밖으로 던진 것과 같은" 상황이라고 판시했다. 다시 말해서 이것은 살인 사건이 아니라 여분의 가축을 처리한 것과 같은 종류의 일이라는 것이었다.[28]

노예무역으로 인해 직간접적으로 이득을 본 사람들은 고국에서 거대한 시골 저택을 짓고 대규모 수집 미술품에 투자하고 쾌적한 환경에서 삶의 질을 높이는 부의 출처에 관해서는 별로 생각지 않았다.[29] 머리의 한 동시대인은 영국이 "상업의 바탕 위에 장엄함을 쌓은" 나라라고 썼다. 카리브해와 버지니아의 사탕수수 및 담배 농장에서 고통받던, 노예가 된 흑인 남자·여자·아이들의 피, 땀, 눈물, 생명 위가 아니라 말이다.[30]

다른 사람들은 그렇게 현실을 환상으로 바꾸면서 눈을 감지는 않았다. "지성 있는 교양인이라면 아프리카에서" 노예로 팔린 사람들의 "개탄스러운 상태를 그들이 식민지에서 누리고 있는 즐겁고 편안한 생활과 비교해봐야 한다"라고 프랑스 식민회의에서 한 대표는 말했다. 그들은 자기네가 "생활의 모든 필요로부터 보호되고 유럽 대부분의 나라에서도 누리지 못하는 편안함에 둘러싸여" 있음에 감사해야 했다. 좋은 의료 혜택을 받고, 사랑하는 사람들에 둘러싸여 있으며, "자기네 아이들과 평화롭게" 사니 말이다. 이보다 더 호도하는 묘사는 없을 것이다.

오히려 더 정확한 것은 강제로 일하는 사람들 당사자의 견해였다. 그들은 자기네가 마주친 모든 것을 이용해먹는 유럽인들의 방식에 대해 저주를 퍼부었다. 바베이도스의 한 아프리카인 노예는 이렇게 말했다. "악마가 잉글랜드인 속에 있다. 그는 흑인에게 일을 시키고, 말에게 일을 시키고, 당나귀에게, 나무에게, 물에게, 바람에게 일을 시킨다."[31]

어떤 사람들은 자신의 의지에 반해서 남을 위해 돈을 벌어주는 데 소모되는 삶을 사는 사람들의 곤경, 슬픔, 절망에 가슴이 북받쳤음을 인정했다. 한 노예선의 의사는 이렇게 인정했다. "그 가엾고 불쌍한 사람들 때문에 내 가슴은 터질 것 같았다."[32] 어떤 사람들은 "아버지가 아들과, 남편이 아내와, 형이 동생과" 헤어지는 것을 보고 느낀 슬픔에 대해 이야기하며, 그런 장면을 보고도 무덤덤할 수는 없다고 단언했다. "아무리 심장이 목석같다고 해도 그들을 보고 가슴이 미어지지 않을 사람이 어디 있겠는가?"[33] 그것은 보기에 끔찍한 장면이었다. "불쌍한 검둥이의 몸에 매일같이 잔혹행위가 가해졌다. 도시에서나 시골에서나 날카로운 비명과 애절한 한탄이 매일 귀에 들어왔다."[34]

그런 감정이 지속적인 반성으로 옮겨지는 경우는 드물었고, 오히려 동정심에 의해 잠시 움직인 지나가는 생각인 경우가 많았다. "잔인하고 매정한" 사람으로 변하는 데는 많은 시간이 걸리지 않았고, 심지어 어떤 사람들은 어린 자기 아이들에게 그런 짓을 시키기도 했다. "그들이 처음 손에 쥐는 장난감은 보통 채찍이었다. 그들은 그것을 가지고 자신의 위치에 대한 훈련을 했다. 그 불쌍한 중생들의 벗은 몸에 가해지던, 매일 보던 모습을 흉내 내는 것이었다. 그들이 성년이 되어서 스스로 그렇게 할 힘이 생길 때까지 그런 훈련은 계속됐다."[35]

미개한 아프리카라는 관념 또한 자리를 잡았다. 서아프리카의 역사와 당대의 선진 문화는 도외시됐다. 예를 들어 17세기 네덜란드 작가들은 베닌시티를 보고 감탄하며 글을 썼다. "매우 넓은 거리는 모두 폭이 각기 40미터 가까이" 된다고 했고, 왕성은 "너끈히 자기네 나라의 하를럼과 맞먹을 크기이며 놀랄 만한 담으로 둘러싸여" 있었고, 오바Oba(지배자)의 궁전은 "너무 커서 끝을 알 수 없을 정도"였다. 실제로 너무 커서 끝에서 끝까지 걸어가자면 지쳐버렸다.[36]

이런 기록들은 아프리카를 위험하고 야만적이며 잔인하게 묘사한 것으로 대체됐다. 아프리카인들이 팔리지 않았다면 다른 아프리카인들이 "틀림없이 그들을 굶겨 죽였을 것"이라고, 노예들의 "학대와 죽음"에 가슴이 아팠다고 말한 바로 그 노예선에 탔던 의사는 썼다.[37] 비슷한 견해가 의회 위원회에서도 표출됐다. 리처드 마일스Richard Miles라는 노예상인은 "수백, 수천 명의 노예를 구매"했는데, 자신이 사지 않았으면 많은 사람들이 "높은 사람의 장례 때 희생으로 바쳐졌을" 것이라고 주장했다. 또 다른 노예상인은 노예가 된 사람들을 산 것이 그들의 목숨을 구하는 데 도움을 주었다고 확언했다. "그들이 희생으로 바쳐지거나 다른 방식으로 사형에 처해지는 것으로부터 보호"했다는 것이다. 그런 식의 뒤틀린 논리를 통해 노예무역은 고통과 희생이 아니라 일종의 구원이 되었다.[38]

아프리카에서 온 강제노동자들이 상인, 투자자, 지주들의 주머니만 불린 것은 아니었다. 바베이도스에서는 땅값이 몇 년 사이에 스무 배 가까이로 오르고 사람들이 드문드문 살던 특색 없는 섬이 17세기 중반 사탕수수 농장이 들어선 이후 "태양 아래 지구상에서 가장 부유한 곳 가운데 하나"로 탈바꿈했다.[39] 백인 농장주들을 위해 만들어진 부는 대서양 건너로 실려 온 아프리카인들이 그들의 생명을 통제하고 거래하는 사람들보다 훨씬 생산적이었다는(특히 열대 기후에서) 사실을 바탕으로 하고 있었다.

이 사실을 가장 분명하게 보여준 곳은 바로 서아프리카였다. 한 학자가 대다수의 백인에게 "빠져나오지 않으면 그곳에서 죽게 되는" 곳이라고 묘사한 곳이었다.[40] 18세기 초에 아프리카상사는 유럽에서 서아프리카로 보낸 사람의 절반을 1년 안에 잃었다. 19세기 중반 이전에 이곳으로 일하러 간 영국인 열 명 가운데 한 명만이 고국으로 돌아왔다.[41] 일확천금을 노리는 것은 이처럼 위험한 도박이었다.

그렇게 사망률 수준이 높았던 주된 이유는 질병 환경이었다. 유럽인들은 말라리아에 선천면역이 없어 수천 년에 걸쳐 이에 대처하면서 면역력을 개발해온 아프리카인과 뚜렷한 대조를 보였다.

말라리아는 단세포 기생충으로, 모기에 의해 사람에게 전염된다. 이 질병의 가장 널리 퍼진 두 변종은 삼일열 말라리아와 열대열 말라리아다. 전자는 가벼운 형태로 그리 치명적이지 않으며, 후자는 훨씬 악성이고 치명적이다. 감염되면 후자가 전자에 비해 훨씬 고열이 난다. 전형적인 증상은 발열, 오한, 메스꺼움이며, 심각한 경우에는 의식 장애, 혼수상태, 죽음에 이른다. 반복해서 감염되면 다른 질병에 대한 저항력이 떨어지는 등 건강이 악화된다.

사하라 이남 아프리카 주민들은 말라리아에 대한 광범위한 면역을 개발했다. 그중 하나가 겸상鎌狀적혈구 형질인데, 이는 열대열 말라리아 감염 이후 뇌 말라리아로의 진전 가능성을 90퍼센트 줄일 수 있는 일종의 혈구장애다. 겸상적혈구 형질의 빈도가 높게 나타나지 않는 사람들은 다른 형태의 선천적 저항력을 갖고 있다. 헤모글로빈 C(HbC) 대립유전자 또는 높은 수준의 말라리아 예방 항체 같은 것들이다.[42]

열대열 말라리아는 노예무역과 연관된 독립적인 여러 경로로 들어와 카리브해와 남아메리카에 자리를 잡았다. 이는 유전자 및 고고학 증거로 입증됐다. 미토콘드리아 DNA는 아프리카와 남아메리카 단배형 사이의 분명한 연결을 보여준다.[43] 에스파냐와 포르투갈 정착자들 역시 이 병을 가져왔을 것이다. 정복 시기에 말라리아가 두 나라 모두에서 풍토병이었기 때문이다.[44] 변종은 아시아와 서태평양에서도 '신세계'로 들어왔을 것이다. 유럽인들의 대서양 횡단 이전 또는 그 이후의 태평양 횡단 무역 등장의 결과였을 것이다. 그것이 남·북아메리카에서 삼일열 말라리아 유전자의 다양성이 매우 높은 이유를 설명하는 데 도움이 될 것이다.[45]

그러나 북아메리카 식민지들에서는 1680년대까지 말라리아가 자리 잡지 못했던 듯하다. 이때 갑자기, 그리고 맹렬하게 나타났다. 일련의 유행병이 미국 남부 대부분의 식민지를 덮쳤고, 버지니아와 사우스캐롤라이나에서 사망률이 높았다. 사우스캐롤라이나에서는 찰스턴에 특히 창궐했다. 이렇게 열대열 말라리아가 자리 잡게 되면서 백인 주민들에게 장기적인 영향을 남겼다. 기록에 따르면 사우스캐롤라이나 크라이스트 패리시의 경우 주민의 86퍼센트가 스무 살 이전에 죽고 절반 이상이 다섯 살 이전에 죽었음을 보여준다.[46]

말라리아의 확산은 세 개의 변수에 의존한다. 즉 기생충 자체, 모기, 기후다. 모기 가운데 몇몇 종은 다른 어떤 척추동물보다 인간에게서 피를 빨기를 좋아한다. 기후 자체는 모기 서식지와 밀접한 관련이 있으며, 모기는 번식하고 살아남고 확산되는 데 충분한 물과 충분히 더운 온도를 필요로 한다. 1680년대 초는 특히 기후 조건이 격동하고 이례적인 시기였다. 1681년과 1683~1684년, 그리고 다시 1686~1688년에 대규모의 엘니뇨 현상이 일어났다.[47] 이 상관관계로 인해 일부 학자들은 이 같은 기상 이변이 열대열 말라리아가 문턱을 넘어 북아메리카에 성공적으로 안착하는 데 역할을 하지 않았나 의문을 품게 되었다.[48]

말라리아의 출현은 수백 년 동안 지속되는 심대한 영향을 미치게 된다. 20세기에 깊숙이 들어선 이후까지 북아메리카의 남부 지방을 괴롭혀 기대수명을 떨어뜨리고 생산성에 영향을 미치며 미국 남부의 빈곤 지표이자 동시에 그 동력이 되었다.[49]

사실 17세기 후반에는 버지니아 같은 지역의 농장주들에 의해 광범위한 변화가 일어났다. 그들은 이전에 잉글랜드의 계약 노동자를 선호했다. 소유주와 같은 언어를 사용하고 관습도 비슷하며 잉글랜드의 영농 방식에 익숙했기 때문이다. 말라리아가 전해지기 전에도 수요를 충족하기 어려웠다. 그 시기에 어디서 일할지를 선택할 수 있는 사람들은 가능한 한 미국 남부를 적극적으로 피했기 때문이다. 여기에다 1650년 이후 시기의 이른바 토지점탈landgrab로 인해 노동력 수요가 극적으로 증가했다. 경작에 이상적인 토지 100만 헥타르 이상이 새로이 점유되면서 가장 값싸고 가장 효율성 높은 노동자에 대한 요구를 더욱 자극했던 것이다.

한편으로는 인종 편견의 강화도 한몫했다. 모건 고드윈Morgan Godwin 목사는 1680년에 '검둥이'나 '노예'라는 말은 "관습상 동질성과 개종 가능성을 증대"시켰다고 주장했다. 이것이 자신과 많은 동시대인들에게 어떤 의미인지를 강조하려는 듯 그는 이렇게 덧붙였다. "검둥이와 기독교도, 잉글랜드인과 이교도는 타락한 관습과 편파성 같은 것에 의해 정반대가 되었다."[50]

따라서 식민 정착자들에게 아프리카 인력은 여러 가지 문제들에 대한 해답이었다. 말라리아가 들어오면서 기존 주민들이 몰살당했고, 강제노동을 시킬 사람들에 대한 수요가 급증했다. 구매자들은 노예를 아무 곳에서나 사고 싶어 하지 않았고, 아프리카에서 말라리아가 창궐하는 지역의 출신을 선호했다. 그곳 주민들이 이 병에 저항력을 갖고 있었기 때문이다.

그 결과로 한 학자가 '말라리아 웃돈'이라 부른 것이 생겨났다. 감염 가능성이 매우 낮다고 생각되는(그리고 그렇게 해서 더 나은 '투자'임이 입증될) 사람들에게 높은 가격을 지불한 것이다. '황금 해안'으로 불린 기니만 연안 출신의 포로들은 튼튼하고 강인하며 질병에 덜 감염되는 것으로 여겨졌고, 반면에 나이저강 삼각주 출신들은 덜 강인한 것으로 생각됐다.[51]

따라서 흑인 일반과 분명히 유전적 이점 때문에 배에 실린 노예들을 열등함과 연결하는 것은 역겨운 일을 넘어서 솔직하지 못한 것이었다. 사실이 정반대였기 때문이다. 인간 이하의 환경에서 대서양 건너로 실려와 참혹한 생활을 하게 된 사람들은 그 '소유주'들의 부와 지위의 근간이었을 뿐만 아니라 그 소유주들이 스스로 하기에 거의 적합하지 않은 일을 하고 있었다. 사슬에 묶인 사람들은 그들을 착취한 사람들에 비해 '열등'하기는커녕, 그들보다 더 강했을 뿐만 아니라 유전적으로도 그들보다 더 아메리카에 적합했다.

더욱 비현실적인 굴곡이 있었다. 각 주는 같은 인간의 권리 박탈을 성문화하는 일에 나섰다. 노예화와 인종차별의 원리를 정당화하고 동시에 이런 관념을 법에 명시하기 위한 것이었다. 노예법이 이 주 저 주에서 통과되기 시작하면서 노예 신분이 평생의 굴레로 공식화됐다. 인종적 기반으로서, 그리고 상속되는 조건으로서 말이다. 강제노동자는 그 '소유주'의 재산으로 규정됐다. 또한 다른 인간을 '구매'한다는 것은 그들의 노동뿐만 아니라 그들 자손의 노동까지도 통제하고 그 열매로부터 이득을 취한다는 얘기였다.[52]

이것은 1662년 버지니아에서 처음 입법됐다. 여기서는 "이 나라에서 태어난 모든 아이들"의 법적 신분은 "오직 그 어머니의 신분에 따라 노예가 되거나 자유민이 될 것"이라고 했다. "자식은 어미를 따른다"는 이 노비종모법奴婢從母法; partus sequitur ventrem은 무엇보다 노예 소유주나 다른 백인에게 강간당한 여성의 아이들이 노예로 살아야 한다는 선고였다. 이렇게 해서 그들의 잉태로 이어진 성폭력 행위를 은폐한 것이다.[53]

출산을 조절하는 것은 노예 여성들의 삶에서 중요한 부분이 되었고, 시간이 지나면서 흑인 여성들은 출산 간격을 조정하고 피임을 하고 임신 단계를 추적하기 위해 약초 처방 개발을 진전시켰다.[54] 이것은 노예 여성 임신의 54퍼센트가 사산을 하거나 태어난 아이가 영아 또는 유아기에 사망한 것으로 추산되는 사실에 대한 대응의 일부였다.[55]

19세기 전반 아프리카인 후손 여성들을 대상으로 한 끔찍한 실험들(거의 대부분 동의 없이 이루어졌다)은 현대 여성의학, 산과학, 여성 건강 관리의 기초가 되었다. 마찬가지로 거의 알려지지 않았거나 심지어 그다지 인정되지 않았던 부채다.[56] 이는 그 이득이 골고루 나누어졌다는 얘기는 아니다. 오늘날 미국에서 백인 어머니에게서 태어난 아이와 흑인 어머니에게서 태어난 아이의 사망률 격차는 사실 19세기 전반의 격차보다 크다. 그리고 임신 관련 사망률은 흑인 여성이 백인 여성에 비해 서너 배나 높다.[57]

'메이슨Mason-딕슨Dixon 선'은 흔히 노예가 있는 남부 주와 노예가 없는 북부 주의 경계를 표시하는 것으로 간주된다. 이것은 정치적·상업적 경계일 뿐만 아니라 유행병의 경계이기도 했다. 열대열 말라리아가 그 남쪽에서 유행했다. 노예제가 널리 시행되고 원칙으로 보호될 뿐만 아니라 결국 1860년대 미국 내전의 근본 원인을 제공한 바로 그곳이었다.[58]

미국 남부의 풍요로운 토양을 만들어내는 데 기여한 기후 요인은 이 책에서 이미 언급했다. 그것이 미국 대통령 선거를 좌우하는 데서 한 역할 역시 마찬가지다. 그러나 이는 더욱 확장될 수 있다. 최근 연구는 1860년대 노예제 폐지 당시 노예 인구가 많았던 주들은 오늘날 공화당에 투표할 가능성이 높을 뿐만 아니라 소수자에 대한 적극적 우대조치에 반대하고 흑인에 대해 인종적 반감과 감정을 표출할 가능성도 높음을 시사한다.[59]

인간 노동력 활용이 대폭 확대되면서 '신세계'의 드넓은 지역의 생태계 변화가 심화됐다. '신세계'는 이득을 '구세계' 사람들에게 넘겨주었고, 그 상당 부분은 아프리카에서 실려 온 사람들의 노동력과 생명에 의한 것이었다. 여기에는 커피·차·초콜릿의 수입, 땅에서 긁어오거나 산허리에서 파내온 은과 원자재의 수입, 뉴펀들랜드에서 잡히고 배에 실려 유럽인의 밥상에 오른 대구의 수입이 포함된다.[60]

그 이득은 여러 가지였다. 예를 들어 쪽indigo 생산은 1740년대에 급증했다. 1746년 2200킬로그램 남짓이던 것이 불과 열두 달 후에 6만 2천 킬로그램으로 증가했다. 그런 급증은 상당 부분 규모의 효율을 가능하게 했던 사유지 확장 덕분이었지만, 더 큰 부분은 땅에서 일하는 강제노동력의 엄청난 증가로 인한 것이었다. 자메이카에서는 1740년에서 1774년 사이에 그 수가 거의 두 배로 늘었다. 섬에 도착했지만 살아남지 못한 수만 명은 제외한 수치다. 대서양을 건너 수송된 노예의 수 자체가 많았고 여기에 기후와 경제 여건도 좋아 가격은 떨어졌다. 이것이 강제노동력 수요와 생산 증가의 영원한 순환을 구동했다.[61]

이 무역은 매우 가치가 높아져 유럽의 패권 다툼과, 신생 세계 제국들의 형성 및 그들 사이의 경쟁에서 핵심 요소가 되었다. 서아프리카와 카리브해에서 영국 해군이 프랑스에 승리를 거둔 것은 프랑스의 재정을 악화시켰을 뿐만 아니라 영국에 대항하려는 노력(지역 안에서든 그 밖에서든)에 필요한 자금 조달을 더욱 어렵게 했다.

1756~1763년의 7년전쟁 동안에 서인도제도 정복은 중요해 보였다. 한 계획은 영국이 프랑스로부터 빼앗은 과들루프의 통제권을 캐나다의 프랑스 영토와 교환하자는 것이었는데, 캐나다의 전략적 가치가 매우 높게 인식되고 있었다. 윌리엄 버크William Burke는 의회의 토론에 응수해, 이

것은 말도 안 된다고 썼다. 캐나다는 "모피와 가죽 외에 아무런 상품도 생산하지 않으며 (…) 영국 상인들에게 아무런 수익도 안겨주지 않는다"고 의원들에게 말했다.[62] 반면에 과들루프는 설탕, 면화, 담배, 기타 여러 가지를 생산했다. 매년 캐나다의 무역에서 나오는 부의 약 40배의 가치가 있었다.[63] 이런 탄원에도 불구하고 프랑스는 과들루프와 함께 마르티니크 및 세인트루시아를 되찾는 데 성공했다. 그러나 그 대신에 미시시피강 서쪽의 루이지애나 영토를 제외한 북아메리카의 모든 영토를 포기해야 했다.

자원 통제에 대한 집착은 강렬했다. 프랑스령이 된 마르티니크의 "검둥이와 자원은 400만 파운드 이상의 가치가 있다"고 윌리엄 벡퍼드William Beckford는 1758년 (아버지) 윌리엄 피트 총리에게 말했다. "제발 지체없이" 그것을 잡으라고 그는 말했다.[64] 유명한 노예 소유주였던 벡퍼드가 그렇게 권한 것은 자신의 이해관계 때문이었다. 그런 권고는 그가 총리에게 말발이 섰기 때문에 쉽게 할 수 있었다. 피트 총리는 벡퍼드가 "정부를 돕기 위해 영국의 어떤 장관보다도 더 많은 일을 했다"라고 말해 그를 "제멋대로이고 논리가 없으며 얄팍한 어릿광대"로 보는 다른 의원들을 놀라게 했다.[65]

벡퍼드는 무엇보다도 설탕산업 이해관계자들이 공유하는 우려에 의해 자극됐다. 즉 "설탕 가격은 싸고, 비싼 운송료와 비싼 보험료와 포장에 드는 비용"이 그들의 이익 잠식을 위협하고 있는 때에 영국의 전쟁 활동을 돕기 위한 세금이 징수될 것이라는 우려였다. 피트는 어쩔 수 없이 재무대신의 의견을 누르고 설탕에 대한 특별세 부과를 폐기함으로써 벡퍼드뿐만 아니라 식민지의 많은 사람들로부터 호의와 지지를 얻어냈다. 높은 자리에 친구가 있으면 도움이 되는 법이었다.[66]

유럽으로 수입되는 설탕의 양이 늘면서 당연히 가격은 급격히 떨어졌다. 더 많은 사람들이 설탕을 소비할 수 있게 된 것이다. 이는 다시 이전에는 구할 수 없거나 지불할 수 없었던(또는 둘 다인) 사치품에 지출할 수 있게 더 많은 돈을 벌도록 사람들을 자극했다. 이것이 생산성 향상과 소득 수준 제고를 추동한 '근면혁명'의 핵심 부분이었다.[67] 일부 학자들은 이를 일련의 다른 사회적 반응들과 연결시켰다. 새로운 생각에 대한 관심과 투자의 증대 같은 것이다. 이는 부분적으로 혁신과 기술로부터 얻을 수 있는 임금 상승과 소득으로 말미암은 것이었다.[68]

따라서 아메리카 전체에서 유럽으로 들여오는 상품, 물자, 식품의 증가는 환경 배당이 세계의 한 부분에서 다른 부분으로 다시 돌려졌다는 측면에서뿐만 아니라 오늘날까지 흔히 북반구 선진국과 남반구 후진국으로 이야기되는 나라들 사이의 더 광범위한 분할의 강화라는 측면에서 중요했다. 유럽의 사람들은 그들이 세계의 다른 지역을 지배할 수 있었기 때문에 진보한 것이거나, 심지어 그들이 생태계를 자기네의 이익을 위해 변용하고 그 보상을 거둠으로써 그런 것은 아니었다.

그 보상들 자체는 더 많은 소득을 가져왔고 그것들 자체는 중요한 것임이 입증됐다. 가장 중요한 것은 유럽으로 가져온 상품의 양이라기보다는 '발견의 시대' 동안에 얻을 수 있게 된 것의 범위와 참신성이었다. 지배층은 대서양 횡단 무역에서 얻을 수 있는 이득의 대부분을 가져갔다. 언제나 이득이 많았던 것은 아니지만 말이다. 그렇다면 차이를 만든 것은 다양성에서 얻은 이득이었다. 삶이 더욱 달콤해지고 더욱 자극적이 되며, 더구나 부자와 가난한 사람 모두에게 접근 가능해진 것이다.[69]

설탕의 경우는 다시 한번 유익함을 입증한다. 1700년에 잉글랜드는 대략 7천 톤의 설탕을 수입했다. 100년 후에는 15만 톤으로 늘었다. 1인당 기준으로 잉글랜드의 설탕 소비는 1663년에서 1775년 사이에 스무 배로 늘었다.[70] 이전에 사치품이었던 것들의 구득 가능성이 급격하게 증가한 분명한 효과와는 별개로, 설탕 소비는 또한 증가하는 유럽 노동 계급에 열량 증대를 제공했다. 1600년에서 1850년 사이의 설탕 수입 증가가 잉글랜드의 복지와 생활수준을 무려 8퍼센트나 끌어올렸다는 주장도 나왔다.[71]

설탕을 쉽게 먹을 수 있게 된 것은 다른 측면에서도 중요했다. 예를 들어 커피나 차 같은 뜨거운 음료에 감미료를 첨가하는 혁신은 중국으로부터의 수입 수요를 폭발적으로 늘리기보다는 설탕 소비를 18세기 중에 400배 늘렸다. 이는 다시 동인도상사 등으로 하여금 동아시아와의 직접 무역에 투자하도록 자극했고, 결국 인도에서 차 생산을 시작했다.

자연 산물의 새로운 장소로의 생태계 이전은 커피의 경우도 마찬가지였다. 에티오피아와 예멘이 원산지인 커피는 1700년대에 접어들면서 네덜란드인에 의해 동남아시아의 자바섬과 남아메리카 수리남에, 프랑스인에 의해 마르티니크와 지금의 아이티인 생도맹그에, 잉글랜드인에 의해 자메이카에 도입됐다. 1800년에 자메이카는 세계 커피의 3분의 1을 생산했다.[72]

초목 이식과 새로운 시장 개척에는 생각지 못한 부작용이 따를 때도 있었다. 영국으로 수입되는 차와 담배에 높은 세금을 매기자 밀수 산업이 번성했다. 일부 추산은 이 나라로 들어오는 담배의 50~90퍼센트가 밀수라고 주장했다.[73] 정확한 측정은 어렵지만 감시가 없는 후미로 살짝 들어가야 하는 선원들의 개선된 항해 기술에서, 그리고 정부와 조세 당국보다 한발 앞서 나가곤 하는 새로운 산업에서 나오는 이득이 있음은 당연하다. 아마도 우연이겠지만 영국이 오랫동안 세계를 선도한 분야다.

심지어 2021년에도 케이맨제도, 버뮤다, 영국령 버진아일랜드에 있는 영국의 조세 피난처는 기업 세금 포탈 조력자로서 세계 1~3위로 꼽혔다.[74] '신세계'와의 접촉은 새로운 가능성과 새로운 취향으로 이어졌다. 그리고 새로운 일 처리 방식(그것은 오래도록 영향을 미치게 된다)을 필요로 했다.

한편 19세기 중에 극적으로 증가한 거의 메울 수 없는 차에 대한 수요는 벵골에서의 아편 생산으로 이어졌다. 아편은 통상 콜카타에서, 광저우에서 팔리는 차와의 교환으로 경매를 통해 팔렸다. 청清 왕조 황제들이 부과한 아편 금지를 피하기 위해서였다.[75]

무역은 결국 영국 재무부에 매우 중요한 문제가 되어서 영국 정부는 군사력을 활용해 우호적인 교역 조건을 얻고 중국의 관세 조직을 통제하며 상하이 같은 항구들에 대한 접근과 심지어 홍콩의 직접 통치까지 얻어냈다. 그 일부는 나중에 중국에서 '바이녠궈츠百年國恥'로 알려지게 되며, 중국 안팎에서 세계 문제에 대한 당대 인식의 근본적인 부분이 된다.[76] 다시 한번, 새로운 세계 연결망의 영향, 새로운 상품 공급 방식 및 상품에 대한 수요의 영향, 상업자본이 생태계뿐만 아니라 세계 정치까지 변화시키는 금융계의 흡인력의 영향은 아무리 과장해도 지나치지 않다.

설탕의 경우에도 그랬지만 갈수록 쉽게 구할 수 있다는 것은 값이 떨어지고 구매력이 커진다는 얘기였다. 사회의 상호작용에 대한 그 영향은 매우 컸다. 18세기의 한 파리 사람은 이렇게 썼다. "중산층 가정에서 손님에게 커피를 내놓지 않는 경우는 없다. 가게 주인이든 요리사든 하녀든 아침에 커피와 우유를 곁들여 식사하지 않는 사람은 없다. 수도의 공공 시장과 특정 거리 및 골목에서는 여자들이 대중에게 자기네가 카페오레café au lait(우유커피)라 부르는 것을 판다고 내세운다."[77]

이런 상호작용들은 단지 삶의 질 개선의 문제일 뿐만 아니라 생각의 교환, 혁신, 협력에도 중요했다. 예를 들어 찻집과 커피점이 증권거래소의 발전, 보험산업의 발전, 정치적 토론의 발전과 계몽시대(이야기의 필수적인 부분인 파종하고 수확하고 채굴한 사람들의 공을 인정하지 않은 채 유럽의 예외적으로 찬란한 시대를 시사하는 용어다) 인쇄매체의 보급에 핵심적인 역할을 했다는 것은 우연이 아니다.[78]

설탕, 커피, 차는 세계적 교류가 강화되고 심화되는 시기를 특징짓는 상품들 가운데 일부일 뿐이다. 관심은 담배, 목재, 모피 같은 개별 상품들에 쏠릴 수도 있었다. 이것들은 공업화 이전 자본주의(그것은 지리, 생태, 환경의 불평등 및 그 수탈에 중점이 두어져 있었다)의 가속화에서 개별적 및 집단적으로 역할을 했다.[79]

상품들은 생산에서 폭발적인 성장을 이룰 수 있었다. 면화가 그 한 예다. 미국에서 영국으로의 면화 수출은 1791년에서 1800년 사이에 93배 증가했고, 이후 1820년까지 다시 일곱 배가 더 늘었다.[80] 이는 상당 부분 위트니Whitney 조면기繰綿機 개발 덕분이었다. 면섬유와 씨를 분리하는 장치다. 그리고 영국에서 내수 및 수출용으로 많은 수요가 생긴 점도 있었다. '루이지애나 매입' 이후 미국의 덩치가 거의 배로 불어난 것은 말할 것도 없다. 미국은 1845년에 텍사스도 합병했다. 이 합병은 면화 재배로 전환할 수 있을 뿐만 아니라 정치적 동맹자에게 보상으로 제공하거나 한 유명 학자가 '군면軍綿 복합체military-cotton complex'라 부른 것의 일부가 되기에도 이상적인 땅을 넘겨받았다.[81] 대서양을 건너 확장했던 다른 단계에서도 그랬지만 상업계와 지주들의 추동력은 목표를 정한 끊임없는 자본수익률 추구와 어우러져 추진력으로서 그리 결정적이지 못한 것으로 드러났다.[82]

때로 적잖은 환경 비용을 지불해야 하는 경우가 있었다. 땅의 과다 이용은 토양을 손상시켜 비옥도를 떨어뜨리고 침식을 야기했다. 심지어 18세기 초에도 일부에서는 들판이 "불모지, 돌투성이 배수로, 제멋대로의 경지, 황무지"로 변했으며, "상당히 피폐해져서 이전처럼 비옥하지 않게" 되었다고 이야기하고 있었다. 1730년대 바베이도스의 한 성직자에 따르면 "땅의 표면은 말하자면 마른 껍질 같고 바싹 탔으며 입을 벌리고" 있었다. 어느 동시대인은 불과 100년 전에 엄청난 부의 원천이었던 섬이 "심한 가뭄, 많은 사람들의 이산, 비참한 상황과 빈곤"으로 이제 기근과 재난은 불가피한 듯하다고 말했다.[83]

카리브해의 가장 영향력 있는 역사가 중 한 사람인 에릭 윌리엄스Eric Williams에 따르면 생태계 악화는 전화위복의 기회였다. 수익성을 떨어뜨리는 데 일조하고 이에 따라 노예제 폐지의 길을 닦았다는 것이다. 연민의 감성이 아니라 상업적 현실이 차이를 만들어낸 것이었다.[84]

카리브해의 농장제 농업은 다른 환경적 위험 역시 열어놓았다. 그중 하나가 파괴적인 산사태였다. 그것은 노동자들에게 위험을 안겼고 생태계에 손상을 가했다. 마구잡이 삼림 파괴는 토양 유출을 초래했을 뿐만 아니라 태풍에 의한 위협을 증폭시켰다. 동식물 모두에 자연적인 보호막 노릇을 했던 나무들이 사라졌기 때문이다.[85] 몇몇 연구로 판단하자면 생태계 개입의 식민지 유산은 오늘날까지도 기후 및 생물 취약성의 중요한 요인으로 남아 있다.[86]

유럽(특히 북유럽)의 부상의 비밀은 수백만 제곱킬로미터의 '유령경지 ghost acres'(자기네 나라에 실재하지 않는, 식량 수입분 등의 경작에 필요한 경지의 양)를 찾아내고 개발하고 통제하는 능력에 있었다. 수천 킬로미터 바깥의, 천연자원이 있는 곳이거나 필요하고 원하는 농작물 및 제품 생산으로 용도 변경을 할 수 있는 곳이었다. 이것은 두 가지 효과를 가져왔다. 유럽의 열량 공급원, 에너지원, 원료를 바꾸어 그것이 아니었더라면 불가능했을 경제 성장과 인구 증가를 뒷받침했고, 땅을 다른 용도로 쓸 수 있게 해방시켰다.[87]

이들의 상당수는 거의 이해받지 못하고 당연시됐다. 사는 사람이나 파는 사람이나 상품, 산물, 부품, 자원이 어디서 왔는지 거의 알지 못하고 신경도 쓰지 않았다. 그 적절한 사례가 17세기 후반 유럽의 모자 유행이다.

잉글랜드 왕 제임스 1세는 때로 그 열풍을 촉발시킨 주인공으로 지목된다. 그는 1603년 왕으로 즉위한 뒤 비버해트 20개를 주문했다. 스웨덴의 30년전쟁 승리는 큰 '기사당騎士黨 모자'의 인기에 영향을 미쳤다. 당시 모자 양식은 프랑스 최신 유행에 영향을 받았는데, 이로 인해 비버 모피 수요가 치솟았다. 그것을 써야 모양을 유지할 수 있었다. 그 대안 가운데 하나가 안데스의 비쿠냐였다. 이로 인해 유럽 대부분의 지역에서는 비버가 사냥되어 금세 거의 씨가 말랐다. 상품 입수처는 다른 곳으로 확장됐고, 가장 유명한 곳이 캐나다와 페루였다. 수천만 장의 비버 모피가 북아메리카에서 유럽으로 수입됐다. 잉글랜드는 유일하게 1700년에서 1770년 사이에 2천만 장 이상을 재수출했다.[88]

이 모자를 만드는 데 들어가는 다른 재료들(경화제로 사용되는 유향수지, 장식에 사용되는 타조 털 등)은 서아프리카, 수단, 레반트의 동식물에 대한 압박을 증대시켰다. 이런 것들이 화수분처럼 난다고 여겨지던 곳들이다. 모든 것이 '보이지 않는 세계화'라고 불린 과정의 일부였다. 즉 자원의 중앙 집중과 공급사슬의 확대, 그리고 과소비와 고갈의 패턴이다. 이 모든 것은 소비자가 모르는 사이에 진행됐다.[89]

이는 다른 물자, 상품, 제품의 경우도 마찬가지였다. 동물들은 멸종위기까지 내몰리도록 사냥당했고, 때로는 실제로 멸종당했다. 급증하던 19세기 유럽과 북아메리카 중산층의 거실에 놓일 피아노 건반과 당구공은 상아로 만들었는데, 그 수요로 인해 아프리카 코끼리가 떼죽음을 당했다. 비버는 모피를 위해서뿐만 아니라 그 항문 향선香腺에서 추출하는 해리향海狸香을 위해서도 대량으로 포획됐다. 그것은 열, 두통, 경련, 간질, 정신질환에 대한 대중적 치료에 사용됐다. 고래에서 나오는 산물은 고래수염과 그 지방으로 만든 기름(고래 지방을 졸여서 가로등, 광산용 등, 총·시계·재봉틀·타자기의 윤활유로 사용했다) 등이 있는데, 그 수요로 말미암아 대서양의 고래 자원이 바닥나고 새로운 공급원을 찾아 멀리 포클랜드제도와 태평양에까지 새로운 고래잡이 기지가 들어섰다.[90]

고무 호황은 농장 농업경제에서 또 하나의 급등과 단작單作의 강화를 불러왔다. 고무 수요는 이 원료의 사용이 늘어난 것과 함께 가황加黃 처리술의 발전이라는 두 요인에 의해 자극됐다. 가황은 고무를 안정되게 하고 더 폭넓은 온도 범위에서 사용할 수 있게 했다. 이 호황은 고무나무에서 유액이 채취되는 브라질 아마존 삼림에 집중됐는데, 그러다가 헨리 위컴Henry Wickham이 수만 톨의 고무나무 씨를 런던의 큐 식물원으로 몰래 들여왔다. 이것은 그 후 남아시아와 동남아시아에 이식됐고, 그곳에 고무나무 농장을 만드는 데 사용됐다. 이 농장들은 국지·광역·세계 경제의 중추가 되었을 뿐만 아니라 익숙한 계약 노동 관행을 통해 대량 이민으로 이어졌다.[91]

이런 발전이 대분기를 부채질했다. 이 변화에 의해 서방은 세계의 방대한 지역을 따라잡고 추월하고 지배했다. 대다수의 유럽인에게 이것은 개명에 관한 이야기였지만 자격에 관한 이야기이기도 했다. 타고난 지성의 결과였고, 세계의 다른 지역에 사는 사람들은 필적할 수 없고 전혀 그렇게 되지도 않을 진보였다. 심지어 그것은 인종적 우월성의 결과였다. 그러나 이 모든 관념을 떠받친 것은 자원 수탈, 공급사슬의 형성과 개선, 악행 도외시라는 냉혹한 현실이었다. 누군가가 얻는 과정에서 누가 잃었는가에 관한 너무도 많은 질문을 하지 않은 것이었다.

그런 질문들은 전혀 새로운 것이 아니었다. 결국 많은 사회들은 과소비, 천연자원 고갈, 과도하거나 지속될 수 없는 생태계의 압박을 경험했다. 중앙집중화된 국가는 그 바탕에 모든 종류의 자원을 주변부에서 중심으로 끌어온다는 원칙이 있었다. 그것이 광물질이든 금속이든, 동물이든 식품이든, 조세 수입이든 인간의 노동이든 말이다. 그러나 유럽인이 아메리카로 건너간 이후의 시기에 달랐던 것은 이런 순환이 작동하는 세계적 규모였다. 환경 개발은 더 이상 지리적 경계를 기존 영토 너머로 확장한다는 얘기가 아니었다. 그것은 대양과 대륙을 넘어 확장한다는 얘기였다.

그것을 가능하게 한 것은 시시하다고 무시하거나 완전히 간과해버리기 쉬운 종류의 발전들이었다. 예컨대 선박이 빠르게 짐을 싣고 내릴 수 있게 하고 이어서 상품 배송을 효율적으로 할 수 있게 하는 부두 시설 등 해운 물류 같은 것이다. 또는 산지에서 물건을 구매할 때의 가격 책정에 대한 추산 같은 것이다. 이는 다시 정보 수집과 분석에 크게 의존했다. 수확량, 상품의 가치, 기상 요인 같은 것들을 고려해야 했다.

이런 추산은 광범위하고 지속적이었으며, 모든 종류의 교역에 관련된 유럽인들만을 위한 것도 아니었다. 예를 들어 앙골라의 상인들은 어느 한 시점에 시장에 내놓는 포로의 수를 제한했다. 값을 올리기 위해서였다. 그리고 광범위한 인명 손실로 이어지는 질병, 증상, 영양실조가 있었다. 600만 명으로 추산되는 남자·여자·아이들 노예가 바다를 건너기는커녕 배에 타보지도 못한 상태에서 목숨을 잃었다. 대서양 횡단 노예무역의 결과였다.[92]

아프리카에서 '신세계'로 몰래 들여온 포로를 거래하는 시기는 비에 의해 좌우됐다. 폭우가 쏟아질 때는 상인들이 무거운 화물을 옮기기 어려웠기 때문에 그것이 내륙에서 해안 항구로 갈 수 있는 능력에 직접적인 영향을 미쳤다. 항해상의 위험은 아프리카, 기아나, 동북 브라질의 열대 우기 동안 증가했고, 서아프리카 해안의 하구 모래톱과 남·북아메리카 해안 앞바다의 암초는 추가적인 위험을 제기했다(그 위험은 해마다 오르내렸고 계절적인 차이도 있었다).

이것이 노예제와 기후 조건의 관계에 대한 전모는 아니었다. 실제로 아프리카의 대서양 연안에 비가 내리는 것은 추수에 영향을 미쳤을 뿐만 아니라 작물의 유통을 좌우하고 성장기를 결정하며 영농 일정을 강제했다. 그것은 물론 그 자체로 국내의 농업 생산을 위해서도 중요했지만, 환금작물을 유럽에 팔고 아프리카인 노예들을 먹일 식량을 산다는 더 넓은 무역의 측면에서도 중요했다. 따라서 판매자들이 이득을 얻기 위해서는 적절한 시기가 있었다. 수출은 참마를 수확한 뒤인 9～10월에 가장 많았고, 참마를 심는 시기인 5～6월에 가장 적었다. 이런 주기는 상인들에게도 좋았다. 그들 역시 대서양 연안 아프리카에서 물자가 부족한 것을 보충했고, 대양을 건너기 전에 식량 공급을 할 수 있었다. 왕립아프리카상사의 한 대리인은 이렇게 말했다. "검둥이들이 도착하는 시기로 가장 좋은 것은 12월에서 6월 사이이다. 건강한 시기이고, 식량을 많이 구할 수 있다. 연중 다른 기간은 그 반대다." 그런 현실들이 대서양 횡단 노예무역을 뒷받침했다.[93]

기후 및 기상 조건의 역할은 다른 방식으로도 밀접하게 연결돼 있었다. 예를 들어 높은 온도는 강우 수준과 농업 생산에 영향을 미쳤다. 섭씨 1도만 올라도 강제노동력 수출이 눈에 띌 정도로 줄었다. 이 현상에 대한 가장 합리적인 설명은 노예무역 비용의 상승이다. 노예가 된 사람들을 위해, 그리고 노예를 사들인 사람들을 위해 식량을 마련할 필요가 있었기 때문이다. 이런 경향은 건조한 지역에서 특히 두드러졌다. 기온과 강우량의 변화에 더 민감한 곳이며, 따라서 농업 생산성이 들쭉날쭉한 곳이었다. 게다가 따뜻한 기후 조건은 더 높은 사망률로 이어졌다. 질병 부담이 증대된 결과이기도 하고, 식량 부족 때문이기도 했다. 그리고 그 결과는 생태적으로 가장 회복력이 약한 지역과 병원균이 가장 쉽게 번성하는 지역에서 가장 두드러졌다.[94]

유럽의 생활을 더 흥미롭고 더 짜릿하고 더 다양하게 만든 물건들의 산지와 마찬가지였지만, 이런 주기들은 알아내거나 심지어 보기 어려웠다. 어떤 면에서 이는 놀라운 일이 아니었다. 보이지 않는 것이 역사 자체가 서술된 방식의 특징이었기 때문이다. 예를 들어 1620년 '순례자 조상들'이 메이플라워호를 타고 플리머스만에 도착한 것은 수백 년 동안 미국의 기원에 관한 이야기에서 중요한 순간이었다. 반면에 그 한 해 전 화이트라이언호가 아프리카의 첫 계약 노동자들을 싣고 버지니아 햄프턴의 올드포인트컴퍼트Old Point Comfort에 들어온 것은 각주로 밀려나거나 아예 언급되지 않았다. 프린스턴, 예일, 조지타운, 하버드 등 미국의 가장 유명한 교육 기관 상당수의 설립은 노예제를 통한 이득(버지니아대학의 경우는 바로 강제노동을 통해 지어졌다) 덕분이었다.[95] 미국 정치도 노예제의 과실덕을 톡톡히 보았다. 1789년부터 1920년대까지 의회 의원 1700명 이상이 다른 인간을 "소유하고" 있거나 한때 "소유한" 적이 있었다.[96]

장거리 교역에 의해 열린 새로운 세계에 대해 모든 사람이 모르고 있었던 것은 아니다. 설탕이 만들어지는 고된 방식과 그것이 만들어지는 상황을 직접 본 선박 사무장 에런 토머스Aaron Thomas는 이렇게 썼다. "나는 더 이상 차에 설탕을 넣어 마시지 않겠다. 그것은 검둥이의 피와 다를 바 없다."[97] 또 다른 사람들은 인간과 자연의 수탈이 얼마나 중요한지에 대해 분명하게 알고 있었다. 18세기 중반의 한 사업가는 이렇게 말했다. "검둥이 무역이 없다면 식민지도 없을 것이다."[98] 다시 말해서 선택을 해야 했다는 것이다. 부자가 되고 영광을 얻을 것이냐, 동정을 하고 적은 보상을 얻을 것이냐였다.

나중에 〈로빈슨 크루소〉의 작가로 유명해지는 대니얼 디포는 비슷한 말로 질문을 던졌다. 그는 이렇게 주장했다. "아프리카 무역이 없으면 검둥이도 없다. 검둥이가 없다면 설탕, 생강, 쪽 같은 것도 없다. 설탕 등이 없다면 섬도 없고, 섬이 없다면 대륙도 없고, 대륙이 없다면 무역도 없다."[99] 그는 이 말을 덧붙이고 싶었을 것이다. "제국이 없으면 서방의 부상도 없다." 디포는 노예무역 비판자가 아니었다. 오히려 그 정반대였다. 이 말은 비판하기 위해서가 아니라 영국 상업을 열렬히 옹호하기 위해서 한 말이었다. 노예무역은 무역 일반을 위해 필수적이었다. 디포가 보기에 그것은 아프리카 남성과 여성에게 저지른 폭력을 정당화했다.[100]

종교친우회(속칭 '퀘이커Quaker') 같은 일부 부류에서는 갈수록 원칙적인 태도를 보였다. 조지프 우즈Joseph Woods는 1784년 "유럽인들이 럼주, 쌀, 설탕을 비싼 값에 사야 하는" 것보다 "1천 명의 불쌍하고 무고한 사람들이 천대받고 죽어가는 것이 나은지" 의문을 제기했다. 그런 물건 중 하나라도 사는 사람은 "그 범죄의 공범자가 되는 것"이라고 한 당대인은 말했다.[101]

그러나 그런 원칙적인 견해를 가진 사람은 별로 없었고, 대개 다른 방식으로 보고 싶어 했다. 무역으로부터 직접적인 이득을 얻고자 한 것이다. 물론 아메리카 '발견'은 그런 것이 아니었다. 사실 콜럼버스는 역사 서술 속의 그의 위치에도 불구하고 대서양을 건넌 첫 유럽인도 아니었다. 그렇지만 새로 도착한 사람들은 자기네가 이제 발을 들여놓고 당연히 자기네 것이라고 생각한 세계의 모습을 바꾸고 이름을 새로 붙였다. 유럽의 승리를 반영한 새 이름들이 토착민들이 붙인 이름 위에 덧씌워졌다.

대륙, 국가, 주가 그 정복자와 새 주인의 이름을 갖게 되었다. 아메리고 베스푸치와 콜럼버스를 위해 명명된 아메리카와 컬럼비아에서부터 윌리엄 펜William Penn의 이름을 딴 펜실베이니아와 '작은 베네치아'(물에 둘러싸여 기둥 위에 지어진 현지 주민들의 집이 에스파냐인들에게 이 이탈리아 도시를 연상시켰다)라는 뜻의 베네수엘라까지 말이다.

그러나 유럽인들이 '발견의 시대'(호기심과 탐험이라는, 지식을 위한 모험과 탐구라는 정서와 연관된 황금기다)를 시작했다는 생각은 시야 확장 뒤에 있는 추진력이 상업자본과 금전적 보상에 대한 갈구였다는 사실을 감추고 있다. 분명히 새로운 가능성으로 인해 생각이 자극되고 열린 학자들도 있었다. 그러나 어느 시대에도 그렇듯이 과학 연구는 언제나 자원과 자금 그리고 시간을 얻을 수 있느냐와 밀접하게 연결돼 있었다. 그것이 농작물을 심고 거두는 대신에 지적 날개를 펄럭일 수 있게 해주었다.

이 모형은 남·북아메리카와 아프리카에서 현대 세계의 모습을 규정지었다. 예를 들어 아메리카에서 집약적인 영농이 필요하고 대규모 노동자 집단의 수혜를 받는 환금작물에 적합한 지역은 불평등의 정도가 매우 높고 주민들 사이의 권리 배분이 제한적인 곳이 되었다. 반면에 덜 집약적인 형태의 농업 생산에 더 적합한 지역(예를 들어 밀 재배가 선호되는 지역)은 더 평등하고 주민들 사이의 권리 배분이 더 잘되는 것으로 드러났다. 이를 짧게 설명하자면 이렇다. 적은 노동력 투입이 필요한 농작물은 이득을 적게 생산하며, 따라서 이는 다툴 여지가 적어지고 협력할 이유가 많아진다는 얘기다. 이것이 한 나라의 사회경제적 발전과 그 나라가 적도로부터 떨어진 거리 사이의 밀접한 관계를 찾아볼 수 있는 이유 가운데 하나다.[102]

물론 중요한 것은 기온, 강우량, 토양의 질의 조합이었으며, 그것은 다시 어떤 곳에서 특정 작물을 재배할 수 있는지(또는 없는지)를 결정한다. 그러나 열대 지역의 질병 환경 또한 핵심적인 중요성을 지녔다. 가상이지만 만약 아프리카인 선원들이 처음으로 대서양을 건너 유럽인들이 했던 식으로 상황을 이용했다면 지난 500년 동안의 세계 역사는 정말로 전혀 달랐을 것이다.

그러나 이런 가정 속의 이야기가 대서양 횡단 노예무역이 없었다는 이야기인지 여부는 또 다른 문제다. 우선 수백만 명을 대양 건너로 실어 갈 수 있는 유럽인의 능력은 상당 부분 그들이 쉽고도 빠르게 이용할 수 있는 기성 노예 시장이 아프리카에 있었기 때문이다. 물론 만족을 모르는 욕구는 거의 금세 감당할 수 없게 되었지만 말이다.

1516년, 몇몇 아프리카 지도자들은 이미 지역 주민들을 노예로 잡아가는 일을 중지하라고 요구했다(심지어 사정했다). 그것이 지역에 부정적이고 해로운 결과를 초래할 것이 분명했기 때문이다. 아프리카 노예는 대서양 양안의 문제만은 아니었다. 오스만에서 노예로 부리거나 팔아넘긴 것으로 추산되는 700만 명 가운데 약 200만 명이 사하라 이남 아프리카 출신이었다. 어떤 상인단들은 포로를 수천 명씩 데려온 사실이 확인됐으며, 다른 기록들은 홍해의 항구 도시들에서 매년 1만 명이나 되는 사

람들을 팔았음을 시사하고 있다.[103]

노예무역이 장기적으로 아프리카에 미친 영향은 파멸적이었다. 1800년에 이 대륙의 인구는 노예무역이 존재하지 않던 때의 절반으로 감소했다.[104] 이는 물론 아프리카의 생태계 변화나 다른 생산적인 활동에 종사했을(그리고 그럴 수 있었을) 인력이 다른 곳으로 옮겨져 다른 사람들의 이득을 위해 일했다는 얘기다.[105] 사실 노예무역이 끝난 뒤에도 곧바로 긍정적인 결과로 이어지지는 않았다. 예를 들어 아프리카의 일부 지역에서는 전쟁 포로를 노예로 팔았다. 그런데 이 선택지가 막히자 많은 포로를 처형했다.[106]

그러나 대륙의 많은 지역에서 사회적·정치적 발전을 변화시킨 더 심각한 영향들도 있었다. 해안에서 상인들에게 포로를 공급하려면 상시적인 습격으로 거의 끝없는 수의 포로를 확보해야 했다. 그것이 잔인한 순환적 세계를 만들어냈다. 노예를 잡느냐 노예가 되느냐였다. 이는 그 자체로 또 다른 결과를 초래했다. 특히 무기에 대한 수요였고, 무엇보다도 총이었다. 아프리카와의 접촉이 늘어난 시기에 이 분야에서는 유럽이 강점을 갖고 있었다. 이 이점은 부분적으로 유럽 안에서 유럽인들끼리의 갈등이 많았던 덕분에 유지되고 발전됐다. 이 갈등들이 총기의 발달과 안정성 개선을 촉진했다.[107]

총에 대한 수요(그것 자체는 어느 정도 습격을 막을 필요와 습격에 사용할 필요 모두와 함수관계에 있다)는 그 자체로 노예무역 확대의 추진력이 되었다. 또한 군사 고위층이 지배하는 오요, 다호메이, 아샨티(각 나라의 운명은 유럽의 팽창과 밀접하게 연결돼 있었다) 같은 매우 중앙집권화된 나라의 출현을 촉진했다.[108]

이들 나라 가운데 일부는 통합됐지만 다른 나라들은 갈라졌다. 졸로프Djolof 연방은 노예상인들의 압력과 요구에 의해 몇 개의 작은 왕국들로 쪼개졌다. 그 압박이 너무 커서 서아프리카의 일부 지배자들은 노예로 팔려 바다를 건너는 사람들 중에는 전쟁 포로, 소수민족 성원, 낮은 신분의 사람들뿐만 아니라 고위층 인물과 심지어 왕실 사람까지 포함돼 있다고 불평했다.[109]

이 폭력과 위험이 증가하던 시기에 마을들 사이의 유대가 약해지고 공동체들이 안으로 향하며 신뢰 수준이 급전직하한 것은 어쩌면 당연한 일이었을 것이다.[110] 사회들은 잘게 나뉘고 분열돼 파편이 되었고, 그것이 종족과 기타 근거에 따른 차별을 부추겼다. 연구는 이런 와해가 오늘날에도 서아프리카의 많은 지역에서 일반적인 장기적 문제들(그것이 낮은 협력 수준, 낮은 신뢰 수준, 빈약한 경제적 성과를 설명해준다)로 발전했음을 시사한다. 많은 수의 포로를 대서양 건너로 실어 보낸 지역들은 현재 노예무역의 역사적 영향 때문에 더욱 빈곤해졌다. 다시 말해서 아프리카의 민족과 지역들이 수백 년 전에만 엄청난 대가를 치른 것은 아니라는 얘기다. 그들은 오늘날까지 대가를 치르고 있다.[111]

노예사냥은 연령과 성 균형에 중대한 영향을 미쳤다. 수요가 노동 연령의 남성 포로(그들의 노동이 대서양 건너에서 가장 가치가 있었다) 확보를 선호하는 쪽으로 상당히 왜곡돼 있었기 때문이다. 리버풀 상인조합의 한 성원이 노예선 선장 세사르 로슨Cesar Lawson에게 내린 지시는 전형적이었다. 로슨이 지휘하는 배는 "400명의 검둥이를 실어 나를 수 있도록 허용"됐다. "우리는 얻을 수만 있다면 전원을 남성으로 할 것을 요구한다. 어떻든 여성은 당신의 권한으로 할 수 있는 한 가장 적은 수를 사라." 그들은 로슨에게 무엇이 중요한지를 말해주었다. "매우 꼼꼼해야 한다. 체격이 좋고 강한 자를 골라야 한다. 그리고 스물네 살 이상은 절대로 사지 말아야 한다." 선장의 고객들은 추가적으로 배를 "매우 깨끗하게" 유지해야 하고 선상에서 규율을 유지하라고 지시했다. 그들은 또한 간부와 선원들이 "어떤 측면에서도 그들을 학대하거나 모욕"하면 안 된다고 로슨에게 일렀다. 노예무역의 세계에서 이는 드문 친절의 표현인 셈이었다.[112]

노예가 붙잡힌 곳과 수입된 곳 양쪽에서 성별에 미친 영향을 탐구하는 것은 대서양을 건너 실려 간 여자와 아이들의 비율이 지역에 따라 천차만별이고 시기에 따라 달라졌기 때문에 복잡해졌다. 남성과 여성 사이의 가격 차이는 보통 아프리카에서보다 아메리카에서 더 작았다. 아프리카 여성 노예의 작업량이 많다는 것을 농장주들이 곧 깨달은 것이 그 한 원인이었다.[113] 실제로 일부 농장에서는 여성이 야외 노동자의 대다수를 차지했다. 성별은 농장 이외에서의 작업 역할도 변모시켰다. 남성은 기계 작업, 대장장이, 목수, 통장이, 석공 같은 일에 동원됐고, 여성은 조리, 간호와 산파 역할을 맡았다. 여성이 맡은 일은 남성의 일에 비해 빛이 덜 나고 물질적인 보상도 적었다. 그리고 그 차이는 노예 내부와 그 바깥의 양쪽 모두에서 본보기와 기대에 영향을 미쳤다.[114]

강간과 성적 환상은 노예주와 백인 정착자들 사이에서 특히 강렬했다. 일부 학자들은 학대와 폭력 사용에 대한 관념이 시간이 지나면서 더욱 현저해졌다고(누그러진 것이 아니라) 주장했다.[115] 순종을 택한 여성들(물질적 보상을 기대했거나 현실에는 존재하지 않는 선택을 자기네가 했다고 스스로를 납득시키고자 한 것이다)의 자녀가 해방될 수 있는 기회는 많지 않았다. 물론 이 패턴은 지역에 따라 차이가 있었다. 에스파냐령 서인도제도에서는 성적 파트너와 그 아이들을 해방시키는 경우가 다른 대부분의 지역에 비해 더 많았다.[116]

물론 노예를 대하는 방식은 '소유주'의 개성뿐만 아니라 농장의 규모와 위치, 강제노동자가 맡게 된 일에 따라 상당한 편차가 있었다. 노예주의 집에서 일한 사람들은 통상 음식, 옷, 주거에서 들에서 일한 사람들에 비해 더 나은 혜택을 받았고, 질병, 열사병, 동상, 뱀 물림 등에 덜 노출됐다. 노예 사회 집단 안에서 노예를 부리는 자와의 거리에 따라 계급이 형성되었던 것이다.[117]

노예무역이 아프리카에 미친 영향 또한 중요했다. 예를 들어 학자들은 대량의 노예 공급지였던 지역에서 오늘날 한 남성이 여러 명의 아내를 두는 일부다처가 성행하고 있다고 지적했다. 기니, 토고, 베냉 같은 곳인데, 이곳에서는 여러 명의 아내를 두고 있는 경우가 동아프리카 국가들에 비해 세 배나 많다. 이는 왜곡된 성비性比와 관련이 있었다. 인간 포로 수출의 주 행선지인 카리브해와 브라질에서는 남성 강제노동력을 매우 선호했고, 동아프리카 출신의 여성 노예는 가내 하녀와 첩으로 서아시아와 인도에 팔린 사실이 반영된 것이다.[118]

이런 패턴은 나중의 식민지 시기에 집중적인 기독교 전도가 이루어진 지역에서 감소했음을 시사하는 증거가 있다.[119] 이것은 중요하다. 모형들은 일부다처 금지가 출산을 줄이고 저축을 늘리며 1인당 GDP를 상당히 끌어올리고 성 불평등을 줄였음을 보여주고 있기 때문이다. 이것은 노예제의 영향과 19세기 초 그 폐지 이후의 시기에 관한 별개의 문제를 제기한다.[120] 다른 한편으로 일부다처가 남아 있는 지역은 인간면역결핍 바이러스(HIV) 감염률, 폭력, 아동 사망률의 정도가 높다.[121] 그러나 진보적인 결과도 있다. 여성의 노동 참여 수준이 높고, 여성의 투표 가능성이 높으며, 여성이 정치 지도자로 나서는 것에 대해 보다 관대한 관점을 가지고 있다는 것 등이다.[122]

따라서 이런 것들이 1492년 콜럼버스의 대서양 횡단에 이은 아메리카 대륙 '발견'으로 인해 생긴 심각하고 다양한 영향들이었다. 세계 생태계는 환경의 변화, 수요 확대(그것은 다시 소비 패턴에 의해 추진됐다)에 의해 추동된 새로운 취향의 등장, 그리고 특히 서유럽과 북유럽 해안 지역의 구매력에 의해 한데 묶였다. 이 모든 것은 남·북아메리카 토착민들과 아프리카에서 실려 온 수백만 명의 노예(그들은 역설적으로 그들을 지배하고 통제하고 '소유'한 유럽인들에 비해 기후와 질병 환경에 좀 더 적합하고 좀 더 회복력이 있었다)의 희생 위에 이루어졌다.

특권의식은 더욱 멀리 확대됐다. 예를 들어 17세기 말의 철학자 존 로크는 모든 사람이 천연자원을 이용할 동등한 권리를 갖는다고 주장했다. 그것들이 "자연의 자발적인 작용"에 의해 제공됐기 때문이다. 그러나 누군가가 스스로 땅을 경작한다면 그 땅은 그의 재산이 되어야 했다. 로크가 보기에 인간의 개입은 땅 자체의 지위를 "자연의 공유 상태"에서 "다른 사람의 공유권 배제"로 변경시켰다. 다시 말해서 노동은 사유재산의 바탕이었다.[123]

이런 생각들은 당연히 유럽의 정착자들이 세계 각지로 퍼져 나가면서 공감을 얻을 수 있었다. 특히 그들이 경작되지 않던 땅이나 유목민과 부족민들이 살던 지역으로 이주하는 경우에 그랬다. 보스턴의 청교도 성직자 새뮤얼 스토더드Samuel Stoddard 목사가 1722년에 말했듯이 토착민들이 "전혀 사용하지 않고 사냥에만 쓰는" 땅을 그들로부터 취하는 것은 완전히 합리적인 일이었다. 이 구체적인 사례에서는 적어도 현지 주민들에게 그들의 땅에 대한 대가로 푼돈이 주어졌다. 그들은 운이 좋았다고 스토더드는 말했다. 그 땅은 그들 손에 있으면 아무 가치가 없기 때문이다. 그러나 정착자들에게 그 땅은 "우리의 개선"이 가해지면 귀중한 것을 가져다주게 된다.[124]

세계의 다른 지역에서도 사정은 비슷했다. 그런 곳들에서 네덜란드, 영국, 기타 나라의 법률가와 철학자들은 사유재산은 오직 소유자가 경작하고 변모시킨 땅과만 관련이 있다는 인본주의 사상에 크게 의존했다. 그 밖에는 무엇이든 테라눌리우스terra nullius(무주지無主地)였다. 소유권을 주장하고 취득할 수 있는 미개척지였다.[125]

그 적절한 사례 가운데 하나가 인도 아삼의 경우였다. 여기서 영국 당국은 환금작물을 심지 않은 땅은 '황무지'로 간주된다고 선언했다. 이는 그 땅이 무주지로 간주되며 소유권을 주장하거나 정착자에게 양여지讓與地로 내줄 수 있다는(통상 공짜로) 얘기였다.[126]

또 다른 사례는 미국의 입법에서 찾아볼 수 있다. 예컨대 '자영농지법Homestead Act'(1862)은 모든 성인 시민 또는 소유권 주장을 할 의향이 있는 시민에게 조사된 정부 토지 약 65헥타르에 대한 권리를 주는 것이었다. 단 그들이 이 토지를 개선하고 '경작'한다는 조건이 있었다. 그리고 농경과 목축에 적합하다고 간주되는 땅은 새로 온 사람들이 토착민들로부터 취할 수 있게 허용했다.[127]

이것은 인간의 자연 수탈에 대한 이야기도 아니고 더구나 인간들이 서로를 착취하는 것에 대한 이야기도 아니다. 곤충은 사회적·경제적·정치적 변화를 이루는 데 한몫했고, 병원균, 강우 패턴, 토양의 상태도 마찬가지였다. '신세계'뿐만 아니라 그 밖의 지역에서도 그랬다. 그러나 한 가지는 분명했다. 교류 확대가 극적인 결과를 초래했다는 것이다. 따라서 새로운 기술의 등장과 발전이 모든 종류의 이용, 불평등, 지속 불가능성이라는 익숙한 패턴을 만들어내리라는 것은 불가피해 보였다. 문제는 누가 성공하고 누가 그 값을 치르느냐였다.

제17장 소빙기

1550년 무렵부터 1800년 무렵까지

> 인도의 도시와 시골에서는 식량 부족이 극심했다. (…)
> 사람들은 서로를 먹기 시작했다.
> — 아불파즐, 〈악바르의 통치〉(16세기 말)

1939년 4월, 미국지구물리학연맹(AGU)의 빙하에 관한 한 위원회가 보고서를 발표했다. 보고서는 지난 100년 동안 빙하가 그 이전에 비해 "훨씬 큰 범위와 크기"로 확장됐다고 말하고 이렇게 주장했다. "우리는 새로운, 그러나 온건한 빙하기에 살고 있다. 바로 소빙기小氷期; little ice age다."[1] 위원회는 이 시기의 지속 기간을 길게 잡아 "약 4천 년"을 지구의 냉각기라고 주장했지만, '소빙기'라는 관념은 통상 이 이름을 16~19세기의 기간에 붙였던 역사가들의 상상력을 사로잡았다.[2]

세계, 광역, 국지적 편차가 매우 크다는 점에서 더욱 모호한 그 시작과 끝을 밝히는 데는 어려움이 따를 것이 분명하지만, 많은 학자들은 수백 년에 걸친 기후 조건 변화의 대체적인 모습을 그릴 수는 있다고 주장했다. 그것은 나이테 자료, 지형층서학 증거, 빙하 증거로 입증됐다.[3]

태양 활동이 적었던 세 시기는 이 기간의 기후 변화의 핵심 요인으로 흔히 지적된다. 즉 슈푀러 극소기(1420~1550), 몬더 극소기(1645~1715), 돌턴Dalton 극소기(1790~1830)다.[4] 소빙기는 유럽에서 평균 기온이 매우 낮았던 것이 특징으로 이야기된다. 예를 들어 베네룩스에서는 수로가 얼어붙었고, 발트해의 얼음으로 탈린과 스톡홀름 같은 항구들이 봉쇄됐다.[5] 일부 재구에 따르면 스웨덴과 스위스의 기온은 정상 온도에 비해 각기 섭씨 2도와 5도 떨어졌다.[6]

일부 평가에 따르면 16세기 말부터 17세기 말까지의 100여 년은 역사상 알려진 것 가운데 유일하게 북반구와 남반구가 동시에 온도가 떨어졌다는 점에서 독특했다.[7] 또 어떤 사람들은 소빙기가 전체적으로 아시아와 동아시아에서 우기가 약해지고 중앙아시아에서는 습도가 높아졌으며 인도양과 태평양에서는 비가 많이 내린 시기와 일치한다고 주장했다.[8] 전 세계적 현상으로서의 소빙기는 역사가와 일반 독자 모두에게 익숙한 개념이 되었다.[9]

이것이 아주 놀랍지는 않다. 이 시기는 심각한 사회적·경제적·정치적·생태적 변화의 시기와 겹치기 때문이다. 특히 17세기는 '보편 위기General Crisis'의 시기로 묘사됐다. 유럽, 아시아, 아프리카, 남·북아메리카 곳곳이 소란스러웠고, 1640년대에는 이후 1940년대에 이르기까지의 어느 시기보다 세계에서 더 많은 전쟁이 일어난 시기였다.[10] 최근의 한 권위 있는 책에서 이야기했듯이 기상 이변이 흉작, 식량 부족 및 기근, 질병, 갈등과 어우러져 "치명적인 상승 작용"을 일으켜 1600년 무렵에서 1700년 무렵 사이에 전 세계의 인간 사회에 극적인 영향을 미쳤다.[11]

여러 가지 변화가 엄혹한 기후로 인해 생긴 어려움들과 관련이 있었다. 예를 들어 소빙기가 초래한 문제들에 대한 적응이 사람들이 사는 방식뿐만 아니라 집을 짓고 사는 방식이나 서로 접촉하는 방식도 변화시켰다고 주장돼왔다. 스웨덴에서는 벽돌난로(그것은 개방된 벽난로에 비해 장작이 덜 들고 열기를 더 잘 유지해준다)로의 이행이 북유럽의 기온 하강 및 실내 온도와 안락함을 극대화하기 위한 필요라는 실용성과 연결돼 있었다. 큰 다목적 대청 대신 회랑이나 작은 방으로 옮겨가면서 사생활과 개인적 관계의 친밀성이라는 관념이 생겨났다. 개성과 작은 방에 초대(이야기를 듣고 참여하고 때로는 엿어들을 수도 있었다)받지 못한 사람들에 대한 배제라는 관념 역시 마찬가지였다.[12]

소빙기의 효과는 분명히 유럽 미술에 영향을 미쳤다. 1550년에서 1849년 사이에 그려진 그림은 그 이전 또는 이후의 것에 비해 구름과 어둠의 묘사 비율이 더 높았다.[13] 1565년에 그려진 피터르 브뤼헐의 〈눈 속의 사냥꾼〉은 추위가 분명하고 특징적이었다는 역사의 이 시기를 표현한 대표작이 되었다.[14] 패션에서부터 맥주의 인기 상승에 이르는 근세 초의 사교 행위와 취향도 소빙기와 연결돼 있었다. 예컨대 기온이 하락하자 포도 수확량이 줄었고, 이에 따라 포도주의 생산량이 줄어들고 가격이 오르자 그 대체품으로서 맥주 수요가 늘었다.[15]

여성을 마녀라고 고발하고 처형한 박해 또한 기후 변화, 일반적으로 좋지 않은 기상 조건, 우박 폭풍우와 연결돼 있었다. 여성이 집중적으로 흉작, 식량 부족, 곡물가 등귀의 희생양이 되었다.[16] 게거품을 무는 18세기의 논자들이 그 이전 200년 동안 900만 명의 마녀가 처형됐다고 주장한 것은 무시하고 넘어갈 수 있지만, 16세기 후반 및 17세기 전반에 여성이 실제로 이례적으로 많은 고난을 겪었고 그에 대한 인식도도 높았다는 데는 의문의 여지가 없다.[17]

박해의 규모는 대단했다. 어떤 경우에는 수백 명이 한꺼번에 재판을 받고 사형에 처해졌다.[18] 독일의 가톨릭 및 개신교 지역에서 벌어진 '마녀' 고발은 1600년 무렵까지는 비슷했는데, 이때부터 가톨릭 지역에서 고발돼 재판을 받는 여성의 수가 급증했다. 보통 개신교 지역의 두 배에 이르렀다.[19] 그 비율이야 어떻든 이는 모두 여성이 사회가 지닌 문제로 인해 비난받았다는 더 넓은 맥락에서 볼 필요가 있다. 특히 현대에는 생태적 압박, 경제 충격, 질병(HIV/에이즈 등) 같은 것으로 인해서 말이다.[20]

일부 역사가들은 16세기 말에 날씨가 추워져 임상 우울증이 증가했을 것이라고 주장했다. 잉글랜드, 프랑스, 에스파냐의 왕실과 지식인 사회에서는 우울증이라는 '유행병'이 만연했다(잉글랜드에서는 '엘리자베스병'으로 알려졌다). '겨울 우울증' 환자는 "긴 겨울과 비 내리는 여름의 시대에 잘 어울렸고", 절망에 초점을 맞춘 문학작품의 양산을 부채질했다. 몽테뉴의 수필 〈슬픔에 관하여De La Tristesse〉는 그 분명한 사례 가운데 하나다. 엄혹한 기후는 또한 자살 증가로 이어졌다. 물론 자살 자체가 궂은 날씨의 원인임을 암시하는(적어도 대중의 상상 속에서는) 거울효과가 있기는 했지만 말이다.[21]

일부에서는 생태 재앙과 알프스의 빙하 확대의 상관성으로 인해 당대에 설명과 희생양 찾기가 기후 변화에 대한 우려와 연관이 있다는 생각으로 이어졌다.[22] 스위스의 과학자이자 정치가 렌바르트 치자트Renward Cysat 같은 사람들은 궂은 날씨와 기후 변화를 생각할 때 단도직입적이었다. 그는 1600년 무렵, 근래의 날씨가 "특이하고 놀라운 과정을 거쳐 매우 이례적인 변화를 겪었다"고 썼다. 그가 보기에 그것이 무엇 때문인지는 너무도 분명했다. 그는 이렇게 단언했다. "해마다 (과거에 비해) 더욱 엄혹하고 심각한 모습이다. 우리의 죄 때문이다." 이것은 "미래 세대에 대한 경고"로 받아들여야 한다고 그는 말했다.[23]

날씨가 추운 기간이 지속되면서 농업 생산에 뚜렷한 영향이 나타났다. 몇 년 사이에 단 섭씨 1도만 떨어져도 태양 복사의 킬로칼로리가 제곱센티미터당 10퍼센트 정도 떨어질 수 있다. 온대 지역에서는 일사량이 줄거나 화산재로 막이 드리워져 햇빛이 줄면 농작물, 목초, 삼림의 성장 기간을 대폭 줄일 수 있다. 게다가 차가운 기온은 흔히 연관된 효과도 있었다. 강우 수준의 변화를 가져오고, 토양의 미생물 활성도를 부정적으로 변화시켰다(그것은 다시 유기 물질의 분해에 영향을 미쳐 결국 땅의 비옥도를 변화시켰다).[24]

기후는 질병에 대한 취약성을 높인다. 역사가들이 강조한 요인이다. 그들은 찬 기온이 질병 확산의 위험을 크게 높인다고 지적했다. 대체로 영양실조와 밀접하게 연결된 면역 체계 약화의 결과다. 예를 들어 중국의 경우 1370년 이후 600년 동안 거의 6천 건의 전염병이 발생했는데, 추운 기후가 발생 위험을 35~40퍼센트 높였다.[25]

사실 소빙기 동안에 일어난 특정 사건들은 일차적으로 이례적으로 추운 기상 조건과 일반적인 기후 변화라는 렌즈를 통해 이해할 수 있다고 설명돼왔다. 예를 들어 16세기 말의 폭풍우 활동 강화(강풍의 발생 빈도가 400퍼센트 늘었다)는 1588년 에스파냐 무적함대 소멸의 결정적 요인으로 지적돼왔다. 풍속이 태풍의 강도에 근접한 상황이었다. 한 작가가 지적했듯이 큰 돌풍은 잉글랜드 전함의 연합된 포보다 에스파냐 함대를 더 많이 파괴했다.[26] 스웨덴의 유럽 강자 지위는 1690년대와 18세기 초 일련의 추운 겨울로 인해 처음 위협받고 이어 무너졌다고 주장돼왔다. 스웨덴 육군이 "추위와 질병으로 부서져" 이 나라의 발트해 영토와 핀란드 점령지의 상실(러시아군에 의한 것이다)로 이어졌다는 것이다.[27]

소빙기라는 개념이 문화와 행동의 변화를 설명하는 방편이자 군사적 대결의 결과를 좌우하는 질병 변천의 맥락으로서 매력적으로 보일 수 있지만, 거기에도 문제가 없지는 않다. 우선 온도가 세계의 여러 지역에서 동시에, 일정한 기간에 떨어진 것은 전혀 아니며, 틀림없이 수백 년 동안 지속된 것도 아니다. 정부간기후변화협의체(IPCC)가 밝혔듯이 증거는 소빙기가 전 세계에서 동시에 진행됐다는 가설을 뒷받침하지 않는다.[28]

심지어 17세기에도 북반구에서 기후 조건이 완전히 정상 범위 안에 있었던 긴 기간이 있었다. 큰 전쟁이 터지고 파멸적인 전염병이 발생했던 복합 위기의 기간에조차 말이다.[29] 심지어 1590년대 북유럽 같은 곳에서는 기온이 평균 이하로 떨어졌는데도 대륙의 다른 곳에서는 그런 하락이 일어나지 않았다. 예를 들어 이탈리아 남부나 지중해 동부에서는 나이테 자료가 전혀 이례적인 모습을 보이지 않았다.[30]

이 시기의 해양 시료 자료, 해빙 발생 빈도, 얼음 시료 동위원소 기록은 수백 년 지속되는 신호가 있는 것이 특징이 아니라 그것이 없는 것이 특징이다.[31] 1400년 무렵부터 1800년 무렵까지의 빙하 확대(그것은 새로운 냉각 국면의 핵심 표지로 여겨졌다)조차도 이례적이거나 100~200년 전의 확장에 비해 특별히 큰 것은 아니었다.[32] 두 중견 학자가 조심스럽게 이야기했듯이, 이전 또는 이후 시기에 비해 기후적으로 뚜렷하고 분명하게 기온이 더 낮은 소빙기의 증거는 북유럽과 북대서양에서조차 "여전히 찾기 어렵다."[33]

마찬가지로 태양 극소기와 일조량 및 태양 흑점 수 감소가 지구 전체, 광역, 국지의 기후 조건에 영향을 미친다고 생각하기 십상이지만, 좀 더 꼼꼼한 평가는 그 영향이 대단하지 않거나 심지어 완전히 무시할 만한 정도임을 보여준다. 몬더 극소기 같은 '태양 대극소기'는 대략 섭씨 0.3도라는 가시적인 차이를 만들어냈다.[34] 사실 미래의 태양 극소기에 있을 수 있는 결과에 대한 연구는 이것이 기온 변화 규모의 최대치에 해당함을 보여준다. 더 적절한 결과는 섭씨 0.09~0.26도 범위다. 이는 소빙기에 관한 모든 가설에 시사하는 바가 크다.[35]

더구나 소빙기가 영향을 미친 듯한 사례에서도 더 넓은 맥락에서 보면 변화는 다르게 보일 수 있다. 예를 들어 브뤼헐의 〈눈 속의 사냥꾼〉에 초점을 맞추면서 같은 작가가 같은 해에 그린 〈곡물 수확〉은 간과하기 쉬운데, 이는 따뜻한 여름, 풍성한 수확, 황금 햇살을 떠올리게 한다. 헨드릭 아베르캄프Hendrick Avercamp 같은 북유럽의 일부 풍경화가가 겨울 그림을 많이 그린 것은 사실이지만, 다른 많은 사람들은 그러지 않았다. 눈 내린 장면을 그린 그림들은 더 추운 기후를 알려주는 구실을 한다기보다는 당대의 구매자와 화가 양쪽의 취향을 나타낸 것일 수 있다.[36] 이 취향들은 변화했다. 16세기 말에는 얼어붙은 풍광이 인기를 끌었지만, 100년 후 몬더 극소기의 가장 쌀쌀한 시기에는 "네덜란드 고객들이 밝고 해가 비치는 장면을 선호"했다.[37]

마찬가지로 마녀재판과 추운 날씨의 상관관계는 겉으로는 그럴듯해 보인다. 결국 1480년대에 교황의 칙령이 발포됐다. 악한들이 "일어나 세찬 우박과 폭풍을 일으키고 번개를 불러내 사람과 동물 모두를 파괴"하고 있다고 구체적으로 선언했다. 그리고 과일, 밀, 기타 농작물 등 "땅의 산물들"이 마법사에 의해 파괴되었다는 보고가 로마에 다수 접수됐다고 지적했다.[38]

그러나 일부 학자들은 16세기 말과 17세기 초의 박해가 기후 조건의 악화를 반영한 것이기보다는 매독과 그 결과로 생긴 정신질환이 증가했다는 맥락에서 이해해야 한다고 주장했다. 마찬가지로 그것은 또한 남자들이 남성의 전유물로서 의료와 건강 관리를 확보하려는 노력으로 보거나, 부실한 수익과 관련됐을 듯한 경제 부진의 결과로 볼 수도 있다. 마찬가지로 다른 설명들은 적대감과 폭력을 자극하는 데 이바지하는 불안감 증대를 설명해준다. 무역 둔화, 국가의 요구 증가, 경쟁하는 정치 파벌들 사이의 분열 같은 것들이다.[39] 집단심인성질환(MPI)에 대한 최근 연구는 이 시기의 '마녀사냥 광풍'은 점점 더 많은 사람들이 자가발전과 자가성취의 순환 속에서 고발과 역고발에 휩쓸려 들어간 것이 아닌지 의문을 제기한다.[40]

그리고 스웨덴의 칼 12세가 1709년 폴타바 전투에서 패배하고 이어진 차질로 스웨덴이 크게 손상을 입은 사례가 있다. 추운 날씨도 필시 도움이 되지 않았겠지만, 더욱 두드러진 것은 스웨덴이 장거리, 고비용 전쟁에 투자함으로써 자기네 자원에 지나친 부담을 주었을 뿐만 아니라 러시아 영토로 너무 깊숙이 들어가 보급선이 노출되고 상대의 공격과 차단에 취약했다는 것이다. 전쟁터에서 전략적으로 순진한 실수가 여러 가지 겹쳐 왕과 주요 지휘관, 병사들이 불필요한 위험에 노출됐기 때문에 이후 몇 년 동안 일이 고약하게 흘러간 것은 놀랄 일이 아니었다. 아마도 가장 놀랄 일은 몰락이 좀 더 처참하지 않았다는 사실일 것이다.[41]

기온 하강이 동향, 유행, 심지어 개별적 사건들에 정확히 어떤 영향을 미쳤느냐를 밝혀내는 것은 쉬운 일이 아니며 조심스러운 판단이 필요하다. 지리적·시간적으로 상당한 편차가 있는 오랜 기간의 기후 변화를 평가하는 것 역시 마찬가지다. 몇몇 시기에는 통상적인 기후 패턴에 상당한 혼란이 생겼다는 증거가 있다. 대표적으로 1590년대, 1680년대, 1810년대 등이다. 이 시기에는 화산 활동, 특히 강한 엘니뇨 현상, 또는 그 두 가지가 상승 작용해 여러 지역에서 기온이 떨어졌다. 그러나 마찬가지로 500년이 넘는 기간을, 시간과 공간을 넘어서 일관성을 보이는 것으로 다루지 않는 일이 중요하다.

기온은 15세기 초에 크게 떨어졌던 듯하다. 역설적으로 그것은 기후와 태양 패턴의 약화가 아니라 강화의 결과였던 듯하다. 대서양자오선역전순환(AMOC)은 통상 물을 열대 지방에서 고위도 지역으로 밀어낸다. 거기서 찬 극지의 물과 만나 열을 빼앗기고 밀도가 높아져 대양 바닥으로 가라앉은 뒤 세계 순환 패턴의 일부가 된다. 그러나 14세기 말에 AMOC가 크게 강화되어 이례적으로 강한 난류가 북쪽으로 이동했고, 그것이 대규모 해빙 방출의 시기로 이어져 막대한 양의 찬물을 북대서양에 쏟아냈다. 그것은 염도 수준에 영향을 미치고 AMOC의 약화로 이어졌다.[42] 그 결과로 극심한 기온 저하의 시기가 왔고, 거기에다 잇단 대규모 화산분출(그것이 1400년 무렵부터 17세기 초까지 일사량 감소를 증폭시켰다)로 기온이 더 떨어졌다.[43]

이것은 흔히 하나의 현상으로 취급되는 긴 기간의 서로 다른 국면, 원인, 결과를 분리하는 것이 얼마나 중요한지를 일깨워주는 유용한 요소로 작용한다. 실제로 공업혁명의 시작으로 이어지는 수백 년의 시기에 일관성을 부여하는 중요한 추세가 있다. 분명히 대서양과 태평양을 건너는 해로를 통해 세계 주요 대륙들을 연결한 것은 상품, 식품, 관념을 새로이 교환하고 사람이 대규모로 이동(스스로 선택하기도 했고 노예가 되어서 끌려가기도 했다)하는 일로 이어졌다. 아메리카와 카리브해의 사례에서 보았듯이 그렇게 이루어진 생태계 변화는 상당했고, 질병 확산의 길을 연 새로운 통로 역시 마찬가지였다. 말라리아와 황열병은 '구세계'에서 '신세계'로 갔고, 매독은 반대 방향으로 갔다.

이것들과 다른 질병의 확산은 특히 유럽 자체의 자원과 권력을 둘러싼 치열한 경쟁으로 인해 가속화됐다. 유럽에서는 각국이 자기네 대륙 안에서의 입지를 위해 다투었을 뿐만 아니라 다른 대륙에서 경쟁자들의 이점을 압도하기 위해서도 싸움을 벌였다. 그 결과 가운데 하나가 군사적 대결의 극적인 증가였다. 1500년에서 1700년 사이에 유럽 주요 강국 사이의 전쟁이 없었던 해는 전체 햇수의 5퍼센트밖에 불과했다.

이 사실 자체는 부분적으로 새로운 기술의 개발과 끊임없는 개선의 결과였다. 가장 분명한 것이 화약 분야였다. 대포의 확산은 방어 전술과 방어 시설에 큰 변화를 불러왔다. 크고 작은 도시 성벽은 금세 파괴될 수 있음이 분명해졌기 때문이다. 그로 인한 혁신 가운데 하나가 거대한 토루土壘였다. 때로는 불을 견딜 수 있는 벽돌로 덮었다. 이것이 여러 장소에, 그리고 도시 정착지를 벗어나 건설될 수 있다는 사실(물론 비용은 많이 들었다)은 전쟁의 모습을 바꾸고 전쟁터에서 필요한 것을 바꾸었다. 특히 병사가 더 많이 필요했고 더 나은 훈련이 필요했다. 이 모든 것은 전문화의 정도를 높이고 장비를 더 갖춰야 한다는 얘기였다. 당연히 돈도 더 필요했다.[44]

이 모두는 군사 분야 혁명에 근본적인 부분이었다. 이 혁명은 당대의 한 논자가 적절하게 이야기한 대로 17세기가 '군인의 세기'였을 뿐만 아니라 서방의 부상에 핵심적인 역할을 했음을 의미했다.[45]

군사적 혁신은 다시 더 광범위한 사회적·경제적·제도적 변화와 밀접하게 연결돼 있었다. 콜럼버스가 대서양을 건넌 이후 수십, 수백 년 동안에는 잇단 중앙집권화의 물결이 일었다. 특히 유럽에서 그랬다. 여기에는 광범위한 이유가 있지만, 끊임없는 전쟁이 아마도 가장 중요했을 것이다. 갈수록 많은 병사를 전쟁터에 보낼 필요성은 갈수록 많은 수입을 요구했고, 그것은 거의 만족시킬 수 없는 조세에 대한 식욕을 자극했다. 이에 따라 1500년에서 1780년 사이에 주요 유럽 국가가 거둔 조세 총합은 스무 배로 증가했다. 평균적으로 정부 지출의 80퍼센트가 군사비에 충당됐다.

전쟁 시기에는 흔히 지출이 수입을 넘기도 했다. 이는 다시 정부의 차입 재정이라는 재정 혁명을 불러왔다.[46]

더 나은 장비를 갖추고 더 나은 훈련을 받고 그 결과로 더 잘 운영된 것은 군대만이 아니었다. 더 많은 자원을 정치 중심부로 끌어들인 결과 가운데 하나가 관료(자금을 과세하고 거두고 배정하는 것이 그들의 일이었다)의 양과 질이 향상된 것이었다. 기관을 만들고 관료를 교육하며 능력에 따라 임명하는 데, 그리고 부패를 뿌리뽑는 방법을 적용하는 데 시간과 노력을 투자한 국가는 그러지 않은 국가보다 더 잘나갔다. 실제로 일부 경우에 개혁 실패는 신통찮은 결과로 이어졌을 뿐만 아니라, 폴란드의 사례에서 보듯이 나라가 "쪼개져 사라졌다."

역량 제고는 실적과 경쟁력에 따라 임명되고 평가받는 유급 관리에 의해 운영되는 기관 창설과 긴밀하게 연관돼 있었다. 적어도 이론상으로는 말이다. 이런 기구들의 개발은 지배자의 자의성과 전제 권력을 제한하는 데 결정적으로 중요했으며, 따라서 높은 수준의 책임성과 정치 참여 수준 제고를 위한 발판 노릇을 했다.[47] 실제로 일부에서는 심지어 왕권의 상대적 약체성이 "잉글랜드의 해외 사업이 궁극적으로 성공하는 데 필수적인 전제조건"이었을 것이라고 주장했다. 그리고 제국의 성공을 위해서도 말이다.[48]

효율적인 국가 기구를 만드는 일은 후다닥 할 수 있는 과정이 아니라 수십, 수백 년에 걸쳐 진화하는 것이었다. 그럼에도 불구하고 국가의 역할뿐만 아니라 도시화, 질병과 건강, 자연환경에도 파급효과를 미칠 수 있는 급가속이 있었다.

예를 들어 프랑스에서는 중앙의 요구에 직면해 1600년에서 1640년 사이의 불과 40년 동안에 국고 세입이 세 배로 늘었다. 이것은 순전히 경제적 관점에서도 놀라운 일이었지만, 주민 이주에 미친 영향도 극적이었다. 금융 자원(그리고 다른 자원)이 수도로 빨려들어가면서 사람들도 빨려들어갔다. 그곳에 있는 기회를 이용하려는 열망에서, 또는 지역에 존재했던 기회가 사라졌기 때문이다. 파리는 17세기 전반 동안의 프랑스 전체 인구 증가의 60퍼센트를 책임졌다. 한편 도시화의 속도와 규모는 도시 상인 계급에게는 활력소 구실을 했고, 다른 곳에 있는 사람들에게는 신기루 노릇을 했다. 전자에게는 갑자기 많은 고객이 새로 생겼고, 후자에게는 시장이 눈앞에서 녹아 사라졌다.[49]

국가를 중앙집권화하고 자원을 중앙의 처분 아래로 모으는 것은 북유럽과 서유럽에서 특히 뚜렷했다. 대서양 무역과 연결돼 아프리카, 남·북아메리카, 아시아로 가는 해상로(그것은 1500년 이후 성장을 가속화했다)의 중요성을 과시하고 있던 지역이었다.[50] 그러나 도시화는 예상치 못한 부작용으로 인해 추가적인 발전을 이루었다. 가장 대표적인 부작용이 질병이었다. 유럽의 도시들은 "커다란 죽음의 덫"이었다. 비위생적이었고, 질병 확산에 안성맞춤이었다. 런던은 17세기에 여러 해 동안 사망자가 출생자의 두 배에 이르렀다.

아마도 이상하게 들리겠지만 도시 주민의 증가는 임금 상승으로 이어졌다. 많은 사람들이 들어차 도시 안과 시골에서 수요를 확대하고 공급을 자극했다. 도시화의 속도는 어떤 사람들에게는 충격이었다. 잉글랜드 왕 제임스 1세 같은 사람이 그랬는데, 그는 1616년 전체 주민이 수도에 쑤셔넣어져 있다고 주장했다. 그는 이렇게 말했다. "잉글랜드는 (곧) 런던만 남게 될 것이다. 시골은 모두 버려지고 모든 사람이 우리의 집에서 불쌍하게 살 것이다. 모두가 도시에 살 것이다." 이것은 결코 예외적인 것이 아니라고 그는 덧붙였다. 그러면 런던은 이탈리아나 다름없게 된다. 특히 나폴리처럼 말이다.[51] 런던은 "지옥의 교외"라고 존 에벌린John Evelyn은 1660년대에 썼다. "꺼멓고 더러운 증기로 고통을 받아" 폐가 손상되고 "코감기, 천식, 기침, 폐결핵이 온 세상 다른 어느 곳보다도 이 한 도시에서 더 맹위를 떨쳤다."[52]

파리라고 더 나을 바 없었다. 한 당대인은 이 도시가 "언제나 더럽고" 그곳에 가는 사람들은 "검고 미끈거리는 기름"을 뒤집어써 "그것이 달라붙으면 무슨 수로도 닦아낼 수 없다"고 불평했다. 파리는 너무도 기괴해서 '바기나 포풀로룸vagina populorum'이라는 별명으로 불릴 만하다고 그는 덧붙였다.[53] 일부에서는 불평했지만 현실은 대규모 도시화가 생산과 소비 패턴 가속화의 전제조건이었고, 세계 다른 지역과의 접촉의 촉매였으며, 이윽고 다름 아닌 공업혁명의 동력이 되었다.[54]

앞으로 보겠지만 상품과 식품에 대한 수요는 세계 무역을 자극했고, 그 대가로 생태 및 환경이 희생돼야 했다. 대가는 세계의 다른 지역에 있는 물건의 산지에서 지불해야 했고, 그들에게서 수백 킬로미터, 때로는 수천 킬로미터 바깥에 살고 있는 사람들은 보지도 못할 뿐만 아니라 언제나 지불하지도 않았다.

이 이야기의 핵심은 도시들의 그 배후지에 대한 역할과 늘어나는 대규모 인구를 흡수할 수 있는 그 능력이었다. 도시가 수요를 자극하고 혁신을 촉진하며 인력을 끌어들이지만, 그것들은 또한 그 배후지 및 농업 생산과 상호의존 관계에 있었다. 대규모 도시 정착지는 날씨의 충격에 독특하게 취약할 수 있었다. 물론 위험은 바다나 수계水系에 접근할 수 있고 잘 정비된 장거리 연결망이 있는 도시에서는 완화될 수 있었지만 말이다.[55]

분명히 농산물, 사료, 목재(무겁고 운송에 돈이 많이 드는 산적散積 품목이다)

의 생산 및 구득 가능성의 변화는 기후 충격 또는 장기적인 기후 변화에 의해 도시와 시골 주민들에게 즉각적이고 직접적인 영향을 미쳤다. 식량을 얻기 어렵게 되자 인구가 감소했다. 사망률 상승과 질병을 통해, 출생률 저하를 통해, 사람들이 도시를 떠나는 것을 통해서다. 예를 들어 17세기에 발칸반도와 아나톨리아에서는 인구가 절반으로 줄었다. 일부 지역에서는 80퍼센트가 줄었고, 많은 시골 마을들이 속수무책으로 버려졌다.[56]

식량 부족은 단순히 도시와 시골의 관계를 바꾸는 정도가 아니라 도시 생활의 성격을 바꾸는 다른 결과를 가져왔다. 심지어 기근이라는 파멸적인 사태 없이도 말이다. 농업 생산성이 줄어든다는 것은 농촌경제의 노동자들이 팔 것이 줄어든다는 얘기고, 그것은 그들의 수입이 줄어든다는 얘기다. 그러면 이는 크고 작은 도시에서 만들고 파는 상품과 용역의 가격에 영향을 미친다. 수요가 줄기 때문이다. 그 결과로 도시의 고용 전망이 어두워지고 도시에서의 생활에 수익성이 떨어진다. 따라서 기온-수확량 비율 및 그것의 과거 밀 가격과의 상관관계를 평가하는 것은 기후가 성장의 기본적인 동력원이자, 경제 성장을 해명하고 근세 초 유럽에서 경제 성장이 왜 그렇게 고르지 않았는지를 설명하는 결정적인 요소임을 밝히는 데 도움을 준다.[57]

이런 들쭉날쭉함은 다시 소빙기 동안에 '보편타당'은 없었음을 보여준다. 예를 들어 1539년 겨울 이후 오래 지속된 서유럽 및 중부 유럽의 고기압은 대서양과 러시아 서부의 저기압계에 반영됐다. 한 러시아 연대기는 이렇게 썼다. "봄은 추웠고, 여름 내내 홍수가 졌다. 호밀은 자라지 않았으며, 봄에 얼었다. 강과 호수 기슭의 모든 초지는 침수되었다." "가을에는 비가 많이 내렸고", 11월에는 "2주 동안 해가 보이지 않았다." 이것은 유럽 대륙에 또 다른 몇 가지 문제를 가져왔다. 독일 남부의 보덴호 수위가 크게 떨어져 호수 바닥이 보일 지경이었고, 수운水運이 힘들어지고 어떤 경우에는 불가능했다. 포르투갈과 독일에서는 산불이 일어났다. 독일에서는 1540년대에 시가지 화재가 서기 1000년 이래 어느 해보다 자주 일어났다. 동물들은 열사병에 시달렸고, 물이 부족해 나무가 압박을 받고 포도와 곡물 작황이 형편없었으며 물이 끊어져 물방아가 돌아가지 않았다. 이 모든 요인들로 인해 물가가 치솟았다.[58]

가격 상승은 여러 가지 요인과 밀접하게 연관돼 있었다. 수요와 공포를 활용하고자 하는 비양심적 상인들의 사재기 행태가 그 하나였다. 또한 문제를 완화하기 위해 채택한 조치가 비효율적일 수도 있었다. 빈약한 자원이 어설프게 분배되거나 다른 곳의 산지로부터 식량을 들여오지 못하는 따위다. 그 결과로 절망적인 장면이 연출될 수 있었다. 1556년 아크바르가 무굴 제국 황제에 즉위한 직후 인도가 그랬다. "인도의 도시와 시골에서는 식량 부족이 극심했다. (…) 사람들은 서로를 먹기 시작했다. 어떤 사람들은 떼를 지어 혼자 있는 사람을 끌어다가 자기네의 먹이로 삼았다."[59]

일부 학자들은 대서양자오선역전순환(AMOC)이 1560년대 무렵 상당한 변화의 시기를 겪어 그린델발트 파동Grindelwald Fluctuation(이 시기에 시작된 알프스 빙하의 뚜렷한 증가를 가리키는 말)을 촉발했다고 주장했다. 이 시기에는 또한 지중해의 강우량이 크게 줄고 서·북유럽에서는 늘었다(특히 봄과 여름에 그랬고, 이로 인해 성장 가능 시기가 6주나 단축됐다).[60]

그 영향은 더 먼 곳에서도 느껴졌을 것이다. 남아프리카 쇼나족의 구전 전승과 사하라 이남 아프리카의 다른 증거들은 짐바브웨 북부와 모잠비크 해안에서 1560년대에 심한 가뭄, 메뚜기 떼의 습격, 기근, 유행병이 있었음을 보여준다.[61] 중국의 평균 기온은 하락의 긴 주기에 들어갔고,

1569년에서 1644년 사이에 단 3년만 평년보다 따뜻했다.[62]

변화한 환경에 적응하는 것은 불가능하거나 심지어 어렵지도 않았다. 예를 들어 북유럽에서는 많은 농민들이 추위에 민감한 밀 대신에 보리, 귀리, 호밀 경작으로 전환했다.[63] 그럼에도 불구하고 다른 환경은 경험에 상당한 차이를 만들어냈다. 예를 들어 1569~1573년 연이은 길고도 혹독한 겨울이 유럽의 상당 지역에 많은 비와 파멸적인 홍수를 불러왔다. 호수, 강, 그리고 덴마크에서 핀란드에 이르는 발트해가 얼어붙었다. 기온이 이례적으로 낮은 것은 아니었지만, 추위가 시작되면 여러 주씩 지속됐다. 수확에 미친 영향은 상당했다. 잇단 흉작이 상황을 악화시켜 중부 유럽의 곡물 가격은 1877년 이전의 가장 높은 수준까지 올랐다. 육지에 둘러싸인 지역은 해안 지역에 비해 더 고통을 겪었고, 바다로 통하는 도시들은 내륙의 도시들에 비해 악영향을 덜 받았다.[64]

이 시기는 동·남유럽과 서아시아에도 상당한 혼란이 미친 시기였다. 한 역사 기록자는 1574~1575년의 식량 부족과 기근이 수백 년 사이 최악의 고통을 불러왔다고 적었다.[65]

메뚜기 떼가 이탈리아로 몰려들어 사태가 더욱 악화될 위험에 처했다. 교황 피우스 5세는 산피에트로 광장에서 재판을 열었다. “해가 가릴 정도로 많은” 메뚜기 떼가 참석했다. 교황은 그들을 파문했다. 그러자 “그들은 곧 사라져 다시는 나타나지 않았다.”[66] 당연한 일이지만 일부에서는 기근과 가격 폭등이 불안으로 이어질 수 있음을 두려워했다. 독일 남부가 그랬다. 그곳은 특히 상황이 나빴다.[67] 아마도 불안은 기후가 수십 년 동안 매우 안정적이었고 위기에 대처할 준비도 실패하고 있었기 때문에 더욱 첨예했을 것이다. 이에 따라 추위와 흉작은 “경제적으로 오랫동안 햇빛이 내리쬐다가 천둥 한 방이 내리친” 것과도 같았다.[68]

가장 극적인 영향은 베네룩스에서 느낄 수 있었다. 이곳에서는 에스파냐 당국에 대한 분노로 인해 긴장이 높아지고 있었고, 개신교도와 가톨릭교도 사이의 종교적 적대감이 이를 악화시켰다. 이례적으로 나쁜 날씨가 사태를 악화시키기 전에 이미 흉작으로 식량 구득에 어려움이 있었고, 덴마크와 스웨덴 사이의 전쟁이 이를 악화시켰다. 이 때문에 다른 지역들의 공급에 차질이 생기면서, 1565년에만 플랑드르의 일부 지역에서 밀 가격이 6개월 만에 세 배로 뛰었다.

정부 각료들은 이미 종파의 군중들이 서로 맞서 폭력 수위가 높아지면서 불안정에 대한 경고를 한 바 있었다. 개신교도 군중이 교회에 불을 지르고 그 안에 있던 것들과 내부 시설을 파괴했는데, 이는 성상 파괴 Beeldenstorm의 일부였다. 그 사건은 베네룩스에서 험악한 관계의 분위기를 형성했고 1570년대 초 폭풍해일과 돌풍으로 수천 명이 죽었을 때에도 개선되지 않고 있었다.

이 격동의 시기의 정점은 1576년에 벌어진 안트베르펜에 대한 에스파냐 병사들의 잔인한 약탈이었다. 그들은 실패한 레이던 포위전 때의 기상 조건 때문에 불만에 차 있었고 보수를 받지 못한 상태였다. 안트베르펜 공격은 매우 포악했기 때문에 네덜란드 북부 주들이 위트레흐트 동맹을 맺는 결정적인 계기가 되었고, 이 동맹이 사실상 네덜란드공화국의 창설이었다.[69]

이 경우에 광범위한 여러 요인들이 상승 작용을 일으켰고, 기존 위기를 심화시키는 데 기여했으며, 오래도록 중요성을 지니게 되는 결과들을 낳았다. 비슷한 연쇄반응이 1580년에서 1600년 사이에 저위도 지역 화산들의 잇단 대규모 분출과 함께 나타났다. 멜라네시아의 빌리미첼산(1580), 자바섬의 켈루트산(1586)과 루앙산(1593), 콜롬비아의 루이스산

(1595), 페루의 와이나푸티나산(1596) 등인데, 와이나푸티나는 남아메리카 역사상 최대 규모의 분출이었다.[70] 사실 그 영향은 너무도 뚜렷해서, 북반구의 얼음 시료와 나이테 신호에 나타난 그 엄청난 크기를 설명해줄 수 있는 동시 분출이 있었던 것 아닌가 하는 의문을 품게 했다.[71] 어떻든 그 결과는 지난 600년(어쩌면 더 긴 기간) 사이의 가장 극심한 단기 냉각이었다.[72]

이 기후 격변은 극적이었고 전 세계적이었다. 스칸디나비아에서는 1587년 여름 없는 해로 일련의 길고도 혹독한 겨울이 시작됐다. 노르드 신화의 유명한 핌불베트르fimbulvetr였다.[73] 예를 들어 1589년 가을에는 이탈리아의 상당 지역이 심한 폭우로 고통을 겪었고, 그것은 캄파냐, 토스카나, 로마에서 홍수를 일으키고 농작물 파종에 영향을 미쳤다. 좋지 않은 상황은 1590년대에 위기로 바뀌었다. 수확량이 3분의 2로 줄어 비축이 바닥났다. 나폴리, 볼로냐, 만토바 같은 도시들에서는 이에 대응해 짐이 될 것으로 생각되는 사람은 모두 내보냈다. 외국인, 학생, 가난뱅이 등이었다. 식량 비축을 유지하고 과밀을 피하며 절도와 잠재적 반란의 위험을 완화하려는 필사적인 노력이었다.[74] 도시들에서는 사망률이 크게 높아져 볼로냐 안팎에 사는 주민이 거의 5분의 1로 줄었다. 출생률도 44퍼센트 격감했다.[75]

포강 유역과 같은 지역과 도시들은 흑사병 이후 최악의 기근과 가장 가파른 인구 감소를 겪었다. 이 재난은 장기적인 변화를 촉발했다. 우선 농민들은 보다 집약적인 생산 기술로 신속하게 전환하고 식량의 다양성을 포기한 채 더 많은 열량을 얻기 위해 옥수수 재배로 대거 이동했다.[76]

또 하나, 이것은 유럽의 여러 지역을 더 가깝게 묶어주는 데 이바지했다. 위기가 닥친 시기에 도시국가와 지역 지배자들이 필사적으로 비상 공급처를 찾았는데, 그 이후 발트해 지역이 남유럽 교역망과 연결됐다. 제노바, 베네치아, 리보르노 같은 도시들은 발트해 지역과 강한 유대관계를 다지고 곡물뿐만 아니라 다른 식품(콩, 염장육, 생선 등)과 금속, 직물, 가죽도 수입했다.

이 교역의 상당 부분은 네덜란드인들이 중개하고 운송했다. 그들이 1590년대에 했던 투자는 당시에도 이득을 남겼지만 무엇보다도 수십 년 후 에스파냐와의 관계가 안정되면서 더욱 빛을 발했다. 100퍼센트의 투자 수익은 근세 초 북유럽 일반과 특히 네덜란드 자본주의의 가속화에 필수적이었던 것으로 드러났다.[77] 이것이 재난과 대응 노력의 흥미로운 부산물이었다.

에스파냐는 유럽 대륙의 전쟁에서 끊임없이 과욕을 부리고 해외 제국에서의 수탈이 둔화되면서 이미 경제 침체에 접어들었다. 또한 10년 가까운 강우량 과다와 혹독한 기후 조건 또한 타격이 되었다. 이어서 10년 동안 가뭄이 들었다. 일부 통계에 따르면 그 결과 60만 명의 사망자가 발생했을 뿐만 아니라(이 인구 충격에서 회복되는 데는 100년 이상이 걸렸다), 가축이 특히 타격을 받아 이 나라 양의 3분의 1이 죽고 이것이 양모산업에 파급효과를 일으켰다.

이 모든 것은 세금의 대폭 인상에 의해 더욱 악화됐다. 왕을 도와 부채의 짐을 덜어주려는 의도였지만, 이로 인해 왕은 무능력하고 흔히 정치적·전략적 결정을 잘못 내리는 상황에 빠졌다. 앞에서 보았듯이 이 시기는 제국의 사업이 추구할 가치가 있는지 아니면 비용이 너무 많이 들어 포기해야 하는지를 두고 논쟁이 벌어지던 때였다. 1621년에 한 작가는 에스파냐가 치명적인 병을 앓고 있는 환자와 같다고 지적했다. 살아남으

려면 때로는 "팔을 하나 잘라내야" 했다.[78]

1590년대의 흉년은 스코틀랜드, 스웨덴, 오스트리아에서 입증됐다. 오스트리아에서는 상황이 암울해지면서 몇 차례 대규모 봉기가 일어났다. 아일랜드에서는 사람들이 굶주림에 지쳐 걷지도 못하고 유령 같았다고 한다. 잉글랜드에서도 사태는 암울했다. 기근, 대규모 홍수, 그리고 1590년대와 1600년대 초의 결빙 사태가 이어졌다. 결빙 사태는 너무도 엄혹해서 템스강이 얼어붙어 '빙상 특설시장'이 개설될 정도였다. 특히 강한 폭풍우가 몰아친 이 시기의 기후 조건은 유사流砂 현상을 동반했고, 이는 서유럽의 대서양 연안 지역 생태계에 상당한 장기적 영향을 미쳤다.[79] 일부 학자들은 1590년대와 1600년대 초에 셰익스피어 저작에서 천체 현상과 기후 현상에 대한 관심이 기울여졌음을 지적하고, 기후가 이 시기에 쓰인 비극과 희극에서 틀을 잡아주는 중요한 장치였다고 주장했다.[80]

기후 압박은 16세기 말에 동·남아프리카의 특징을 이루었을 뿐만 아니라 정치적 변화의 한 요인이 되었다. 한 포르투갈 선교사가 말했듯이 이 지역은 1580년대 말부터 '징벌'에 시달렸다. 메뚜기 떼는 이후 2년 동안 "모든 농작물, 채소밭, 야자나무 숲을 먹어치워" 아무것도 남기지 않았고, 기근과 심각한 천연두 발생도 겪었다.

이것이 잠베지 통가Zambezi Tonga 군장사회들의 약화에 이바지해 사회 불안정을 촉발하고 역내 경쟁을 첨예화시켰으며 포르투갈이 이 지역에 개입할 수 있는 길을 열었다. 처음에는 이때까지 해안 지역에 틀어박혀 있던 상인들이 군사 원조를 제공하는 형태였다. 이것은 금세 토지의 양여, 광물자원에 대한 접근, 지역 및 왕실 정치에 대한 개입 등으로 바뀌었다. 그것이 결국 식민지 확장, 그리고 짐바브웨 문화권 국가들의 경제적 궁핍화의 도약대가 되었다.[81]

이 시기는 아프리카의 다른 지역에서도 환경 및 생태계 변화의 시기였다. 가장 대표적인 곳이 남쪽으로 300킬로미터가량 펼쳐져 있는 사하라 남부 변경이었다. 체체파리의 서식지가 확대되면서 질병 환경 역시 변화해 인구 이동을 촉진하고 농업적 능력을 변화시켰다.

정확히 언제, 어떻게 이 일이 일어났는지를 추정하는 것은 중요하다. 특히 이 이행이 송가이 제국 붕괴 및 1591년 모로코 군대에 의한 통북투 정복과 연결돼 있다면 말이다.[82] 결국 오아시스와 교역망을 장악하기 위한 모로코의 남방 작전은 수십 년 전에 시작됐고, 한편으로는 금과 소금에 접근하려는 욕망에 추동되고 다른 한편으로는 커지는 야망과 능력을 동력 삼아 진행된 것이었다.[83] 그럼에도 불구하고 통북투가 명성과 부와 그 규모를 회복하지 못했다는 사실은 적어도 부분적으로는 사막화의 시작에 의해 설명될 것이다. 사막화는 또한 16세기 말 무렵 기후 패턴 변화에 가장 많이 노출된 지역에서부터 사람들을 밖으로 내몰았다.[84]

중국에서는 1580년대의 홍수, 이례적으로 낮은 기온, 식량 부족이 100년 만에 최악의 기근을 유발했다. 그 영향은 유행병의 발생으로 더욱 악화됐다. 그중 하나가 물뇌증성 수막염이었던 듯한데, 그것이 인구가 밀집된 도시를 덮쳤다. 당대의 한 관찰자가 불평했듯이, 집들이 들어찬 도시는 "너무도 다닥다닥 붙어 있어서 여유 공간이 전혀 없었고 시장에는 배설물과 쓰레기가 많았다." 다시 말해서 이것은 "말라리아성 열병, 설사, 전염병이 끊임없이 이어지기"에 알맞은 상황이었다.[85] 예수회 선교사 마테오 리치는 "북중국의 모든 강"이 1590년대 말에 얼어붙었다고 지적했다. 연간 평균 기온이 평소보다 눈에 띄게 낮았던 시기였다.[86]

동남아시아와 남아시아에서는 강수량이 크게 줄었다. 강우 수준이 정상보다 한참 낮았다. 에스파냐의 필리핀에 대한 과세 장부는 1591년에서

1608년 사이에 주민이 25퍼센트 줄었음을 보여준다.[87]

〈아크바르 이야기Akbar-nāma〉의 저자인 아불파즐Abu al-Faẓl에 따르면 1590년대 초에 "별에 대해 정통한 사람들이 죽음과 궁핍을 공언"했다. 이에 따라 무굴 황제 아크바르는 모든 사람이 식량을 얻을 수 있도록 하는 비상조치를 취했다.[88] 이 조치가 처음에는 통했다. 그러나 여러 해 동안 비가 오지 않자 결국 엄청난 피해가 났다. 한 튀르크어 자료는 "엄청난 기근"과 "만연한 고통"이 유행병으로 인해 더 악화됐다고 말했다. 많은 사람이 죽어 크고 작은 도시와 마을들은 텅 비었다. 다만 "거리는 죽은 사람의 시신으로 막혔고", 필사적으로 인육을 먹는 데 의존하는 일부 사람들이 있을 뿐이었다.[89]

오스만 제국도 사정은 비슷했다. 이곳에서는 1590년대 초 기근 구제 노력이 처음에는 성공을 거두었다. 그렇지만 도시들에 필요한 공급은 흔히 그 배후지들이 공급할 수 있는 것의 한계와 발칸반도, 아나톨리아, 서아시아 일부의 내륙(그곳들을 지원하는 것은 물류상으로 어렵고 비용이 많이 들었다)으로의 인구 분산에 의해 생태적으로 제약됐다. 상황은 이제 가뭄이 기세를 떨치면서 암울해졌다. 지중해 동부에서 600년 만에 겪는 가장 긴 가뭄이었고, 오스만 제국의 역사에서는 단연 최악의 가뭄이었다.

고삐 풀린 물가 상승은 경제를 유린하고 가격을 끌어올려 혼란을 일으켰다. 정부가 재정을 자극하려는 시도로 과세를 늘리고 주화 가치를 떨어뜨리는 와중이었다. 사람들이 시골을 버리고 도시로 향하면서 불만이 확산됐다. 질병 역시 확산됐는데 특히 전염병이 그랬다. 실력자들이 권력을 자기 손아귀에 넣으면서 강도가 설쳐대 법과 질서의 붕괴로 이어졌다. 중앙의 권위에 직접 도전하기도 했다. 카라야즈즈Karayazıcı('검은 필사공')로 알려진 인물이 대표적이었다. 그는 지금의 튀르키예 동남부 지역과 도시들을 자기 통제하에 넣는 데 성공했다.

이를 포함한 여러 반란들이 결국 진압되기는 했지만, 일부 학자들은 1590년대와 1610년대의 사건들이 오스만 제국에 근본적인 변화를 초래했다고 주장했다. 그중 가장 중요한 것은 술탄의 권위가 크게 깎이고 예니체리 군단의 정치적·경제적 운명이 변한 것이었다. 예니체리는 이후 제국의 내부 구조에서 중요한 막후 실세가 되었다.[90]

1590년대 말에서 1610년까지는 러시아 역사에서 잊기 어려운 충격을 남긴 시기였다. 스무트노예 브레마Smutnoye Vremya('대동란기')로 불린다. 이 시기는 또한 정치적 격변과 연이은 흉년으로 인한 만성적인 식량 부족으로 특징지어진다. 한 당대인은 자신이 본 것에 충격을 받았다. 콘라트 부소브Conrad Bussow는 이렇게 썼다. "천지신명께 맹세코 이것은 가장 정직한 진실이다. 나는 죽은 사람들이 거리에 널브러져 있는 것을 내 눈으로 보았다. 사람들은 여름에 풀을 뜯어 먹었고, 겨울에는 건초를 먹었다. 소처럼 말이다." 죽은 자의 입에서는 밀짚과 배설물이 발견되기 십상이었다. 분명히 살아남기 위해 무엇이든 먹으려 했고, 어떤 사람들은 심지어 인간의 배설물에 의존하기도 했다고 그는 썼다. "부모는 아이를 잘라서 삶았고, 아이들은 부모를 그렇게 했다. 손님들은 주인을 그렇게 했고, 주인들은 손님을 그렇게 했다." 사람들은 먹을 것과 동냥을 바라고 시골을 떠나 도시로 몰려들었다. 모스크바에서만 50만 명이 죽었다는 부소브의 확신은 과장된 것이지만, 사망률은 분명히 아주 높았다. 아마도 주민의 3분의 1이 죽었을 것이다.[91]

그러나 세계의 기후 재편의 규모가 크기는 했지만, 많은 경우 불안정하고 이례적인 기후 조건이 재난의 주요 원인으로 작용하기보다는 기존의 취약성을 가속화하는 데 이바지했다고 봐야 한다. 예를 들어 16세기 말과

17세기 초의 숱한 식량 부족 사례에서 문제는 스스로 위험에 노출될 정도로 확대된 도시에서 기인했다. 다만 그 위험 자체는 안전한 곳(그리고 먹을 것)을 찾으려는 시골 주민들의 시도에 의해 악화됐다. 수용 능력이 다한 땅에 의존해 사는 사람들을 벼랑으로 내모는 데는 극적이거나 극단적이거나 파멸적인 기상 이변이 필요하지 않았다. 오히려 세계 여러 지역의 많은 자료들이 분명하게 보여주듯이 문제는 추위나 비나 가뭄이 아니라, 사람들이 익숙했던 것보다 더 길게 추위나 비나 가뭄이 지속되는 데 있었다. 그리고 적응(특히 빠른 적응)하기 어려운 것으로 드러나는 데 있었다.

아마도 당연한 일이겠지만, 식량 부족이나 가격 상승으로 이득을 보는 사람들(또는 적어도 이득을 본다고 생각되는 사람들)에 대한 반감이 커졌다. 오스만에서는 투기꾼들이 곡물을 사재기해 남들의 고통을 악용한다 해서 거센 비난을 받았다.[92] 러시아에서는 "신이 나라 전체를 벌하고자 해서 나타날 수 있었던 탐욕의 화신"에 대한 분노가 들끓었다. 그들은 곡물을 움켜쥐고 있거나 싼 값에 사서 더 비싼 값에 파는 사람들이었다.[93]

잉글랜드에서는 일부 사람들이 외국인을 비난했다. 그 적절한 사례 하나가 1593년 런던의 한 네덜란드인 교회 내벽에 써 붙인 시에 나타나 있다. 이 시는 외국 상인들이 곡물가 등귀에 책임이 있다고 선언한 뒤, 그들에게 "너희 상품, 너희 아이들, 너희 사랑하는 아내들"을 잘 챙기라는 음산한 경고를 보내고 있다. "너희들이 유대인들처럼 우리를 빵이라도 되는 듯이 먹어치우고" 있기 때문이었다.[94]

그러나 사재기와 바가지 가격은 위기의 증상이지 원인은 아니었다. 16세기 말과 17세기 초의 여러 대표적인 사례들을 보면 어려운 상황을 재난으로 바꾸는 데 기여한 뿌리 깊은 요인들이 있었다. 예를 들어 러시아에서는 물가 상승, 국가의 과세 증가, 많은 전쟁 비용, 차르(그는 불화의 원인이 되거나 우유부단하거나 그 둘 다였다)의 비효율적인 지도력 등의 영향이 합쳐져 지배층 내부의 격렬한 경쟁을 유발했다. 이런 요인들은 늘어나는 인구(16세기 중에 거의 두 배가 되었다)로 인해 더욱 악화됐다.[95]

수도원은 재산을 일구고 세금 면제를 얻어낼 능력이 있었고, 그 결과로 가격이 조작되고 시장이 왜곡됐다. 이런 상황은 18세기 초까지 지속됐다. 그러다가 표트르 1세가 수도원의 토지 소유권을 제한하고 수도자들에게 정액 소득을 제공하며 성직자 수를 전체적으로 줄이려는 시도를 했다.[96]

이런 의미에서 기후 압박은 진행 중인 문제의 비등점을 넘기는 데 기여했다. 16세기 말과 17세기 초 오스만의 경험은 상당 부분 이 나라가 오스트리아인과 페르시아인을 상대로 동시에 군사 작전을 펼치고 있었던 데 힘입은 것이었다. 이 시기는 전쟁 비용이 증가하던 무렵이었다. 실질적인 비용이라는 측면에서도 그렇고, 전선과 지원 위치에서 필요한 인원수라는 측면에서도 그렇다. 이는 오류의 여지를 배제한 자원에 대한 의존으로 이어졌다. 특히 수확을 끌어모으는 일에서 말이다.[97]

서투른 지도력이 군사적 과욕과 합쳐져 역시 이 시기에 제국들을 붕괴시켰다. 기후가 아니었다. 따웅우 제국의 붕괴(이는 1599년 그 주요 도시 여러 곳의 약탈로 가장 잘 드러났다)는 적절한 사례다. 이 나라는 동남아시아 역사상 최대급의(어쩌면 최대의) 제국이었다. 이 나라는 여러 차례의 떠들썩한 군사적 승리, 기민한 외교적 타협, 오늘날의 미얀마·태국·캄보디아·베트남의 상당 지역을 아우르는 동맹을 통해 성장했다. 지역 및 세계 은괴 시장의 파탄이 경제에 압박을 가한 듯하다. 다만 이런 영향에 대한 증거는 부족하다. 우기에 비가 충분히 오지 않아 식량 부족을 촉발하고 가격이 뛰었을 수도 있다. 아마도 1596년에 쥐 떼가 수도에 창궐한 듯하다.

그러나 가장 평범한 해답은 한 학자가 지적했듯이 이 제국이 '과열'됐고 스스로의 성공의 희생양이 되었다는 것이다. 이 말은 그 구조가 허약하고 그 작동이 현실성이 없으며 중앙에서 주변부를 지배할 능력이 빈약하거나 전혀 없었음을 완곡하게 표현한 것이다.[98]

그런데 수도 페구의 모든 거리, "특히 신전으로 가는 길에 저 불쌍한 바고인들의 해골과 시신이 널려 있었던" 이유 가운데 하나는 기근이었다고, 따웅우 왕조에 대적한 연합군이 이곳을 약탈한 이듬해 이 도시를 찾은 한 사람은 말했다. 많은 사람들이 무정부 상태로 시가전이 벌어지는 과정에서 살해됐다. 또 어떤 사람들은 왕의 명령에 의해 살해됐다. 신민들이 자신을 배반했다고 여긴 왕이 많은 사람을 죽인 것이다. 많은 시신이 강에 버려졌다. 작은 배도 통행할 수 없을 지경이었다. 제국의 붕괴로 "이전에 높고 강력한 군주가 살던 곳이 호랑이와 다른 야생 동물의 거처가 되었다"라고 또 다른 유럽인 논자는 말했다. 한때 큰 도시였던 곳에 이제 으스스한 적막이 깔려 "인간이 상상할 수 있는 가장 큰 고요"로 묘사됐다.[99]

이 시기의 숱한 위기는 기회를 제공할 수 있었고 실제로 제공했다. 예를 들어 잉글랜드에서는 1590년대 말의 혹독한 기후 조건이 1598년의 '빈민구제법'(이는 1601년의 법에서도 대체로 되풀이됐다) 제정으로 이어졌다. 이는 빈민을 돌볼 책임과 관련된 비용을 개별 교구에 이관했는데, 이 조치는 결과적으로 매우 혁명적이면서도 놀랄 만큼 오래 유지됐다.

이런 생각의 뿌리는 훨씬 전으로 거슬러 올라가지만, 각 가정이 가난한 이웃을 돕기 위한 세금을 내야 한다는 원칙은 복지에 대한, 공동체에 대한, 돈에 대한, "튼튼한 안전망"(다른 모든 선택지가 고장났을 때 작동하기 시작하는) 창설에 대한 태도에 결정적인 중요성을 지닌 것이었다.[100]

또 다른 사람들은 다른 방식으로 변화의 기회를 잡았다. 북아메리카의 기독교 성직자와 선교사들은 이례적인 날씨를 이용해 토착민들에게 전도를 했다. 비가 오지 않는 것을 들어 기존 신앙을 무너뜨리려 한 것이다. 17세기 초 플로리다의 티무쿠아Timucua인들을 상대로 활동한 프란체스코회 사람들은 이렇게 물으라는 조언을 들었다. "비가 오게 하셨습니까?" "미신을 믿어서 폭풍우나 뇌우가 오게 하셨습니까?" 그들은 현지 주민들에게 전통적인 기우제를 올리지 말라고 말했다. 그들이 "우리 주 하느님을 믿지 않으면 비가 오지 않을 것임을 알아야" 한다는 것이었다.[101]

비를 내리게 하는 경쟁은 아메리카의 토착민들과 접촉하는 데서 핵심적인 부분이었고, 유럽인들이 그들의 마음을 얻고 신뢰를 얻는 데 중요한 방법이었다. 기독교도들에게 가장 흔히 하는 질문 가운데 하나는 신에게 빌어 날씨를 바꿀 수 있는 능력에 관한 것이었다. "우리가 당신네 신을 믿으면 눈이 올까요?" 퀘벡의 원주민 이누족 사람들은 17세기 초 프랑스 예수회 사람들에게 이렇게 물었다. "네, 옵니다." 이렇게 대답하면 후속 질문이 쏟아진다. "눈이 많이 올까요?" "사슴을 발견할 수 있을까요?" "몇 마리나 잡을 수 있을까요?" 예수회 사람들은 이렇게 대답했다. "네. 하느님은 모든 것을 알고 계시고, 모든 일을 하실 수 있고, 매우 선하시므로 그분은 분명히 당신을 도우실 것입니다. 당신이 그분께 의지한다면, 당신이 신앙을 받아들인다면, 당신이 그분께 복종한다면 말입니다." 이것이 그들의 마음을 움직인 듯했다. 그들은 이렇게 말했다. "당신이 우리에게 이야기한 것에 대해 생각해볼게요." 그렇게 말하고 그들은 숲으로 돌아가서 금세 자기네가 들은 것을 잊어버렸다.[102]

신앙을 바꾸고 자연계와의 관계를 수정하는 것은 유럽인들의 현지 주민들과의 접촉하고만 연결된 것은 아니었다. 1620년대 말에 이례적인 기상의 새로운 물결이 엘니뇨와 약한 아조레스 고기압의 복합을 초래해 몇 년 동안 세계에 영향을 미쳤다. 인도양의 계절 강우는 1628년부터 1631년까지 4년 연속 약해졌다가 1632년에 이례적으로 많은 비가 쏟아졌다. 인도와 미얀마에 미친 영향은 파멸적이었다. 일부에서는 구자라트에서만 300만 명이 죽었다고 주장했다. 인구의 격감은 재정에 타격을 주었다. 일부 주에서 수입이 줄어 수십 년 동안 행정 지출을 감당하지 못할 정도였다.[103] 이때는 동남아시아에 중요한 순간이었다. 네덜란드 동인도상사가 수익성 높은 향신료 무역의 대부분을 거머쥠으로써 상업 세력으로서뿐만 아니라 정치 세력으로서도 발돋움하고 있었다. 그 과정에서 드막, 자파라, 수라바야 같은 항구 국가들의 경제가 휘청거렸다. 이것은 이제 마타람(현재의 자바섬 욕야카르타 부근을 중심으로 했다)의 지배자인 술탄 아궁Agung에게 떨어졌다. 그는 이슬람교와 힌두교 및 불교의 요소를 혼합한 독특한 궁정 문화 창조를 이끈 사람이었다.[104]

그러나 1630년대에는 이슬람적 특성에 더 중점이 두어졌다. 아궁은 자바의 책력과 태음태양력의 샤카Śaka 기원紀元 중심주의를 버린 뒤, 이슬람식 태음력을 채택하고 〈쿠란〉의 가르침 장려를 이끌며 순례의 중요성을 크게 강조했다. 이것은 아궁 자신의 신앙이 발전한 데서 기인했겠지만, 그것이 자바 중부 몇 마을(특히 성지인 틈바얏Tembayat)을 중심으로 한 일련의 봉기에서 추종됐다는 것은 놀라운 일이다.[105] 따라서 1630년대 초의 고난에 대해 굶주리고 반항적인 주민들을 회유할 필요성과 연관시키는 것은 솔깃한 일이다. 결국 모든 종류의 격동은 설명을 찾고 해법을 발견하려는 강한 동기가 될 수 있다.[106]

이 기후 패턴들의 영향은 전 세계적이었다. 전 세계에서 3천만 명으로 추산되는 사람이 굶주림 및 그와 연관된 원인으로 사망하고 1630년대 중반이 되어서야 보다 정상적인 기후 조건으로 복귀했다. 남아메리카 포토시의 홍수는 채굴 작업을 중단시킬 정도였고, 멕시코에서는 1629년에서 1634년 사이에 파멸적인 홍수로 들판에 물이 넘치고, 영양소가 쓸려나가고, 상품과 식량 수송은 고사하고 이동이 거의 불가능했다.[107] 유럽에서는 1628년이 다시 한번 '여름 없는 해'가 되어서 스위스에 엄청난 폭설이 내렸으며, 흉년이 들고, 알프스와 라인강 유역에서 마녀사냥과 고발이 눈에 띄게 늘었다.[108]

그러나 훨씬 큰 타격을 준 것은 전쟁과 질병이었다. 그것은 인구를 격감시키고 사회의 모습을 바꾸었으며 수백 년 동안 지속되는 결과를 가져왔다. 개신교도와 가톨릭교도 사이의 종교전쟁은 유럽 대륙 상당 지역을 휩쓸었다. 30년전쟁(1618~1648)으로 알려진 전쟁이다. 이 시기는 격렬하고 지속적인 충돌과 고통의 시기였다. 1630년대 이후에는 에스파냐와 프랑스 사이의 격렬한 싸움이 시작돼 20년 이상 지속됐고, 잉글랜드는 1640년대 대부분을 내전에 시달렸다. 1640년대는 잔혹한 시기였고, 각국 안에서뿐만 아니라 나라들 사이에서도 끊임없는 불안, 고통, 격변의 시기였다.

"세계 모든 곳, 예컨대 프랑스, 잉글랜드, 독일, 폴란드, 러시아, 오스만제국"에서 반란과 봉기가 일어났다고 스웨덴의 외교가 요한 아들레르 살비우스Johan Adler Salvius는 말했다. 그는 폭력의 등장을 이해하는 데 애를 먹고 있었는데, 아마도 "이는 하늘의 별의 어떤 보편적인 배열로 설명될 수 있을 것"이라고 주장했다. 이런 생각은 대략 비슷한 시기의 다른 사람들도 가지고 있었다.[109]

설상가상이었다. 전염병이 강력해져서 1623년 프랑스 북부에서 잉글랜드, 베네룩스, 독일로 전파되고 이어 1629~1630년 이탈리아에 도달했다. 사망률은 이탈리아 북부 대도시들에서 특히 높았다. 이 지역 주민의 30~35퍼센트(약 200만 명)가 전염병으로 죽었다.[110] 전쟁과 질병의 영향은 신성로마 제국 영토 안에서 특히 심각했다. 인구가 35~40퍼센트 감소했다.[111] 전쟁과 전염병의 이중효과는 너무도 커서 18세기는 물론이고 아마도 19세기에 들어서까지도 불평등에 영향을 미쳤을 것이다.

독일이 이런 경험을 하지 않았더라면 이 나라는 아마도 다른 곳의 추세를 따라가 훨씬 더 불평등하게 되었을 것이다. 덕분에 독일은 좀 더 평등한 나라가 되었지만, 그것은 또한 유럽의 경제적 분기에서 줄을 잘못 섰다는 얘기였다. 이에 따라 독일은 19세기 중반 이후 따라잡으려는 노력을 해야만 했다.[112]

결과는 이탈리아에서도 마찬가지로 나빴다. 특히 1650년대에 또 한 차례 전염병 파도가 덮쳐 나폴리 왕국에서 대략 100만 명이 죽었다. 주민의 30~43퍼센트에 해당했다. 이는 서·북유럽에 비해 극도로 나쁜 것이었다. 그곳에서는 전염병의 강도가 약해 잉글랜드의 경우 주민의 8~10퍼센트가 죽었고, 프랑스는 그보다 약간 높았다. 전염병이 이탈리아에 막대한 타격을 준 것은 전염병이 매우 빨리 퍼졌고 그 도시 노동력 격감이 생산 능력에 충격을 주었기 때문이다. 그리고 베네치아와 제노바 같은 도시 지도자들(그들이 장거리 무역을 조직화하고 투자했다)의 죽음이 장·단기적인 경제의 운명에 물리적인 영향을 미쳤기 때문이다.

그러나 아마도 시점이 무엇보다 중요했을 것이다. 전염병은 그야말로 최악의 순간에 덮쳤다. 제조업자들이 북유럽 나라들로 인해 치열하고도 가중되는 경쟁에 직면한 때였다. 이런 의미에서 북쪽과 남쪽 사이의 사망률 차이는 결정적이었다. 그 결과 북쪽 나라들은 고통을 겪지 않았을 뿐만 아니라 새로 생긴 이점을 이용할 수 있는 위치를 유지할 수 있었기 때문이다.[113] 이것은 '소분기'(북유럽이 남쪽을 따라잡고 이어 추월하고 따돌린 시점)에서 중요한 발판이었다. 1650년에 잉글랜드의 임금은 이탈리아의 임금에 비해 10퍼센트 높았다. 1800년에는 무려 150퍼센트나 높았다.[114]

이런 변화는 오직 전쟁과 질병에만 기인한 것은 아니었다. 에스파냐의 대서양 횡단 무역은 17세기 초부터 급격하게 위축돼 연쇄적인 금융위기로 이어지고 제노바와 그 금융 체제를 마비시켰다. 그 이유 가운데 하나는 '신세계'의 경제가 성숙해 내부 교역 수준이 높아지고 여기에 더해 현지 관리, 지주, 상인의 능력이 향상돼 자기네의 자원을 축적하게 되었다는 것이다. 1610년대에 대략 3만 톤의 상품이 에스파냐로 운송됐지만, 30년 후에는 그 절반 이하의 양이 대서양을 건넜다.

다른 나라들 또한 변화를 겪었고, 일부 경우에는 전쟁으로 인해 가속화됐다. 전쟁이 공급과 수요에 상당한 영향을 미친 것이다. 베네치아의 산업은 17세기 첫 10년 동안 절반으로 쪼그라들었고, 토스카나의 수출 또한 마찬가지였다. 잉글랜드의 유럽 대륙에 대한 모직물 판매 역시 비슷한 수준의 위축을 겪었다.[115]

대동란과 위기는 많은 사람들에게 매우 극심하고 이례적인 것으로 생각될 것이다. 역사가 제임스 하월James Howell은 17세기 중반에 이렇게 썼다. "전능하신 신은 최근 온 인류와 다투었다. 그리고 악령을 멋대로 하게 풀어놓아 온 세상을 차지하게 했다." 10여 년에 걸쳐 "가장 이상스러운 혁명과 가장 진저리나는 일들이 일어났다. 유럽뿐만 아니라 온 세계에서였다. 그것이 인류에게 닥쳤다. 나는 감히 대담하게 말한다. 아담이 죽은 이래 가장 짧은 시간의 혁명이었다." "온 세계는 엉망이 된" 듯하다고 하월은 말했다.[116]

엄혹한 날씨는 붕괴 이야기의 일부였다. 엘니뇨-남방진동(ENSO)은 약 5년 주기로 일어나지 않고 두 배나 자주 일어났다. 1638, 1639, 1641, 1642년, 그리고 이후 20년 사이에 여덟 차례 더 일어났다.

미국 서부와 캐나다 로키산맥은 오랜 가뭄 기간을 겪었다. 멕시코 분지도 마찬가지였다. 그곳에서는 행진을 벌이며 동정녀 마리아의 중재로 비를 내려달라고 간구했다. 많은 곳에서 힘든 기후 조건은 상례가 되었다. 스칸디나비아에서는 역사상 기록된 것 가운데 가장 추운 겨울을 지냈고, 동남아시아에서는 쌀이 흉작이었으며, 인도와 중앙아시아에서는 만성적으로 식량이 부족했고, 동아시아 여러 지역에서는 이 기간에 여름 강우가 극도로 적어 혼란에 빠졌다.[117]

이례적인 기후 조건은 1640년 일본 홋카이도 고마가타케 화산 분출과 무엇보다도 1년 후 필리핀 멜레빙고이Mélébingóy 화산 분출(그것이 가뭄 상황을 적어도 3년 이상 연장시켰다)로 악화됐다.[118]

이것은 중국이 특히 곤경에 처한 시기에 닥쳤다. 명나라의 멸망은 흔히 일반적으로는 궂은 날씨, 특수하게는 기후 변화와 연결돼왔다.[119] 그 이유를 파악하기는 어렵지 않다. 1640년에 흉작과 함께 메뚜기 떼의 습격, 식량 부족, 천정부지의 물가, 질병 발생이 겹쳤다. 그리고 이후 3년(1641~1644) 동안 500년 만의 최악의 가뭄이 덮쳤다.[120] 목격자로서 이후의 고통에 대해 기록한 증우왕曾羽王은 상상이 비집고 들어설 틈을 주지 않는다. 먼저 메뚜기들이 왔다. 그것은 너무 많아 민가에 한 자 높이로 쌓여 있었고, 증우왕은 외출할 때 얼굴을 부채로 가려야만 숨을 쉴 수 있었다. "나는 내 부채와 옷·갓에 달라붙은 메뚜기의 무게로 인해 서 있기가 힘들 정도였다."

1642년에는 기근이 닥쳐 많은 사람이 죽었다. 그는 이렇게 썼다. "집으로 돌아오는 길에는 온통 시신이 들판에 널려 있었다. 수많은 아이들이 길가에 버려져 있었다. (…) 의관을 정제하고 가다 보니 길에 시신이 끝없이 널려 있어 생전 보지 못한 악몽을 꾸는 것 같았다. 마을로 들어가면서 예닐곱 사람이 느릅나무 껍질(그들이 먹기 위한 것이었다)을 벗기고 있는 것을 보았다."[121]

쑤저우는 명나라 경제 발전의 기관실로, 17세기 초에 무엇이든 구할 수 없는 것이 없었다. 거리에는 가게가 줄지어 서 있었고, 쾌적한 정원이 딸린 상인들의 집은 이 도시와 그 주민들의 번영의 상징이었다. 그런데 사태가 정말로 암울해 보였다. 이 시기의 심리적 충격에 관해 상세하게 기록한 학자 섭소원葉紹袁은 이렇게 말했다. "도시의 가옥 대부분은 비어 있고 허물어져가고 있다. 비옥한 농지와 아름다운 장원은 팔려고 내놓았지만 사려는 사람은 아무도 없다. 이전에 쑤저우시는 번영을 누렸고 그곳 사람들은 낭비벽이 있었다. 번영기 이후에 쇠퇴기가 오는 것은 당연한 일이다. 그러나 내 살아생전에 이런 불행을 보리라고는 꿈에도 생각지 못했다."[122]

불안감은 반란군이 일어났다는 소식으로 더욱 고조됐다. 여러 해에 걸친 봉기와 불안은 불만을 품은 명나라 농민군 지도자 이자성李自成과 장헌충張獻忠의 지휘하에 동력을 모아가고 있었다. 그들은 토지개혁과 조세제도 정비를 내세워 농민들의 마음을 사로잡았다(그리고 지지를 얻었다). 그들은 지지자들에게 보상을 나눠줄 수 있는 성공적인 떼강도 두목이기도 했다.[123]

1630년대 말, 반란군의 수는 수만 명(어쩌면 그 이상)에 달했다. 그들은 도시들을 점령하고 지방을 장악했을 뿐만 아니라 곧 베이징을 향해 돌진했다. 혼란이 곧 천명의 상실로 이해되던 나라에서 걱정스러운 조짐들은 문제로 간주됐다. 추가적인 파멸의 전조들이 나왔다. 1644년 초에 지진이 일어나고, 나무에 이상한 색깔의 배가 열렸으며, 공자를 모시는 연례행사 시작 직전에 불길한 바람이 불었고, 수도 베이징에서 아이 탄생이 끊겼다.[124]

반란군이 1644년 봄 수도에 접근하고 이어 성문에 진입하자 숭정제崇禎帝는 자기 친척들에게 그들이 그의 불운한 가족의 일원이 되어야 한다는 것에 사과하고, 황후에게는 자살을 명하고 아이들은 변장을 하고 달아나게 했다. 그런 뒤에 자신은 나무에 목을 맸다. 그는 자신이 "덕이 없고 몸이 약해 하늘의 견책을 불렀다"라는 내용의 유서를 남겼다고 한다. 그러나 그는 신하들에게도 책임이 있다면서 이렇게 덧붙였다. "나는 죽어 조상을 뵐 면목이 없다. 스스로 관면冠冕을 벗고 머리칼로 얼굴을 가리겠다." 이로써 300년 가까이 중국을 지배한 명 왕조는 종막을 고했다.[125]

1640년대의 기후 불운이 거든 것은 아니겠지만, 굶주림과 질병이 발생했음과 황제 자신의 명망, 신뢰성, 권위가 상실됐음을 감안할 때 진실은 명나라의 멸망이 오랫동안 진행되어왔고 뿌리가 깊다는 것이었다. 인구 증가(1400년 무렵 7천만에서 1644년 2억 이상으로 세 배 가까이 증가했다), 16세기 말의 군사비 지출 증가(정부 총 지출의 76퍼센트가 군대의 식량과 장비에 들어갔고 그것들을 비용이 많이 드는 전투, 특히 북방 전선에서 사용했다), 그리고 눈물이 날 정도로 방탕한 자원 낭비("난잡한 쾌락"에 들어갔다) 등이었다.[126]

왕실과 궁정(3천 명의 궁녀와 족히 2만 명이 되는 환관 유지비가 포함됐다)의 무절제한 지출은 높은 부패 수준, 낮은 봉급의 산물인 고질적인 뇌물수수, 흔한 기회와 유혹에 동반되었다. 환관들은 황실의 임차료를 거두고, 세금을 관리하며, 정부 창고를 감독하고, 비밀경찰을 운용했다. 이로 인해 정규적인 지불에서 많은 비용이 들었다. 여기에 환관들이 고정적인 사례금을 챙긴 결과로 비효율성과 비용 상승이 발생하고, 그들의 힘이 더욱 강력해지면서 황제가 현실에서 은폐되는 대가도 치렀다. 황제를 향한 1630년대의 한 민요는 이렇다.

> 나이 들어 귀 먹고 눈멀어
> 사람이 보이지 않고 말이 들리지 않네.
> (…)
> 왜 높은 곳에 계시나요? 이리 내려오시지.[127]

명 왕조 중국의 문제는 극단적인 조치, 형편없는 의사 결정, 불운이 돌아가며 나타나면서 더욱 악화됐다. 1629년 역참驛站을 30퍼센트 줄인 것은 비용을 절감하기 위한 조치였는데, 정보 제공과 명령 전달 속도가 느려져 봉기에 대한 대처 노력을 더 어렵게 하는 결과를 낳았다. 가난하고 배고프고 불만에 찬 계층은 비슷한 비용 삭감 조치로 일자리를 잃은 사람들로 인해 불어났다. 강도가 늘어 혼란과 무질서에 대한 정서가 악화하고 아울러 정부 최고위층이 무능하다는 생각도 강해졌다.

세계 상업 패턴(이에 대해 명 왕조는 통제권도 없고 심지어 제대로 이해하지도 못했다)의 큰 변화 역시 한 요인이었다. 중국은 세계 최대의 은 귀착지였다. 마닐라를 통해 아메리카의 은괴를 빨아들였다. 그러나 17세기 초부터 남아시아 및 동남아시아의 다른 지역들과 무역 경쟁이 첨예하게 벌어졌다. 일본이 마카오와의 무역을 단절하기로 결정한 것은 중요한 시장 하나를 멈춰 세웠다. 네덜란드가 믈라카를 점령한 것 역시 중국의 은 유입에 큰 영향을 미쳤다.[128]

1630년 포토시 은광의 몰락, 중국 무역선의 감소, 태평양 횡단 갈레온선들의 상실(서투른 조종술과 강한 태풍 때문이었다)도 타격을 가한 것으로 드러났다. 예를 들어 1638년 난파선들 가운데는 당시 건조된 선박 중 가장 큰 기함 누에스트라세뇨라 드라콘셉시온Nuestra Señora de la Concepción호도 있었다.[129] 그런 손실은 변화를 가져왔다. 그것이 태평양 횡단 무역을 독점하고 있던 에스파냐 왕국에게 중대한 퇴보였기 때문이다.

1640년은 하나의 전환점이었다. 1580년대로 거슬러 올라가는 급속한 성장과 높은 이윤의 시기가 끝났을 뿐만 아니라 아카풀코(아메리카에서 아시아의 입구인 마닐라로 가는 주요 출발 지점이었다)로부터의 선적이 대폭 감소했기 때문이다. 배들이 과적을 하거나 늦게(또는 둘 다) 출항하게 만들었던 뇌물수수를 통제하기 위한 조치로 매년 태평양을 건너 이 항로로 운행하는 선박의 수를 줄인다는 결정이 내려졌다. 단 한 척으로 말이다.[130] 중국에 이 결정은 이미 병석에 누워 있는 환자의 산소 호흡기를 떼는 것이나 마찬가지였다.

이 모든 것은 중앙의 세수 차질에 중요한 역할을 한 지역들에서의 혼란으로 더욱 가중됐다. 또한 농업 생산량이 떨어진 것은 그것 자체로 압박을 초래했다. 일부 평가는 중국에서 경작되고 있던 땅의 면적이 17세기 초 약 8천만 헥타르에서 명나라가 멸망하는 시점에서는 그 3분의 1 이하로 감소했음을 시사한다.[131]

다시 말해서 중국은 죽음의 소용돌이에 빠졌으며, 무엇보다 산적한 문제에 적응하거나 이를 처리하지 못하고 거기에 갇혀 있었다. 그러나 그것은 명 왕조의 붕괴에는 1644년까지 형성 중이었던(또는 심지어 명나라의 멸망 이전 시기까지 거슬러 올라가는) 기후 위기보다 훨씬 깊숙이 뻗어 있고 훨씬 오래 영향이 지속된 뿌리가 있었음을 의미한다.

그렇다면 이 상황에서 1630년대 말과 1640년대 초의 요동친 기후는 분명히 도움이 되지 않았다. 그러나 그것은 매우 광범위한 다른 요인들과 합쳐져 한 왕조의 멸망을 가져온 요인들 중 하나였다. 세계의 다른 많은 지역에서도 사정은 비슷했다. 대략 같은 시기에 정치적 문제, 경제 위축, 전쟁·질병·기근으로 인한 인구 감소가 매우 치명적이었던 것으로 드러났다. 근소한 오차 범위에 의존했던 위험한 균형이 깨지는 데는 그리 많은 시간이 걸리지 않았다.

그러나 세계의 모든 지역이 한결같았던 것은 아니다. 예를 들어 도쿠가와德川 막부의 일본과 베네룩스는 중국에 그렇게 파멸적이었음이 입증된 아주 비슷한 기후 조건을 유행병, 기근, 지배층의 전복이라는 파멸적인 문제 없이 헤쳐 나올 수 있었다. 이 성공의 비밀은 평범한 데 있었다. 관리와 행정가들이 문제를 인식하고 그것이 가져올 과제들을 예측해 미리 계획을 세우는 능력이었다.[132] 다시 말해서 기후는 악화 요인일 뿐, 문제 자체는 이미 존재하고 있었다.

역사가로서 분수령이 되는 순간을 찾아내고 전환점으로 묘사될 만한 시간을 콕 집어내고 싶은 억누를 수 없는 유혹에서 멀리 벗어나는 것이 중요하다. 명 왕조의 멸망은 당시에도 그랬고 나중에 돌아봐도 마찬가지로 분명히 영향이 있고 상징적 울림이 있었다. 그러나 사실은 그런 이행이 당대의 대다수 사람들에게는 훨씬 모호한 의미를 지녔을 것이라는 점이다. 누가 왕좌에 앉아 있느냐는 아마도 지역과 제국의 정치·행정 중심부로부터 나오는 세금 요구에 비해 덜 중요했을 것이다.

그런 의미에서 청 왕조로의 이행의 중요성은 새로운 머리 모양, 새로운 풍습, 새로운 오락의 도착(그것들은 먼저 궁정에 도입됐고 이어 외방으로 퍼져 나갔다)에 의해 보다 분명하게 느껴졌을 것이다. 모피 같은 변방의 산물이 상류층 중국인 패션의 표지가 되었고, 몽골산 버섯, 만주산 담수淡水

진주, 동남아시아 및 오세아니아에서 온 이국적인 식품 등 변방의 산물들이 대도시 시장의 이익을 위해 거래되면서 많은 상품들을 압박했다.[133]

그럼에도 불구하고 17세기 '보편 위기'의 도전은 중요한 대응을 만들어냈다. 그중 가장 중요한 것은 위험을 완화하고 당시 한꺼번에 나타난 여러 가지 문제들에 노출될 기회를 줄이기 위한 계획의 실행에 관한 것이었다. 이 일을 하는 데는 여러 가지 방법이 있었다. 소통과 효율성을 증대시키고, 농학에 시간과 노력과 자원을 투자하고, 인류 역사의 가장 오랜 문제 가운데 하나(어떻게 하면 도시를 그 배후지의 범위를 넘어 확장하고 발전시킬 수 있는가)에 대한 해법을 가져다줄 새로운 땅을 개척하거나 탈취하는 것 등이다.

앞에서 보았듯이 서유럽 일부에서는 이미 '신세계'에서 바로 그 일을 했다. 이제 다른 나라들도 같은 일을 하려 들고 있었다.

18장 대분기와 소분기

1600년 무렵부터 1800년 무렵까지

나는 나 자신의 절제력에 깜짝 놀랐다.
— 로버트 클라이브(1772)

유럽, 아프리카, 남·북아메리카, 아시아를 연결하는 교역로의 개통은 상업, 사회, 정치, 생물, 생태의 여러 가지 혁명을 초래했다. 자원과 상품에 대한 수요, 이익 추구, 교환의 가속화는 갈수록 많은 사람들을 서로 더 긴밀히 접촉하게 하고, 그 과정에서 서로 겹치는 지역 연결망을 세계화된 경제에 연결시킴으로써 세계를 한데 엮었다.

기회를 활용하는 것은 기술에 대한 투자, 정보 수집의 발전, 지식의 체계화를 요구했다. 예를 들어 해운 노선은 네덜란드인들에 의해 공식적인 선원 규정집으로 표준화됐다. 선단은 집단 안보를 위해 1년에 두 차례(1630년대 이후 세 차례) 출항했다. 이 선단은 또한 적절한 바람의 조건을 추구했다. 시간이 돈이었던 세계에서 불리한 조건일 때 출항하는 것은 위험할 뿐만 아니라 돈이 많이 들었다. 평균적으로 동풍을 타는 항해는 하루에 218킬로미터를 나아갔다. 서풍을 타면 167킬로미터에 불과했다. 거의 25퍼센트나 단축되었다. 바람은 예측할 수 없는 기상 패턴 주기의 일부였다. 예를 들어 서풍은 1730년대와 1750년대 초에 흔했지만, 1740년대와 1755년 이후에는 훨씬 적었다.[1]

상업적이고 전략적인 가치가 있는 지식은 비밀에 부쳐졌다. 초기에 유럽에서 남·북아메리카 및 아시아로 항해하는 배의 선장들은 지도를 작성하고 이를 잠재적 경쟁자들에게 비밀로 하라는 지시를 받았다. 베네치아인들은 1500년에 희망봉을 돌아 인도로 간 포르투갈인 페드루 카브랄Pedro Cabral의 항해 기록을 입수하려 필사적으로 노력했지만 쉽지 않았다. "그 왕이 이를 누설하는 자는 누구든 사형에 처했기 때문"이다. 기민한 정보가 이 문제를 석 달 안에 해결했다. 한 베네치아 고위 인사가 고국으로 편지를 보내 자신이 인도로 가는 항로뿐만 아니라 그 너머에 대한 지도까지도 입수했다고 말했다.[2]

다른 자료들 역시 비밀에 부쳐졌다. 식물학자 게오르크 룸프Georg Rumpf가 17세기에 편찬한 책 같은 것들이다. 그는 네덜란드 동인도상사에 의해 동남아시아로 파송돼 식물에 관한 지식을 수집했다. 〈암본 식물지Het Amboinsche kruidboek〉라는 제목의 그의 목록은 7천 쪽이 넘으며 인도네시아 열도 전역의 1천 종이 넘는 식물 종에 대한 설명을 달았다. 그러나 이 책은 현대 학문에 이타적인 기여를 하지 못했다. 책의 내용이 너무 민감하고 상업적으로 중요한 것으로 간주돼 수십 년 동안 출판이 허용되지 않다가 1741년이 되어서야 출간되었기 때문이다. 룸프가 죽은 지 40년 가까이 된 때였다.[3]

이것은 1490년대 유럽의 항해자들이 아메리카에 도착하고 남아프리카 남단을 돌아 인도양과 그 너머의 세계로 나아가자마자 거의 곧바로 만들어낸 더 넓은 새 연결망의 일부였다. 신속하고 계획적이며 체계적인 대양, 해안, 민족 탐험이었다. 그로부터 불과 수십 년 안에 에스파냐 및 포르투갈 탐험가와 선원들은 아메리카·인도·필리핀에 도달했고, 희망봉을 돌아 항해했으며, 안데스·메소아메리카·아시아·오세아니아 사람들과 접촉하고, 배로 세계를 일주했다.

인문학자들과 과학자들은 그들이 마주친 사람, 지리, 자연사를 정리하고 기록했으며, 이례적인 범위와 규모의 백과사전적 저작을 편찬했다. 프란시스코 에르난데스Francisco Hernández가 선보인 30권짜리 저작이 대표적이다. 에르난데스는 '신세계'로 갈 때 화가와 판화가를 데리고 갔다. 자신이 보고 발견한 것을 포착하는 데 도움을 얻기 위해서였다.[4]

그런 모험들은 이베리아의 지배자들이 후원하고 돈을 지불했다. 그들은 학자들이 발견한 것을 남들과 공유하고 싶지 않았고, 자기네가 이미 장악하고 있는 가까운 영토(그것은 정치적 확장의 영원한 본보기였다)가 아니라 고국과 멀리 떨어진 땅에서 태동하고 있는 새로운 제국을 이해하고 만들어내는 데 도움이 되는 기회를 발견했다.

에스파냐 모형과 포르투갈 모형은 여러 가지 면에서 달랐다. 포르투갈이 특정한 근거지의 군사적 통제에 의존하는 경향이 있는 반면에, 에스파냐는 새로운 지역에 교육 장소를 만드는 데 초점을 맞추었다. 에스파냐 제국의 거의 모든 대도시에는 병원, 인쇄 시설, 심지어 대학이 있었다. 첫 번째 대학은 1538년 지금의 도미니카공화국 산토도밍고에 세워졌고, 이듬해에 멕시코 미초아칸에, 그리고 불과 10여 년 후 리마에 세워졌다.[5]

해외에서 공부를 지원하는 데는 도밍고회 수도자 톰마소 캄파넬라Tommaso Campanella가 강조했듯이 또 다른 목적이 있었다. 그는 1600년 무렵에 이렇게 썼다. "이 학식은 그것을 가지고 있는 사람을 바다의 주인, 땅의 주인, 사람의 주인으로 만들어줄 것이며, 왕을 위대하게 만들기 위해 그 어느 것보다도 제국의 모습을 잘 보여줄 것이다. 신 자신은 스스로 가 만든 작품들을 알리고 싶어 하고, 그 작품들을 알고 있는 사람에게 그것을 넘겨줄 것이기 때문이다." 다시 말해서 제국은 신의 은총을 드러내는 것이며, 따라서 그 작품들을 이해하고 통제하는 것은 그저 관심의 문제가 아니라 의무의 문제였다.[6]

물론 학문의 가치에 대한 그런 장밋빛 관념은 15세기 말 이후 유럽의 종교재판과 종교개혁 모두에서 특징적이었던 편협성과 편견의 시대라는 맥락 안에 놓여야 한다. 가톨릭교도와 개신교도 사이의 폭력이 분출되면서, 유대인들이 무시무시한 박해의 대상이 되고 유럽 일대의 수없는 무고한 희생자들이 마법사나 이단(또는 둘 다)으로 고발되면서 과학과 학문 역시 전쟁터가 되었다. 지배자들은 루터교 저작을 가르치면 벌금형과 투옥으로 다스린다는 법령을 발포했다. 교황들은 금서 목록을 발표했다. 여기에는 출판 장소가 부적절하거나 출판자가 이단적인 다른 저작을 출판했기 때문에 부적절하다고 생각되는 책들이 포함됐다.[7]

유럽인들의 세계의 새로운 지역, 새로운 민족, 새로운 문화와의 접촉 및 이해도 증가가 상호존중을 바탕으로 한 관계로 이어지지 않았다는 점을 강조해둘 필요가 있다. 사실 전혀 그렇지 않았다. 앞에서 보았듯이 아프리카에서 온 남자·여자·아이들에 대한 태도가 젠체함, 잔혹, 억압으로 나아가면서 고통스러운 상처를 만들어내 오늘날의 세계에도 그 흉터가 남아 있다. 아메리카에서의 토착민에 대한 대우 역시 무엇보다도 특권, 속임수, 불평등을 바탕으로 하며, 또한 오늘날까지 이어지는 유산을 남겼다.

그런 관념은 만들어지고 발전하고 그런 뒤 굳어지는 데 시간이 걸렸다. 그러나 그것이 굳어지면서 인종과, 세계의 다른 지역에 관한 관점이 항구화됐다. 질병 환경이나 불편한 더위로 인한 좋지 않은 기후에 관해서라면 유럽인의 우월감을 강조하기 위해서는 몇 차례 믿음의 도약이 필요했다.

어떤 사람들은 누가 번영을 누리고 왜 그런지에 대해 독자적인 이론을 갖고 있었다. "건장하고 팔팔한" 사람은 인도에서 사는 데 적응하기가 더 어렵다고 존 프라이어John Fryer는 말했다. 반면에 "노인과 여성에게는 좀 더 적합해" 보였다. 그 밖의 사람들은 더 음울했다. 17세기 말의 한 잉글랜드 의사는 이렇게 한탄했다. "우리는 이국의 초목으로서 여기에 있다. (…) 토양에 맞지 않는다."[8]

아시아에 관한 한 이른바 '이국적'이라는 것은 유럽인이 세계 모든 민족 가운데 독특한 특권을 가지고 있다는 점점 커가는 확신에 장벽이 될 수 없었다. 이것은 자명하다고 볼테르는 썼다. 유럽인들은 "동방 민족들에 비해 천재성과 용기 면에서 훨씬 우월"함이 입증됐다. 선입견과 편견은 당연한 일이 되었다. 남들에 대해서나 유럽인들 자신에 대해서나 모두 그랬다. 독일의 한 학자는 18세기 말에 이렇게 썼다. "유럽은 세계에서 가장 작은 부분일지 모른다. 그러나 그것은 최고다." 한 동시대인은 유럽인이 "완벽함의 최고봉"에 올랐음을 전혀 의심할 수 없다고 주장했다.[9]

다른 곳에 사는 사람들은 경멸을 당해도 쌌다. 새로운 학자 신사 계급이 쓴 기행문학의 홍수에 의해 강화된 태도다. 그들은 과학적 지식과 학습을 찾아 세계 각지로 떠났는데, 언제나 기대에 못 미치는 민족과 장소를 탐구하는 일이 "어렵고 위험한 작업"이라며 오만하게 불평했다. 예를 들어 통북투는 부와 지식을 품고 있는 영광스러운 사막 도시가 아니라 유럽인 방문객에게 깊은 실망을 주는 곳이었다. "흙으로 지은 보기 흉한 집들의 무더기 외에는 아무것도 없다. 사방을 둘러보아도 노르께한 색깔의 거대한 유사流砂의 평원 외에는 보이는 것이 없다."[10]

인종주의 비유는 다른 민족의 문화에 대한 경멸적 묘사로 번졌다. 페르시아인들은 칼, 포크, 접시, 냅킨을 사용할 줄 모른다고 19세기 초의 한 여행가는 썼다. 몽골인과 티베트인은 성격이 좋고 개방적이고 의심할 줄 모르며, "인도인의 속임수, 비겁함, 천박함"은 전혀 보이지 않는다고 철학자 게오르크 헤겔은 얼추 비슷한 시기에 베를린에서 한 일련의 강연에서 말했다.[11]

유럽인의 상상 속에서 오스만 제국은 전염병 및 질병과 동의어가 되었다. 흔히 "유럽의 병자"로 일컬어질 정도다(앞에서 이야기한 바다). 이른바 정치 체제가 뻣뻣하게 굳어 있다는 이야기이기도 하고, 나쁜 건강을 합리적으로 치료하지 못해 말 그대로 병자가 많은 나라라는 이야기이기도 하다.[12] 병, 게으름, 타락이 모두 튀르크인에 대한 인식에 녹아들어 있다. 오스만의 수도 이스탄불은 "동방의 온갖 악의 온상"이었을 뿐만 아니라 "부패와 음모의 독이 널리 퍼지는 진원지"라고 영국 총리 데이비드 로이드 조지는 1919년에 말했다.[13] 이런 견해는 흔한 것이었다.

이런 것들은 또한 다른 문명들을 깔아뭉개고 "서방 문명"을 찬양하는 방식으로 역사를 재구성하는 데서 핵심적인 부분이 되었다. 유명한 역사가 토머스 배빙턴 매콜리는 1836년에 이렇게 썼다. "좋은 유럽 도서관의 선반 하나는 인도와 아라비아 자체의 전체 문헌과 맞먹는 가치가 있다." 인도의 교육에 관해서 말하자면, 영국인들이 "우리와 우리가 통치하는 수백만 사이의 통역자가 될 수 있는 계급을 형성하기 위해 최선"을 다하는 것이 중요하다고 그는 주장했다. 그들은 "혈통과 피부색은 인도인이지만 취향, 견해, 도덕, 지성은 영국인인 사람들의 계급"이었다. 인도는 나라를 운영하기 위해 비非인도인이 필요했다. 이것은 자기네의 인도인다움과 단절하고 유럽인처럼 생각하는 새로운 '계급'을 만들어내고 훈련시킴으로써만 가능했다. "영어는 산스크리트어나 아라비아어보다 더 알 가치가 있다"라고 매콜리는 썼다. 더구나 그것은 그리스어에 비해 훨씬 배우기 쉬웠다. 총명한 영국 젊은이들이 헤로도토스와 소포클레스를 쉽게 익힐 수 있는데, "인도인이 흄과 밀턴을 읽는" 데 무슨 어려움이 있단 말인가?[14]

다른 민족들에 대한 특권의식은 자연에 대한 특권의식에서도 되풀이됐다. 앞에서 보았듯이 카리브해의 섬들과 아프리카에서 실려 온 노예들은 잔혹하게 착취당했다. 높은 이윤을 남기고 팔 수 있는 작물들을 재배하기 위해서였다. 대표적인 것이 설탕, 커피, 면화, 기타 환금작물들이다. 이런 사업들을 위한 인간의 희생은 파멸적이었다. 많은 경우 생태계에 미친 영향 역시 극적이었다.

어느 학자는 이를 "싹 밀어버리고 산꼭대기의 숲 일부만 남겨둔 하부 체발剃髮"이라고 묘사했다. 지력 고갈은 삼림 파괴로 악화됐다. 그것이 땅을 비와 열에 노출시켜 영양분을 더욱 파괴했다. 이것은 지속 가능한 것도 아니고 영리한 사업도 아니었다. 오래지 않아 설탕 가마에 불을 때기 위해 장작을 수입할 필요가 생겼다. 결국 목재는 멀리 잉글랜드에서 카리브해로 수입하는 지경에 이르렀다.[15]

그런 생태계 파괴는 처음에는 비교적 소수의 지역에 국한됐다. 특히 브라질 동북부와 카리브해 같은 곳이었다. 전반적으로 남·북아메리카의 영토에 대한 유럽인들의 수탈은 놀라우리만치 제한적이었다. 우선 식민지를 건설하는 목적은 생산 증대가 아니라 무역을 장악하는 것이었다.

실제로 몇몇 사례에서 왕국에 돌아가는 돈을 최대한 늘리기 위해 수출을 제한하는 강력한 제재가 취해졌다. 예를 들어 유럽 직물업계에서 수요가 많은 붉은색 염료용 목재인 브라질나무(그것이 매우 귀중하게 여겨졌기 때문에 어느 큰 나라의 이름도 여기서 가져왔다) 독점권을 주는 면허는 3년마다 경매에 부쳐졌다. 수출 물량에 엄격한 제한이 가해졌으며, 포르투갈 왕은 1605년 밀수가 적발되면 누구든지 사형에 처하라고 명령을 내렸다. 다이아몬드 무역에 대한 통제도 가해졌다. 채굴과 관계없는 사람은 모두 이주시켰다. 특히 사제들이 포함됐는데, 이들은 밀무역에 개입하는 것으로 악명이 높았다.[16]

사실 '신세계'를 전체적으로 보았을 때 주목할 만한 특징 중 하나는 그곳이 유럽인 정착자들에 의해 매우 비참하게 수탈당했다는 것이었다. 에스파냐의 올리브 및 포도주 생산자들과 포르투갈의 소금 제조업자들은 자기네의 국내 상품 가격을 높게 유지하기 위해 아메리카에서의 생산을 막는 활동을 벌여 성공했다.

1770년대 중반까지 에스파냐는 아메리카로부터 약 15만 장의 동물 가죽을 들여왔는데, 1778년 무역 정책과 과세의 변경으로 무역의 역학이 바뀌었다. 이듬해 80만 장의 가죽이 대서양을 건너 실려 왔고, 1783년에는 140만 장이 들어왔다. 이를 포함해 식민지에서의 수입은 1778년에서 1796년 사이에 열 배로 증가했다. 사실 '미개척지' 수탈이 아닌 아메리카 식민지로부터의 수입은 대개 콜럼버스가 처음 대서양을 건넌 지 300년쯤 후의 잠재력에 비하면 새 발의 피였다.[17]

그 결과 중 하나는 1492년 이후 북·중앙·남아메리카의 광범위한 환경 변화였다. 인간의 활동에 의한 것이 아니었고, 그 정반대였다. 이 시기는 많은 지역에서 삼림이 크게 회복되고 야생 생물도 증가한 시기였다.

인간 거주자의 수가 질병, 굶주림, 전쟁, 혼란의 결과로 크게 줄자 경작되던 땅에 잡초가 무성해져 야생 초목에는 도움이 되고 과일과 견과류 같은 식품류는 손상을 입었다. 마찬가지로 식용과 신분 과시용으로 많이 포획됐던 동물들도 살아났다. 깃털이 신분의 상징 및 통화로서 귀중하게 여겨졌던 새들이나, 아메리카표범(재규어) 같은 최상위 포식 동물 등이다. 이 동물들은 자기네를 사냥하던 인간이 줄고 자기네를 쫓아냈던 정착지들이 줄자 서식지가 다시 넓어짐으로써 이득을 보았다. 인간의 성공과 함께 자기네 운세가 상승하고 개체수가 늘었던 칠면조, 개, 라마 같은 동물들은 그 주인, 사육자, 보호자가 사라지면서 내리막길을 걸었다.

그러나 유럽인의 아메리카 정착의 가장 흥미로운 결과 가운데 하나는 광대한 영토 전역에서(소수의 가치 있는 농작물을 재배하기 위해 배정된 곳을 제외하고) 야생 생물이 크게 늘어났다는 점이다. 전체적으로 보아 아메리카는 1800년 무렵 그 300년 전에 비해 숲이 더 많아졌다.[18]

극적인 생태계 변화는 유럽인들의 개입하고만 연결된 것이 아니었다. 지금의 미국 캘리포니아, 네바다, 유타, 애리조나, 뉴멕시코와 멕시코의 소노라, 바하칼리포르니아를 콜로라도강 삼각주 및 동쪽 해안과 연결한 토착민 세계 사람들은 오랫동안 강·산·사막으로 이루어진 지리적 경계로 규정된 지역들의 일부, 도구·상품·가축 같은 것에 의해 서로 얽히거나 나뉜 경제권의 일부, 비슷한 동식물 자원과 수자원 접근성을 바탕으로 한 음식물 체계의 일부, 교통·통신망의 일부였다.

시간이 지나면서 이 관계와 균형은 변하기 시작했다. 멀리 동쪽에서 일어나고 있던 일의 부산물이기도 했고, 무엇보다도 말의 도입(그것이 북아메리카 넓은 지역의 역동적인 변화를 촉진했다) 때문이기도 했다. 습격 전략이 진화하면서 이로쿼이연맹, 체로키, 코만치, 나바호, 아파치 등이 이끄는 새로운 연합체 역시 떠올랐다. 유럽 정착자들이 제기하는 압박에 대한, 방어 또는 다른 토착 민족들의 통제 구역을 공격할 필요성에 대한 내부 지배층의 권력(일부 학자는 이를 '폭력 체제'라 불렀다)을 간직하려는 충동에 대한 반응이었다.[19]

새로운 땅의 개척은 남·북아메리카로만 한정되지 않았다. 예를 들어 인도에서는 16세기 말에 무굴 제국의 영토적 경계 확장이 더 많은 소수 민족 편입 및 포용의 편의성과 연결된 자유주의적인 관념을 불러왔다.

아크바르 황제는 자이나교를 그의 궁정에 맞아들이는 데서뿐만 아니라 그들의 철학 및 관행으로부터 영향을 받는 데서도 중요한 역할을 했다. 그중 하나가 채식주의이며, 아크바르는 이를 열렬히 받아들였다. 그는 "사람이 자기 위를 동물들의 무덤으로 만드는 것은 옳지 않다"라고 단언하고, 자신은 가능하다면 고기 먹는 것을 자제하겠다고 덧붙였다. 그는 이렇게 말했다. "나는 어려서부터 동물로 음식을 만들어 바치라고 명령했는데, 번번이 그 맛이 없어 별로 좋아하지 않았다. 나는 이런 느낌이 동물을 보호할 필요성을 이야기하는 것으로 생각돼 동물로 만든 음식을 삼가게 되었다."[20]

이것은 자연보호론이나 지속 가능한 환경을 위한 실천과 혼동해서는 안 된다. 사실 무굴 지배자들은 군사적 승리를 추구하고 공공질서를 유지하며 토지에서 나오는 수입을 늘리고 새로운 영토를 합병하려는 동기를 가지고 있었다. 16세기 말에 제국을 벵골로 확장한 것은 이런 목표의 완벽한 사례였다. 야심찬 지역 지배자들이 긴 일련의 군사 원정 과정을 통해 복속을 강제당하면서 한데 얽힌 것이었다.

현지 주민들(그들 상당수는 숲의 여신들을 믿는 사람들이었다)은 새로운 정착자들이 토지를 불하받은 뒤 밀림을 베어내고 개간해 벼 재배로 돌아선 탓에 쫓겨났다. 이로 인해 숲속 거주자들은 비싼 대가를 치러야 했다.

그들은 거칠고 미개한 변경 지역 거주자들이 아니라 향신료, 수지樹脂, 기타 나무 이외의 산물을 채집하고 재배하는 데서 매우 중요한 역할을 한 사람들이었다. 거기에는 지식과 기술이 필요했고, 그것은 습득하기 어려웠다.[21]

이 '개척자' 대다수는 이슬람교도였고, 야생의 습지, 늪, 숲이 경작지로 바뀌면서 새로운 정착지 및 공동체를 지원하기 위해 작은 농촌 이슬람 사원들을 건립했다. 그 효과는 결국 막대한 양의 식품, 상품, 조세 수입을 낳는 새로운 지역을 개척하는 것이었다. 그것이 17세기에 무굴 제국을 유지하고 동력을 제공하는 데 이바지했다.[22]

원리는 청 왕조 치하에서도 마찬가지였다. 청은 17세기 중반에 지금 중국의 상당 지역에서 권력을 장악했다. 새 지배자들은 전 왕조의 몰락(그것은 물론 1640년대에 매우 파멸적이었던 것으로 드러난 재난에 가장 큰 책임이 있는 구조적인 문제들을 잘 보여준다)에 동반된 혼란 이후로 질서를 빠르고 효율적으로 회복할 수 있었다. 행정 개혁이 시작되자 농업 생산이 급증하면서 중앙의 금고가 불어났다. 이후 200년 사이에 경작 면적은 4천만 헥타르에서 8천만 헥타르로 증가했다. 매년 20만 헥타르 이상 늘어난 셈이다.[23]

여기에는 상당한 생태계의 희생이 따랐다. 집중적인 삼림 파괴와 농경 확대는 매우 높은 수준의 침식과 토양 악화로 이어져 황허강과 대운하에 나쁜 영향을 미쳤다. 그 결과는 환경에 손상을 가했을 뿐만 아니라 경제에도 재난을 안겼다. 운하망을 유지하는 비용은 1730년대 이후 100년 동안에 다섯 배로 늘었고, 결국 1820년대에는 모든 정부 지출의 20퍼센트를 소비했다.[24] 이는 어떤 환경에서라도 자본과 인력을 졸렬하게 사용하는 것이었다. 그러나 그런 비효율성 때문에 청 왕조의 중국은 19세기에 벌어진 지구촌 경쟁에에서 불리한 위치에 서게 되었다.

청나라는 한때 사방으로 영토를 확장했다. 서쪽으로, 북쪽으로, 남쪽으로 뻗어나갔다. 17세기 말이 되면 청 왕조는 몽골, 신장과 타이완 등 넓은 지역에 대한 통제권을 확립했으며, 한편으로 티베트에까지 영향력을 확장했다.[25] 1759년, 건륭제乾隆帝(재위 1735~1796)는 모든 경쟁 국가와 왕국들이 평정돼 자신이 "국경에서 영원한 평화와 안전"을 가져왔다고 선언했다.[26]

청나라가 들어간 지역 가운데 많은 곳은 여러 가지 자연의 횡재를 안겨주지 않았다. 내륙으로 확장한 것은 영광을 가져왔지만, 스텝 지역, 산악, 사막(모두가 새로 정복한 지역들 가운데서 눈에 띄는 곳들이었다)을 장악한 것은 분명한 이득을 제공하지 않았다. 어떻든 그들이 장악한 곳이 있다면 그 시기와 장소를 불문하고 거기에는 대가가 따랐다. 바로 물건이 소비자와 고객들에게 닿아야 한다는 것이었다. 크고 작은 도시에서 멀리 떨어진 데다 인구 밀도가 낮은 지역을 수탈하려면 양적으로 많은 산적 품목(예컨대 농작물 같은)의 수송은 비용이 많이 들고 심지어 경제성이 전혀 없었다. 그러다 보니 관심은 이국적인 것과 사치품에 초점이 맞춰졌다. 가볍고 값이 비쌌으며 최고의 수익을 안겨주었던 모피나 담수 진주 같은 것이었다.[27]

세계의 다른 지역에서는 교역로를 따라 도시가 생겨났다. 예를 들어 리마, 파나마, 아바나, 부에노스아이레스, 리우데자네이루, 마닐라 등이 중앙·남아메리카의 은광과 선적에 대응해 성장했다.[28] 17~18세기의 팽창은 세계의 여러 지역이 서로 영향을 미치고 자극하고 고무했다.

그러나 중국에서는 그런 일이 일어나지 않았다. 새로운 도시는 만들어

지지 않았다. 제한된 주민 재정착(자발적이든 강제적이든)만 있었다. 그리고 확장의 소득은 물리적이기보다는 주로 실존적인 것이었다. 그것은 애처로운 상황이었다. 고비용, 저생산, 저임금은 모두 성장을 방해했다. 지출에도 지장을 주었다. 이 모든 것은 청나라 중국을 유럽과 뚜렷이 대비되는 궤도에 올려놓는 데 기여했다. 유럽에서는 극심한 불안이 수익을 늘리고 탄력을 높이며 기후 충격이 제기하는 위험을 줄이기 위해 상당한 노력을 기울이게 되었다.

17세기 중반의 정신적 충격은 땅에서 더 나은 수익을 얻는 방법을 집중적으로 모색하도록 촉진했다. 예를 들어 월터 블라이스Walter Blith는 토지 관리의 열렬한 옹호자였다. 그는 농민들에게 이 주제를 더 꼼꼼하게 공부하라고 촉구하고, 자신이 약속한(현대의 판매 대가의 방식으로) 조언이 농작물 성장을 두 배나 세 배, 어쩌면 다섯 배나, 심지어 열 배의 수익으로 이어질 것이라고 주장했다. 이는 급성장하는 농학과 미래의 식량 부족을 막기 위한 노력의 한 가지 사례일 뿐이었다.[29]

30년전쟁의 대파괴(특히 전쟁, 질병, 굶주림으로 인한 많은 인명 손실이라는 형태의)는 아마도 정신을 집중하는 데 중요한 역할을 했을 것이다. 예를 들어 17세기에 루트비히 폰 제켄도르프Ludwig von Seckendorff 같은 젊은 학자들이 토양 조건, 땅의 비옥도, 땅에 대한 관할권을 생각하는 데 시간을 들였을 뿐만 아니라 이것이 모든 지배자가 나라를 성공적으로 통치하려면 알아야 하는 기본 요소라고 생각한 것은 아마도 우연이 아니었을 것이다.

이는 단순히 잠재적인 위협의 완화에 관한 것이 아니었다. 이것은 또한 노동력 규모와 더 높은 생산성 수준에서의 잠재적 소득에 관한 질문들과 긴밀하게 연결돼 있었다. 18세기의 영향력 있는 학자 요한 폰 유스티Johann von Justi는 이렇게 썼다. "생계 활동과 상업이 활발한 나라에서는 너무 많은 주민을 거둘 수 없다." 지배자가 더 높은 소득을 올리려면 밀도가 높은 인구를 떠받치는 방법을 찾는 것이 중요하다고 그는 주장했다.[30]

과학, 정치, 경제가 얼마나 밀접하게 연결돼 있는지를 아는 사람들은 이 교훈을 놓치지 않았다. 18세기 중반 동유럽의 뛰어난 인물이었던 프리드리히 2세는 이렇게 썼다. "농업은 모든 기술 가운데 으뜸이다. 그것이 없으면 상인도, 왕도, 시인도, 철학자도 없다." 프랑스 작가이자 박식가인 볼테르는 한 편지에서 "내게는 영지를 경작할 수 있게 만드는 것이 사람들을 죽이는 것보다 더 흥미롭다"라고 말했다.[31]

그런 견해는 생산에 관한, 그리고 공급이 수요를 따라갈 수 있느냐에 관한 널리 확산된 불안을 쉽게 가릴 수 있다. 런던 한 도시만 해도 엘리자베스 1세 여왕(재위 1558~1603) 치세 이후 100년 동안에 일곱 배 성장했다고 윌리엄 페티William Petty는 지적했다. 런던이 다시 같은 속도로 성장하면 무슨 일이 일어날지 그는 의문을 표했다. "빵과 음료용 작물, (…) 과일, 채소류, 건초, 목재, 석탄"이 충분히 있을까?[32]

이 문제를 해결하는 한 가지 방법은 새로운 식민지를 개척해 거기서 자원을 뽑아내는 것이었다. 그것은 학습곡선 같은 것으로 드러날 수 있었다. 예를 들어 잉글랜드가 아일랜드에서 했던 경험은 북아메리카(특히 캐나다)에서의 모형을 제공했다. 기존 주민을 자기네 땅에서 쫓아내고, 인종 및 종교의 틀 안에서 무력을 사용하며, 이른바 우월감과 특권의식에 대한 관념을 내세우는 식으로 말이다.[33]

생산성을 높이는 또 다른 방법은 보다 집중적으로 땅을 경작하는 것이었다. 노동력을 더 투입하거나 혁신을 통해서였다. 예를 들어 중국 청나라는 방대한 양의 비료를 수입했다. 주로 유채 씨, 목화 씨, 콩깻묵으로 만든 것으로, 1750년 무렵에 아마도 연간 300만 톤에 달했을 것이다. 이것은 토지 관리 혁명의 일부인 동시에 소비·복지·건강 혁명의 일부이기도 했다. 기대수명과 생활수준은 유럽 대부분의 지역과 동등할 뿐만 아니라 오히려 우월했다. 영국 동남부만이 예외였다. 그곳은 생활수준이 비슷했다. 이것은 청나라 중국의 인구가 18세기 중에 두 배 이상으로 증가했다는 점에서 특히 인상적이었다.[34]

인구 증가가 어떻게 해서 일어났느냐에 대한 한 가지 설명은 아메리카 대륙을 세계의 다른 대륙들과 연결시킨 '콜럼버스 교환'으로 알려진 과정이다. 이 용어는 흔히 역사가들이 1492년 이후의 시기에 이루어진 새로운 연결을 묘사하기 위해 사용됐지만, 그다지 내키지 않는 용어다. 특히 그 용어가 아메리카와 세계 여타 지역 사이의 쌍방향 관계에서의 균형을 암시하기 때문이다. 우선 사람들의 이동은 거의 전적으로 한쪽 방향으로만 이루어졌다. 앞에서 보았듯이 수백만 명이 자기 의사에 반해 아프리카에서 배에 실려 아메리카로 갔고, 또 다른 수백만 명의 정착자들이 시간이 지나면서 유럽에서 대서양을 건넜다. 고위 인사의 방문이나 강제노동자로서 반대 방향으로 간 것은 극히 드물었다.[35]

분명히 아메리카에서 유출되는 은의 양은 정말로 엄청났다. 그러나 더 넓게 보아 '신세계'는 '구세계'로부터 훨씬 더 많이 받는 쪽이었다. 그 반대가 아니었다. 자발적 또는 비자발적인 사람의 이동과 함께 수많은 말, 양, 돼지, 소, 닭, 거위, 고양이, 쥐, 기타 많은 동물들이 배에 실려 대서양을 건넜고, 반대 방향으로는 다람쥐, 칠면조, 돼지쥐(기니피그)만이 건너갔다. 카카오, 옥수수, 담배, 파인애플, 콩, 고추가 아메리카에서 나갔지만, 많은 초목과 농작물이 유럽, 아프리카, 아시아에서 들어왔다. 들어온 것은 감귤류, 쌀, 바나나 같은 것들인데, 세 가지 모두 식품의 중요한 자리

를 차지했다.[36]

'구세계'의 식생활은 '신세계'에 살고 있는 사람들에게 더 큰 영향을 미쳤다. 적어도 처음에는 그랬다. 사실 1580년대에 190개 지역의 토착민들을 대상으로 높은 사망률과 질병 수준을 조사했는데, 에스파냐인이 들어오기 전인 100년 전에 사람들은 음식을 덜 먹고 소금을 덜 섭취했으며 술을 덜 마셨다. 위생 수준 또한 더 높았다고 한다. 현지 치료사들의 검증된 치료법이 새 정착자들이 가져온 의료 관념보다 더 효과적이었고 복혼複婚 금지가 출생률을 제한했다는 언급이 있지만, 유럽인의 도래가 절제의 종말을 알리고 과도함으로 대체했다는 사실은 분명했다.[37]

그럼에도 불구하고 비교적 수는 적지만 아메리카에서 나간 뒤 큰 영향을 미친 식품들이 있었다. 유카(마니옥 또는 카사바로도 불린다)와 옥수수는 16세기 포르투갈 상인들에 의해 처음으로 대서양을 건너 동쪽으로 왔고, 무엇보다 가뭄에 강해서 서아프리카 현지 농민들에게 매우 귀하게 여겨졌다. 유카는 가뭄에 잘 견디고 수확량이 많았으며, 더욱 좋은 것은 메뚜기에 잘 견딜 뿐 아니라 저장하기도 쉽다는 점이었다. 그것은 노동 집약적이었으며, 물에 담가 으깨고 물기를 짜서 말린 뒤 갈아서 가루로 만드는 과정이 필요했다. 이것은 식물효소에 의해 분해될 때 매우 유독한 시안화수소(청산)를 만들어낼 수 있는 대사물질을 제거하기 위해 꼭 필요한 과정이었다. 그렇게 하지 않으면 마비와 중독을 일으킨다.[38]

옥수수 역시 아프리카 토양에 잘 맞았다. 통상 수수 하나를 수확하던 곳에서 두 가지 작물을 재배했다. 게다가 둘 다 저장하기 쉽고 잘 상하지 않았다. 이것은 베냉, 가나, 나이지리아, 토고, 카메룬, 앙골라에서 매우 중요한 식품원이 되어 오늘날에는 흔히 비교적 최근에 들어온 것이 아니라 토착의 전통 작물로 여겨지고 있다.[39]

이들 작물은 모두 많은 수의 팔려간 노예의 공급지에서 얻을 수 있는 총 열량을 늘리는 데 결정적인 역할을 했다. 따라서 그것은 역설적으로 노예무역에서 한몫했다. 더 많은 사람들이 기근에서 살아남을 수 있게 했고, 농업 생산에서 여성에 대한 의존을 늘렸으며, 식료품 비축을 늘릴 수 있게 해서 현지의 노동 수요를 줄였다. 이것이 '잉여' 노동력 자원을 만들어내 노예를 상인들에게 팔 수 있게 되었다.

그러나 옥수수와 유카보다 더 중요한 농작물이 있었다. 그것이 세계사에 미친 영향은 아무리 과대평가해도 지나치지 않다. 특히 기상 충격과 기후 변화로 인해 제기된 위험을 그 작물이 완화했기 때문이다. 사실 합리적으로 이야기한다 해도 그것은 역사상 가장 중요한 몇몇 의학적 발견들만큼이나 인간 생활을 변화시키는 데 기여했으며, 공업혁명 같은 사건들만큼이나 경제적 결과를 바꾸는 데 기여했다고 주장할 만하다. 그것은 기근과 질병으로부터 인간을 보호했을 뿐 아니라 건강의 정도를 변화시키고 도시화를 진척시켰으며 갈등을 줄였다. 하찮은 감자가 세계를 변화시킨 것이다.

감자는 다른 주요 작물들에 비해 파종 면적당 열량, 비타민, 영양분을 더 많이 제공한다. 중간 크기의 감자 하나의 껍질에는 비타민 C 하루 섭취 권장량의 45퍼센트가 들어 있다. 밀, 귀리, 보리, 쌀, 옥수수에는 전혀 들어 있지 않은 것이다. 감자 하나에는 또한 비타민 B6 하루 섭취 권장량의 상당 부분이 들어 있고, 티아민, 리보플라빈, 니아신, 마그네슘, 철, 아연도 들어 있다. 게다가 감자는 땅이 덜 필요하고 밀 같은 작물과 비교해 열 배 이상의 열량을 제공한다. 1헥타르에서 수확하는 감자는 같은 면적의 귀리, 밀, 보리에서 산출되는 것보다 통상 세 배의 에너지를 더 산출한다.[40]

감자는 밀이나 벼가 재배되기에 부적합한 땅에서도 자랄 수 있다. 게다가 다른 작물이 자라는 계절에도 그 틈에서 자랄 수 있고, 곡물 재배의 휴한기에도 그 빈 땅에서 자랄 수 있다. 감자는 좋지 않은 기후 조건에서도 잘 자랄 뿐만 아니라 기근의 위협을 완화시키는 다양성을 제공한다. 감자는 저장하기도 쉽고, 남은 것을 모아두면 겨울철에 사람과 동물의 비상식량이 될 수 있다. 동물이 먹을 수 있다는 것 역시 중요하다. 감자는 가축의 사료로서 돼지와 소를 먹일 수 있고, 그것이 육류 소비 가능성을 높인다. 또한 거름의 양도 늘어나 농작물 생산에 추가적인 도움을 제공한다.[41]

안데스에서 수천 년 동안 재배된 감자는 16세기에 유럽으로 들어온 뒤 곧바로 인정받지는 못했다. 감자가 독성이 있는 가짓과에 속하기 때문이었고, 또 다른 이유는 울퉁불퉁하고 우중충한 모습이 나병을 연상시켰기 때문이다. 감자는 서서히 받아들여져 1600년 무렵 에스파냐, 이탈리아, 잉글랜드, 독일에서 재배되기 시작했고, 이 무렵에 선원들에 의해 아프리카, 아시아, 오세아니아의 항구들에도 소개됐다. 물론 유럽, 인도, 중국에서 널리 재배되기 시작한 것은 17세기 말에서 18세기 초에 이르러서였다.[42]

이 무렵 감자는 거의 기적적인 산물로 널리 받아들여지고 있었다. 표트르 대제는 1690년대 말에 유럽을 여행했는데, 감자 한 자루를 러시아에 보내면서 서로 다른 지역의 농민들에게 분급하라는 지시 사항을 덧붙였다. 수십 년 후 상원은 "잉글랜드에서 감자라 부르는 땅속사과" 재배에 관한 명령을 발포했다. 감자 재배를 권장하고 곡물 흉작(1760년대 핀란드와 시베리아의 기근과 질병을 초래했다)에 대응하기 위한 노력 가운데 하나였다.

그것이 인기를 얻는 데는 시간이 걸렸다. 그 이유 가운데 하나는 일부 사람들이 감자를 아담과 하와가 에덴동산에서 먹었던 "그 금지된 열매"라고 확신했기 때문이다(아마도 땅속사과pomme de terre라는 이름 때문이었을 것이다). 러시아의 일부 전통주의자들은 이렇게 말했다. "그것을 먹는 사람은 누구든 신에게 불복종하는 것이고, 성스러운 약속을 어기는 것이며, 천국에 들어갈 수 없을 것이다."[43]

또 다른 사람들은 좀 더 실용적이었다. 애덤 스미스는 〈국부론國富論〉에서 이렇게 썼다. "감자밭에서 생산되는 식품은 밀밭에서 생산되는 식품에 비해 훨씬 우수하다." 스미스는 이렇게 확신했다. "어떤 식품도 그 영양의 질이나 건강과 인간 체질에 대한 독특한 적합성을 능가한다는 결정적인 증거를 내놓을 수 없다." 런던의 가장 강한 남자와 이 나라의 가장 아름다운 여자는 "보통 이 뿌리를 먹는 아일랜드 최하층 사람들"이라고 그는 말했다.[44]

감자의 채택과 전파는 여러 다른 분야에 엄청난 영향을 미쳤다. 1658년에서 1770년 사이에 태어난 프랑스 병사 1만 3천여 명에 대한 병적 기록은 어린 시절 영양에 더 노력을 기울인 결과로 성인의 키가 평균 1센티미터 이상 커졌음을 시사한다. 그것은 일반적으로 더 많은 열량 섭취, 구체적으로는 감자를 먹은 것과 직접 연관 지을 수 있다.[45]

더욱 놀라운 것은 유럽에서 감자를 재배하면서 농업 생산성이 높아지고 이에 따라 땅의 필요성이 줄었으며 결국 땅을 차지하기 위한 경쟁이 줄었다는 사실이다. 식량을 싸게 얻을 수 있으니 대군을 유지하는 비용이 줄고 따라서 전쟁에 더 끌리게 되는 것이 당연한 일이지만, 땅의 가치가 줄어들면 통상 무력 충돌의 가능성이 줄어든다. 무장의 동기가 줄어들고 전쟁에서 이길 가능성이 줄어들기 때문이다. 통계학적 모형화는 감자의 도입이 유럽에서뿐만 아니라 그것이 들어간 다른 대륙과 지역에서도 갈등을 극적으로 줄였음을 시사한다.[46]

처음 중국 남부에서 시작돼 북쪽으로 확산된 고구마 도입은 농민 반란을 줄이는 데 이바지했다. 주로 강우량의 충격(그것이 다른 농작물의 흉작으로 이어진다)에 대한 보험을 제공했기 때문이다.[47]

감자는 불리한 기상 조건(일시적인 것이든 광범위하고 장기간에 걸친 변화의 일부이든)의 위험을 완화함으로써 더 많은 인구를 유지할 수 있는 새로운 기회를 열었다. 식량 부족을 줄이고 열량 섭취를 늘리며 건강과 기대수명을 개선한 것이다. 또한 감자는 고밀도의 인구를 지탱할 수 있게 했고, 17~18세기에 도시를 건설하고 그 규모를 더욱 키우는 동력이 되었다. 감자는 예를 들어 이 기간 인구 규모 증가의 25퍼센트 정도를 책임진 것으로 평가됐다. 그리고 도시화의 가속에서는 더 많은 부분을 담당했다.[48] 즉 도시가 상거래를 발전시키고 수요를 활성화시키며 혁신을 자극하는 데에 일차적인 역할을 담당한(그리고 지금도 담당하고 있는) 것이다.

식품 일반이 세계 각지의 도시 성장을 추진하는 데서 중요한 역할을 했지만, 고임금 역시 마찬가지였다. 그것은 이 책 앞부분에서 이야기했고 역사가들이 '대분기'라고 부르는 현상을 설명하는 데 기본적인 것이었다. 유럽이 오랫동안 더 크고 더 튼튼했던 아시아의 경제권(대표적으로 인도와 중국)을 따라잡고 넘어선 시기다.

이 일이 일어난 데는 여러 가지 이유가 있었다. 유럽의 도시 성장을 연구한 일부 학자들은 이 대륙이 로마 제국의 일부였고 1천여 년 후에 로마의 도로 시설을 이용할 수 있었다는 점에 주목했다.[49] 또 다른 사람들은 개신교의 영향과 등장이 유럽(그 북쪽과 서쪽의 나라들은 남쪽과 동쪽의 나라들로부터 이탈하고 있었다)의 교육에 가져온 중대한 변화에 주목했다.

마르틴 루터는 남녀 구분 없는 아이들 교육의 열렬한 옹호자로서, 모두가 기독교 성서를 읽을 수 있어야 한다고 주장했다. 그는 1530년 〈아이들을 학교에 보내는 데 대한 설교Eine Predigt, dass man Kinder zur Schulen halten solle〉에서 일부 부모들이 너무 이기적이고 어리석고 비기독교적이어서 아이들을 무지한 상태로 방치하거나 학교를 그만두게 하는 것은 부끄러운 일이라고 주장했다. 그렇게 하는 것은 악마를 도와주는 것이라고 그는 말했다.

그런 훈계는 장기적으로 영향을 미쳤다. 개신교 도시와 나라에서는 모든 아이들을 교육시키는 정책을 채택하고 새로운 학교 설립을 요구했다. 놀랍게도 개신교도가 다수인 나라들은 1900년 무렵에 거의 모든 사람이 글을 배웠지만, 가톨릭 국가 중에는 그런 나라가 없었으며 대개는 한참 뒤처져 있었다.[50] 이런 모습은 1910년에서 1938년 사이의 미국에서도 되풀이됐다. 주민 가운데 개신교도 비율이 높은 지역에서 교육 성과가 더 나았다.[51]

유럽에서 온갖 기관들이 생겨난 것은 중요했으며, 인쇄기 도입과 책 출판 확대 역시 마찬가지였다. 갈수록 사상과 지식이 더 많은 사람에게 전달되었다. 대학 설립 역시 중요했는데, 특히 더 많은 사람이 법학 훈련을 받도록 보장함으로써 거래의 불확실성을 줄여 상거래에 긍정적인 영향을 미쳤다. 이런 발전으로 신뢰 수준이 높아졌을 뿐만 아니라 거래의 양과 속도도 개선됐다.[52]

거래의 위험 감소는 자본을 더 싸게 이용하는 데 도움이 되었으며, 그것은 다시 경쟁을 자극하게 되었다. 유럽(특히 영국과 네덜란드)의 금리는 중국에 비해 상당히 낮았다. 애덤 스미스는 1770년대에 런던에서는 3~4.5퍼센트가 정상으로 여겨졌지만 당시 중국의 금리는 12퍼센트나 되는 것으로 알려졌다고 지적했다.[53] 그가 아주 정확한 것은 아니었다. 실제로 중국에서 대출 이자는 매달 2퍼센트나 되었다. 연리로 따지면 24퍼센트다. 어떤 지역에서는 이자율이 연 50퍼센트나 되었다.[54] 남아시아, 동남아시아, 동아시아에서는 지역적 편차가 있고 시기에 따라서도 오르내림이 있었지만, 돈을 빌려 사업을 하는 비용은 유럽과 비교할 때 매우 높았음이 분명하다. 이런 높은 이율이 경제 성장의 기세를 꺾고 혁신을 질식시키는 데 기여했음도 분명하다.[55]

경제 성장과 혁신의 연료는 경쟁이었다. 유럽에서는 그 경쟁을 쉽게 얻을 수 있었다. 정치적으로 나뉘어 있어 생각을 검증하고 다듬을 기회, 대응책을 벼릴 기회, 변화를 추동할 기회가 생겼다. 이것은 거의 끊임없는 전쟁을 통해 분명해졌다. 앞에서 말했듯이 끊임없는 전쟁이 군사 기술 개선에 기여했고, 그것이 19세기 아프리카, 아시아, 오세아니아를 식민화한 시대에 필수적임이 입증됐다.

그러나 경쟁은 과학적 발견과 진보 역시 부채질했다. 이는 물론 흔히 언급되지 않는 성 분화라는 맥락에서 살펴봐야 하지만 말이다. 북유럽과 특히 영국에서는 남성 학자와 기업가가 혁신을 주도했다. 발명을 공유하고 찬양하는 연결망을 만들고 이끌어가며, 상업성이 있는 것에 자금을 지원했다.[56] 여성은 이 연결망에서 배제됐고(의도적이기도 하고 비의도적이기도 했다), 그들의 연구는 익명으로 발표하거나 사장돼야 했다.[57]

남자, 과학, 돈, 기회의 고리는 영국에서 특히 효과적이었다. 영국에서 진보를 추동하고 결국 공업혁명으로 이어진 핵심적 요소는 높은 임금 수준과 노동력의 높은 생산성이었다. 영국의 노동력은 유럽의 어느 나라에 비해서도 훨씬 생산성이 높았고, 또한 많은 임금을 받았다. 그것은 새로운 발명이 세계의 어느 곳보다도 더 일찍, 더 빠르게, 더 대규모로 채택됐다는 얘기다.

가장 중요한 것은 교육이나 문자 해득률이 아니라 기계에 대한 숙련도였다. 그것은 영국에서 독특하게 높은 수준으로 유지되었고, 숙련된 기술자들이 기계에 대한 소소한 개선을 끊임없이 이루어냈다.[58] 그 사례 가운데는 기본적이고 값싼 수동 면방적기인 다축방적기, 초기 직조기에서 기어에 금속을 사용한 변화, 예비 부품을 가지고 있어 고장나거나 망가질 경우 시간과 돈을 절약할 수 있게 한 엔진 크기의 표준화 등이 있다.[59]

그 결과로 농업노동자들은 시간과 속도 면에서 다른 곳의 농업노동자들을 쉽게 앞질렀다. 18세기 말에 잉글랜드에서 1헥타르의 밀을 수확하는 데 대략 7일이 걸렸는데, 프랑스에서는 같은 작업에 16일 이상이 걸렸다. 이런 효율성은 잉글랜드 노동자들이 높은 임금과 함께 여러 가지 추가적인 혜택을 누릴 수 있게 했다. 예컨대 프랑스 노동자들에 비해 더 많은 열량을 섭취하는 것 따위다. 잉글랜드 노동자들은 돈을 더 받기 때문에 단백질을 얻을 고기를 더 쉽게 살 수 있었다는 주장도 있었다. 그것은 영유아의 두뇌 발달에 특히 중요하다. 잉글랜드 노동자들은 다른 나라의 노동자들에 비해 더 부유하고 더 생산적이었을 뿐만 아니라 더 똑똑하기도 했던 듯하다.[60]

대니얼 디포는 1726년에 이렇게 썼다. "잉글랜드의 제조업 노동자들은 유럽 어느 나라의 가난한 노동자들에 비해서도 더 기름진 것을 먹고 더 달콤한 것을 마시며 더 잘살고 더 잘 지낸다. 그들은 다른 어느 나라 사람들에 비해서도 자기네 노동에 대한 임금을 더 많이 받고 의식衣食에 더 많은 돈을 지출한다." 디포는 이렇게 덧붙일 수도 있었을 것이다. 높은 임금은 여가 시간을 제공할 뿐만 아니라 기술 습득도 뒷받침했다. 문자 해득에서부터 산술 능력과 기술적 기능에 이르기까지 말이다. 그것들은

모두 빠르게 발전하고 있는 경제에서 매우 필요한 요소들이었다.[61]

중국에서는 상황이 매우 달랐다. 그곳에서는 혁신과 경쟁에 대한 압박이, 그것이 없음으로 해서 두드러졌다. 우선 농촌 주민의 극히 일부만이 임금노동에 종사했다. 아마도 명 왕조 말기에는 1～2퍼센트에 불과했을 것이다.[62]

게다가 청나라가 17세기 말과 18세기에 많은 영토를 얻었음에도 불구하고 천명天命의 상징으로 매우 의기양양하게 선포됐던 '만주 성세盛世'는 형편없이 드러난 약점임이 입증됐다. 산과 사막 같은 자연적 방벽까지 밀어붙인 끝에 위협요소이거나 경쟁자였던 이웃들이 제거됐고, 필적할 만한 제국이 보이지 않게 되었다. 군대는 보다 약하고 억제할 수 있는 한반도, 남아시아와 내륙 아시아, 그리고 카자크 모험가들의 위협에 맞서야 했다.

그중 어느 것도 군사 기술이나 전술의 혁명을 촉발하지 않았고, 더구나 어느 것도 행정·사회·경제 개혁이나 혁신·생산성·공업에 대한 투자로 이어지지 않았다. 서방의 부상에 매우 중요한 것들이었다. 로마 제국 시대 이후 유럽의 분열과 파편화된 정치사는 치열한 경쟁에 안성맞춤이었다. 전쟁과 균열은 오랫동안 유럽 내부의 약점의 근원이었다. 이제 그것들은 강점이 되었다. 다시 말해서 유럽이 미래를 향해 앞으로 뛰어나갈 때 중국은 여전히 과거에 매달려 있었었다.[63]

예측할 수 없는 기상 조건에 대한 높은 수준의 회복력은 사회들이 식량 부족과 격변(과거에 기후가 한 요인이었던)을 처리하는 데 도움을 주었다. 하지만 극적인 결과를 초래하는 일회성의 사건들이 있었다.

예를 들어 1703년 12월 잉글랜드 남부에는 격렬한 폭풍우가 몰아쳤다. 대니얼 디포가 "천지개벽 이래 역사 기록에 나오는 모든 폭풍우와 눈보라 가운데서 가장 크고 가장 지속 시간이 길며 가장 범위가 넓다"고 묘사했던 것으로, 이로 인해 잉글랜드 해군 함정 13척이 8천 명의 병사들과 함께 바다에서 실종됐다. 이 사건이 힘겨운 시기에 잉글랜드 해군의 패권을 위험에 빠뜨렸다. 유럽 대륙 핵심부의 통제권을 놓고 벌어진 에스파냐 왕위계승전쟁 와중에 일어난 일이었다.[64]

한편 1760년대와 1770년대에 대서양에서 이례적으로 빈번하고 격렬했던 일련의 폭풍우는 교역망을 조정하고 정치적 동맹을 변화시키는 데 중요했다. 1766년의 파괴적인 태풍 철에 여섯 번의 대형 폭풍우가 카리브해 연안을 덮쳤는데, 이로 인해 심각한 식량 부족이 발생하고 에스파냐령 섬들로부터 도움을 청하는 절박한 호소가 미국 식민지 여러 도시의 신문들에 실리기까지 했다. 미국의 지원은 영국 정부로부터 경고를 불러왔다. 영국은 밀가루와 기타 상품 판매를 적과의 무역이라고 간주하고 당장 무역을 중지하라는 공식 요구를 발표했다.[65]

1772년에는 또 한 번의 잔혹한 태풍 철을 겪었다. 카리브해 일대가 다시 한번 무참하게 파괴됐다. 아바나의 가옥, 가게, 병원, 도시 기반시설이 파괴되고 이어 흉작이 닥쳐 한 학자의 표현대로 필라델피아 상인들에게 "일시적인 횡재"를 안겼다. 당시 동부 해안 지방의 주요 금융 중심지였던 이 도시의 최고 부자 여섯 명 가운데 다섯 명이 이미 에스파냐와의 무역에 적극적으로 개입하고 있었고, 이제 관심은 영국의 경쟁자인 유럽 국가들이 북아메리카 식민지를 어떻게 할 것이냐를 묻는 쪽으로 바뀌기 시작했다. 이 질문은 과세 요구와 위헌적 권력의 사용에 관한 우려가 증가하면서 복잡해졌다.[66]

그 결과로 1774년 10월에 열세 개의 식민지 가운데 열두 개의 대표가 한자리에 모였다. 그들은 영국 상품 불매 운동을 제안하는 〈식민지 권리 선언Declaration of Colonial Rights〉을 발표하고, 런던에 불만 사항 목록을 보냈다. 국왕 조지 3세에게 보내는 청원과 함께였다.[67]

미국인들은 자기네에게 더 가까운 곳에 있는 기회를 바라보기 시작했다. 카리브해와 에스파냐령 라루이시아나(루이지애나)였다. 그곳의 누에바오를레안스(뉴올리언스) 역시 심한 식량 부족을 겪었다. 새로 구성된 대륙회의 대표들이 프랑스령 카리브해의 항구들에 진출했고, 에스파냐 섬들과의 대화 통로도 열어 북아메리카의 담배와 화약을 바꾸는 거래의 가능성을 논의했다.

1775년 10월, 대륙회의는 무기, 탄약, 화약, 현금을 받고 외국 항구들에 수출을 승인하는 결의안을 통과시켰다. 영국과의 긴장이 높아지고 몇 달 전 상품 불매 운동을 채택했다는 점에서 모두 중요한 것들이었다. 미국 '건국의 조상들' 가운데 한 사람이자 미국 〈독립선언〉 서명자인 존 애덤스 같은 북아메리카의 지도자들은 "프랑스 및 에스파냐와 거래하는 데는 거의 어려움이 없을 것이고, 포르투갈과 거래하는 데는 많은 어려움이, 네덜란드와는 약간의 어려움이 있을 것"이라고 확신했다.[68]

미국 남부와 카리브해 지역의 환경적·경제적 취약성이 식민지들의 상업적·정치적 기회이자 영국에는 약점이라는 인식은 1776년 7월 4일 독립선언을 전후한 시기의 이야기에서 중요한(그다지 언급되지는 않았지만) 부분이었다. 영국 선박의 입출항 금지는 사실상 자메이카와 여타 영국 식민지들을 잘라내 물자 부족과 고통을 야기했고, 그것은 그해 6월에 때 이르게 닥친 강력한 태풍으로 더욱 악화됐다.

반면에 카리브해의 프랑스 섬들은 "축제 분위기"였다. 상인들은 협약을 맺고 미래의 계약을 예약하고 창고를 상품으로 꽉꽉 채웠다.[69] 프랑스와 나중에 에스파냐가 1770년대 후반 독립파를 지원하기 위해 미국 독립전쟁에 뛰어든 데는 합당한 이유들이 있었다. 그러나 한 가지 요인은 분명했다. 대서양 서부와 카리브해에서의 상업적 유대를 더욱 긴밀히 통합함으로써 모두가 이득을 얻었다는 것이다. 그것은 상당 부분 불리한 기상 충격에 따른 위험을 완화하고자 하는 노력에 힘입었다.

이런 문제들에 대한 해법을 찾는 데서 모두가 그렇게 운이 좋았던 것은 아니다. 18세기 후반 인도의 기후 조건은 좋지 않았다. 계속해서 농업 생산이 평년 수준을 밑돌았고, 곡물 가격은 평균보다 높았다. 남아시아 세력가들 사이의 잦은 전쟁은 농업에 투입되는 비용을 더욱 끌어올렸고, 중앙 권위의 약화로 임대료 상승도 마찬가지였다. 이것이 불행한 결과를 가져왔다. 명목임금이 상승하면서 생활비가 치솟았다. 이것이 영국과 유럽의 여타 나라들의 추세가 다른 방향으로 향하고 있는 때에 인도의 경쟁력을 떨어뜨리는 데 한몫했다. 1750년에 인도는 세계 공업 생산의 약 4분의 1을 책임졌다. 1900년에는 단 2퍼센트만이 그들 몫이었다.[70]

이 급격한 하락은 또한 식민지 정책으로 설명(적어도 부분적으로는)될 수 있다. 투자 부족, 외국산 제품을 지원하는 관세 보호, 동인도상사(18세기 중반에는 인도아대륙 상당 지역에서 지배적 위치를 구축했다)에 의한 자원과 노동 수탈 같은 것들이다.[71] 이 조합은 1760년대 말에 치명적인 것으로 드러났다.

1768년 약한 계절 강우로 벵골과 비하르에서 흉년이 들었고, 이듬해에는 비가 더욱 적게 내려 비슌푸르Bishunpur의 감독관이 "벼가 심긴 들이 마른 짚의 들처럼 되어버렸다"라고 지적하기에 이르렀다.[72] 동인도상사의 이 지역 관리자들은 다가오는 재난에 별 관심이 없었다. 그들의 최우선 관심은 주주들의 이익을 높이기 위한 재정 목표를 달성하도록 수입을 올리는 것이었다. 그래서 받을 돈을 거두는 데 주의가 집중됐고 1770년 초, 잘 진행되고 있으며 예측대로라고 보고됐다. 1월에 약간의 토지세 감면이 필요할 듯하다는 지적이 있었으나, 2월 초에 관리들은 그들이 "아직 수입이나 정해진 지불에서 어떤 차질도 발견하지 못했다"고 말했다.[73]

이 무렵에 쌀값은 이미 평상 수준의 열 배로 뛰었고, 기아 수준이 매우 심각해 사람들이 돈을 마련하기 위해 자기 아이들을 팔고 있다는 이야기가 돌았다. 영양실조와 질병이 심각했고, 이어 거의 상상할 수 없을 정도의 규모로 사망자가 생겼다. 1770년 7월에서 9월 사이에 콜카타에서만 7만 6천 명 이상이 죽었다. 그해에 벵골인 다섯 명 가운데 한 명이 죽었다. 숫자로 100만 명 이상이었다. 당대의 한 사람은 "방법은 오직 신의 자비뿐"이라고 썼다.[74]

일부 동인도상사 관리들은 비상조치를 취하고자 했다. 배급소를 두어 고통받고 있는 사람들에게 식료품을 나누어주었지만 결국 승산 없는 싸움으로 드러났다. 그러나 어떤 사람들은 그 기회를 잡아 제 배를 불리려 했다. 쌀의 재고를 사들여 값을 더 끌어올린 뒤 많은 차익을 남기고 팔았다. 어떤 사람은 그렇게 해서 "엄청난 재산"을 모았다. 원래 재산이 별로 없던 한 직원은 이 재난 통에 백만장자가 되어서 일찍 고국으로 돌아갔다. 작가 호러스 월폴Horace Walpole 같은 일부 사람들은 인도에서 오는 소식을 듣고 기겁을 했지만, 투자자들은 기쁨에 넘쳤다. 동인도상사는 주가가 치솟아 경영진은 12.5퍼센트의 배당을 의결했다. 이 회사 역사상 최고 배당률이었다.[75]

이윽고 문제가 생겼다. 특히 기근이 내부에서 땅값 폭락을 촉발했고 벵골로부터의 송금에도 문제가 생겼기 때문이다. 그것이 투매로 이어지고, 결국 팔리지 않은 차 재고 및 많은 회사 부채와 어우러져 운세가 내리막길을 치달았다. 2008년 금융위기 때 대형 투자은행들의 파산만큼이나 극적이고도 급속했다.

국가 긴급구제가 필요해지자 동인도상사 고위 인사들이 의회로 불려가 무슨 일이 일어났는지 설명하고 해명해야 했다. 불과 10여 년 전 벵골의 금고를 책임졌고 많은 돈을 벌었던 로버트 클라이브Robert Clive는 사실을 말하자면 자신은 더 착복할 수도 있었다고 말했다. 그러면서 "나는 스스로의 절제력에 놀랐다"고 말해 의회 의원들로 하여금 어안이 벙벙하게 했다.[76]

탐욕으로 인해 어려운 상황이 재난으로 바뀐 것은 20세기의 벵골에서 비슷한 상황으로 분명하게 재연됐다. 수백만의 사람들이 다시 치명적인 조합에 노출됐다. 궂은 날씨, 흉작, 무능한 행정, 약탈적 투기의 결과 등이다. 이런 사례들에서 힘겨운 상황을 더욱 악화시키는 데 중요한 영향을 미치고 심지어 결정적인 역할을 한 것은 인간의 의사 결정이었다. 그 결과는 엄청난 규모의 떼죽음이었다.

그러나 때로 문제를 악화시킨 것은 자연현상이 우연히 나타난 시기였다. 이에 딱 맞는 사례는 1783년 아이슬란드 라키 화산 분출이었다. 그해 6월 8일에서 10월 25일 사이에 라키는 열 차례의 성층권 분출 사태를 기록했다. 분출은 이듬해 2월까지 이어졌다. 현지에 미친 영향은 엄청났다. 아이슬란드에 있던 양의 80퍼센트, 말의 80퍼센트, 소의 절반이 죽었다. 주로 목초지의 오염 때문이었다. 사람도 대략 다섯 명에 한 명꼴로 죽었다. 기근과 함께 몇 년 동안 이 섬을 덮친 '모두하르딘틴Móðuharðindin'(안개 고난) 때문이었다.[77]

그 영향은 더 먼 곳에서도 느껴졌다. 유럽의 많은 지역에서는 호흡기 질환이 이례적으로 잦은 발생 빈도를 보였으며, 1783년 여름 잉글랜드에서는 심한 두통과 천식 발작 및 높은 사망률에 관한 기록이 많이 나온다.[78] 벤저민 프랭클린은 이렇게 말했다. 여름철에는 "유럽 전 지역과 북아메리카 대부분의 지역에서 항상 안개가 끼었다. 햇빛은 그것을 없애는 데 별 효과가 없는 듯했다." 그는 이것이 아마도 아이슬란드의 대규모 화산 활동의 결과일 것이라고 주장했다.[79]

안개 구름은 계속 동쪽으로 확산되었다. 6월 중순에는 베를린, 파도바, 로마에 도달했고, 그달 말에는 상트페테르부르크, 모스크바, 레바논 트리폴리에, 그리고 7월 초에는 중앙아시아 알타이산맥에 도달했다.[80]

유럽의 많은 지역에서 여름은 이례적으로 더웠다. 모형 모의실험은 북유럽 상공의 고기압으로 인해 차가운 극지 공기가 서유럽, 중부 유럽, 서아시아를 건너뛰는 바람에 비정상적인 고온 현상이 나타났음을 시사한다. 이러한 이상 기후는 사헬과 북아프리카, 그리고 중국 및 남아시아의 여러 지역에서 평소보다 낮은 강우량을 초래했다. 분출이 없었더라도 북반구 일대에서 기후 조건은 더욱 어려웠을 수도 있다.[81]

이어진 시기에 북반구에서는 기온이 상당히 떨어졌다. 1784~1786년은 18세기 후반 중에서 가장 추운 시기였다. 뉴브런스윅에서 측정한 바로는 1783년에서 1784년에 걸친 겨울이 250년 사이 가장 추웠고, 체서피크만의 항구와 수로들은 기록된 역사상 가장 오랫동안 봉쇄됐다. 얼음이 축적된 결과였다. 미시시피강은 1784년 2월 뉴올리언스에서 한 주 동안 얼음 조각으로 가득 차 있었다. 알래스카 서북에서는 제2천년기의 가장 추운 시기를 보냈고, 파리에서 프라하, 레바논에서 일본에 이르기까지 이례적으로 낮은 온도가 기록됐다. 1784~1785년 멕시코에서는 가뭄과 서리가 이 시기 혼란스러운 기상 패턴의 일부가 되었다.[82]

이런 조건들은 1782~1784년의 긴 엘니뇨 현상이 북대서양진동의 음의 양상과 복합돼 초래됐다고 주장돼왔다.[83] 그러나 최근 연구는 고위도 지역의 대규모 분출이 태평양에서 기후 불안을 일으킬 수 있음을 보여주었다. 그리고 그 영향은 엘니뇨-남방진동이나 라니냐 현상이 이미 형성되고 그 과정에서 효과를 확대하고 있을 때 특히 컸다.[84] 따라서 라키 분출의 시점과 규모는 그 자체로 중요했을 뿐만 아니라 이 시기에 형성되고 있던 다른 기후 동향들을 증폭시키는 역할을 했다.

세계의 대부분의 지역은 이 불안정하고 이례적인 기상 현상에 의해 제기된 문제들에 잘 대처했지만 일부는 그러지 못했다. 그것은 기후 충격의 상황에서 기반 요소들이 얼마나 중요한지에 관해 많은 것을 이야기하며, 격동은 언제나 변화의 주요 동력이 아니라 그 촉매제로 보아야 함을 말해준다.

예를 들어 1780년대 초에 인도 일대의 여러 지역에 기근이 들었는데, 사망자 수가 수백만에 이르고 어떤 지역들은 주민이 완전히 사라졌다.[85] 많은 보고들은 강우량 부족과 이것이 식량 생산에 미친 영향을 언급하고 있지만, 비기후적 요인도 중요했다. 가장 대표적인 것이 인도 남부 및 서부에서 일어난 적대 행위와 전쟁, 그에 따른 경작 면적의 감소(인력을 다른 곳으로 돌렸기 때문이다)다. 몇몇 경우에 곡물을 고의적으로 불태웠다는 사실 역시 마찬가지다. 약을 올리기 위한 의도적인 행위였다. 이 모든 것은 주민들이 기후와 식량 충격에 극심하게 노출될 정도로 운신의 폭을 줄여 위험을 더욱 키웠다.[86]

다른 경우에도 비슷한 일이 일어났다. 예를 들어 일본에서는 1782년 흉년 이후 잇달아 4년 동안 흉작이 이어졌고, 이는 아사마산 분출로 더욱 악화됐다. 그 분출은 중요한 식량 생산지인 간토關東평원 상당 지역을 화산재로 덮었다. 쇼군將軍의 행정 수도 에도(현재의 도쿄)를 둘러싸고 있는 지역이었다. 일부 영지에서는 수확이 전혀 없었다.[87] 재는 수로로 들어가 토사의 양을 늘렸다. 그러지 않아도 촌민들이 많은 품을 들여 처리해야 하는 일이었다. 이제 그것은 치명적인 일이 되었다.[88]

사람들이 말, 고양이, 풀을 먹을 지경이 되자 굶주림과 질병이 기승을 부리고, 그 결과로 4년 남짓한 기간에 100만 명이 죽었다. 이것이 만성적인 노동력 부족으로 이어졌다. 이른바 덴메이天明 대기근 이후 20년 동안에 임금은 500퍼센트 오르고 쌀값은 기본적으로 안정을 유지했다는 사실로 보아 분명한 일이었다.[89]

화산 분출과 궂은 날씨는 생태의 극한까지 개발해 농작물을 뽑아내는 균형 잡힌 관계를 파괴하는 가벼운 마지막 한 방이었다. 너무 많은 것이, 추수가 예상된 수확량을 내고 수로가 기대한 대로 작동하는 데 달려 있었다. 둘 중 하나라도 삐끗하면 많은 사람들이 굶주림과 질병, 그리고 죽음의 위험에 내던져졌다.

이집트에서는 18세기 말의 기후 충격이 수년, 심지어 수십 년 동안 태동되고 있던 여러 가지 사회경제적·정치적 변화를 촉발했다. 1760년대 이후 이 오스만 속주의 현지 지배층은 중앙 권력과의 관계에서 갈수록 더 자기주장을 관철시켜 성공적으로 토지 소유권을 확대했다. 특히 조세 수취에 대한 통제를 통해서였다. 그들은 주민들에게서는 최대한 많이 거두고 국가에는 가급적 적게 납부해 이득을 챙겼다. 실제로 1770년대에 그들은 권력 기반을 구축해 오스만 제국으로부터 독립하는 것을 넘어서 그들과 경쟁할 정도가 되었다. 오스만령 시리아에 사설 군대를 보내 자기네의 영향력을 늘리고 재산을 더욱 늘리고자 했다.[90]

1783년의 이상 고기압과 라키산 분출의 영향은 이러한 기존의 문제들을 심화시켰다. 나일강이 범람하지 않아 관개가 거의 20퍼센트 줄어 가뭄, 기근, 흉작의 고단한 시기를 촉발했다. 한 연대기는 이렇게 썼다. "곡물이 귀해졌다. (…) 밀 값은 고삐가 풀렸다. (…) 가난한 자들은 굶주림으로 큰 고통을 겪었다."

또 어떤 사람들은 무법, 폭력, 강도질에 대해 이야기했다. 식량 부족에 질병 발생이 겹치면서 더욱 심해졌다. 부자들은 자기네의 권세를 확장시킬 기회를 잡았다. 틀림없이 그 동력 가운데 하나는 불확실한 시기에 자기네의 소득이 떨어지지 않게 보호하려는 것이었다. 그러자 오스만은 탐욕스러운 거물의 기를 꺾고 제국에서 가장 부유한 주의 통제권을 회복하려는 결의를 강화했다.[91]

이집트 군사 점령을 위한 계획이 세워졌다. 현지 지배층을 약화시키고 맘루크 아미르들을 물러나게 하며 속주 행정에 대한 감독을 강화하기 위한 구상이었다. 1786년에 파견된 강력한 부대는 즉각적인 성공을 거두었다. 지휘관은 경험 많고 믿음직한 장교 가지 하산 파샤Gazi Hasan Pasha였다.

그러나 그들은 목표를 완수하기 전인 이듬해에 소환됐다. 러시아의 예카테리나 대제가 자국 군대에 흑해 방면을 공격해 크림반도를 병합하라고 명령했기 때문이다. 러시아를 몰아내려는 오스만의 노력은 물거품이 되었다. 잘 세웠던 이집트에서의 계획도 마찬가지였다. 그곳에서는 한 중견 학자가 말했듯이 "반항하는 시골 지도자들이 돌아와 재빨리 그들이 버리고 간 것을 되찾았다." 그렇게 해서 "적어도 이후 150년 동안 이집트를 규정하게 될 패거리 정치" 체제를 형성했다.[92]

반면에 일부 지역들은 기후 격변의 덕을 보았다. 나이저강 만곡부〔강 중류의 북쪽으로 올라갔다가 구부러져 내려오는 구역으로 말리 영내다〕와 부르키나파소·가나의 볼타강 유역 일대 사이의 지역에서 나온 증거는 습한 기후 조건의 시기가 있었음을 시사한다. 차드호와 지금의 보츠와나 응가미호의 수위가 1780년대에 매우 높아진 사실 역시 마찬가지다. 물론 비가 많이 오는 것은 그 자체로 문제가 있다. 들판을 물에 잠기게 하고 파도가 거세지게 한다. 예컨대 1780년대 초(남아프리카공화국의 나이테 데이터는 이때가 200년 사이에 가장 습한 시기였음을 보여준다) 기니 해안에서 그런 일이 일어났던 듯하다.[93]

이들 격변에 곧바로 이어 1789~1793년에 '메가니뇨mega-Niño'로 불리는 일이 일어났다. 이 강력한 사태와 맞먹는 것은 지난 2천 년 사이에 불과 몇 차례밖에 없었다.[94] 서태평양의 기후학 자료를 이용한 최근 연구는 사실 이 사건은 1788~1790년의 매우 강력한 라니냐 현상으로, 그것이 1791년에서 1794년까지 지속된 강력한 엘니뇨 현상으로 넘어갔음을 시사한다.[95] 이것은 전 지구적으로 영향을 미친 기상 체계의 세계적 재편으로, 어떤 부분은 오래가고 어떤 부분은 극적이었으며 어떤 부분은 둘 다였다.

춥고 습한 기후 조건은 영국인들의 오스트레일리아 동남부 정착을 불안정하게 만들었다. 시드니에 새 관청을 설치하도록 임명된 관리들은 활동에 지장을 주는 춥고 폭풍우 치는 날씨에 대해 언급했다. 퍼붓는 비와 울부짖는 강풍으로 벽돌 제작이 거의 불가능했으며, 새로 건설한 도로는 거의 통행이 불가능했다. 한 관찰자는 이렇게 썼다. "비는 억수같이 쏟아졌고, 정착지 곳곳에 파인 모든 도랑과 구멍을 메우며 가련한 흙집들을 마구 부숴버렸다." 이 집들은 전망이 없어 보이는 새로운 세계 건설을 돕기 위해 배에 실려 온 기결수들이 지은 것이었다.[96]

중요한 식량 보급선이 바다에서 실종되어 사기가 더욱 떨어졌을 뿐만 아니라 극단적인 배급제와 계엄령까지 도입해야 했다. 마침내 1790년

9월에 상황이 나아지는 듯했다. 비는 그쳤지만 이번에는 "가열된 솥의 폭발"에 비유된 열기가 찾아왔다. 다시 농작물 재배가 거의 불가능했다. 비가 부족했기 때문이다. 1791년 11월, 물 사용이 제한되었다. 천연수의 유일한 근원은 시드니만으로 흘러드는 작은 담수 개울 하나였다. 오스트레일리아를 식민화한다는 계획은 바보짓처럼 보였다. 1794년 중반에 온화하고 안정적인 기후 조건이 마침내 찾아오기까지 말이다. 그러나 애초에 성공을 위해 노력할 가치가 있었는지는 불확실했다.[97]

사실 1780년대 말 오세아니아와 태평양의 비가 많은 기후 조건은 역사의 상징적 순간을 보존하는 데 이바지했다. 윌리엄 블라이William Bligh 함장과 약간 명의 수병들은 영국 해군 바운티호의 통제권을 반란자들에게 빼앗긴 뒤 갑판 없는 작은 배에 던져졌다. 이 배는 식물학 임무를 띠고 남태평양에 파견된 배였다.

블라이는 이후 오랜 바다 여행 동안 쓴 일기에서 추위뿐만 아니라 자주 내리는 비에 대해서도 이야기했다. 그 비로 물을 비축할 수 있었다. 그 덕분에 블라이는 안전하게 귀환할 수 있었다. 그리고 이 반란 이야기는 역사상 가장 유명한 사건 가운데 하나가 되었다. 정상적인 해였더라면 생존은 불가능했을 것이라고 어느 학자는 말했다. 다시 말해서 이야기는 "블라이 함장과 바운티호가 사라진" 것, 또는 그저 평범한 해상 선박 실종 사건이 되었으리라는 것이다.[98]

세계 다른 지역에서 기후 격변의 효과는 소수의 영국 해군 병사들의 탈출보다는 훨씬 더 많은 사람들에게 영향을 미쳤다. 인도에서는 1791년에 닥친 기근으로 너무 많은 사람이 죽어 비자푸르의 전승에서는 그것이 도지바라Doji bara(해골 기근)로 알려지게 되었다. 너무 많은 사망자의 뼈가 묻히지 못하고 길가에 널려 있었기 때문이다. 마드라스 관구, 안드라프라데시주, 하이데라바드와 데칸고원 및 기타 지역의 인구 조사 수치는 무서운 느낌이 들게 하는데, 사망자 수가 다시 한번 수백만 명을 헤아렸기 때문이다.[99]

1789년에 시작된 남아프리카 나탈과 콰줄루의 지속적인 가뭄은 마흘라툴레Mahlatule('풀을 먹지 않을 수 없었던 시기'라는 뜻) 기근을 초래했다. 이는 19세기 중반 이전에 알려진 가장 심한 기근으로, 정치적 통제권을 재편하고 강화하는 도약대 역할을 해서 줄루 왕국의 등장에 힘을 보태고 가속화시켰다.[100]

북아메리카에서는 온화하고 건조한 겨울의 시기가 네히요Nēhiyaw(크리), 피쿠니Pikuni(블랙피트), 아니닌A'aninin(그로방트르) 같은 토착민들의 이주를 자극하는 데 이바지했다. 아마도 정상보다 높은 기온으로 말이 이용할 수 있는 목초지가 확대됐기 때문이었을 것이다. 이것이 가축 떼의 규모를 증대시켰고, 가장 좋은 목초지를 둘러싼 경쟁을 유발했다. 그러나 천연두 발병과 들소 개체수 변화의 결과로 발생한 문제도 있었다. 들소는 기후 요인으로 인해 흩어졌고, 전염병이 돌아 소의 수가 줄어들었다.[101]

한편 동해안에서는 확연한 온난화가 이집트숲모기가 사는 열대 지방으로 확장되어 북쪽 필라델피아에서까지 황열병이 발생했다. 이는 새로 독립한 미국에서 정당들 사이의 중대한 분열을 촉발했다. 새로이 창립된 연방당과 공화당은 이 발병을 두고 서로를 비난했다. 연방당은 느슨한 이민 정책이 아이티로부터 이 질병을 끌어들였다고 주장했고, 공화당은 필라델피아의 열악한 위생, 후진적 통치, 불량한 도덕심을 비난했다. 무엇보다도 이 논쟁은 선출된 관료들이 재빠르게 움직여 그들의 경쟁력을 보여주도록 압박함으로써 도시 기반시설, 긴급 구제, 의료의 질 개선에 대한 투자의 새로운 접근법으로 이어졌다.[102]

유럽에서는 변화의 기미가 감돌았다. 프랑스에서는 1787~1788년의 춥고 힘든 겨울에 이어 늦게야 습한 봄이 왔고, 이에 따라 곡물 값이 50퍼센트 뛰었다. 이 가격 상승으로 농민들은 치명타를 입었고, 경제 전반에 파급효과가 미쳤다. 식료품 값이 치솟으면서 주류 판매가 급격히 감소했다. 돈이 모두 빵을 사는 데 들어갔기 때문이다.

1788년 여름, 나라 전역에 불안이 조성돼 큰 타격을 입은 지역들에서 소규모 봉기와 반감 표출이 일어났다. 프로방스, 피카르디, 브르타뉴, 프랑슈콩테, 랑그도크, 푸아투 같은 곳이었다. 우박(토끼를 죽이고 나무의 새를 떨어뜨릴 정도로 컸다)을 동반한 심한 폭풍이 포도나무와 밀밭에 추가적인 손상을 입혔다. 상황이 매우 악화돼 파리에서만도 다섯 명에 한 명꼴로 살아남기 위해 자선단체에 의존해야 했던 것으로 추산됐다.[103]

프랑스 왕 루이 16세는 상황을 진정시키기 위해 조치를 취했다. 자기 왕국 국민들에게 불만과 고충에 관한 보고서를 만들어 파리로 보내라고 요구했다. 1789년 초 단 석 달 만에 2만 5천여 건의 문서가 만들어졌다. 부글거리고 있는 문제의 규모가 어느 정도인지 분명히 보여주는 것이었다.

1788년 겨울에 식량 부족에 대처하기 위한 조치가 취해졌다. 미국산 밀가루 수입에 대해 무역 특혜가 주어졌다. 화물세가 면제됐고, 협정 가격도 인상됐다. 이런 특혜는 1789년 4월에 연장됐다. 한 역사가가 말한 대로 "도시 상인의 횡재는 변경 정착자의 절망"이었다. 배에 실려 대서양을 건넌 곡물은 경작자, 상인, 해운업자에게는 뜻밖의 선물이었지만, 식량 부족과 고물가에 직면한 현지 주민들에게는 흉보였다. 어쩌면 이점과 단점이 섞여 있었을지도 모르지만 말이다.[104]

1780년대 말에 뉴욕, 버몬트, 펜실베이니아의 변경 공동체들로 이주의 물결이 이어져 곡물 공급에 추가적인 압박을 가했는데, 여기에 혹독하게 추운 겨울과 흉년에 대한 경고가 겹치면서 사태가 더욱 악화됐다. 1789년 6월 초에 버몬트의 한 신문은 이렇게 썼다. "대단히 부족해 필요한 품목은 '빵'이다. (…) 그것은 지금보다 앞으로 더욱 심각하게 느껴질 것이다."[105]

이 무렵에 프랑스에서는 저항과 반발의 행동이 흔해지고 있었다. 여기에는 절취 같은 가벼운 일탈에서부터 1789년 4월의 레베용Réveillon 반란 같은 폭력적인 저항까지 다양했다. 이 반란은 앞으로 올 사태를 예고하는 것이었다. 〈아직 아무도 말하지 않은 것〉 같은 전단이 나돌았다. 당국이 모든 사람에게 충분한 빵을 보장한다는 그들의 첫째 의무를 다하지 못했다고 선언하는 내용이었다. 또 다른 전단지 〈나라의 애국자의 네 가지 외침〉은 좀 더 직설적으로 이야기했다. 시민들은 즉각 무장해야 하며, 귀족은 사라져야 한다고 말이다. "굶주려 죽어가는 사람에게 평화와 자유를 설교하는 것"이 무슨 의미가 있는가? "해골이 된 사람에게 훌륭한 헌법이 무슨 소용이 있는가?"[106]

프랑스 혁명은 유럽과 그 너머 세계의 많은 지역에 불을 질렀다. 1789년 7월 14일 바스티유 습격 이후의 시기에 프랑스는 평등주의적 왕국이 아니라 세간에서 말하는 제국으로 재부상했다. 이집트와 인도에 야심을 가졌을 뿐만 아니라, 거창한 군사적 승리를 잇달아 거두어 나폴레옹 보나파르트를 유럽 대륙 상당 지역의 주인으로 만들었다. 반항은 밖에서도 있었다. 1791년 생도맹그, 즉 아이티의 혁명 같은 것이다. 이 혁명 이후 독립이 이루어졌다.

프랑스가 자기네의 가장 수익성 높은 식민지인 이 섬을 다시 차지하지 못한 것은 상당 부분 투생 루베르튀르의 조직 능력과 카리스마 있는 지도력, 그리고 스스로를 위해 "자유Liberté, 평등Égalité, 박애Fraternité"를 추구한 아이티 주민들의 결의 덕분이었다.

그러나 부분적으로는 황열병 덕분이기도 했다. 프랑스가 권위를 다시 확립하기 위해 파견한 군대를 황열병이 궤멸시킨 것이다. 당시 세계에서 가장 가치 있는 부동산이자 세계 설탕과 커피의 상당 부분을 생산하고 프랑스 대외무역의 40퍼센트를 책임졌던 식민지를 탈환하는 데 실패한 것은 엄청난 타격이었고, 그것은 루이지애나를 허겁지겁 미국에 팔아버리는 일로 이어졌다. 유럽에서의 지속적이고 끊임없는 군사 작전에 지불할 매우 긴요한 자금을 마련하기 위해서였다.[107] 그 결과 세계 지리정치학의 정치 지형이 바뀌었다. 이제 새로 독립한 미국은 시선을 남쪽과 서쪽으로 옮겼다. 그렇게 함으로써 북아메리카 대륙의 상당 지역을 정복할 길을 열었다.

역설적으로 프랑스의 혼란은 영국에 몇 가지 활력소를 제공했다. 혁명의 폭력과 뒤이어 유럽을 집어삼키기 시작한 격변은 나폴레옹의 등장 이전에 이미 일반적으로 영국, 더 구체적으로 런던을 사방의 재능 있는 사람들을 끌어들이는 자석으로 만들었다. 재능, 자본, 연줄이 베네룩스, 독일, 그리고 물론 바로 프랑스에서 런던으로 이동했다. 한 역사가가 우아하게 말했듯이 새로 도착한 사람들은 벌처럼 꽃가루를 가져와서 새로운 꽃을 피우게 했고, 그렇게 함으로써 영국 공업의 이륙을 싹트게 했다.[108] 그것이 정치, 사상, 기후 변동의 큰 변화가 일으킨 전례 없는 결과였다.

19장 공업, 수탈, 자연계

1800년 무렵부터 1870년 무렵까지

> 온통 안개다. 안개는 푸른 하늘과 초원 속에서
> 흘러 강을 올라가고, 안개는 줄지은 배들,
> 그리고 크고 더러운 도시의 오염된 수변水邊 속에서
> 한 줄로 흘러 강을 내려간다.
> — 찰스 디킨스, 〈황폐한 집〉(1853)

세계의 새로운 지역과의 접촉은 일부 사람들에게 지리, 역사, 과학에서 배울 수 있는 것에 더 깊은 관심을 가지도록 자극했다.

18세기 중반의 철학자 데이비드 흄은 호라티우스, 유베날리스, 디오도로스 시켈리오테스 같은 저자들이 로마와 제국의 다른 곳의 날씨에 관해 이야기한 것을 고찰했다. "고대인들이 온도계를 사용할 줄 알았더라면" 좋았을 것이라고 그는 말했다. 그럼에도 불구하고 그 기록들을 현대와 비교하면 "로마에서는 지금의 겨울이 이전보다 훨씬 온화해졌다"라고 결론짓는 것이 합리적이었다.[1]

흄의 시대에 테베레강은 나일강만큼의 빈도로 얼어붙었다고 그는 썼다(다시 말해서 전혀 얼지 않았다는 얘기다). 마찬가지로 흑해가 해마다 얼어붙었다는 오비디우스의 묘사는 기후가 많이 달랐다는 얘기거나, 아니면 오비디우스가 뻥을 쳤다는 얘기다. 그것에 대한 설명은 하나뿐이라고 흄은 결론지었다. "분명히" 인간의 활동은 지구 온난화를 일으킨 원인이라는 것이다. 그는 이어, 삼림 파괴와 벌목이 주된 요인이었음에 틀림없다고 말했다. 나무는 "과거에 땅에 그림자를 드리워 햇빛이 뚫고 들어가지 못하게 막는" 역할을 했다는 것이다.[2]

인간이 초래한 기후 변화라는 문제는 북아메리카 식민지의 많은 정착자들이 집착하던 문제였다. 그중에는 몇몇 '건국의 조상들'도 있었다. 1760년대에 벤저민 프랭클린은 나중에 예일대학 총장이 되는 에즈라 스타일스Ezra Stiles에게, 삼림 파괴의 결과로 기온이 더 온화해졌다고 썼다. 그는 이렇게 말했다. "한 나라에서 숲을 개간하면 태양은 지구 표면에서 더욱 강렬하게 활동한다." 태양의 온기는 "나무 그늘에 가려져 있을 때에 비해 눈이 더 빨리 녹게 한다." 그것을 확인하기 위해서는 여러 해에 걸쳐 나라의 여러 곳에서 측정하는 "정기적이고 꾸준한 관찰 과정"이 필요하지만, 프랭클린은 진정한 변화가 일어나고 있다고 확신했다. 그리고 인간의 행동이 거기에 책임이 있다고 말이다.[3]

프랭클린은 같은 편지에서, 자신이 그 무렵 영국에 가서 케임브리지대학을 방문하고 화학 교수인 존 해들리John Hadley와 의견을 교환했다고 적었다. 이런 접촉은 빠르게 확대되는 세계 교역망과 전 세계로부터 정보를 수집하는 새로운 시대의 부산물이었다. 유럽인들이 발견 항해를 광범위한 상업적 접촉으로, 그리고 지역 지배 및 식민지 개척으로 돌려놓기 시작한 덕분이었다. 무역, 정치, 군사상의 필요성이 앞장을 서고 과학과 과학자는 때로 거기에 발맞추어, 때로 한발 늦게 뒤따랐다. 커져가는 부가 학문과 학술 기관에 돈을 대고 개인의 호기심을 장려해 이를 뒷받침했다.

예를 들어 1768년에 제임스 쿡 선장은 해군 당국으로부터 태평양을 항해하라는 주문을 받았다. 이듬해 금성이 태양을 넘어가는 것을 추적하는 것이 목표였다. 이런 임무는 가치가 있는 것이라고 새뮤얼 존슨은 20년 전에 썼다. 이는 교역을 위한 "상인들의 의도"를 가지고 떠나거나 군사적 야심이 있는 것이 아니라 오로지 지식의 즐거움으로 인한 것이고, 지식을 위한 것이기 때문이었다.[4]

그런 정서는 고무적이고 심지어 고귀하게 들렸다. 그러나 그것은 원정을 이끄는 쿡 같은 사람들이 때로 다른 동기도 가지고 있다는 사실을 숨기고 있었다. 쿡은 남태평양에서 남쪽의 대륙을 찾으라는 비밀 명령 또한 받고 있었다. 많은 사람들이 존재한다고 믿는 그 대륙을 발견하는 것은 영국이나 국제적 이해관계에 전략적으로 매우 중요한 것으로 여겨졌다.[5]

날씨와 기후와 변화하는 조건이라는 문제는 어떤 사람들의 마음을 지배했다. 토머스 제퍼슨은 강박적인 관심을 갖고 1776년 7월 1일(바로 그가 〈독립선언〉을 기초하고 있을 때다) 일기를 쓰기 시작해 이후 50년 동안 하루 두 차례 기온을 측정했다. 사실 미국이 영국으로부터 독립을 선언한 날인 7월 4일 아침에 제퍼슨은 필라델피아의 스파호크 문구점에 가서 새 온도계를 샀다.[6] 그의 일기를 보면 〈독립선언〉이 의회에 전달되고 있을 때 그는 열심히 주변 온도가 섭씨 22.5도임을 기록하고 있었다.[7] 미국이라는 나라가 탄생하고 있을 때 그 주요 설계자 가운데 한 사람은 습도와 기압에 관해 생각하고 있었다. 그는 아마도 아주 즐겁지는 않았던 듯하다. 적어도 자신이 가지고 있는 도구들에 대해서는 말이다. 그는 독립선언 다음 날 다시 스파호크에 가서 기압계를 샀다. 자신의 발견을 더 정확하게 하기 위해서였다.[8]

제퍼슨이 애지중지한 이론 가운데 하나가 18세기 말 북아메리카의 기후 변화였다. 그는 한 책에서 "버지니아의 기후를 평가하는 자료"를 요약하면서 갑작스러운 기온 변화, 결빙, 동식물에 미치는 영향에 관한 관찰을 이야기했다. 그리고 이런 결론을 내렸다. "우리 기후의 변화는 (…) 잘 알아볼 수 있을 정도로 일어나고 있다. 심지어 중년들의 기억 속에서도 더위와 추위는 모두 약해졌다. 눈은 덜 자주 오고 덜 많이 내린다. (…) 어른들은 매년 석 달 정도는 땅에 눈이 덮여 있었다고 내게 말해주었다." 이제 그렇지 않았다. 강도 예전처럼 자주 얼어붙지 않았다.[9]

제퍼슨의 생각은 기후가 빠르게 변하고 있다는 북아메리카 학자들의 상식과 일치했다. 하버드대학의 휴 윌리엄슨Hugh Williamson은 거의 20년 전에 이렇게 썼다. "우리의 겨울은 그렇게 아주 춥지 않고, 우리의 여름은 그렇게 싫을 정도로 덥지 않다." 이것은 토지 이용이 삼림에서 뻥 뚫린 들판으로 바뀐 때문이었다. 그 결과 땅 표면이 딱딱하고 고르게 되었다. "거울이나 매끈한 금속 표면이 더 많은 빛과 열을 반사할 것"이며, 그 결과로 땅이 더워지고 기온이 올라가는 것이었다. 이것은 미래를 위해서 좋은 소식이라고 그는 말했다. "시골을 개간하면 우리 겨울의 추위를 완화할 수 있고, 또한 우리 여름의 열기를 더할 수 있다." 나무를 베면 곧바로 "얼어붙거나 눈이 내리는 일이 줄어들 것이다."[10] 기후 변화는 "매우 빠르고 꾸준했다"라고 새뮤얼 윌리엄스는 1794년 같은 의견을 이야기했다. 그것은 "누구나 보고 경험할 수 있는 일"이었고, "미국의 모든 곳에서" 볼 수 있는 일이라고 그는 덧붙였다. 그것이 "의문의 대상"이 될 여지는 전혀 없었다. 아니, 분명한 사실이었다.[11]

이에 대해 노아 웹스터Noah Webster(그는 자신의 유명한 사전으로 가장 잘 알려져 있다)는 순 엉터리라고 응수했다. 웹스터는 그런 진술들과 뒷받침하는 증거 모두에 대해 문제를 제기했다. 그는 이렇게 말했다. "제퍼슨 씨는 자신의 견해에 대한 근거를 전혀 가지고 있지 않은 듯하다. 어른들과 중년의 관찰 외에는 말이다." 그러고는 기후가 변하지 않았음을 시사하는 증거는 많다고 덧붙였다. 지난 150년 동안 기온이 6도 안팎 올랐다는 윌리엄스 같은 사람들의 주장은 믿기 어려우며, 합리적인 논자라면 그런 견해가 "극복할 수 없는 어려움"에 따른 것이고 상당히 믿을 수 없는 것이라고 결론지어야 한다고 했다.[12]

웹스터의 말은 기후 변화에 대한 부정이라기보다는 주장을 제대로 뒷받침하기 위한 엄격한 학술적 태도에 대한 요구였다. 실제로 완전히 반대되는 가설을 내세우는 다른 견해들도 이미 제시됐다. 즉 지구의 온도가 떨어지고 있다는 이론이다. 그 선구자 가운데 한 명이 뷔퐁이었다. 그는 대양과 대륙의 위치, 해수면 변화, 조산 활동 등을 연구했고, 18세기 후반에 널리 읽힌 책들을 통해 지구가 그 형성 이래 기온이 떨어졌을 뿐만 아니라 그것이 앞으로도 계속될 것이라고 주장했다. 습지 간척, 삼림 개간, 도시화가 분명히 기온을 끌어올리는 데 이바지했지만, 결국 불가피한 동결을 막을 수는 없다는 것이었다.[13]

어떤 사람들에게는 기온이 오르내리는 것보다는 인구 증가와 식량 부족에 대한 압박이 더 큰 걱정이었다. 이 문제는 1770년대 이래 상당한 논의를 불러일으켰다. 이때 벵골 기근, 밀 혹파리의 창궐로 인한 밀의 피해, 카리브해의 태풍, 미국 독립전쟁, 영국과 아일랜드의 잇단 흉작 등이 모두 가난한 사람들에게 미칠 영향에 관한, 식민지의 존립 가능성에 관한, 미래의 재난 가능성에 관한 공포를 불러일으켰다.

1798년, 토머스 맬서스는 우울한 논문 〈인구론An Essay on the Principle of Population〉을 발표했다. 그는 이렇게 썼다. 인구의 압박은 "땅이 인간을 부양하기 위해 생산하는 능력에 비해 너무 커서 인류에게는 이런저런 형태로 이른 죽음이 찾아올 수밖에 없다." 사람이 많으면 많을수록 그들 모두에게 먹일 식량을 충분히 생산하려면 더 큰 어려움이 따른다. 다행스럽게도 "인간의 악함"이 매우 커서 인간은 흔히 인구 조절의 가장 중요한 원천 노릇을 한다고 그는 덧붙였다. 가장 두드러진 것이 전쟁이었다. 전쟁은 많은 사람을 죽이기 때문에 자원을 소비하는 사람의 수를 제한하는 역할을 했다. 그러나 불가피하게 이것이 언제나 작동되는 것은 아니었다. "인간은 풍요 속에서 살 수 없기" 때문이다. 그 결과로 "불가피한 대규모 기근"의 공포가 두드러져, 얻을 수 있는 "세계의 식량" 전체와 거기에 살고 있는 사람 수 사이의 경쟁을 유발한다.[14]

그런 우려는 영국 왕립학회 회장 조지프 뱅크스Joseph Banks 같은 사람들로 하여금 온난한 기후에서 자라는 초목과 농작물의 내한성을 높이는 방법을 연구하게 만들었다. 이 일은 세계가 분명한 기후 변화의 국면에 접어들고 있다는 과학자들의 확신으로 인해 더욱 긴급하게 인식되었다. 기온이 올라가고 있느냐 내려가고 있느냐에 대해서는 의견의 일치를 보지 못한 문제였지만 말이다.

스코틀랜드 화학자 존 레슬리John Leslie는 1804년, "유럽 전역에서 기후가 온화한 성격을 띠게 되었음은 의문의 여지가 없다"고 썼다. "우리 지구가 계속해서 기온이 올라갈" 것임은 분명하다고 그는 주장했다. 햇볕 때문에 말이다. 중부 유럽 및 북유럽의 기후가 자연적인 이유로 "점점 온화해지고 있음"은 의문의 여지가 없다고 그는 덧붙였다. 이것은 인간의 활동과는 아무런 관련이 없었다. 만약 있다면 그 역할은 제한적이고 주변적인 것이었다. 인간의 변개變改 행위는 "평균 기온을 변화시키는 데 아무런 영향도 미치지 못했다."[15]

하버드대학 교수 새뮤얼 윌리엄스 같은 학자들은 그만큼 확신하지 못했다. 윌리엄스는 "지구의 열기가 점차 증가"하고 있다고 주장했다. 식민지 건설과 인간이 자극한 뉴잉글랜드의 생태계 변화의 결과였다. 만약 그것이 사실이라고 해도 곧 지나갈 이상 현상이라고 뷔퐁 같은 영향력 있는 사람들은 주장했다. 분명한 추세는 기온이 떨어지는 것이고, 결국 지구는 얼어붙는다는 것이었다.[16]

이런 가설과 불일치들은 부분적으로, 급변하고 있는 세계에 대한 인식과 그 현실을 반영한 것이었다. 19세기 첫 10년에는 여러 가지 심각한 기술적·정치적·사회경제적·생태적 변화가 일어나, 지형을 변화시키고 상품과 사람의 교류를 촉진하며 극적이고도 급속한 방식으로 환경을 변화시켰다. 이 시기는 과학적 발견과 정보 전파의 시기였다. 운송망, 교역망, 통신망을 만들고 확장하고 향상시킨 시기였다. 통신과 수송에서 개선이 이루어지기 시작한 시기였다. 일련의 공업혁명과 과학혁명이 열매를 맺으면서 생산성이 치솟은 시기였다.

이런 변화들은 유럽에 가장 큰 영향을 미쳤다. 유럽은 18세기 말에 "사별이 특징이고 고아와 과부가 사는" 곳이었다. 모든 아이들의 절반이 열 살이 되기 전에 죽고, 열 명 가운데 단 한 명만이 예순 살을 넘기는 곳이었다. 흉작, 기근, 전염병이 흔하고 이 모든 것은 크고 작은 도시들의 불결한 상황으로 더욱 악화됐다. 그 도시는 사망률이 매우 높아 끊임없이 시골에서 이주해올 사람들이 필요했다.[17]

변화를 위한 자극의 일부는 전쟁터의 전술을 바꾼 군사적 혁명, 그리고 국가에 의한 인력 요구(국가는 그 결과로 갈수록 중앙집권화됐다)에서 왔다. 18세기 초에 유럽의 큰 전투에서도 사상자 수는 수백 명에 그쳤고 그 이상이 되는 경우는 드물었다. 병사들은 15~20분 동안 발사할 만큼의 탄약을 지녔고 발사 속도도 느렸기 때문에 군대 규모는 크지 않았고 훈련 수준도 높지 않았다. 그러나 그 세기 말에는 총격전이 여러 시간 동안 지속될 수 있었다. 사망자와 부상자 수는 보통 수만 명에 이르렀다.[18] 1798년에서 1815년 사이에 프랑스 육군에서 복무했던 약 170만 명의 남자(그리고 약간의 여자)가 죽었다. 상당수는 전투하다 죽은 것이 아니라 부상, 감염, 질병의 결과로 죽었다.[19]

영국은 무기와 탄약을 대량생산할 수 있었다. 단연 세계 최대의 초석(화약의 필수 성분인 질산염을 만들었다) 생산지인 벵골과 비하르를 장악한 덕분이었다. 나폴레옹 전쟁이 한창이던 1808~1811년 영국은 나폴레옹과 싸우던 에스파냐 유격대에 장총 33만 6천 정, 권총 10만 정, 탄창 6천만 개를 공급할 수 있었다. 영국군이 자기네 전투에서 사용할 총, 포, 군수품은 차치하고 말이다.[20]

나폴레옹 전쟁은 또 하나의 흥미로운 효과도 가져왔다. 영국의 경우 프랑스 군대에 맞설 인력이 필요해져 남자들이 징집돼 전쟁터로 나감으로써 인력 부족을 야기했다. 전쟁 한창때에 35만 명의 남성이 군대에 있었던 것으로 추산된다. 징병이 많았던 도시와 지역에서는 노동 절약 기술의 채택과 그에 대한 투자 및 개선이 촉진됐다. 대표적인 것이 탈곡기였다. 이것은 장기적인 사회경제적 편익을 제공했다. 심지어 1815년 유럽에 다시 평화가 찾아온 뒤에도 그랬다.[21]

국가의 역할 증대는 더 높은 수준의 정치 참여 요구를 불러왔다. 이런 정서는 1819년 8월 맨체스터의 세인트피터스필드에서 위기 상황에 도달했다. 대략 6만 명의 군중이 모여 의회 참여권이 없는 것에 항의했다. 이 시기에는 투표권이 상류층으로 제한돼 있었다. 불과 10퍼센트 남짓의 성인 남성(여성은 아니었다)만이 선거 투표권이 있었고, 그 선거마저도 어떤 경우에는 정기적으로 치러지지 않았다. 당국은 군대를 요청했고, 군대는 기병대 공격으로 잔혹하게 시위대를 진압했다. 그 결과로 많은 사상자가 났다. 곧 피털루 학살로 알려지게 되는 이 사건은 비무장 시위대를 상대로 군사력을 행사했다는 오명을 쓰게 되었다.[22]

개혁 요구는 여러 요인에 의해 추동됐다. 그중 하나가 경제 침체와 실업이었다. 4년 전 워털루 전투에서 나폴레옹이 패배하고 거의 20년을 끌었던 상시 전쟁이 마무리된 데 따른 것이었다. 그러나 좋지 않은 기후 조건 역시 흉작에 한몫해서 가격에 충격파를 던졌다. 곡물 값이 두 배로 뛰고 이 시기 유럽과 기타 지역에서 빈곤을 심화시켰다. 1816년에서 1817년에 걸친 겨울에 큰 제조업 도시들의 노동자들은 일자리를 잃고 절망적인 식량 부족에 시달렸다고, 그로부터 얼마 지나지 않은 시기에 맨체스터의 한 주요 신문은 보도했다. 교구에서 할 수 있는 만큼 도움을 주었지만 필요한 것에 비하면 턱도 없었다. 당시 한 영향력 있는 신문이 보도했듯이 영국이라는 "나라는 식량을 간절히 원하고 있었고, 그 국민은 식량이 없어 가라앉고 있었다."[23]

이는 부분적으로 나폴레옹 전쟁 종결 이후 정부가 채택한 조치에 기인한 것이었다. 그 조치는 지주와 부자들에게 도움을 주었다. 하나는 전시 소득세의 폐지였다. 또 하나는 곡물 수입 금지를 강제하는 '곡물법'의 도입이었다. 이로 인해 곡물 가격이 오르고 사람들은 더욱 빈곤 속으로 떨어졌다.[24]

그러나 문제의 또 다른 원인은 세계 반대편에 있었다. 바로 지금의 인도네시아 탐보라산이었다. 1815년 4월의 그 분출은 과거 1만 년 사이에 가장 큰 규모였다. 현지에 미친 영향은 파멸적이었다. 수십 세제곱킬로미터의 마그마가 뿜어져 나와 대기 43킬로미터 위까지 치솟았으며, 폭발음이 2천 킬로미터 밖에서도 들렸다. 지진해일이 퍼져 나가, 일부 보고에서 최고 4미터 높이의 파도를 일으켜 자바섬을 비롯한 많은 섬을 초토화시켰다. 이에 이어진 기근과 질병의 결과로 동남아시아에서 12만 명이 목숨을 잃었다.[25]

탐보라산이 분출하기 전 3년 동안에 세계의 기온은 이미 분명하게 떨어졌다. 카리브해 수프리에르산과 지금의 필리핀 마욘산 분출이 그 한 원인이었다. 각기 1812년과 1814년에 일어났다. 이는 탐보라산 분출의 효과를 증폭시켰겠지만, 1816년이 태양 흑점 주기(해수면 온도에 영향을 미치는 것으로 알려진 현상이다)에서 이례적으로 약한 극대기에 해당했다는 점은 도움이 되지 않았다. 그 영향은 전 세계적으로 매우 커서 1816년은 "여름이 없었던 해"로 널리 알려지게 되었다.[26]

그 결과는 극적이었다. 1816년 7월, 런던의 〈타임스〉는 위험이 앞에 있다고 경고했다. "현재의 습한 날씨가 계속되면" 수확량이 감소하고 "이런 시기에 그런 재난의 영향은 농민들에게, 심지어 일반 대중에게도 파멸적일 수밖에 없다"라고 신문은 보도했다. 유럽의 다른 많은 지역에서도 사정은 비슷했다. "이례적으로 습한 계절을 보낸 대륙의 모든 지역에서 우울한 소식"이 들려왔다. "그 결과로 땅은 홍수에 쓸려 나갔고, 포도밭과 곡물은 돌이킬 수 없는 해를 입었다. 네덜란드의 몇몇 지방에서는 풍성한 초지가 모두 물에 잠겼고, 당연히 식량 부족과 고물가가 예상되고 우려됐다. 프랑스에서는 내륙 지방이 홍수와 폭우로 큰 고통을 겪었다." 유럽의 일부 지역에서는 사망률이 상승했다. 가장 두드러진 곳이 스위스와 토스카나였다.[27]

1816년 여름을 제네바에서 보낸 퍼시 셸리 및 메리 셸리 부부와 조지 고든 바이런 같은 영국 작가들이 그들의 글에서 컴컴한 폭풍우, 이상한 하늘, 격렬한 바람, 비를 반복적으로 이야기한 것은 아마도 우연이 아니었을 것이다. 실제로 6월의 어느 저녁에 이들은 그 길고 추운 여름 동안 스스로 즐기기 위해 귀신 이야기 놀이를 하기로 했다. 이것이 메리 셸리가 역사상 가장 유명한 소설 가운데 하나인 〈프랑켄슈타인〉을 구상한 계기였다. 여기에는 천체의 이변, 번개, 천둥, 폭풍우가 두드러지게 나온다.[28]

뉴잉글랜드의 곡물 흉작은 극심한 식량 부족과 가격 폭등을 불러왔을 뿐만 아니라 가축의 떼죽음도 초래했다. 동물 사료가 없어서였다. "그렇게 어려운 시기는 일찍이 없었다"라고 토머스 제퍼슨은 썼다. 사람들은 자기네가 "유례없는 고통"의 상태에 빠져 있음을 알게 되었다. 그 결과로 지역적인 반란, 봉기, 법과 질서의 파괴가 일어날 듯하다고(심지어 아마도 불가피할 듯하다고) 그는 썼다. 신문들은 이 상황을 기독교 성서의 '이집트 기근'과 비교했다. 물론 그 비유는 엄청난 금융위기, 정서적 혼란, 도시의 폐기 같은 것들을 포괄할 수는 없었지만 말이다. 심지어 한 역사가는 탐보라산 분출이 "미국의 첫 번째 주요 경기 침체의 일차 원인"이라고까지 주장했다.[29]

이 분출은 다른 지역에도 타격을 안겼다. 인도아대륙 같은 곳이다. 이곳에서는 계절 강우의 변화, 무역풍의 문제, 3년에 걸친 남아시아 열 순환의 부진이 농작물 수확량을 대폭 떨어뜨리고 해상무역에 지장을 주었을 뿐만 아니라 벵골만의 미생물 생태계도 변화시켰다. 1817년, 이례적으로 이르고 많은 비가 내려 콜레라 발생이 급증하는 바람에 거의 상상할 수 없을 정도의 사망자가 발생했다. 죽은 자와 죽어가는 자의 몸뚱어리가 부자든 가난한 자든 한데 모아져 쉬지 않고 타고 있는 화장용 장작더미 위에서 불태워졌다고 한 목격자는 썼다. 다른 시신들은 독수리와 자칼의 차지가 되었다. 그것은 "무어라 표현할 수 있는 능력을 완전히 흐

트러뜨리는 비통한 장면"이었다.[30]

1820년의 한 보고는 1815년 이래 기상의 '이상' 상태라는 것에 대해 주장했는데, 그 결과로 100만 명 이상이 죽은 것으로 추산됐다. 기후 요인이 정말로 결정적인 역할을 했던 듯하다. 수온과 염도의 변화가 콜레라의 주요 수생 숙주 노릇을 하는 동물성 플랑크톤을 뒷받침했고, 이례적이고 계절에 맞지 않는 홍수가 세균의 영양분 공급원 노릇을 하면서 동시에 병원균을 해안 지역 수계에 전파했다. 이것은 벵골에서 거의 독특하다 할 정도로 위험했다. 강 삼각주의 낮은 땅이었기 때문이다.[31]

얼마나 많은 사람이 죽었는지를 평가하는 일은 오차 범위가 크지만, 그것이 초래한 파괴의 또 다른 지표는 영향을 받은 공동체들 안에 널리 퍼진 공포에서 찾아볼 수 있다. 많은 도시가 사람들이 빠져나가는 바람에 공동화됐다. 일부에서는 전통적인 구원 방식에 의지했다. 칼리Kālī나 올라데비Oladevi 같은 신들에게 보호를 의탁했다. 그 무렵에는 이들에 대한 숭배가 급격하게 늘었다.

물론 기후가 콜레라 유행에 한몫하기는 했지만, 식생활, 하수 처리, 위생은 더욱 중요한 요인이었다. 콜레라는 무엇보다도 빈곤의 질병이었기 때문이다.[32] 1820년대 초에 콜레라는 육상과 해상을 통해 동남아시아를 거쳐 중국과 일본으로, 그리고 서쪽으로 페르시아와 러시아, 이어 유럽으로 확산됐다. 유럽에서는 1830년대 초에 만연했다.[33]

질병, 빈곤, 제한된 취업 전망은 모두 유럽에서 이민의 물결을 내보내는 동력 역할을 했다. 나폴레옹 전쟁이 끝나자 20만 명의 제대 군인들이 일자리 시장에 넘쳐났다. 제복에서부터 총알과 밧줄과 선박용 천에 이르기까지 보급품을 군대에 납품하는 방대한 정부 계약이 줄어들거나 완전히 폐기되는 시기였다.[34] 더 나은 미래를 위한 식욕은 게걸스러웠다. 지금의 남아프리카공화국 정착을 위한 영국 정부의 계획은 4천 명의 인력을 끌어들이기 위해 세워졌다. 이스턴케이프의 올버니에 정착하기 위해 대륙을 이동하고자 하는 사람들이었다. 여기에 8만 명 이상이 지원서를 냈다.[35]

이것은 모두가 새로 오는 사람들을 기쁘게 맞아들였다는 말이 아니었다. 미국의 첫 대통령 조지 워싱턴은 더 나은 삶을 위해 북아메리카 해안에 도착한 사람들의 수준에 대해 경멸조로 말했다. 그들은 "모든 권위에 반항할 강도들", "가치 없는 작자들", "야만인" 무리에 지나지 않았다.[36]

유럽의 장기 불황을 겪고 있는 사람들에게 다른 곳에서 새로운 생활을 시작하기 위해 이주할 수 있다는 가능성은 갈수록 매력적인 것이었다. 특히 새로운 기회가 열리고 기반시설과 편의시설이 끊임없이 개선되고 있는 곳이라면 더 그랬다. 미국이 그런 곳이었다. 이곳은 갈수록 더 많은 증기선이 큰 강들을 왕래하며 새로운 연결망을 만들고 운송비를 낮추었으며, 부의 전망뿐만 아니라 자유의 전망까지도 있는 곳이었다.[37]

브리튼제도를 떠나는 사람들의 수는 급격하게 늘어났다. 1790년에서 1815년 사이에 약 18만 명이 잉글랜드, 스코틀랜드, 웨일스에서 이민을 떠났다.[38] 이후 30년 동안 그 수는 극적으로 불어났고, 19세기 후반에 몇 차례의 급증이 다시 이어졌다. 1850년 이후 70년 동안에 약 4500만 명이 '구세계'에서 '신세계'로 이주했다.[39]

이주민은 남·북아메리카의 전체적인 발전에 매우 중요한 것으로 드러났다. 새로 도착한 사람들은 새로운 노동력 공급원 노릇을 했을 뿐만 아니라 관념, 지식, 문화, 유전자, 제도, 언어를 가지고 와서 급격한 사회경제적·정치적 발전을 촉진하는 데 이바지했다.[40] 그것은 유럽의 변화 역시 자극했다. 대량의 이탈 사태는 노동력의 크기를 줄였고, 이에 따라 임금을 끌어올리고 혁신·기계화·공업화에 더 큰 보상을 제공했다.[41]

새로운 땅에는 기회뿐만 아니라 자유도 있다는 소식이 고국에 전해졌다. 1820년대에 북아메리카에 막 도착한 조지프 홀링워스Joseph Hollingworth는 잉글랜드 허더스필드의 자기 친척들에게 이런 편지를 보냈다. "이 나라에는 영주도 없고 나리도 없고, 공작도 후작도 백작도 없고, 떠받들 왕실도 없고 왕도 없다." 그뿐이 아니었다. 그곳에는 가난의 기미가 없었다. "나는 이 나라에서 거지를 본 적이 없다. 잉글랜드에서는 일상적으로 봤는데 말이다." 아마도 더욱 고무적인 것은 "가난뱅이의 주머니에서 마지막 한 푼까지 빼내가는" 세리의 흔적이 없다는 것이었다. 또 하나 놀라운 사실은 미국 대통령이 연설을 시작할 때 "영주와 신사 여러분"이 아니라 "동료 시민 여러분"을 들먹인다는 것이었다. 이곳은 꿈의 고장이라고 홀링워스는 말했다. 그러고는 스스로 "잉글랜드의 옛 시"라고 한 것을 끄집어내 자신의 새 조국을 묘사했다.

더 이상 폭정이 없는 곳
우리 모두가 자유로울 수 있는 곳[42]

그런 자유에 대한 관념을 뒷받침하는 것은 자연에 관한, 생태계의 변화에 관한, 미개척지의 '개선'에 관한 여러 가지 광범위한 생각들이었다. 이미 그곳에 살고 있는 사람들을 쫓아내는 일에 관한 생각도 있었다.

토착민들(보통 함께 뭉뚱그려 '인디언'이라고 불렀다)은 통상 "열등한 계층의 시민"으로 치부됐다. 유대인, 집시, 노예, '자유민 검둥이' 같은 사람들처럼 말이다. 일부 사람들은 원주민이 "문명화된 사회의 오물일 뿐"이어서 "해충에게 뜯어먹히게 방치"하면 된다고 생각했다. 그들이 "완전한 절멸"로 끝장나는 것은 오직 시간문제일 뿐이었다. 어떻든 많은 사람들에게, 원주민들이 사냥하고 농사짓고 생활하던 땅은 정착자들이 차지해야 한다는 것은 분명했던 듯하다. 그러려면 기존 공동체들을 쫓아내야 했다. 한 논자가 주장했듯이 "한 가지 분명한 것은 야만인과 문명인이 함께 살 수는 없기" 때문이었다.[43]

이런 생각들은 대량 추방에 대한 논의를 촉발했고, 곧 치카소Chickasaw, 촉토Choctaw, 무스코기-크리크, 체로키와 여타 민족들을 몰아내는 정부 정책 및 입법으로 이어졌다. 그들은 서쪽으로 밀려났고, 생존자들은 이곳을 '죽음의 땅'이라고 불렀다.

1829년 국정연설에서 앤드루 잭슨 대통령은 토착민들에게 "문명의 기술"을 알려주는 것이 "정부의 오랜 정책"이었다고 말했다. 다만 그런 노력은 완전히 실패했다고 그는 말했다. 그들이 "자기네의 야만적 풍습을 유지"하고 있다는 데서 분명히 알 수 있는 사실이었다. 따라서 1830년에 만들어진 '인디언 제거법'에서 제시된 최선의 해법은 서쪽으로의 이주를 권장하는 것이었다. 실제로는 강제 추방이었다.[44] "우리가 그 종족 사람들을 그들 역사의 흔적을 거의 보존하지 않은 채 사라지게 하는 것은 매우 유감스러운 일이고 정말로 체면이 깎이는 일"이라고 전직 미국 대통령 토머스 제퍼슨은 썼다. 물론 그 역시 이 추방이 백인 노동자들을 위해 땅을 해방시킬 것이라고 주장했다.[45]

다른 곳에서도 상황은 비슷했다. 캐나다에서는 원주민들('퍼스트네이션First Nations'이라 부른다)이 가장 좋은 땅에서 보류지로 밀려나고 그 자리를 새로운 정착자들이 차지했다. 오스트레일리아에서는 1830년대와 1840년대에 유럽인들이 내륙 영토로 이주했다. 어떤 사람들은 그들이 들떠 있었다고 묘사했다. "에덴동산만큼이나 푸르고 산뜻"했기 때문이다. 수백 년 동안 초지를 관리하며 살아온 우룬제리Wurundjeri, 분우

룽Boonwurrung, 와타우롱Wathaurong족은 강제로 쫓겨났다. 그들에게는 물웅덩이도 이용하지 못하게 했으며, 어떤 경우에는 심지어 그들을 무단 침입으로 기소하기까지 했다.[46] 뉴질랜드는 근면과 인내로 다듬어 목가적인 전원으로 변모시키기를 기다리는 황무지로 소개됐다. 이미 그곳에 살고 있는 사람들에 대해서는 거의 또는 전혀 언급이 없었다. 새로운 세계가 변모를 기다리고 있었다. 그들에게 필요한 것은 사람뿐이었다. 더 정확하게 말하자면 '올바른 부류'의 사람들이었다. 바로 유럽인들 말이다.

대량 이주는 인구의 구성 및 분포를 극적으로 변화시켰을 뿐만 아니라 자연계 역시 재편했다. 오스트레일리아 정착자 수는 1790년에서 1810년 사이에 1천 명에서 1만 2천 명으로 늘었고, 50년 후에는 125만 명으로 급증했다. 100배 이상 증가한 것이다. 얼추 비슷한 기간에 캐나다 온타리오의 인구는 대략 6만 명에서 140만 명으로 23배 이상 증가했다. 미국 오하이오, 인디애나, 일리노이, 미시간, 위스콘신의 인구도 마찬가지였다. 25만 명을 약간 웃돌던 데서 총 700만 명으로 늘었다. 비슷한 변화는 앨라배마, 미시시피, 아칸소, 미주리, 플로리다, 루이지애나, 텍사스에서도 찾아볼 수 있었다. 15만 명에서 460만 명 이상으로 늘어난 것이다. 본래의 열세 개 식민지에 버몬트와 메인을 더한 곳에서는 1791년에서 1861년 사이에 인구가 380만 명에서 1590만 명으로 증가했다.[47] 1830년에 시카고는 "대여섯 채의 집"밖에 없었는데, 60년 후에는 주민이 110만 명에 이르렀다.[48]

이런 팽창 형태는 남·북아메리카와 서방에만 한정되지 않았다. 러시아 제국의 유럽 부분 스텝 지역에서도 반복됐다. 이곳에서 인구는 1700년에서 1800년 사이에 여덟 배 이상 늘었고, 1850년까지 다시 세 배 늘었고, 이어 1914년까지 다시 세 배 늘었다. 대략 38만 명에서 2500만 명 이상으로 늘어난 것이다. 더구나 이 수치에는 매년 농장으로 일하러 오는 단기 이주 노동자는 포함되지 않았다. 그러나 인구의 극적인 증가를 설명하는 것은 주민 이동뿐만이 아니었다. 새 정착자들은 출산율 수준도 높았다.[49] 1860년대의 농노제 폐지는 시골 농민과 땅 사이의 연결을 느슨하게 하는 데 이바지해 새로운 기회를 찾는 사람들의 물결을 일으켰다. 그들은 목축을 하는 반半유목 경제에서 일하다가 정착 농경으로 용도가 변경된 땅으로 몰려갔다.[50]

청나라 중국에서는 이런 식민지 팽창이 재현되지 않았다. 이곳에서는 신장, 내몽골, 만주로 가는 장거리 이주에 대한 열의가 적었다(만주의 경우는 자기네의 발상지여서 봉금封禁 지역으로 설정해 개발하지 않은 것이기 때문에 사정이 조금 달랐다). 농업 체제를 재편함으로써 얻을 수 있는 매력이나 보상이 크지 않은 지역들이었다.

17세기 말과 18세기에 청이 정복한 지역이 멀고 접근하기 어려웠다는 점이 문제였다. 대량의 물자를 여러 방향으로 쉽고도 비교적 값싸게 수송할 수 있는 해로나 강을 통한 수로도 없었다. 더 중요하게는 이 지역들이 상품 기지로서의 가능성이 적었다는 것이 일차적으로 그 이용을 매력적으로 보이지 않게 했다는 것이다. 그리고 이러한 지역을, 새 소유자들을 부유하게 만들고 현지의 많은 정착지들을 부양할 수 있는 대규모 경작지로 전환하는 것에도 긍정적 측면이 딱히 없었다. 청나라가 취한 퇴행적 정책(특히 불하받은 토지를 사고팔지 못하게 하는)과 노동을 토지 소유에 묶어두려고 하는 관행이 장벽이 되어서 동기 유발이 적고 심지어 기회도 적었다.[51]

이것은 세계의 다른 지역에서 광대한 제국이 탄생하던 흥청거리는 19세기에 중국의 사회적·경제적 발전, 심지어 정치적 발전을 저해하는 요소로 작용했다. 석탄 매장지를 선사한 과거의 기후 및 지질학적 행운 역시 화석연료(여전히 오늘날 세계의 모습에도 영향을 미치고 있다)의 시대가 시작되면서 중요한 것으로 드러났다. 석탄의 이용과 함께 공업혁명의 길을 열어준 기술의 진보는 유럽에서 생산성을 변화시키는 데 이바지했다. 특히 영국은 탄전과 과학계의 혜택을 누렸다. 과학자들이 방법을 개발하고 정밀하게 가다듬고 개선해 에너지 자원의 이용을 확대시켰다. 그중 하나가 채탄 방식의 개선이었다. 그것은 비용을 더욱 낮춰주었고, 그 영향은 엄청났다. 1850년에 1800만 명의 영국인들은 3억 명의 중국인이 쓰는 것과 맞먹는 에너지를 사용했다.[52]

여기에는 여러 요인이 반영되었다. 일부 역사가들에 따르면 그중 가장 중요한 것은 수요 증가였다. 그리고 다시 에너지가 사용될 수 있는 새로이 진화된 방법을 반영했다.[53]

에너지 수요의 규모는 인상적이었다. 영국에서는 석탄 생산이 1815년에서 1830년 사이에 두 배가 되었다.[54] 이런 의미에서 석탄 매장지의 분포와 위치는 영국에 대단한 행운이었음이 입증됐다. 많은 것이 탄전의 위치에 달려 있었다. 중국은 생활수준에서, 수준 높고 상업화된 농업에서, 활기찬 과학계에서, 선진적인 인쇄문화에서 유럽에 필적했지만 그 탄전은 전반적으로 인구가 많은 지역에서 멀리 떨어져 있었다. 특히 제조업과 생산의 중심지이자 많은 인구가 살고 있던 창장 삼각주에서 말이다.[55]

영국의 탄전(특히 노섬벌랜드와 더럼의 탄전)은 에너지 수요가 많은 크고 작은 도시들과 훨씬 가까웠다. 실제로 석탄의 이용 가능성은 값싼 노동력을 얻을 수 있고 새로운 수로망과 연결되거나 해안에 위치한 도시들의 성장을 자극했다. 맨체스터와 버밍엄은 분명한 수혜자였다. 글래스고와 리버풀도 마찬가지였다. 이들 도시의 인구는 18세기 중에 열아홉 배

나 증가했다.[56]

지방 도시들의 성공 요인 가운데 하나는 대량의 덩어리 석탄의 운송 비용이 높았던 데 있었다. 예를 들어 뉴캐슬의 석탄 가격은 런던의 8분의 1이었다. 그러나 석탄은 값싼 동력원으로서 중요했을 뿐만 아니라 생산성을 즉각적이고도 큰 폭으로 증가시키도록 자극했기 때문에 중요했다. 특히 증기기관과 철도 덕분이었는데, 이 둘이 결합해 지역들을 한데 연결시키고 운송과 교환의 비용을 낮추는 한편으로 그 속도를 높였다.[57] 또한 연구와 새로운 기술 개발을 지원할 능력과 관심을 끌어올리는 데 이바지했다. 그것은 해외 무역(수익을 추구하는 자본을 모을 수 있게 했다)에서 나오는 이익 덕분에 더 큰 효율성을 보장받을 수 있었다.[58]

이런 관점에서 다른 인간을 속박하는 것은 중요했다. 무엇보다도 중요한 것은 노예의 거래가 아니라 그들의 노동의 결과물이었다. 설탕, 담배, 커피, 면화 같은 형태의 것들 말이다. 새로운 연구가 보여주듯이 영국은 노예라는 재산이 없었으면 상당히 가난하고 농업적이었을 것이다. 뿐만 아니라 영국은 노예를 다른 사업과 기술에 투자하는 과정에서 이득을 얻었다. 다시 말해서 노예로서 고생한 사람들이 영국의 공업혁명을 가속화시킨 연료를 제공했다는 주장이 가능하다.[59]

모아진 자본, 새로운 생각, 기술이 한데 합쳐져 도시화를 촉진하는 데(특히 런던을 성장시키는 데) 이바지했다. 그것은 석탄 거래 성장을 자극해 인력과 자본이 필요한 광산 근처에 형성된 신생 도시를 도왔으며, 투자자들에게 재정적 보상을 제공하고 새로운 지역에서도 소비를 자극했다. 이것은 주택 건설붐을 일으켰고 이에 따라 생활습관과 건축 양식의 변화도 일어났다. 나무를 때는 대신에 석탄으로 난방을 하는 "완전히 새로운 양식의 집"이 지어졌다.[60]

반면에 중국에서는 자원이 적고 토양이 나쁜 지역에서 인구가 가장 급속히 증가했다. 이것이 자원에 대한 부담을 악화시켰다. 완화하거나 해결하는 게 아니라 말이다.[61] 여기에서도 유럽과는 다른 궤적을 보였던 것이다. 유럽에서는 해외 식민지 건설로 자원을 한 대륙에서 뽑아내 다른 대륙으로 이동시킬 수 있는 연결망을 만들었다.

앞에서 보았듯이 매우 귀중하게 여겨진 몇몇 상품은 설탕, 면화, 담배 같은 환금작물이었다. 그러나 좀 더 평범한 물자들에 대한 실제적인 필요도 있었다. 물량이 크고 운송하는 데 비용이 많이 드는 것들이었다. 예를 들어 1650년까지 유럽에서 대략 20만 헥타르의 산지가 벌목됐다. 전체 지역의 40퍼센트 정도였다. 1750년에서 1850년 사이에 거의 비슷한 면적이 다시 벌목됐다. 벌목은 땅을 다른 용도로 전환하기 위한 과정이었고, 또한 지속 불가능한 소비 패턴의 반영이었다. 해답은 외부의 자원으로 눈길을 돌리는 데 있었다.

핵심 지역 가운데 하나는 발트해 지역이었다. 이곳은 오랫동안 서유럽의 목재 수요를 메워주었다. 배와 큰 건물을 짓는 데 필요한 성목成木은 기르는 데 120년이 걸렸다. 게다가 상당한 양이 필요했다. 갈레온선 한 척을 만드는 데도 오크나무 2천 그루가 필요했다. 삼림 면적으로 대략 20헥타르다. 목재 수요는 발트해의 교역망을 열고 북해와 발트해 연안 곳곳에 자리 잡고 있던 한자동맹 도시들의 성공을 자극하는 데 중요했다.[62] 공업화가 시작되면서 이제 수요는 급격하게 증가했다. 목재 수입은 1850년 250만 세제곱미터에서 70년 후 1550만 세제곱미터로 증가했고, 목재 펄프 수입은 같은 기간에 더욱 가파르게 증가했다.[63]

자원 수탈의 바탕에 있는 것은 자연에 관한, 땅에 관한, 환경을 어떤 방식이든 자기네가 원하고 최선이라고 믿는 대로 개조할 권리에 관한 급진적인 생각이었다. 자연계는 길들이고 극복해야 할 대상이 되었다. 이런 생각은 인간의 천재성, 근면, 새로운 도구가 이제 생태계를 그 어느 때보다도 더 낫고 더 빠르게 모습과 용도를 바꿀 수 있다는 확신에 의해 불이 지펴졌다.

많은 학자들은 이런 태도를 유럽과 유럽인의 종교적·문화적·철학적 감수성에 직접 연결시켰다. G. W. F. 헤겔은 동아시아인들이 자연을 대하는 태도를 경멸하면서, 그들의 우주론 체계로 인해 그들은 추상적 용어를 통해 사고하거나 자유롭게 사고하지 못한다고 주장했다. 아프리카인을 "완전히 야생이고 길들여지지 않은 상태의 자연인"의 전형이라고 말한 것 역시 우월주의자의 정서를 드러낸 것이었다. 땅을 물려받아야 하는 것은 유럽인이며, 다른 인종은 열등할 뿐만 아니라 그렇게 할 가치가 없거나 능력이 없다는 것이다. 따라서 헤겔에게 자연에 "폭력을 가하려는" 충동은 떠오르는 주류의 생각을 반영해 백인다움, 권력, 특권을 유독한 틀(그 틀은 유럽인을 모든 인간과 모든 살아 있는 동식물의 정점에 올려놓고 있다) 안에 집어넣으려는 공격적인 진술이었다.[64]

자연은 수탈의 대상일 뿐만 아니라 인간의 진보의 장애물로서 극복해야 할 무언가가 되었다. 한 미국 공학자가 흑해와 카스피해 사이의 운하 건설(그렇게 하면 카스피해의 크기가 두 배가 되고 강우 패턴을 변화시키며 스텝 토양의 비옥도를 증진시킬 수 있다고 했다)을 제안하면서 조심스럽게 이야기했듯이, 이런 계획들은 "자연에 대한 국가의 엄청난 승리"이며 그것은 "인간의 물질적 진보의 역사에서 훨씬 위대한 정복이 될 것"이라고 했다.[65] 그의 계획은 황폐한 땅을 "그 태고의 상태, 수많은 사람과 동물이 사는 곳"으로 되돌리려는 것이었다. 이것은 중요하다고 당대의 한 논자는 지적했다. "세계는 현재의 인구에 비해 그리 크지 않기" 때문이었다. 자연의 진격을 멈추게 하는 것이 필요했다. 누구든 그렇게 하도록 도울 수 있는 사람은 "인류의 은인이 될 것"이었다.[66]

그러나 모든 사람이 인간의 활동을 긍정적이라고 확신하지는 않았고, 일부는 대신에 지속 가능성과 환경에 가해진 장기적인 충격에 대해 우려했다. 알렉산더 폰 훔볼트는 삼림 파괴와 관개농업 증가의 조합을 우려했다. 그것이 평원을 사막으로 바꿔놓고 있었다. 그는 이렇게 지적했다. "산꼭대기와 산허리를 뒤덮었던 나무가 잘리면서 모든 기후에 살고 있는 사람들은 당장 미래 세대에게 닥칠 두 가지 재난에 대비해야 한다. 연료 부족과 물 부족이다."[67]

훔볼트는 결코 이런 우려를 하거나 삼림 파괴와 건조화 사이의 연결에 대해 인식하고 있었던 유일한 사람이 아니었다. 한 중견 역사가의 말을 빌리자면 19세기의 "모든 학식 있는 사람"이 다 알고 있는 사실이었다.[68] 새로운 지역들은 누구에게는 부를 가져다주고 누구에게는 실망을 안겨주었다고 오스트레일리아에 갔던 한 영국인은 말했다. "앵글로색슨의 에너지가 마침내 모든 장애물을 극복"해내기는 했지만, 이 승리에는 희생이 따랐다. "자연은 침해를 당하면 땅으로부터 그 아름다움을 거둔다. 초지는 점차 신선한 풀을 잃고, 어떤 강과 호수는 물이 줄며, 어떤 곳은 완전히 말라버린다." 야생 동물들은 "더 이상 보이지 않는다."[69]

삼림 파괴의 영향에 관한 우려는 주류 학문의(그리고 정책의) 일부가 되었다. 러시아에서는 1802년에 이미 삼림 보호를 촉진하기 위한 조치가 취해졌다. 국유자산부(MGI)가 보호를 감독하기 위한 삼림관리단을 설치했다.[70] 곧 기존 영토와 그 세기 중반 이후 제국의 통제하에 들어온 시베리아 및 중앙아시아의 광대한 땅에 관한 정보 수집을 위한 노력이 기울여졌다.

러시아의 과학자들과 지주들은 심해지는 건조화와 극심하고 우려스럽게 자주 일어나는 가뭄을 갈수록 더 걱정했다. 많은 사람들은 미국과 유럽에서 쓰인 저작들을 읽었으며, 삼림 파괴가 기후 변화의 한 원인임을 알게 되었다. 벌목이 러시아 남부의 땅들을 동풍에 노출시켰다고 1840년대 초의 한 연구는 밝히고, 이것이 "최근 심해지고 있는 파괴적인 영향력을 지닌 가뭄의 주요 원인일 것"이라고 지적했다.[71]

1873년에 연구 내용을 발표한 발루에프Valuev 위원회는 땅이 개간되면서 기후가 "더욱 혹독해지고 건조해졌다"고 지적했지만, 모든 사람이 이것이 사실이라거나 인간의 활동이 애초에 기후에 영향을 줄 수 있다고 확신한 것은 아니었다. 제국의 각 주를 조사한 고위 군 장교들은 기후 변화에 대한 생각이 불확실한 증거와 신뢰성이 의문스러운 현지 주민들의 진술을 바탕으로 한 경우가 많다고 불평했다.[72] 그럼에도 불구하고 공통된 의견은 스텝이 나쁜 쪽으로 변화하고 있다는 것이었다. 그 내용과 원인을 이해하는 데 도움을 주기 위해 제국 전역에 기상 관측소 망이 만들어졌다. 의견이 아니라 자료에 근거하는 논리적인 작업을 해보기 위해서였다.[73]

비슷한 우려는 다른 곳에서도 나왔다. 멕시코에서는 박식가 미셸 슈발리에Michel Chevalier가 1860년대에 이 나라가 프랑스에 점령된 뒤 그 경제를 어떻게 발전시킬 것인가를 고민했다. 가장 큰 문제 가운데 하나는 한때 에덴동산이나 다름없었던 곳이 에스파냐의 과잉 수탈로 "황량하고 적막한 불모지"로 변한 것이라고 그는 주장했다. 삼림 파괴는 치명적이었다고 그는 썼다. 그것이 한동안 건조화와 강우 패턴의 변화를 야기했을 뿐만 아니라 땅에서 영양분이 사라져 생산성이 떨어졌기 때문이기도 했다. 이것은 당연히 현지 주민들의 식생활과 빈곤에 영향을 미쳤다. 그리고 생산성과 경쟁력 하락, 경제적 고통, 정치적 불안정으로 이어졌다. 슈발리에에게 해답은 "이 나라가 삼림을 얼마나 회복할 수 있을지"를 살피는 데 있었다.[74]

삼림 보호와 특히 나무 심기는 영국 식민지 정책의 핵심적인 부분이 되었다. 그것은 인도와 '인도삼림헌장Charter of Indian Forestry'으로부터 시작됐다. 이 헌장은 개인의 소유가 아닌 모든 삼림을 병합해 국가 소유라고 선언했다. 곧 오스트레일리아, 캐나다, 아프리카에서 비슷한 조치들이 뒤따랐다. 이들 지역에서는 "나라의 광범위한 지역"이 건조해지고 있다고 했다. 너무 많은 나무들이 벌채된 결과였다. 일부 학자들의 주장에도 불구하고 당국이 삼림 통제에 나선 동기는 보호와는 그다지 관계가 없었다. 실제로 중요했던 것은 식민 당국이 정치적·경제적 통제력 확대에 필수적인 목재 자원 수탈에 매달렸다는 것이었다. 숲에서 살고 있던 사람들(여러 세대에 걸쳐 그곳에서 살았다)에게 미친 영향은 파멸적이었다.[75]

일부에서 우려를 제기하기는 했지만 현실은 삼림 파괴가 19세기와 그 이후에 깜짝 놀랄 정도의 속도로 계속됐다는 것이다. 1850년에서 1920년 사이에 대략 1억 5200만 헥타르의 세계 열대림이 초지로 전환됐다. 그 3분의 2 가까이(약 9400만 헥타르)는 사하라 이남 아프리카, 남아시아, 동남아시아에서 일어났다. 모두 식민지 팽창의 핵심 지역들이다.[76]

역설적으로, 변화를 합리화하고자 할 때 늘 하는 이야기는 현지 주민들이 자연을 잘 보호하지 못하고 농경에 대한 그들의 접근법이 원시적이며, 새로운 환경의 개발은 그들에게 이익이 될 뿐만 아니라 그들 자신은 그렇게 할 능력도 없다는 것이었다. 물론 그런 주장들은 사실이 아니었다.[77]

1750년에서 1900년까지, 대략 60만에서 80만 헥타르에 이르는 세계에서 가장 비옥한 경작지가 개발돼 이용됐다. 남·북아메리카, 오스트레일리아, 뉴질랜드, 남아프리카의 새로운 정착지들이 양모, 고기, 곡물의 중요한 공급지가 되었고, 세계에서 가장 큰 생산지들에 속하게 되었다.

이것은 그저 땅을 조사하고 그 가능성을 찾아나선 사람들이 초래한 결과만이 아니라, 법적 소유권 주장을 약탈적으로 내세운 것과 실제 소유권 사이의 함수관계로 인한 결과이기도 했다. 그들은 땅 및 자연의 '개선'의 중요성을 주장함으로써 새로 온 사람들에게 땅의 통제권을 장악할 '권리'를 주었다.[78] 많은 경우에(인도가 그렇다) 식민 당국은 그저 경작되지 않는 모든 땅은 국가 소유라고 주장했다(그리고 그 주장을 입법화했다). 이것 역시 토착민들이 무지하고 부주의하며 삼림을 해치는 관행을 채택하고 있다는 널리 퍼진 전제의 한 측면이었다. 영국인들은 스스로를 환경 보호자로 여겼다. 그들이 자연계를, 그곳에 수백 년, 심지어 수천 년 동안 살아온 사람들에 의한 약탈과 관행으로부터 보호할 필요가 있다는 것이다.[79]

이런 생각들은 한발 더 나아갔다. 즉 땅의 통제권을 차지할 뿐만 아니라 사람들마저 그곳에서 아주 몰아내는 것이다. 1870년대와 1880년대에 미국의 옐로스톤, 캐나다의 밴프, 뉴질랜드의 통가리로에 조성된 국립공원들은 자연을 보호하려면 인간을 완전하게 배제해야 한다는 생각을 바탕으로 한 것이었다. 그것이 강제 추방을 의미할지라도 말이다.[80] 일부의 경우에 이것은 폭력적인 항의로 이어졌다. 독일령 동아프리카(지금의 탄자니아를 중심으로 한 지역) 같은 곳이 그랬다. 이곳에서는 삼림 보호를 위한 명령에 따라 새로 지정된 보류지에서 주민들을 쫓아낼 권리가 주어졌다.[81]

식민지 팽창은 '북반구 선진국'들의 권력을 공고히 했다. 전 세계의 가장 좋은 땅을 차지하고, 그 사용을 장악하며, 그 생산의 과실을 독점하고,

그 자원과 땅의 '소유권'으로부터 배제된 사람들의 빈곤과 자유 제한의 현실을 기정사실화함으로써다.[82] 심지어 오늘날에도 야생 생물 보호(그것이 동물과 관련된 것이든 식물과 관련된 것이든)는 흔히 부유한 후원자나 재정이 튼튼하고 자원이 풍부한 자선단체들이 관여해 인간을 보호구역 밖으로 몰아냄으로써 그 '보존'을 추구하고 있다.

흥미로운 신식민주의적 굴곡이지만, 선진국의 부자들이 자연을 훼손으로부터 보호한다. 원주민들로부터 울타리를 치고(흔히 비유적인 의미를 넘어서 실제로 친다) 그것을 구한다. 세계자연기금(WWF)이 콩고공화국의 메속자Messok Dja 보호구역을 만든 것(현지 바카족 공동체들의 동의는 없었다), 7만 명 이상의 마사이족을 탄자니아 북부 그들의 땅에서 추방하고 돈 많은 토호들을 위한 사냥 금지 구역을 만든 것은 많은 사례들 가운데 단 두 가지일 뿐이다.[83] 사실 국립공원이나 보호구역을 만드는 것이 꼭 야생 생물에 도움이 되는 것은 아니다. 그리고 확실히 예측할 수 있고 똑같은 방식으로 그렇게 되는 것도 아니다.[84]

물론 역설적으로 삼림을 인위적으로 변화시키고 토양 침식에(그리고 따라서 수확량에) 영향을 미친 결과에 대한 이 모든 우려에도 불구하고, 상품과 물자에 대한 수요는 단순히 게걸스러운 정도를 넘어서 생태학적으로 재앙 수준이었다. 앞에서 보았듯이 북아메리카에서는 동물들이 그 가죽 때문에 사냥당해 멸종위기에 처하고 이미 일부가 멸종했다. 남아프리카에서 상아는 자원 변경 팽창의 동력이었다. 1870년대 말 영국인과 보어인 사냥꾼들은 코끼리를 찾아 북쪽으로 지금의 짐바브웨, 북부 보츠와나, 동부 잠비아에 들어갔다. 수출 물량은 충격적인 학살 규모를 보여준다. 19세기 후반에 코끼리가 매년 수천 마리씩 살해됐다.[85]

상아는 빅토리아 시대 영국과 미국, 그리고 다른 나라에서도 수요가 매우 많았다. 칼라 단추, 머리빗, 화장 도구에서부터 반짇고리, 이쑤시개, 냅킨 고리에 이르는 유행 장신구에 사용됐다.[86] 큰손은 피아노 제작자였다. 이 악기가 노동자 술집과 연예장에서 인기를 끌고 급증하는 중산층의 신분 상징(영국 본토에서든 미국 대평원의 새로 정착한 농경 사회에서든)이 되었기 때문이다. 사교적 취미인 당구의 등장 역시 수요를 부추겼다. 당구공을 만드는 데는 어린 코끼리의 부드러운 상아를 써야 했다. 그것도 엄니의 일부만 썼다.[87]

그 무역을 줄이려는(완전히 없애는 것은 아니었지만) 시도가 있었다. 츠와나족의 왕 카마Khama는 자기 영토에서 사살되는 코끼리에 대한 부담금을 대폭 올려 사냥을 통제하고자 했다. 이것은 먼 곳에 사는 소비자들에게 별로 영향을 미치지 못했다. 그들의 자연 및 야생 동물의 위엄에 대한 관념과 아프리카 대륙에 대한 선입견은 사냥과 사냥꾼을 미화하는 자극적인 혼합물이었음이 드러났다. 사실 커밍R. G. Cumming 같은 대형 동물 사냥꾼은 모르는 사람이 없었고, 심지어 용감한 남자들(백인)이 자기네의 능숙한 총 솜씨로 커다란 동물들을 절멸의 위기로 내몰 수 있었다는 무용담으로 가득 찬 회고록을 쓰면 찰스 디킨스의 책보다 더 많이 팔릴 정도였다.[88]

이 모두는 '유령경지' 개척의 새로운 전개였다. 식민 세력이 세계의 다른 지역에서 땅, 자원, 물건을 수탈하는 일 말이다. 영국인은 다른 나라(남아프리카, 북아메리카, 오스트레일리아 같은)에서 복제품을 만들어내는 데 단연 최고였고 가장 조직적이었고 가장 단호했다. 각 지역에 본국의 것을 모방한 정치 기구, 사법 기관, 종교 시설이 만들어졌고, 같은 언어를 사용하고 모국과 강한 가족 유대를 갖고 있는 사람들이 그곳을 통제했다.

영어권의 성장은 폭발적이었다. 영어 사용자 수는 1790년에서 1930년 사이에 열여섯 배가 늘었다. 1200만 명에서 2억 명이 되었다. 같은 시기에 새로운 땅으로 팽창하거나 착취적이고 중앙집권적인 정책을 취한 에스파냐, 러시아, 중국 같은 나라들이 성공을 거두지 못했다는 것은 아니다. 그러나 한 중견 역사가가 말했듯이 "토끼처럼 번식한 것은 영어권"이었다. 자원, 물건, 상품을 한 방향으로 보내고 사람을 반대 방향으로 보내는 기반시설 망을 구축하는 데서 뚜렷한 성공을 거둔 것은 영국이었다. 상식은 어떤지 몰라도 영국이 대국이 된 것은 19세기에 들어선 이후였다.[89]

물론 성공의 대가는 다른 사람들의 희생이었다. 남·북아메리카에서, 아프리카에서, 아시아에서, 오스트레일리아에서 현지 주민들이 추방되고 강압당했다. 유럽인들에게 직접, 또는 그 후손들에 의해서였다. 역설적으로 미국 독립의 추동력은 거의 전적으로 영국에 대한 거부감이나 영국의 지배 및 영국의 정체성에 대한 반감으로 인한 것이 아니었다. 오히려 미국의 지도자들이 자기네가 충분한 영국인 대접을 받지 못하고 부차적인 지위에 그치고 있다고 느낀 것이 더 큰 이유였다. 특히 영국 본국의 정치 과정에 대표를 보내지 못하는 것이 불만이었다.[90]

미국은 외관상 그 성격, 태도, 자아상이 매우 공화주의적이었다. 그러나 행동과 실제 측면에서는 팽창적이고 군국주의적이며 그 자체로 착취 세력인 것으로 드러났다. 1803년에 루이지애나를 사들인 데 이어 1810년에는 플로리다를 점령했고, 그 이후에도 지리적 지평을 서쪽으로 계속 확장했다. 이어 1840년대에는 멕시코의 절반 정도를 점령했다. 이렇게 얻은 것들은 상류층과 기업가들에게 분배됐고, 그 대가는 정복되고 쫓겨나고 복속된 사람들이 치러야 했다.

영토 획득과 새로운 상품 변경 개척 과정은 다른 변화의 연쇄에 시동을 걸었다. 수송망에 대한 투자와 급속한 도시화의 시기 같은 것들이다. 1770년대 말에 켄터키의 세 주요 정착지에는 총 280명의 주민이 살았다. 1782년에는 8천 명의 유럽인 정착자들이 들어왔다. 1790년에는 그 수가 7만 3천 명으로 늘었다.[91]

더 크고 더 빠른 증기선의 개발은 수상 운송비를 낮추었고, 이에 따라 물가도 떨어졌다. 물론 일률적이지는 않았다. 예를 들어 1820년대에 필라델피아에서 뉴올리언스를 거쳐 강을 통해 화물을 운송하는 비용은 육상으로 운송하는 비용의 3분의 1이었다. 수십 년 후 대서양 횡단 해운이 매우 효율적이고 값싸져서 북아메리카에서 리버풀로 밀가루를 보내는 비용이 더블린에서 아일랜드해를 거쳐 보내는 비용보다 덜 들었다.[92]

석탄을 쓰는 증기선의 출현은 그 크기, 속도, 험난한 대양에서의 안정성 확대와 어우러져 전 세계적인 저탄소貯炭所 망의 구축을 자극했고, 이에 따라 새로운 항구와 해안 도시가 발전하며 활기를 띠었다. 이런 곳들에서 상품 하역이 이루어졌으며, 도시들은 그 자체로서 중요성을 지니게 되었다.[93] 1860년대 말 수에즈 운하 개통은 해운 소요 시간을 극적으로 단축하면서 가격에 직접적인 영향을 미쳤다. 영국과 유럽, 미국과 캐나다, 그리고 기타 지역에서 19세기에 철도가 크게 늘어난 것 역시 비슷한 효과를 가져왔다.

더 싸고 더 빠르고 더 안정적인 연결은 경제적 교환만 활성화시킨 것이 아니었고, 극적인 사회적·문화적 혁명 또한 불러왔다. 지방 도시들은 미술·음악·문학에 관한 생각(이전에는 부유층의 전유물이었다)에 접근할 수 있는 연결망에 참여하게 되면서 활짝 꽃을 피웠다. 프랑스의 문자 해득률은 1830년대에 20퍼센트 상승했고, 1840년대와 1850년대에도 각기 비슷한 정도로 상승했다.

19세기 후반에는 유럽의 주요 도시에서 박물관이 우후죽순처럼 생겨났고, 더 넓은 사회 각 분야에서 과거와 현재에 관한 토론의 씨앗을 뿌렸다. 모든 사람이 좋아하지는 않았다. 토머스 쿡Thomas Cook 같은 사업가는 관광업 호황을 이용해 돈을 벌었으나, 어떤 사람들은 방문객 무리가 남들의 경험을 망친다고 불평했다. 한 불평자는 이렇게 말했다. 영국 여행자들이 "어디에나 있는 듯하다. 레몬나무마다 영국 여자가 붙어서 그 향내를 맡고 있고, 어느 화랑이든 영국 남자가 적어도 60명 이상은 있다. 모든 사람이 손에 안내 책자를 들고 모든 것이 있어야 할 자리에 있는지를 확인한다." 이런 모든 변화는 상호관계를 변화시키고 지역 사이의 거리를 줄이며 문화의 지평을 넓혔다.[94]

기술적 약진도 마찬가지였다. 유스투스 폰 리비히Justus von Liebig의 농축 육즙 발명은 상업적으로 수익성이 있음이 드러났을 뿐만 아니라(그래서 많은 모방자가 나왔다) 육류가 도시인 식생활의 중심에 놓이게 하는 데 중요한 역할을 했다. 기계냉동도 마찬가지였다. 그것은 육류 수송의 수익성을 높였고, 1870년대 말 이후 더욱 효율화됐다.[95] 육류와 단백질은 19세기 말과 20세기 초에 런던의 노동자 계급 식단에서 갈수록 높은 비중을 차지했다. 이로써 성인들은 건강이 증진됐고, 젊은이들은 두뇌 발달에 도움을 받았다.[96]

육류 소비는 일본과 중국 같은 아시아의 일부 지역에서도 마찬가지로 증가했다. 일본에서는 1868년 메이지유신明治維新으로 특히 쇠고기에 대한 새로운 인식이 촉발됐다. 중국은 가족 기업을 통해 많은 육류를 수출하는 세계적인 유통망을 구축한 쇠고기 재벌 윌리엄 베스티William Vestey가 점찍은 나라였다. 그는 중국이 장기적으로 막대한 잠재력을 가진 나라라고 판단했다. 그러나 1912년의 한 연구는 아시아에 이를 수출한다는 생각에 찬물을 끼얹었다. 이유는 이랬다. "이곳 주민들은 완전한 채식주의자는 아니지만 수입된 고기를 사기에는 너무 가난하다."[97]

19세기의 특징이었던 세계화가 가속화되고 심화되면서 승자와 패자가 분명하게 나뉘었다. 영국은 최고 수혜자였다. 무엇보다도 생활수준 향상과 상품 및 자재의 구득 가능성이라는 측면에서다. 예를 들어 1890년대에 영국은 전 세계에서 거래되는 육류의 60퍼센트와 밀의 40퍼센트 정도를 소화했다.[98] 저소득 가구에도 좋은 소식이 있었다. '곡물법' 폐지와 미국으로부터의 수입 증가로 빵 한 덩어리의 가격이 1840년에서 1880년 사이에 절반으로 떨어졌다.[99]

기계의 끊임없는 개선은 생산을 늘리고 효율성을 높였으며 비용에 압박을 가했다. 미국의 밀 수출은 1840년 이후 30년 사이에 5억 리터에서 100억 리터로 증가했다. 기계 수확기 도입은 생산성을 두 배로 끌어올렸고, 증기 동력의 곡물 엘리베이터는 50만 부셸의 곡물을 10시간 안에 가공할 수 있었다. 비용은 부셸당 5센트였다.[100] 기계화는 1헥타르에서 밀을 생산하는 데 필요한 시간을 150시간에서 단 9시간으로 줄였다. 사육기술은 미국의 경우 1860년에서 1890년 사이에 암소의 유지방 생산을 두 배로 늘렸고, 짐마차 말의 덩치를 50퍼센트 더 키웠다(따라서 더 강해졌다).[101]

이렇게 얻은 과실은 투자할 자본을 가진 사람과 대량생산을 이용할 수 있는 사람에게로 흘러갔다. 예를 들어 미국의 큰 농경지를 가진 농민과 오스트레일리아 및 남아메리카의 가축 소유주, 많은 배당금을 지급하는 철도회사 주주 같은 사람들이다. 그러나 그들은 홍수처럼 쏟아지는 수입 곡물과 경쟁할 수 없는 영국의 곡물 재배 농민들이나 시골을 떠나 도시(그곳은 위생 수준이 낮았고, 빈곤과 질병이 자주 찾아왔다)에 가서 일자리를 찾아야 하는 노동자들에게는 절망을 안겼다. 찰스 디킨스의 〈황폐한 집Bleak House〉 같은 작품에서 전형적으로 나타나는 삶의 방식이다.

세계의 어떤 지역은 비슷하게 별 혜택을 받지 못했다. 뒤처지거나, 물리적 기반시설(도로, 학교, 병원, 철도 같은 형태의) 측면에서 별다르게 얻지 못하고 비물리적인 투자(제도, 교육, 지역의 능력 배양 등에 대한)에서도 별다르게 얻지 못했다. 명목상 식민 지배로부터 자유로운 나라들(남아메리카에 있는 나라들 같은)은 전형적인 피착취 위성국 노릇을 했다. 원료를 수출하고 국내 소비품은 수입에 의존했다. 세계 경제의 변화는 인도와 남아시아에 일희일비를 가져왔다. 인도는 1810년에서 1860년 사이에 국내 직물 시장의 상당 부분을 영국에 빼앗겼다. 가격 하락으로 인한 것이었다. 그것은 극적인 결과를 가져왔다. 같은 기간에 곡물 가격이 상대적으로 올랐기 때문이다.

따라서 유럽인들은 풍부하고 값싼 음식으로 흥청거렸지만 다른 사람들은 그렇게 운이 좋지 않았다. 인도에서는 1875년에서 제1차 세계대전 발발 전 사이에 1600만 명이나 되는 사람이 굶주려 죽었다. 식민지 당국이 어쩔 수 없는 현실이라고 치부했던 장기적인 재앙이었지만, 긍정적인 부수효과가 있었다. 빚을 안고 있던 소농들을 토지에서 떠나게 하고, 인도의 인구 증가를 억제하는 역할을 했다.[102] 많은 사람이 기근으로 죽었다. 흔히 많은 밀 탁송품이 인도로부터(특히 영국으로) 계속해서 수출되는 시기 동안에 그랬다. 그것은 중요한 일이 아니었다. 19세기 후반에 어느 무뚝뚝한 관리는 부왕副王에게 쓴 편지에서 이렇게 말했다. "아직 그들은 자기네에게 개방된 일자리에 많은 사람이 몰려들 정도의 충분한 속도로 출산율을 유지하고 있습니다."[103]

문제는 또한 이득을 얻기 위한 기회주의적 시도에서도 발생했다. 예를 들어 1850년대 말에 미국은 세계 최대의 면화 생산국이었다. 연간 대략 350만 꾸러미를 수출했다. 그 상당 부분은 최남동부의 농장에서 강제노동을 통해 재배됐다. 미국 내전 동안 북부연방이 남부동맹 항구들을 봉쇄하면서 무역을 극적으로 옥죄었다. 1861~1862년에 겨우 1만 꾸러미만이 수출돼 거의 99퍼센트나 감소했다.[104] 영국에서는 1833년 '노예폐지법'으로 노예제가 사라졌지만 영국 경제는 직물업에 크게 의존하고 있었고, 따라서 면화 수입으로 큰 이득을 보고 있었을 뿐만 아니라 공장을 계속 돌리기 위해서는 거기에 의존해야 했다. 공급에 문제가 생기자 원료 부족과 공공질서 위협에 대한 우려가 일어났다. 잉글랜드의 몇몇 직물업 도시에서 폭동이 일어났고, 유럽의 다른 곳에서도 일어났다. 1860년대 초 〈타임스〉는 미국 내전을 언급하며 이렇게 단언했다. "현대의 어떤 위기도 그렇게 불안스레 바라본 적이 없었고, 어떤 유럽의 전쟁이나 혁명도 잉글랜드의 이익을 그렇게 심각하게 위협한 적이 없었다."[105]

불안은 장기적인 사회경제적 문제들과 밀접하게 연결된 급진적인 사상의 등장으로 고조됐다. 급속한 대규모 도시화는 유럽의 풍광과 정치적 풍광을 바꿔놓고 있었다. 1848년에 이미 일련의 혁명으로 타격을 입은 유럽이었다.

이 격변을 카를 마르크스와 프리드리히 엥겔스는 억압된 사람들이 생산 수단을 통제하고 있는 사람들을 상대로 한 계급투쟁의 표현이라는 틀로 설명했다. 그러나 사실 격변들은 기근과 기아 폭동을 촉발한 심각한 식량 부족의 영향이 더 컸다. 가장 대표적인 것이 1840년대 중반 아일랜드, 플랑드르, 슐레지엔에서 일어난 폭동이었다. 대륙의 여러 지역으로 확산된 폭력은 각국 정부의 투자 계획 취소로 이어졌고, 1847년 봄 이후 광업과 금속 생산에 매우 부정적인 영향을 미쳤다. 이에 따라 항의와

개혁, 자유, 더 큰 권리에 대한 요구가 고조되었고 이듬해 절정을 이루었다.[106]

그러자 관심은 재빨리 인도로 향했다. 면화의 대체 산지로서였다. 당연히 생산을 자극하기 위한 시도가 이어졌던 듯한데 대부분 흐지부지됐다. 그 대부분은 인도 면화의 품질이 좋지 않고 운송망이 열악해 비용이 추가된 탓에 실패했다. 위트니 조면기의 발명과 광범위한 채택은 미국에서 그것 자체로 혁명을 재촉했다.

1801년에 면화를 따는 일꾼 한 사람은 보통 하루 평균 약 28파운드를 땄다. 1820년대 말에는 네 배 이상으로 올랐다. 하루에 132파운드 남짓이었다. 불과 10여 년 후에는 다시 거의 세 배가 올라 341파운드가 되었다.[107] 이 놀라운 생산성 향상을 보이며 강제로 일하고 있던 노예 노동자들은 대서양 건너편 맨체스터 같은 도시들의 공장 소유주와 공장 노동자들(물론 소유주보다는 훨씬 작은 폭이지만)에게 이득을 안겼다. 직조 공장의 효율성이 1820년대에서 1860년대 사이에 6~10배 향상되면서다.

역설적으로 이 이득은 노예제를 더욱 수익성 높은 것으로 만들었고, 미국 남부 노예주들을 더욱 부자가 되게 하고 자기네 부의 원천을 고수하려는 결의를 더욱 강화하게 만들었다. 바로 강제노동 말이다.[108]

공급에 대한 압박은 인도 면화 가격을 1860년대 초에 다섯 배 가까이 끌어올렸다. 생산자들이 가격 상승을 계기로 돈을 벌고자 하면서 토지 개간이 급증했다. 100만 헥타르 이상이 다른 식량 작물 대신에 면화를 재배하는 쪽으로 용도가 변경됐다. 철도 건설이 인도아대륙 중앙의 비하르 지역을 가르고 들어갔다. 그곳의 도시 캉가온Khangaon은 곧바로, 한 당대인이 말한 대로 "대영제국의 가장 큰 면화 기지"가 되었다.[109]

다른 사람들 역시 기회를 잡으려 애썼다. 중앙아시아 같은 곳이었다.

여기서 몇몇 러시아인은 이 시기에 현지 주민들을 "우리의 검둥이"로 만들고 싶어 했다. 적나라한 열망의 표현이었다. 미국 내전 기간에 중앙아시아의 면화 생산이 급증했다. 1861~1864년에 네 배 이상 증가했다.[110] 그리고 이집트 북부가 있었다. 그곳에서는 모든 옥토의 40퍼센트가 면화 재배지로 전환됐다. 규모가 컸던 오스만 부왕 사이드파샤의 개인 소유 토지 상당 부분도 마찬가지였다.[111]

이 모든 기회주의적 행동은 즉각적인 배당을 지급받았다. 그러나 그 대가는 매우 비쌌다. 우선 미국 내전이 끝나면서 많은 물량이 다시 시장에 나왔다. 사는 것이 쉬워지자 가격은 하락 압박을 받았다. 또 하나, 면화 재배가 확대되면서 세계의 다른 지역에서도 농업 노예가 도입됐다. 가장 대표적인 곳이 나일강 삼각주였다. 이곳에는 동아프리카에서 수입된 노예가 대거 득실거렸다. 한 대륙에서 노예제를 끝장내고자 한 노력이 다른 대륙에서 정반대의 결과를 낳았다.[112]

고수익의 유혹은 또한 종자, 연장, 식량, 노동력을 위해 돈을 빌린 사람들에게 재정적 압박과 과잉 투자의 후유증을 초래했다. 가격이 꺾이자 많은 사람들은 자기네가 과잉 투자를 해서 감당하기 어려운 빚만 남았음을 깨달았다. 이집트에서는 이로 인해 토지 방기, 파산, 땅 없는 노동자 집단의 증가, 불평등의 확대에 따른 시골의 사회적 관계 양극화 등의 파도가 일어났다. 인도에서도 거의 비슷한 일이 일어났다. 이곳에서는 빚을 지고 쫓겨나고 자포자기한 사람들이(여기에 식민 당국의 요구가 목 조르기로 작용했다) 1870년대의 데칸 폭동과 수백만 명의 아사의 배경이 되었다고 주장하는 사람들도 있었다.

관개에 대한 투자에는 별다른 노력이 기울여지지 않았다. 베라르의 흑토가 비옥하다는 잘못된 믿음 때문이기도 했고, 부분적으로는 식민지 관리들의 무능 때문이기도 했다. 그들은 곡물보다 면화를 우선시했다. 임금이 물가를 따라가지 못한 결과로 영양실조가 발생하고 질병에 걸릴 가능성이 높아졌으며 굶주림의 위협도 커졌다.

1890년대에 기근은 연속해서 닥쳐 수많은 가정을 파괴하고 식량을 사재기한 사람들을 부자로 만들어주었다. 그들은 심지어 극심한 위기 속에서도 여전히 수출을 계속했다.[113] 베라르에서 기근이 특히 심했다는 사실은 단기적인 기회를 잡아 돈을 벌려는 시도에 관해 많은 것을 이야기해준다.[114] 이윤 추구, 환경의 지속 불가능한 이용, 한계 너머까지 밀어붙일 경우의 자연의 복수가 결합돼 일어난 결과들이었다.

20장 격동의 시대

1870년 무렵부터 1920년 무렵까지

영국인의 당당한 신체가 서아프리카를 적어도
문명의 바깥 변경으로 가져오려는 그들 자신의
노력의 희생양이 되었다.
— 〈데일리 텔레그래프〉 1897년 1월 18일자

재난이 인간에 미친 영향이 심각하고 충격적이었던 것과 마찬가지로, 쉬운 돈벌이 추구라는 목적에서 이루어진 급속한 환경 변화가 생태계에 대해 갖는 함의 역시 마찬가지였다. 예를 들어 삼림은 면화 농장을 만들기 위해 벌목됐다. 이것은 동식물 모두에 분명한 파급효과를 미쳤으며, 호랑이, 흑표범, 늑대, 곰, 하이에나 사냥에 대해 포상금을 주는 관행 때문에 더욱 악화됐다. 최상위 포식자인 이 동물들이 없어지면 환경에 중대한 변화가 생긴다. 더욱 고약한 것은 개간된 땅이 흔히 적합하지 않은 것으로 드러나거나 이용 방법이 잘못돼 산출물이 고갈되는 경우다. 강, 호수, 수원지가 고갈(말 그대로)되듯이 말이다. 토양 침식의 결과일 수도 있고, 벌목으로 인해 지역의 강우 패턴이 변했기 때문일 수도 있다.[1]

면화 이야기는 두고 두고 반복되었다. 특히 19세기 후반 이후에 말이다. 이때 세계 시장은 한층 통합되고 운송망은 개선됐으며 정보 공유가 가속화됐다. 예를 들어 고무의 수요는 1830년대 찰스 굿이어Charles

Goodyear의 가황(신축성, 경도, 탄력성을 개선시키는 화학적 처리 과정이다)에 대한 선구적 연구로 인해 치솟았고, 이어 1888년 존 던롭John Dunlop이 완성한 공기 타이어의 개발로 다시금 치솟았다.[2]

고무 생산은 기하급수적으로 증가했다. 1851년 대략 2500톤에서 30년 후 2만 톤이 넘었다. 이것은 단지 시작에 불과했다. 1900년에는 대략 5만 톤이 생산됐다. 제1차 세계대전 직전에는 12만 톤 가까이 되었다. 이 시기에 고무는 "세계에서 가장 중요하고 가장 시장에 민감하며 가장 수요가 많은 신상품"이 되었다. 자전거와 자동차 분야에서 수요가 많고, 구두창에서부터 전기 절연물에 이르기까지 무한정해 보이는 새로운 범주의 상품과 제품에 쓰이는 원료였다.[3]

이런 범용성 역시 땅의 용도를 바꾸고 드러난 수요(그리고 이득)를 채우기 위한 질주를 자극했다. 변화의 속도는 거창한 이야기가 될 만큼 엄청나지는 않았다. 동남아시아의 광대한 우림을 벌목하고 그 자리에 아마존에서 가져온 파라고무 종자를 심었다. 1890년대 말, 말레이반도의 믈라카와 슬랑오르에 대략 145헥타르가 심겼다. 1910년에는 대략 22만 헥타르로 늘었다. 그리고 페락주에도 농장이 들어섰다. 4년 후, 44만 5천 헥타르 이상의 땅이 고무 농장 조성을 위해 벌목됐다. 1914년에는 남아메리카 전체에서 수출되는 것보다 더 많은 양의 고무가 말레이반도에서 수출됐다.

네덜란드 동인도상사가 같은 방식을 따랐다. 같은 기간에 대규모 식재가 이루어지면서 1914년에 고무나무가 차지한 면적은 24만 5천 헥타르에 이르렀다. 5년 후에는 거의 그 두 배가 되었다. 1930년대에는 수백만 헥타르에 이르는, 세계에서 가장 울창한 우림이 고무나무로 대체됐다. 값싼 땅이 큰돈을 벌 기반임을 알아차린 기업가들에 의한 일이었다. 특히 자동차가 대량생산되기 시작해 타이어로 쓸 고무 수요가 더욱 치솟았기 때문이다.

선구자가 된다는 것, 그리고 따라오는 보상의 흥분은 분명한 것이었다. 한 새로운 농장주는 "콩키스타도르(정복자)의 의욕"을 느꼈다고 말했다. 그들의 일반적인 태도와 착취 과정이 이 말에 요약돼 있다. 남·북아메리카는 이미 벗겨먹었다. 이제 세계의 다른 지역을 벗겨먹을 차례였다.[4]

생태계의 변화는 언제나 농작물과 동식물의 이식에 이어 나타났다. 갈수록 효율적이고 저렴해지는 운송망에 의해 고도로 통합된 세계 시장은 이런 변화가 인류 역사의 어느 시기보다 더 빠르고 더 깊숙하게 일어날 수 있게 했다. 미지의 세계에 대한 탐험은 같은 결과를 낳았다. 대체로 동기는 새로운 자원을 찾는 것이었다. 그 핵심에 있는 것이 세계의 미답未踏 지역은 황무지이고 야만인들이 살고 있을 뿐만 아니라 무한한 부의 원천이 있는 곳이라고 주장하는 철학 체계였다.[5]

데이비드 리빙스턴David Livingstone이 말했듯이 유럽인의 팽창은 모든 사람이 환영할 세 가지 요소를 가져다주었다. 바로 "기독교, 상업, 문명"이었다.[6] 인종우월주의, 종교적 미덕, 자본주의에 관한 복음주의적 생각을 꿰맞추는 것은 유럽인들(그중에서도 특히 영국인들)이 자신을, 그리고 세계의 나머지를 보는 방식의 핵심 요소였다.[7]

고무는 여러 가지 상품 가운데 하나일 뿐이었다. 일부는 코코아, 커피, 담배 같이 초목을 기반으로 한 것이었고, 모두 세계 각지의 새로운 지역에 도입됐다. 그것은 대부분의 지역에서, 처음으로 효과를 본 말라리아 치료제 키니네를 구할 수 있느냐 여부에 좌우된 과정이었다. 키니네는 안데스 원산인 기나나무(학명 *Cinchona*) 껍질에서 얻는 것으로, 1820년대 이후 급속하게 퍼졌다.[8]

19세기에 가속화된 자원 수탈은 농작물과 초목에만 국한되지 않았다. 새로운 기술이 개발되고 빠르게 확산되면서, 그리고 제조업 발전 역시 가속화되면서 광물과 금속의 수요도 크게 늘었다.

적절한 사례 가운데 하나가 주석이었다. 주석은 직물 생산, 기계공학, 군용 무기 같은 갖가지 산업에서 핵심적인 역할을 했다. 주요 용도는 보존 식품을 담는 깡통이었다. 식품 보존은 시골의 잉여 식료품을 보존하고 그것을 도시로 수송하는 핵심적인 기능이었으며, 따라서 도시화·공업화·세계화에 필수적이었다.[9] 유럽의 주석 생산은 금세 고갈돼 다른 곳에서 공급처를 찾게 되었는데, 가장 대표적인 곳이 동남아시아였다.

고무의 경우와 마찬가지로 물량은 급격하게 증가했다. 자동화로 인해 깡통 생산량은 1847년 노동자 한 명당 하루 60개에서 30년도 지나지 않아 1천 개로 증가했다. 그 이후 생산은 1874년에서 1914년 사이에 거의 네 배로 늘었다. 그러고도 늘어나는 수요를 충족할 수가 없었다. 예컨대 1962년에는 미국에서만 깡통 500억 개가 생산됐다. 인구 한 명당 연간 250개 이상 꼴이었다.[10]

높은 평가를 받은 또 다른 상품은 고래 기름이었다. 고래의 지방을 가공해 주로 등잔 연료로 썼다. 1500년에서 1800년 사이에 대략 16만 2천 마리의 그린란드 고래가 포획됐다. 고래잡이는 오랫동안 북극해와 북대서양 경제의 일부였지만, 공업혁명으로 수요가 폭증했다. 고래 기름은 점도가 낮아 기계류에 사용되는 윤활유의 귀중한 공급원이 되었기 때문이다. 그것은 증발하거나 굳거나 금속을 부식시키지 않았다.[11]

미국은 세계 고래잡이 산업의 중심지였다. 1840년대에 전 세계 고래잡이 선단의 4분의 3을 차지했다. 대체로 19세기 초 대서양의 북극고래와 참고래 어종이 심하게 남획됐기 때문에 어민들은 다른 곳에서 사냥감을 찾을 수밖에 없었다.[12] 이것이 태평양 해역을 개척하는 데 이바지해 특히 남아메리카의 연안 지역을 세계 상업망에 통합시켰다.[13]

세계적인 신규 상품 사냥은 이 지역에 풍부한 다른 자원으로 확산됐다. 가장 두드러진 것이 야생 조류와 박쥐의 배설물인 조분석鳥糞石(구아노)이었다. 조분석이 얼마나 훌륭한 비료가 될 수 있는지에 대해서는 유럽인들이 아메리카에 가기 수백 년 전부터 잘 알려져 있었다. 새들은 지금의 페루 해안에 떼로 모여들어 알을 낳는다고 한 목격자는 썼다. 무리가 너무 거대해서 "보지 못한 사람들은 누구라도" 믿을 수 없을 정도였다. 잉카 왕들은 새들의 산란철에 그것을 방해하는 것을 금지하고 위반자는 사형에 처했다. 그만큼 '와누wanu'(케추아어로 '똥'을 뜻하며 그 말이 와전돼 '구아노guano'가 되었다)는 중요했다. 해마다 와누를 밭에 뿌려 농작물이 잘 자라게 했다.[14]

비료로서 조분석의 가치는 과학 발전의 시기 동안에 극적으로 높아졌다. 식물학에 대한 투자와 식량 생산 증대에 대한 관심(늘어나는 인구를 먹이기 위한 것이다)으로 농작물 생산량 증대에 주의를 기울이면서다. 19세기 초 알렉산더 폰 훔볼트가 남아메리카의 태평양 연안 여행에서 가지고 온 표본으로 실험을 해봤더니 조분석에 질소가 풍부한 요산尿酸이 이례적으로 많이 들어 있었다. 그의 발견은 과학계를 놀라게 했고, 전 세계에서 그 산지 찾기를 촉발한 데 이어 그것을 유럽과 미국에 수출하게 되었다.[15]

브리튼제도, 카리브해 지역, 캐나다, 서남아프리카의 산지들이 털렸다. 그러나 조분석의 최대 산지(그리고 가장 수익성 높은 곳)로 입증된 곳은 1820년대에 독립 국가가 된 페루의 해안이었다. 1840년에서 1879년 사이에 거의 1300만 톤의 조분석이 페루의 섬과 해안에서 수출됐다. 1억

5천만 달러 안팎으로 추산되는 가치였다. 그 대부분은 영국으로 수송됐다. 물론 일부는 베네룩스, 독일, 미국의 농민과 지주와 농장주들에게 팔렸다. 그리고 카리브해의 섬들, 인도양의 모리셔스와 레위니옹, 심지어 중국으로도 갔다.[16]

조분석의 가치는 매우 엄청나서 대중문화에서도 중요한 역할을 했다. 조지프 콘래드의 〈로드 짐Lord Jim〉에는 돈을 벌 계획을 신이 나서 이야기하는 사람이 나온다. 값싼 증기선 하나를 사서 자신이 발견한 "조분석이 있는 섬"에 갔다 오면 막대한 부를 챙길 수 있다는 것이었다(물론 거기에는 안전한 정박지가 없고 자주 태풍이 부는 길목에 있었다).[17]

1850년대 샌프란시스코의 한 신문에 실린 기사는 조분석을 수송하는 배의 출입구를 열어놓았더니 내부 목재에서 싹이 나고 돛대가 커졌으며 벚나무 탁자에 열매가 달렸다고 말했다. 뭐든지 쑥쑥 잘 자라게 해서 바퀴벌레도 거대한 크기로 자라 "닻을 끌어올리고 돛대에 돛을 달 수 있을" 정도라고 했다. 이 이야기를 한 선원에 따르면 "무언가를 자라게 하는 데 조분석만 한 것은 없었다."[18]

다른 상품도 대기하고 있었다. 아타카마 사막의 막대한 초석 매장물은 곧바로 탐사자들의 시선을 끌었다. 조분석과 마찬가지로 칠레초석 역시 비료로서 가치가 있었다. 초석은 또 다른 특성도 있었는데, 무언가를 폭발적인 속도로 태울 수 있었다. 따라서 이것은 광산업자와 군인 양쪽으로부터 상당한 관심을 끌었다.

19세기 중에 대포는 점점 강력해지고 있었다. 특히 알프레드 노벨이 삼질산감유三窒酸甘油(니트로글리세린)를 '다이너마이트'라는 형태로 바꾸어 폭발시키는 방법을 선구적으로 개발한 뒤에 그랬다. 이것이 산지를 찾아내고 확보하기 위한 경쟁을 촉발했다. 이상적으로는 풍부하고 값도

싸야 했다. 오래지 않아 관심은 아타카마 사막으로 쏠렸다. 세계에서 가장 건조한 곳 가운데 하나로, 수백만 년이 지나는 사이에 많은 양의 질산나트륨(NaNO$_3$, 칠레초석)이 쌓여 있었다.[19]

다른 곳에서도 마찬가지였지만 남아메리카에서 자원을 수탈하려는 욕구는 후유증을 낳았다. 우선 그것은 천연자원으로부터 이득을 얻는 사람들의 힘자랑으로 이어졌다. 자기네가 계속해서 이득을 얻도록 확실히 하려는 것이었다. 1840년대 중반 영국과 프랑스 전함의 부에노스아이레스 봉쇄는 대략 비슷한 시기에 미국이 멕시코를 제물로 삼아 그 나라 영토로 진격한 것과 비교할 만했다. 미국은 100만 제곱킬로미터가 넘는 멕시코 영토를 점령했다. "모테쿠소마 전당 공격"(멕시코시티 차풀테펙 성 공격을 말한다)은 너무도 중요해서 미국 해병대의 공식 찬가에도 나온다.[20]

미국의 야망은 곧 더욱 확대됐다. 1856년 '조분석 섬 영유법Guano Islands Act'이 통과돼 미국 시민들은 정부를 대신해 조분석이 있는 섬과 영토에 대한 권리를 주장할 수 있게 되었다.[21] 그중 몇몇은 아직도 미국의 수중에 있는데, 그 하나가 미드웨이환초다. 전보 통신 및 미국-아시아 사이의 항공편의 중간 기지로서, 그리고 태평양에서 제2차 세계대전의 전환점이 된 전투가 벌어진 장소로 유명하다.[22]

또 하나, 천연자원을 얻기 위한 경쟁은 페루의 정부와 개인 차원 모두에서 흥청망청 지출로 이어졌다. 조분석과 칠레초석 판매가 가져온 갑작스러운 횡재와 그것이 영원할 것이라는 믿음 때문이었다. 새로운 철도, 도로, 병원, 도시 하수도는 이 새로 발견된 부의 증거였다. 세계 각지에서 가져온 좋은 술, 잎궐련, 옷도 마찬가지였다. 현실은 결국 과도한 열중, 과도한 지출, 과도한 차입을 따라잡았다. 페루는 1850년대에 희생이 큰 내전으로 휘청거리다가 1860년대에 에스파냐와 전쟁을 하고, 이어 1870년대 말에 태평양전쟁(1879~1884)을 벌였다. 태평양전쟁은 "아메리카 대륙에서 벌어진 역사상 최대 규모의 무장 갈등 가운데 하나"로 지칭됐다.[23]

새로운 기술의 채택과 갑작스럽게 수요가 급증한 새로운 원료 또는 물질의 확인은 흔히 이례적인 여파를 초래했다. 영국 해군 장교 제임스 린드James Lind가 감귤류 과일을 먹으면 괴혈병을 예방할 수 있다는 것을 발견한 뒤 영국 해군은 막대한 양의 레몬을 구매했다. 1795년에서 1814년 사이에만도 160만 갤런의 레몬즙을 공급할 수 있는 양이었다.[24]

이는 생산 증가를 유발했다. 특히 시칠리아에서는 1880년대 중반에 한 해에 250만 상자의 레몬을 뉴욕으로 수출했다. 이 섬의 감귤류 재배는 다른 어떤 작물에 비해서도 같은 면적에서 60배 이상의 수익을 냈다. 취약한 법치, 낮은 수준의 개인 간 신뢰, 지역의 높은 수준의 빈곤, 19세기 전반에 도입된 일련의 토지개혁 등이 이와 어우러져 높은 이윤을 뽑아내고 불확실한 상황으로부터 이득을 보려는 집단들이 등장하기에 안성맞춤인 여건을 조성했다. 린드의 괴혈병에 대한 처방이 시칠리아 마피아 등장의 씨를 뿌리는 데 도움을 준 것이다.[25]

고무, 조분석, 칠레초석 열풍으로 남아메리카와의 교역망이 확충된 것 역시 광범위한 영향을 미쳤다. 1842년, 필라델피아와 뉴욕의 감자밭에서 이례적인 질병이 나타났다. 유럽의 여러 곳에서도 마찬가지였다. 아일랜드는 심각한 타격을 입었다. 주민들이 식량과 열량 공급원으로, 그리고 지불 수단으로 감자에 의존했기 때문이기도 했지만, 기존의 빈곤 때문이기도 했다. 그 빈곤은 땅에 대한 압박, 허술한 영농 관행(부재지주 때문에 더욱 악화됐다), 불충분한 정부 정책과 긴밀하게 연결돼 있었다. 그 결과는 극적이었다. 100만 명이나 되는 남자·여자·아이들이 끔찍한 환경 속에서 굶주림과 질병으로 죽었다. 많은 사람들에게 선택지는 단순했다. 이주

할 것이냐 죽을 것이냐였다. 또는 한 중견 학자의 표현대로 "다음 세계냐 새로운 세계냐"였다.[26]

이 병해충 변종에 대한 최근의 DNA 배열 연구는 그것이 안데스에서 나와 전 세계로 퍼졌음을 시사한다. 페루에서 수출된 새 감자 품종에 끼여서 말이다. 이는 상당 부분 페루에 대한 접근성과 이 나라가 세계 교역망에서 차지하는 위치가 점점 높아진 데 기인한 것이었다.[27]

아일랜드 주민은 1840년대 중반에서 1850년대 초 사이에 거의 40퍼센트가 죽었다. 그 죽은 사람들에 더해 100만 명이 훌쩍 넘는 사람들이 타국으로 이주했다. 대다수는 대서양을 건너 북아메리카로 향했다.[28] 당연한 일이지만 그들이 겪은 심각한 고통은 여러 세대에 전해진 상처를 남겼고, 영국의 지배와 파벌주의와 반란에 대한 관념에 영향을 미쳤다.[29] 한편 미국에서 대규모 아일랜드인 공동체들이 급속하게 만들어진 것은 19세기 중반 미국에서 주류 정치 담론의 일부가 되었다. 많은 사람들은 대규모 이민 유입이 번영에 영향을 미칠 뿐 아니라 심지어 국가 체제에도 손상을 가하는 것이 아닌지 의문을 표했다.[30]

1840년대 말에 새로 도착한 매우 많은 사람들이 이전에 아일랜드에서 미국으로 이주해온 사람들에 비해 교육 수준이 낮았다는 사실은 급격하게 낮아진 문자 해득률과 그 자녀들이 교육과 직업에서 좋지 않은 성과를 낸 일에 반영됐다.[31] 그럼에도 불구하고 아일랜드계 주민들이 늘어나면서 그들은 자기네의 뿌리에 긍지를 가졌고(그것은 오늘날 4천만 가까운 미국인이 아일랜드인의 후예임을 자처하고 있는 사실에서 분명히 드러난다), 150여 년 동안 '패트릭 성인의 날' 같은 문화 행사에 영향을 미치고 미국 대통령 및 의회 선거의 결과에도 영향을 미쳐왔다.[32]

이런 극적인 인구 추세는 아일랜드와 미국의 모습을 바꾸었고, 이는 활발한 세계 교역망에 엽혀 들어온 남아메리카의 농작물 병으로까지 거슬러 올라갈 수 있다. 초목이 세계의 한 지역에서 다른 지역으로 옮겨간 것은 병원체도 함께 옮겨갈 위험을 안고 있었다.

아일랜드 감자 기근 이후의 대탈주는 식량, 광물, 천연자원 개발과 긴밀하게 연결된 더 광범위한 이주 행렬의 일부였다. 아메리카 대륙의 노예제가 보여주었듯이 설탕, 담배, 커피, 코코아, 면화 같은 농작물은 그것들을 심고 재배하고 거두고 가공할 노동력이 없으면 이룰 수 없는 것이었다. 19세기에 이룬 진전은 기술 발전, 교역 관계 심화, 커지는 야망, 지식 공유가 서로 연관되고 복합된 일련의 과정의 일부였으며, 그것은 무엇보다도 방대한 노동력(거의 대부분 엉뚱한 곳에 있는)을 필요로 했다. 따라서 삼림을 개간하고 땅을 개조하고 새로운 농장을 세우려면 가깝고 먼 지역에서 노동자를 데려와야 했다. 그런 면에서 19세기를 자연환경 재편이라는 관점에서 볼 수 있지만, 이는 인간 환경의 거대한 변화에도 의존했다는 점을 강조해야 한다. 농작물이 전 세계에 이식된 것과 똑같이, 사람 역시 이식됐다. 놀랍게도 후자의 이동의 상당 부분은 비자발적이었다.

19세기 후반과 20세기 초는 흔히 가난해진 유럽인들이 얼마 되지 않는 소지품을 꾸려 대서양 건너로 향했다는 아련한 생각으로 특징지어졌다. 그곳에서는 열심히 일하고자 하는 사람에게는 새로운 삶과 기회가 기다리고 있었다. 특히 미국 내전이 끝나고 노예제가 폐지된 이후에는 그랬다.

19세기 후반에 북아메리카로 이주하는 사람이 상당히 많았지만, 대략 1850년 이후의 기간에는 아시아의 안팎에서 더 많은 주민 이동이 일어났다. 거의 3천만 명의 인도인들이 인도양과 남태평양 일대로 이주했다. 때로는 식민 당국의 부추김을 따른 것이었고, 많은 경우 채무에 따른 의무(노동의 대가로 대출이 제공됐다)와 관련된 것이었다. 400만 명 가까이가 인도에서 말레이시아로 이주했다. 그 두 배 이상이 실론(현재의 스리랑카)으로 갔다. 1500만 명 이상이 버마(현재의 미얀마)로 갔고, 100만 명 정도는 동남아시아의 여타 지역, 인도양 및 태평양의 섬들, 아프리카로 갔다.[33]

이런 규모의 이동은 5천만 명 정도에 이르는 중국인의 이주에 버금가는 것이었다. 그들은 네덜란드령 동인도, 태국, 프랑스령 인도차이나, 오스트레일리아와 뉴질랜드, 태평양과 인도양의 섬들로 옮겨갔다.

이 모든 이동은 세계 인구 구조를 변화시켰다. 남·북아메리카, 동남아시아, 북아시아에서는 인구가 크게 늘었다. 1850년에서 1950년 사이에 네 배 이상 늘었다. 궤적은 비슷했지만 일부 근본적인 차이도 있었다. 그중 중요한 것이 정착의 밀도가 미국에서보다 동남아시아에서 훨씬 급격하게 높아진 점이다. 거의 비슷한 수의 이주민이 절반 이하의 공간으로 이동했기 때문이다.[34] 1900년에 모리셔스에는 아프리카인보다 인도인이 더 많았고, 남아프리카 나탈에는 유럽인보다 인도인이 더 많았다. 하와이 주민의 40퍼센트는 일본계였고, 20퍼센트 가까이는 중국계였다.[35]

이 거대한 민족 이동은 무엇보다도 농장에서, 광산에서, 또는 원자재·광물·금속 가공을 위해 필요한 노동자 수요로 인한 것이었다. 이번에도 이동의 상당 부분은 비자발적이었다. 폴리네시아 일대의 주민들이 습격으로 싹쓸이됐다. 성인 남성을 그들의 의사에 반해 노예로 삼아 수송한 뒤 페루에서 조분석을 수집하고 그것을 수출하기 위해 준비시키는 일에 강제로 동원하는 것이 목표였다.[36] 인도인과 중국인 '쿨리coolie' 노동자들은 사기를 당하거나 그들의 의사에 반해 배에 실려 대양을 건넜다. 계약 노예 노동자로서 철도, 도로, 항만 시설 건설에 투입되거나 병원에서 일하거나 가사 노동자로 일하거나 농작물 수확 같은 등골 빠지는 일을 했다.[37]

여성에 대한 강제적인 성착취와 강간이 만연했고, 이는 아시아에 살고 있는 사람들이 게으르고 쾌락 추구적이며 성적으로 문란하다는 서방의 수사修辭로 뒷받침됐다. 무엇보다도 이는 또한 여성이 그 주인에게 '봉사'해야 할 뿐만 아니라 거기에는 큰 대가를 치르지 말아야 한다는 생각을 강화했다. 청나라 해관총세무사海關總稅務司였던 로버트 하트Robert Hart는 이렇게 말했다. "중국의 일부 여성은 아주 예쁘다. 50～100달러면 한 여자를 완전히 내 것으로 만들 수 있고, 한 달에 2～3달러만 지원해주면 된다."[38] 이것은 인종에 대한 생각과 특권의식이 결합해 인간이 세계의 동식물을 지배할 뿐만 아니라 유럽인들은 다른 모든 민족들에 대해서도 그렇게 해야 한다는 믿음의 강화를 보여주는 수많은 사례 가운데 하나일 뿐이다.

이런 의미에서 영국을 비롯한 유럽과 북아메리카의 노예제 폐지는 상징적, 상업적으로 중요했지만, 태도와 행동의 변화라는 측면에서는 별다른 차이를 가져오지 못했다. 식민지 관리들은 자기네가 옳다고 확신하곤 했다. 인도에 배치된 한 관리는 이렇게 썼다. "일이 고되기는 했지만, 그것은 가치 있는 일인 듯했다. 그 일들은 언제나 다른 사람들의 삶과 관련돼 있었다." 그러나 신체적 학대는 일상적이었다. 그리고 유럽인들의 관리하에서는 전혀 발각되지 않거나 처벌되지 않거나 또는 너무 쉽게 용서됐다. 인도에서는 작업 속도가 느린 노동자, 불평을 하거나 목표를 달성하지 못한 자는 매를 때리고 어떤 경우에는 죽이기까지 했다.[39] 콩고에서는 1880년대부터 1920년대 초까지 대략 40년 동안 계속된 고무 호황기에 현지 주민들이 고무 수집에 내몰려 혹사, 고문, 굶주림, 질병으로 너무 많이 죽어, 이 시기에 수출된 고무 10킬로그램당 한 명꼴로 인간의 생명이 희생됐다. 이 끔찍한 배려심의 결여로 인해 수십 년 사이에 콩고 주민의 70퍼센트가 죽었다.[40]

갈수록 커져가는 여러 차례의 파도를 통해 세계 각 대륙으로 퍼져 나간 유럽인과 그 후예들이 땅의 과실과 인간 노동의 과실의 주요 수혜자이기는 했지만, 그 이득이 골고루 분배된 것은 아니었다. 실제로 수익금은 유럽 안의 사람들이나 유럽과 연결된 사람들(아시아, 아프리카, 남·북아메리카, 오세아니아 출신이거나 그곳에 살고 있는 사람들을 포함해서)이 아니라 자본을 가진 사람들에게 돌아갔다. 카를 마르크스의 표현대로 경제 성장을 자극한 것은 자본주의의 "무자비한 테러"였지만, 그것 역시 상당한 대가를 치러야 했다.[41]

물론 줄기찬 상품 수요는 생태계(그것은 삼림이 파괴되고, 새로운 작물이 도입돼 심기고, 또는 광물을 찾기 위해 산허리가 절개되면서 변형됐다)에만 압력을 가한 것이 아니었다. 대규모 개입은 또한 대규모 노동력을 지탱하고 재우고 먹여야 했기에 그것 자체로 지역 환경에 부담을 주었기 때문이다.

예를 들어 캘리포니아 남부의 한 농장은 인근 고무나무 밭에서 일하는 3천 명의 노동자들에게 하루에 3~5톤의 양식을 공급해야 했다. 또한 소 500마리, 돼지 800마리, 양과 염소 떼도 유지해야 했다.[42] 그런 사업은 불가피하게 지역 경제에 낙수효과를 가져왔지만, 냉엄한 현실은 수익의 가장 큰 몫이 부자를 더 부유하게 만드는 데로 들어갔다(직접적 또는 간접적으로)는 것이었다.

투자가 위험할 수 있다는 것은 바람직한 일이 아니었다. 경쟁 때문에 공급이 때로 수요보다 많을 수 있기 때문이다. 그러면 가격은 내려가고,

반짝거리던 황금의 나라는 음산한 황무지로 변한다. 고무가 한창 호황이던 때에 페루 아마존 우림의 이키토스는 하룻밤 새에 세계에서 가장 비싼 부동산이 모여 있는 곳이 되었다. 부동산 가격이 뉴욕 같은 도시들의 수준을 능가했다고 한다. 그러나 세계의 다른 지역에 새로운 고무 산지가 나타나자 바로 사라졌다.

시베리아의 이르쿠츠크도 마찬가지였다. 이곳은 19세기 말에 가극장 하나, 성당 몇 개, 그리고 적어도 34개의 학교가 있었다. 이곳에는 또한 미래를 향한 희망과 낙관론이 있었다. 급속한 공업화, 대규모 투자(특히 철도 연결에 대한), 생활수준 향상이 이를 부채질했다. "시베리아는 또 하나의 아메리카가 될 것"이라고 당대의 한 방문자는 말했지만, 이 예측은 실현되지 않았다.[43]

그리고 수탈의 부작용이 있었다. 그것이 현지 공동체들을 괴롭혔다. 현지의 야생 생물과 초목 역시 마찬가지였다. 여러 세대에 미치는 부작용과 광범위한 생태계 파괴였다. 예를 들어 금속공업에서 나오는 찌꺼기들이 현지 개천들에 축적되어 태즈메이니아에서부터 말레이반도의 페락에 이르기까지 강들을 막아버렸다.[44] 전 세계의 수생 환경은 자연에서 구리, 아연, 납, 주석, 기타 광물들을 추출하는 과정의 금속 공해에 의해 오염됐다.[45]

금 선광에 사용하는 매우 유독한 시안화나트륨은 19세기 말에 개발됐는데, 거의 즉각 남아프리카 비트바테르스란트 금광에서 사용돼 환경을 오염시켰다.[46] 오늘날에도 북아메리카에서 매년 대략 1억 킬로그램의 시안화나트륨이 사용되고 있다. 그중 4분의 3 이상이 금 채굴에 사용된다. 일부 과학자들은 금 채굴에서만 매년 10억 톤의 폐기 암석과 찌꺼기가 생긴다고 추산하고 있다.[47]

자연환경을 변모시키면 장기적으로 긍정적인 변화를 가져올 것이라는 확신은 엄청나게 잘못 짚은 것이었음이 드러났다. 그것은 문화적·민족적 패권에 대한 관념을 뚜렷이 부각시켰다. 인도에서 펼쳐진 영국 정치권력의 팽창은 야심찬 일련의 새로운 구상을 촉발했다. 기초적이고 비효율적으로 보이는 수로망, 작은 제방, 수로를 통해 물을 공급받는 계단식 경지를 변모시킨다는 것이었다. 그런 구상은 훨씬 우월하고 파멸적인 기근을 막아줄 것으로 생각되는 기술을 앞세워 극적으로 확대됐다.

사실 기근은 자주 일어나는 듯했다. 1837~1838년에는 계절 강우가 내리지 않아 서북부 지역인 펀자브와 라자스탄에서 80만 명가량이 죽은 것이 그 한 사례다.[48] 문제가 분명하다면 해법 또한 분명했다. 인도기근대책위원회(19세기 후반 굶주림과 질병으로 500만 명 이상이 죽은 뒤 재발을 막기 위해 설치되었다)의 한 보고서는 이렇게 말했다. "인도의 기근은 모두 가뭄 때문에 일어난다. 가장 먼저 착수해야 하는 일은 의문의 여지 없이 관개시설 공사다."[49]

영국 공학자들에 따르면 문제는 이것이었다. "어떤 해에는 전체 농작물의 일부가 (…) 강의 범람으로 망가진다. 또 어떤 해에는 비가 오지 않아 농사를 망친다." 해답은 인도 전역에 새로운 관개시설을 만드는 것이었다. 그것은 "대단히 방대한 작업"일 터였다. "그에 버금가는 것은 세상에서 구경도 해보지 못한" 것이었다.[50] 이어진 공사를 담당하고 평한 사람들의 흥분 또한 숨이 막힐 듯하고 자화자찬적이었다. 1852년에 건설돼 다울레스와람Dowleswaram의 고다바리강의 흐름을 조절한 제방은 "여태까지 영국령 인도에서 실현된 공사 기술 가운데 가장 고귀한 위업"으로 묘사됐다.[51]

비슷한 정서는 2년 후 개통된 1천여 킬로미터 길이의 갠지스 운하에 대해서도 표명됐다. 이 사업을 구상한 한 고위 관리는 "외국의 한복판에서" 이교도들에 둘러싸인 "수백 명의 기독교도들"이 "이 미개한 대중의 이익을 위해 문명의 공사"를 할 수 있었다면서 자신의 긍지를 이야기했다. "가짜 종교, 폭정, 전쟁"과 "악의 쓰라린 결과"라는 어두운 밤이 가고 "기독교, 좋은 정부, 평화"라는 밝은 낮이 왔다는 것이었다.[52]

이후 30여 년 동안에 6만 5천 킬로미터 이상의 새 수로가 건설돼 대략 540만 헥타르의 경지에 물을 댔다. 그 비용은 대체로 인도인들이 부담했다.[53]

철도가 건설돼 그 수익이 국가의 보증을 받은 개인 투자자들에게 돌아갔다. 이것은 인도를 아시아 최대, 세계 4위의 철로망을 가진 나라로 탈바꿈시킨 거대한 철로 부설 사업의 방식임이 드러났다. 여기에는 선로·기관·화차·객차를 만들어내기 위한 막대한 양의 강철과 철, 그리고 침목과 연료용 목재 및 석탄이 필요했다.

이제 아대륙은 "이전보다 20분의 1"로 작아졌다고 한 영국인 공사 담당자는 말했다. 그는 또한 "증기의 힘"이 "세계에서 가장 엄격하고 배타적인 계급 제도"를 허물어 사회 진보를 가져다주는 데 많은 기여를 했다고 지적했다. 여러 지역을 하나로 연결하고, 노동력의 이동을 가능하게 하며, 아대륙을 현대화했다는 것이다.[54]

그러한 변화는 숨이 멎을 듯한 규모로 이루어졌다. 미얀마에서는 벼를 경작하는 땅이 열두 배로 늘어 이라와디강 삼각주를 세계 최대의 쌀 생산지 가운데 하나로 만들었다. 삼각주 지역의 인구는 1852년에서 1900년 사이에 150만 명에서 400만 명 이상으로 늘었다. 네덜란드는 자기네의 동인도에서, 프랑스는 메콩강 유역에서 이런 움직임을 재현했다. 프랑스의 경우는 엄청난 양의 펄과 흙을 파내 강을 운하로 만들었다. 인류 역사

상 최대급에 속하는 흙 운반 작업이었다.[55]

기반시설 건설은 다른 무엇보다도 현지 주민들을 돕기 위한 의도였다고 생각하기 십상일 것이다. 아량, 의무감, 자선의 감정에서 출발한 목표라고 말이다. 물론 첫 번째 목적은 그런 개념과 제국의 현실을 지원하는 것이었다. 예를 들어 관개시설에 대한 투자는 두 가지 목적에 이바지했다. 농작물 생산을 늘리고(따라서 세금 수입도 늘어난다), 기근의 영향을 완화하는 것이었다. 기근이 닥치면 많은 비용이 들었다. 예를 들어 1870년대에는 1천만 파운드 가까운 돈이 기근 구제에 들어갔다. 오늘날의 대략 2억 파운드에 상당하는 돈이다.[56]

철로 확장도 인도와 인도인에게 기회를 가져다주었지만, 교환 속도 증대는 수입을 늘려 식민 당국에 이득이 되고 동시에 원료를 대량으로 수출하는 영국 산업을 촉진했다. 철도 건설의 한 동기가 항구와 내륙을 연결해 수출 및 수입의 양과 속도를 모두 늘리는 것이라는 사실과는 별개로, 더욱 중요한 동기가 있었다. 인도 총독이었던 제임스 브룬램지James Broun-Ramsay는 1853년 의회에서 이렇게 말했다. 방대한 철도망은 "정부로 하여금 군대의 주력 부대를 투입하는 데 몇 달이 걸리던 어떤 특정한 곳에라도 며칠 사이에 배치할 수 있게 할 것입니다."[57] 철도는 교역을 촉진하고 지역들을 서로 연결했으며 도시화를 자극하고 땅값에 영향을 미치고 문자 해득률을 높이는 데 기여했다. 그러나 무엇보다도 이 아대륙에 대한 영국의 정치적·군사적·경제적 옥죄기를 강화했다. 러시아가 시베리아에서, 미국이 중서부와 그 너머에서, 중국이 만주에서 그랬듯이 말이다.[58]

식민자들이 이득의 알짜배기를 차지했지만, 물론 현지인 수혜자들도 있었다. 자기네 신수를 피우는 데 예민했던 현지 농민들은 농업 개선을 위해 지원, 자극, 심지어 노동력까지 제공했다.[59] 새로운 수송망이 열리고 대규모 관개 사업으로 정비된 지역으로 갈 용의가 있고 그럴 수 있는 사람들은 상당한 기회를 잡을 수 있었다.

그 적절한 사례가 펀자브 서부 지역이다. 이곳에서는 생태계 변화의 규모와 속도가 극적이었다. 1885년에서 1940년 사이에 건설된 아홉 개의 '수로 정착촌'으로 100만 명이 이주했다. 1300만 헥타르의 땅을 경작할 노동력이었다. 이전에 덤불과 사막이나 다름없던 곳들이 이제 새 관개시설 공사를 통해 푸른 들판으로 변모했다. 이것이 펀자브를 한 중견 학자의 표현대로 "인도 농업 성장의 견인차"로 바꿔놓았다.

이 지역은 영국령 인도에서 수로로 관개되는 땅의 절반 가까이가 모여 있었으며, 높은 수준의 수입과 인력의 원천이 되었다. 이 두 가지는 아대륙 전체의 식민 지배를 강화하는 데 이바지했다.[60] 농민들과 이 새로 얻은 땅에서 일한 사람들도 분명히 그 과정에서 얻은 것이 있었지만, 영국은 이 같은 자연 통제를 통해 인도에 대한 장악력을 높일 수 있는 자원을 얻었다.[61]

그러나 식민 당국 스스로는 그렇게 보지 않았다. 적어도 그들이 쓴 글을 보면 그렇다. 1918년에 발표된 한 주요 보고서는 인도 농업 발전을 위한 투자가 매우 심도 있고 매우 성공적이라고 말했다. "나라의 많은 부분에서 수시로 사람들을 떠나게 했던 끔찍한 재난은 더 이상 두려워할 필요가 없다." 자연환경에 대한 개입은 기후 압박의 위험을 제거했다. 한때 비가 오지 않는다는 것은 "궁핍과 곤란"을 의미했을 뿐만 아니라 "기아의 만연과 생명 상실"을 예고하는 것이기도 했다. 이제는 더 이상 그렇지 않았다. 문제가 모두 "과학적으로 연구되고 대응 체계가 마련"됐기 때문이다. 자연 자체가 길들여졌다.[62]

그런 자신감은 먼 데서 가져온 지식과 문명이 어떤 기존의(현지에서 개발된) 것보다도 우월하다는 확신에 따른 것이었다. 동아프리카의 한 영국 관리는 자신이 쓴 〈문명의 책The Book of Civilisation〉이라는 수수한 제목의 저술에서 이렇게 주장했다. "아프리카에서는 사람들이 잘 먹지 못하고 있다. 대다수의 아프리카인들이 좋은 농민이 아니기 때문이다. 특히 그들은 땅을 비옥하게 유지하는 법을 모르기 때문에 좋은 농민이 못 된다." 이는 정말 짜증나는 일이라며, 그는 거의 절망감에 싸인 채 이렇게 덧붙였다. "아프리카에서 소가 그 목적에 걸맞게 사용된다면 그들은 곧바로 번영을 누릴 것이다. 아이들에게 우유를 제공하고, 그들 자신을 위해 고기를 제공하며, 밭에는 거름을 제공하고, 수레와 쟁기를 끌게 한다면 말이다."[63]

이른바 토착민의 풍습은 열등하다는 생각이 통상적이고 널리 퍼져 있었지만, 모두가 그렇게 생각했던 것은 아니다. 한 영국 농업 전문가는 인도 농업의 상황을 평가해달라는 인도부 장관의 요청을 받고, 자신은 "인도 농업이 전반적으로 원시적이고 후진적이라는 통념에 동의하지 않는다"고 단언했다. 그러면서도 그는 "많은 지역에서 개선될 수 있는 것은 거의 또는 전혀 없다"고 생각했다. 이 문제를 심지어 일반화할 수 있다면 현실적으로 문제가 되는 것은 "고유의 나쁜 경작 체계"가 아니라 이 아대륙 일부 지역에 기반시설이 없다는 것이라고 그는 썼다. 게다가 영국, 유럽, 또는 다른 곳으로부터 새로운 방식을 들여오기보다는 "더 나은 토착 방식을 이미 시행하고 있는 (인도의) 한 지역에서 그러지 않는 다른 지역으로 전수함으로써" 훨씬 나은 결과를 얻을 수 있다고 했다.[64]

마찬가지로 모두가 아프리카의 영농 방식(그리고 아프리카인 일반)을 멸시했던 것은 아니다. 프랑스의 한 식물학자는 이렇게 썼다. "토착 경작자는 (많은 당대의 논자들이) 그렇게 자주 이야기했듯이 (…) 게으름뱅이라고 멸시할 수 있는 사람들이 아니다." 오히려 현지의 방식은 그 지역에서 최선의 것일 뿐만 아니라 유럽인들의 노력은 분명하게 실패(흔히 많은 돈을 들이고 생태계를 파괴하면서까지)한 상태라고 했다.[65] 동아프리카 식민지에 대한 의회 조사위원회 위원인 아치볼드 처치Archibald Church는 이렇게 썼다. 영국 관리들은 "유럽인의 영농 방식이 아프리카인의 것에 비해 훨씬 우월하다고 오만하게 결론 내리기 전에 토착민들의 방식을 꼼꼼하게 연구하는 것이 마땅하다."[66]

이런 견해들은 열린 마음의 희귀한 사례에 속하며, 경작과 수탈에 관한 견해를 변화시키거나 정책 및 관행(흔히 사태를 호전시키기보다는 악화시키며 한 뭉치의 문제를 다른 뭉치의 문제로 바꿔놓을 뿐이다)에 영향을 미치는 일이 거의 없었다.

예를 들어 생물 다양성은 동식물의 서식지가 단작單作 생산을 위해 파헤쳐지면서 훼손되었다.[67] 인도에서는 말라리아가 수로망을 따라 확산되면서 매우 "심각한 위협"이 되었다. 일부에서는 수로 건설 사업이 아무런 긍정적 결과도 내지 못하는 게 아닌지 의문을 표했다.[68] 새로운 수로 개착은 때로 재산권 관련 분쟁을 야기했고, 배수가 잘되지 않으면 관개가 제대로 되지 않을 뿐만 아니라 질병이 발생하고 확산될 수 있는 비위생적인 조건을 초래했다.[69]

대규모 관개는 또한 처음에는 그 결과가 희망적으로 보일지라도, 현대 세계에서 침수와 토양 염분 증가 위험이 수천 년 전 메소포타미아나 기타 지역에서 있었던 것과 별 차이가 없기 때문에 문제가 있었다. 따라서 수로 건설이 만병통치약은 아니라는 것이 펀자브에서 입증됐다. 냉엄한 현실이 그곳에서 곧바로 분명해진 것이다. 1940년대에 펀자브 여러 지역의 수확량은 75퍼센트 또는 그 이상 떨어졌다. 이전에 경작되던 경지 가운데 최소 40만 헥타르가 버려졌다. 지속 불가능한 관개 방식 때문이었다.[70]

그것은 그 자체로도 충분히 좋지 않았지만, 이 지역으로 이주해온 많은 사람들에게 제공된 주택, 학교, 의료 시설, 도로, 그 밖의 기반시설을 감안하면 더욱 좋지 않았다. 그들은 위험한 미래가 아니라 장기적으로 장밋빛 미래가 기다리고 있을 것이라고 기대하고 온 사람들이었다.[71]

한 작물 또는 일부 주요 작물에 지나치게 의존하는 데서 오는 위험도 있었다. 그것이 경제 침체를, 그리고 큰 충격을 초래할 수 있었다.

코코아는 20세기 초부터 남아메리카와 중앙아메리카, 그리고 카리브해에서 재배됐는데, 서아프리카에서 대규모로 농장이 개발되면서 결국 그 지역이 세계 코코아의 주요 생산지가 되었다. 생산량은 1885년 이후 50년 사이에 매년 4만 톤가량에서 70만 톤 정도로 거의 스무 배 가까이 늘었다. 과잉 공급은 가격 폭락으로 이어져 소비자들에게 분명한 이득이 되는 결과를 낳았다. 그들은 이 열량 높은 덤을 점점 싼 가격으로 얻을 수 있었다.

반면에 노동자와 투자자들에게는 필시 장밋빛이 무색해지는 결과를 가져왔다. 문제는 코코아의 생물학적 취약성이었다. 1940년대에 코코아 '가지 팽창swellen shoot' 병원균이 서아프리카 농장들을 휩쓸어 호구지책과 안정성을 붕괴시켰다. 이에 따라 지금의 가나 아크라에서 폭동이 일어나고 질병 확산을 막기 위한 필사적인 노력이 펼쳐져 결국 1억 그루 이상의 나무가 잘렸다.[72]

아프리카의 다른 많은 지역에서는 인간에 의한 환경 재구성(한편으로 농장을 만들고, 다른 한편으로 보호구역을 만드는)이 갖가지 심각한 영향을 미쳤다. 이는 강제 이주에서부터 물·땅·인력을 둘러싼 경쟁에 이르기까지 다양했다. 철도가 내륙을 가로지르면서 정착 형태가 달라져, 현지 도시와 시장(그것이 주변 지역에 생태적 압박을 가했다)이 확대되는 결과를 낳았다.[73] 그에 상응하는 영향은 가축 떼와 부족 내부 및 부족 간 경쟁으로부터 왔다. 가축들은 그들이 끌려간 새로운 지역의 초목의 씨를 말렸고, 흔히 하나의 특정 사회 집단을 다른 집단보다 우선시해 지원하기 위한(그리고 무장시키기 위한) 식민 당국의 결정은 경쟁을 부채질했다.[74]

그러나 무엇보다도 식민지는 식민자들이 자원을 요구할 수 있고 가져다 사용할 수 있는 곳이었다. 야자기름, 고무, 면화, 목재, 커피, 코코아, 금속 같은 상품들은 모두 공업 생산에 필요한 것이었다. 비누에서부터 의류까지, 차량용 타이어에서부터 공장에서 사용하는 엔진벨트에 이르기까지 수많은 제조품들에 필요한 원료였다. 우간다 특별판무관 해리 존스턴Harry Johnston이 이 자리에 임명된 직후 받은 질문 가운데 하나는 이런 것이었다. "이 나라는 수지맞는 무역의 발전을 위해 어떤 자원을 가지고 있는가?" 물론 그는 고국의 소비자들에게 보낼 수 있는 가치 있는 것을 찾기 위해 노력하고 있었다.[75]

세계는 풍성한 낙원이었다. 그 과실은 에덴동산의 열쇠를 물려받은 사람들이 누릴 수 있었다. 자연은 길들일 수 있었다. 현지 주민들이 '문명화'될 수 있듯이 말이다. 통제를 가하고 유지하기 위해 과학 지식이 적용되었다. 이 모든 것이 세상은 개발해 영원히 사용할 수 있는 궁극적인 부를 제공했다는 확신에 힘을 보탰다.

예를 들어 윈스턴 처칠은 1907년 동아프리카를 여행한 뒤 이 지역 사람들에 대해 언급하지 않고 대신에 그 비옥함과 자연의 아름다움, 시원한 공기, 자양분이 많은 흙, 흐르는 물의 풍부함에 대해 이야기했다. 그는 이어 이렇게 말했다. 아프리카는 "언젠가 열대 지방 생산의 큰 중심지가 될 것이다. 전 세계 경제 발전에서 가장 중요한 역할을 할 것이다."

다시 말해서 아프리카는 그곳 사람들의 필요가 아니라 그 바깥 사람들의 필요에 맞게 개조되리라는 것이었다.[76] 시어도어 루스벨트는 그로부터 1년 반 후(미국 대통령에서 물러난 직후다)에 처칠과 거의 비슷한 일정의 여행을 했는데, 좀 더 직설적으로 이야기했다. 그의 말에 따르면 동아프리카는 "백인의 나라", "백인 정착자들로 채워져야 할 나라"였다.[77]

이것은 처음 대서양을 건넌 이후 발전돼온 관념과 확신의 표명이었는데, 북유럽과 북유럽에서 세계의 다른 지역으로 이주한 사람들 사이에서 열광적으로 강했다. 먼 과거로부터 전해진 앵글로색슨 종족에 대한 관념이, 숭배되는 신화적 역사 속에 들어갔는데, 이 관념은 게르만인들은 자유에 대한 깊은 헌신과 권위주의의 사슬을 벗어버리려는 결의 덕분에 로마를 타도하는 데 성공했다는 것이었다.

이런 관념은 18세기 몽테스키외에 의해 더욱 분명하게 표현됐고, 영국과 독일에서 매우 매력적인 것으로 입증됐으며, 미국에서 특히 매혹적인 것으로 받아들여졌다. 예를 들어 영국이 제1차 아편전쟁(1839~1842)에서 청 왕조 중국을 상대로 승리를 거둔 것에 대해 〈뉴욕 헤럴드〉는 "영국 제국주의의 승리가 아니라 앵글로색슨족의 승리"라며 환호했다.[78] 이런 견해는 미국의 많은 사람들이 영국 제국주의에 비판적인 시기였기 때문에 더욱 놀라웠다.

일부에서는 한발 더 나아갔다. 예를 들어 1850년대에 한 국회의원은 이렇게 말했다. 언젠가 "앵글로색슨 혈통의 두 큰 가지가, 하나는 벵골만에서 힘차게 나아가고 다른 하나는 캘리포니아의 빛나는 만에서 나아가 해가 쨍쨍한 태평양의 어느 아름다운 섬들에서 만나 세계의 사랑과 평화

속에서 서로 손을 맞잡게 될 것이다."[79] 미국의 어떤 사람들은 대서양 연안에 "앵글로색슨족의 식민지들이 들어선" 것에 대해 주저 없이 감사를 표했고, 또 어떤 사람들은 이것이 의미하는 바를 더욱 직설적으로 표현했다. 매사추세츠 주지사, 미국 상원의원, 영국 주재 미국 공사, 하버드대학 총장 등 화려한 이력을 지닌 에드워드 에버렛Edward Everett은 이렇게 말했다. "역사는 우리에게 사람의 인종과 열등한 동물의 품종에 대해 믿을 수 있도록 보증한다. 지금까지 존재했던 어떤 종족도 우리 미국인의 혈통이 나온 앵글로색슨족을 능가할 수 없다."[80] 물론 그는 미국인 전부가 아닌 일부를 이야기한 것이었다. 흰 피부를 가진 사람들을 말이다.

영국인들도 당연히 그렇게 콧대 높은 병에 대한 면역이 없었다. 사실 어떤 사람들은 심지어 그들로 인해 브리튼섬 자체가 진화했다고까지 주장했다. 벤저민 디즈레일리는 1866년에 이렇게 말했다. "영국은 유럽 대륙보다 더 커졌다. 더 이상 단순한 유럽 세력이 아니다. 영국은 거대한 해양 제국의 중심지이며, 가장 먼 대양의 경계로 뻗어가고 있다. (…) 영국은 정말로 더 이상 유럽 세력이라기보다는 아시아 세력에 가깝다." 이 모든 것은 다른 대륙·민족·생태계와의 접촉에서 기인한 것이며, 영국의 부의 근원은 해외에 있다는 자각(더 나아가 확신)을 반영한 것이었다.[81]

영국의 지배는 "한결같이 진보적"이었다고 〈타임스〉는 제1차 세계대전이 끝나고 한 달 후에 주장했다. "설계와 실행에서 인류 역사에 알려진 것 가운데 가장 유익한" 것이었다. 이런 견해는 많은 사람들이 공유하고 있었다. 거트루드 벨Gertrude Bell도 그중 한 사람이었다. 벨은 그로부터 얼마 지나지 않아서 자신의 아버지에게 이렇게 썼다. "정말로 우리는 놀라운 민족입니다. 우리는 억압받는 민족의 남은 사람들을 파괴로부터 구했고, 고생을 하고 돈을 들여 그들에게 위생적인 주거지를 제공했고, 그 아이들을 가르쳤고, 그들의 신앙을 존중했습니다." 물론 그것에 대해 깊은 감사를 표하는 사람은 별로 없었다.[82]

1919년 암리차르의 잘리안왈라바그Jallianwala Bagh 대학살(영국 군대가 독립파 지도자들의 체포에 항의하는 평화적인 시위자들에게 발포했다) 이후 펀자브 부총독으로 악명을 얻은 마이클 오드와이어Michael O'Dwyer는 더욱 단호했다. 그는 이렇게 썼다. "인도에 있는 대영제국은 우리 민족의 최대 성과다. 이는 우리 조상들의 피와 두뇌와 정력으로 축적한 것이다." 어떻든 그는 이렇게 주장했다. "통일, 안전, 평화, 정의, 소통, 공중보건이 인도에는 전혀 없었다. 영국인이 오기 전까지는 말이다."[83]

이런 자화자찬은 현지 주민들이 자리를 벗어나지 않도록 하기 위해(그리고 그들을 떼어놓기 위해) 얼마나 잔인한 통제가 가해졌는지를 숨기고 있었다. 한 역사가는 인도인 부대가 "영국인이 원하면 서로를 죽이도록 조직"돼 있었다고 지적했다. 이 구조는 19세기 후반에 인도부 장관을 지낸 찰스 우드Charles Wood의 언급으로 입증된 바 있다.

우드는 1840년대 중반 아일랜드의 혹심한 기근 때 그 구제를 위한 지원에 반대해 자신의 색깔을 드러낸 바 있었다. 그는 이것이 "섭리에 따른 재난"이라고 주장했다. 그리고 장기적으로 더 나은 영농 방식을 자극하는 데 이바지할 것이라고 했다. 궁핍, 대규모 기아, 파멸적 규모의 떼죽음은 치를 가치가 있는 대가였다.[84] 인도와 인도인에 대한 그의 생각은 결코 깨어 있다고 할 수 없는 것이었다. 군대에서 민족집단들을 따로 떼어놓는 이유는 간단하다고 그는 썼다. "만약 한 연대가 반란을 일으키면 이웃 연대와의 틈을 크게 벌려 그들로 하여금 반란자들에게 발포하게 한다. 그래서 시크교도가 힌두교도에게 발포하고 구르카족이 그 양쪽에 발포하게 한다. 필요하다면 양심의 가책 같은 것은 버려야 한다."[85]

식민자들의 압도적인 권력은 거의 제한이 없고 참을 수 없는 유혹을 제공했다.[86] 벨기에 왕 레오폴드 2세는 콩고강 유역이 자기 것이라고 간단히 주장했다. 이 주장이 서아프리카에서가 아니라 유럽에서 일련의 외교 위기를 촉발했다. 유럽에서는 레오폴드의 조치로 자기네의 개발 권한을 박탈당했다며 반대 목소리를 내는 나라들이 있었다.

마침내 프랑스 땅 다섯 배 크기의 영토에 대한 레오폴드의 '소유권'이 1884~1885년 베를린 회의에서 유럽 정치가들에 의해 보증됐다. 이곳에서의 주된 관심은 식민 세력들 사이의 분쟁을 평화적으로 타결하는 것이었다. 본국 근처에서의 전쟁을 피하기 위해서였다. 이것은 자원에 대한, 환경에 대한, 정착민 세계 바깥의 인간 생활에 대한 태도를 반영한 것이었다.[87]

아프리카는 마지막으로 뜯어먹힌 곳 가운데 하나였다. 편견과 인종주의에 깊이 뿌리 내린, 아프리카 대륙과 이곳에 사는 서로 다른 여러 민족 및 문화에 대한 오랜 관념이 작용한 것이었다. 그러나 중요한 것은 16세기 대서양 횡단 노예무역의 구축에서 그랬듯이 유럽인들은 해안과 거기에 인접한 지역을 넘어 내륙으로 들어가는 데 매우 서툴렀음이 드러났다는 점이다. 이것은 현지 정치 지도자들의 탄력과 적응성을 말해주며, 그들의 권위 강화는 외국 상인들이 제기하는 위협과 그들이 제공하는 기회에 대한 당연한 반응이었음을 보여준다.

19세기 말에 공업혁명으로 초래된 가속화는 국면을 결정적으로 외부자인 유럽인들에게 유리한 쪽으로 돌려놓았다. 가장 분명하게는 무기의 개선 때문이었다. 그것은 더 적은 사람을 들여 더 많은 일을 더 빠르게 할 수 있다는 얘기였다.

예를 들어 1897년에 니제르 해안 보호령의 부판무관 겸 영사 제임스 필립스James Phillips는 베닌 왕국의 오바(지배자)를 몰아내려고 나섰다. 대여섯 명의 관리, 사업가 두 명, 한 무리의 짐꾼을 대동했다. 그들의 매복과 필립스의 죽음은 런던에서 인구에 회자됐다. "통탄스러운 참사"가 일어났다고 〈데일리 텔레그래프〉는 보도했다. 신문은 이렇게 한탄했다. "용감한 영국인 무리가 서아프리카를 적어도 문명의 바깥 변경으로 데려오려는 그들 자신의 노력의 희생양이 되었다." 신문은 이 용감한 무리의 관심과 동기가 왜 환영받지 못했는지에 대해서는 묻지 않았다.[88]

명백한 명예 손상의 한을 풀기 위해 언론들이 복수를 요구하고 나섰다. 그리고 오바에게 "유익한 교훈"을 주어야 했다. "영국인의 신앙은 신뢰를 받아야 하고 그 우정은 추구돼야 할 뿐만 아니라 영국인의 정의는 화가 나면 두려워할 만한 것"이라는 교훈이다.[89]

필립스를 위해 '복수'하려고 나선 원정대의 행보는 파괴, 살인, 아프리카의 문화적·정치적 유산에 대한 절취 등 더욱 부끄러운 사건들로 점철됐다. 이때의 절취물 가운데 특히 '베닌 청동판'들은 오늘날 세계 유수의 박물관들에 들어가 있고, 약탈된 미술품들을 원래 있던 장소와 그곳 사람들에게 돌려줘야 한다는 요구의 중심에 있다.[90]

그러나 당시에 오바와 베닌 왕국 사람들에게, 자기네가 세계에서 어떤 위치에 있는지를 알아야 한다는 교훈을 주는 것은 너무도 당연한 일로 보였다. 오바는 구금된 뒤 그가 더 이상 자기네 땅의 지배자가 아니라는 통고를 받았다. 이렇게 말이다. "백인만이 이 나라에서 왕 노릇을 할 수 있다." 현지 주민들에게는 "흑인의 나라가 어떻게 통치돼야 하는가"에 대한 시범이 펼쳐졌다. "재판"을 주재해 오바가 필립스의 죽음에서 어떤 역할을 했는지 살피기 위해 파견된 영국 판사에 의해서였다. 이 지도자가 살인에 연루된 증거가 하나라도 발견되면 "나는 여기서 당신을 교수형에 처할 것"이라고 판사는 말했다.[91]

막을 수 없어 보이는 서방의 흥성은 자아성찰과 심지어 슬픔까지 불러왔다. 예를 들어 베트남에서는 일부 사람들이 '신학문'을 요구했다. 전통적인 방식을 버리고 언어, 경제, 정치 혁신을 배우자는 것이었다. "고대에 아시아는 문명의 원천이었다"라고 1904년 한 베트남 작가는 썼다. 베트남은 "비옥한 땅, 온화한 기후, 많은 쌀, 누에, 임산물, 웬만한 나라보다 긴 해안"을 가지고 있었다. 그러나 이제 달라졌다. "우리에게는 더 이상 임산물과 그 밖의 자원이 없다. 우리는 더 이상 수많은 상품과 우리 나라의 이득을 통제할 수 없다. 옷, 주름 천, 우단, 비단, 구두, 샌들, 손수건, 안경, 우산을 말이다." 그리고 수많은 다른 물건들(그는 그런 물건들을 공들여 나열했다) 말이다.[92]

식민화된 공동체의 또 어떤 사람들은 사태를 비슷한 방식으로 이해했지만 행동을 요구했다. "아시아는 너무 오래 어둠 속에, 죽음의 그늘에 있었다"라고 1909년 한 망명 급진 혁명가 집단은 불만을 토로했다. 그러면서 "인도인, 오스만인, 이집트인, 일본인, 중국인, 아라비아인, 아르메니아인, 파르시인, 페르시아인, 시암인, 기타 민족의 식자들"로 구성되는 아시아 의회 설립을 요구했다. 유럽 제국주의 열강의 지배에 대항해 들고일어나도록 돕기 위한 것이었다.[93]

다른 경우, 열정적인 반식민주의자들의 변화에 대한 요구가 일시적인 성공을 거두었다. 1917년 차르 폐위 이후 러시아 제국의 상당수 지역 같은 경우다. 이때 광범위한 자결권이 소수민족들에게 주어졌는데, 처음에는 낙관론과 창의성이 꽃피었지만 이후 엄청난 박해가 다시 시작됐다. 러시아령 중앙아시아에서 시, 창작, 시각예술이 터져 나와 불을 밝혔지만 곧 질식되고 말았다. 소련이 권력을 중앙으로 모으고, 공산당의 꿈을 위협할 듯한 모든 사람으로부터 산소를 빼앗아버렸다. 그런 각본 속에서 의심의 눈초리는 곧바로, 그리고 결정적으로 눈에 띄는 민족이나 주변부의 경계 지역에 살고 있는 사람들(또는 그 두 가지가 겹친 사람들)에게 향했다.[94]

반식민주의적 태도가 강화됐다. 때로 강력한 생태적 의제로 인해 강화됐는데, 그런 의제들은 땅이 어떻게 수천 킬로미터 바깥에 사는 사람들의 이익 때문에 약탈당하고 혹사당하고 악화됐는지를 지적했다. 마하트마 간디는 1909년에 이렇게 썼다. "인도의 구원은 이 나라가 지난 50년 동안 배워온 것을 벗어버리는 데서 온다." 근대성은 불행과 억압을 가져왔다. 그는 이렇게 이어간다. "철도, 전신, 병원, 법률가, 의사 등은 모두 사라져야 한다. 기계는 현대 문명의 주요 상징이다. 그것은 크나큰 죄악을 나타낸다."[95] 도시화는 확실하게 인도의 "촌락과 촌락민들을 더디지만 분명한 죽음으로" 이끌 것이라고 그는 나중에 예측했다.[96]

진정한 행복은 "단순한 시골뜨기의 삶"을 살고 기술, 소비, 식민주의적 파괴를 거부하는 데서만 누릴 수 있었다. 그는 제1차 세계대전이 끝난 직후 비통하게 썼다. "오늘날의 대영제국은 악마 숭배, (…) 탄압, 테러를 상징한다." 그들은 자기네의 힘을 늘리기 위해서는 "어떤 잔학행위도 할 만큼 비열해질 것"이라고 그는 덧붙였다. 그들은 악의 근원이며 "폭정의 최고봉"이었다.[97]

또 다른 사람들 역시 현대 생활의 속도와 해로운 영향에 이끌렸다. 프세볼로트 티모노프Vsevolod Timonov는 "눈앞의 이익"을 추구하는 과정에서 "자연의 조화"가 망가지는 데 대해 매우 비판적이었던 러시아 학자 가운데 한 명이었다. 인간의 활동과 생활방식으로 인해 공장은 "악취가 나는 기체를 대기에 뿜어대고 자연의 향유를 크게 저해"했다. 그 결과는 "기후가 망가지는 것"이라고 그는 결론지었다.[98]

또 다른 러시아 작가 레프 톨스토이는 술을 끊고 채식주의자가 되었으며, 단순하고 자족적이며 관념상 전통적인 삶의 방식 추구의 일환으로 돈을 다루지 않았다. 이것은 다시 간디에게 자극을 주어 남아프리카공화국에 똑같은 원칙과 이상에 입각한 이상주의적 공동체를 세우게 했다. 사실 톨스토이는 매우 큰 영향을 미쳤기 때문에 간디는 그에게 편지를 써서 자신이 이룬 진척을 이야기하고, 그의 인도에 대해 감사를 표하며, 그를 기려 자신의 수행처 이름을 '톨스토이 농장'으로 지었음을 알렸다.[99] 간디가 생각하기에 수천 명의 남자가 "짐승들보다 열악한" 상황에서 공장과 광산에서 일하고 여자들이 "푼돈을 벌기 위해" 일하는 것은 비루한 짓이었다. 그것은 도저히 '문명'이라고 할 수 없다고 그는 말했다.[100]

인간이 위험하다(스스로에게, 그리고 자연계에)는 가설은 19세기에 확산됐다. 랠프 월도 에머슨은 미개지를 대하는 태도에 한도를 둘 것을 촉구했고, 조지 퍼킨스 마시George Perkins Marsh는 인간이 "주위의 모든 형태의 동식물 존재들과 거의 무차별적인 전쟁"을 벌이고 있다고 경고했다. 인간의 개입은 해롭고도 끈질겼다. "인간의 (…) 문명이 진보하면서, 그들은 자기네가 점유하는 모든 땅의 자연스러운 산물을 점차 절멸시키거나 변형시킨다."[101]

그런 사고의 논리적 정점을 1960년대에 쓰인 한 유명한 에세이에서 볼 수 있다. 그 글에서 린 화이트Lynn White는 유대-기독교 사회가 사람들로 하여금 환경을 덜 배려하게 만드는 세계관을 도입했다고 주장했다. 그것이 인간을 자연보다 우월하고 자연과 별개의 것으로 보게 했다는 것이다. 그 결과로 인간은 생태 위기의 주요 원인이 되었다.[102]

이것은 계몽시대 이래의 유럽중심적 관념에 관해 많은 것을 드러낸다. 그것은 '동방'의 신앙 체계를 보다 환경 친화적인 것으로 규정하고, 특히 아시아에 살고 있는 사람들이 생명, 영혼, 자연에 대해 고귀하고 거의 신비적인 태도에 물들어 있다고 본다. 이것은 그 자체로 일종의 부정적 뉘앙스를 지닌 '오리엔탈리즘orientalism'이다. 사실 종교 전통은 문제도 아니고 문제의 근원도 아니었다. 문제는 탐욕과 개인의 이득이었다.

유럽인이 와서 황금기를 짓밟기 전에는 환경이 손을 타지 않고 삼림이 온전하며 생태계가 교란되지 않았다고 주장하는 것은 옳지 않겠지만, 현실은 식민지 시대의 수탈이 전례 없는 규모로 일어났다는 것이다. 기술과 노동력의 도움을 받아서였고, 그 덕분에 땅의 개간을 이전 어느 때보다도 더 빠르고 더 광범위하게 할 수 있었다.[103]

게다가 최근 연구들이 강조하고 있듯이 농업 정책(특히 삼림과 관련된)은 사람들의 정착, 권위 확립, 사회공학social engineering과 밀접하게 연결돼 있고, 따라서 정치적 통제의 확대(특히 생태적·지리적 주변 지역에서의)와 관련돼 있다. 어느 학자가 지적했듯이 환경과 식민 지배는 함께 가는 것이었다.[104]

이를 가장 분명하게 보여준 곳이 북아메리카였다. 이곳에서 토착민들은 자기네 땅에서 밀려났다. 힘에 의해서, 때로는 속임수에 의해서였다. "인디언"을 "미시시피강 서쪽의 적합한 땅"으로 옮기면 "인디언 종족들에게 가장 즐거운 이득을 낳게" 될 것이라고 미국 전쟁부 장관 제임스 바버James Barbour는 말했다. 그들이 떠난 땅이 새로운 점유자에게 무슨 이득을 줄 것인지에 대해서는 말하지 않았다. 오논도와가(세네카족) 같은 일부 부족들은 스스로를 탓해야 한다고 관리들은 말했다. 강제로 재산을 팔고 협박을 받아 이주한 후에 겪은 고난은 "그들 스스로의 잘못"이라고 관리

들은 말했다. 옮겨갈 더 나은 대체 지역을 고르지 못한 탓이었다.[105]

다른 정치인들은 자기네가 농작물을 재배하고 목초지로 쓸 가장 좋은 땅을 차지하기 위해 잔인하게 처우해야 한다고 촉구했다. 1830년대 '검정매Black Hawk 전쟁'('검정매'는 이 전쟁에서 원주민을 이끈 지도자의 이름이다) 초에 한 사설은 존 레이놀즈John Reynolds 일리노이 주지사에게 "일리노이 북부에 인디언(승리의 징표인 머리 가죽을 든)이 하나도 남지 않을 때까지 절멸 전쟁을 벌일" 것을 촉구했다.[106]

이 몰아내기 방식은 수십 년 동안 이어졌다. 예를 하나만 들자면 1889년 4월 22일 한낮에 한 방의 총성을 울려, 이전의 합의와 강제 이주의 일부로서 크리크족과 세미놀족에게 할당된 오클라호마의 땅에 대한 정착민들의 '권리'를 주장했다. 그날 늦게 160에이커(약 0.65제곱킬로미터)씩 구획된 200만 에이커(약 8천 제곱킬로미터)의 땅이 그들에게 넘어갔다. 해 질 무렵에 1만 명이나 되는 인구를 가진 새 도시가 만들어졌다. 도로망이 설계되고 몫이 나뉘었으며 시 자치 정부의 구조로 바뀌었다.[107]

맹렬한 변화 속도는 재산을 모으고 신분 상승을 할 수 있다는 조바심 나는 가능성을 제공했다. 이는 또한 안톤 체호프 같은 작가들의 상상력을 사로잡았다. 그의 희곡 〈벚꽃 동산Vishnovyy Sad〉은 옛것이 새것으로 대체되는 일의 모호성과 적응의 어려움을 완벽하게 묘사하고 있다. 명문가의 지주 라넵스카야 부인은 로파힌(자수성가한 사람으로 아버지는 농민이었고 할아버지는 농노였다)으로 대표되는 변화하는 세계를 받아들이는 데 애를 먹는다. 극은 로파힌이 자신이 자란 곳인 부동산을 사는 것으로 끝난다. 그는 과수원의 나무들이 잘리는 소리를 듣는다. 현대적인 필요와 기호에 맞게 자연을 용도 변경하는 것이다. 그것은 변화하는 시대와 현대 사회의 '진보'를 상징하는 표시였다.[108]

그런 진보에는 대가가 따랐다. 마르크스는 "지구 표면, 땅속, 대기를 수탈"하려는 수그러들지 않는 결의에 우려를 표했다. 그것은 자연을 희생시켜 이득을 취하려는 욕망에 휘둘린 것이었다.[109] 땅에 대한 수탈 광풍은 투자 수익에 대한 게걸스러운 수요를 불러왔으며, 생태계 고갈로 이어졌다. 앨라배마 개발은 뉴욕 월스트리트에서 멀리 유럽 여러 도시에서까지 끌어 모은 자본으로 비용을 댔다.

흑토 대초원 땅(이전 기후 변화 시기가 남긴, 칼슘 함량이 많은 검고 비옥한 토양이다)은 특히 매력적이었다. 단작으로의 전환과 과도한 경작이 예컨대 크리크족이 사용하던 방식과는 전혀 다른 결과를 가져온다는 데 주의를 기울인 사람은 별로 없었다. 크리크족은 그들의 땅을 정교한 생물 다양성 모형을 통해 관리했다. 그들은 장기적인 지속 가능성을 보장하기 위해 다작多作과 꼼꼼한 윤작을 결합했다.[110]

식민주의가 항상 산림 황폐화로 이어진 것은 아니다. 일본 제국주의 당국은 20세기 초반에 100만 그루 이상의 나무를 심고 법으로 산림을 보호하는 등 한국에서 대규모 나무 심기 활동에 상당한 자원을 투자했다. 물론 일본의 동기는 자연보호가 아니라 국가 정체성, 국가 기술 및 통치권을 관념적 차원에서 홍보하고 연료 및 건축용 목재를 무제한으로 확보하기 위한 것이었다.[111]

19세기는(특히 그 후반은) 전체적으로 보아 세계가 갈수록 작아지는 시기였다. 사람과 장소가 갈수록 서로 가까워졌다. 철도, 더 크고 더 빠르고 더 안정적인 선박, 새로운 기술(정보를 빠르게 공유할 수 있게 해주는 전신 설비 같은) 덕분이었다.

이 시기는 세계화를 촉진한 새로운 기반시설의 시대였을 뿐만 아니라 도시들이 성장한 시기였다. 도시는 버섯처럼 솟아올라 주민 유입을 통해 덩치를 키웠다. 여러 큰 도시들이 해안에 위치한 것은 당연한 일이었을 것이다. 항구에 접근하기 쉬워 값싸고 효율적인 선적이 가능했다. 항구는 식민지 배후 지역에서 뽑아낸 상품, 천연자원, 광물을 끌어들이는 깔때기였고, 동시에 반대 방향에서(공업화된 유럽에서 새로운 시장으로) 제조 상품이 들어오는 판막이었다.[112]

교류가 심화되고 소비가 증가하는 데는 대가가 따른다는 인식이 점차 높아졌다. 물론 그것이 북아메리카, 러시아, 아프리카의 철도 건설에 자금을 대고 있는 투자자들에게는 아무런 의미도 없었다. 그들은 삼림 파괴나 가축·농산물·광산에 가해지는 부담으로 인해 치러야 하는 생태계의 대가에 대해서는 거의 염두에 두지 않았다. 프랑스령 적도아프리카(AEF)의 철도 건설은 역사상 가장 치명적인 일들 가운데 하나로 드러났다. 수만 명이 과로, 질병, 영양실조, 신체 학대로 죽었다. 그러나 철도를 건설한 프랑스 회사에는 보장된 수익을 제공했다.[113]

좀 더 의식이 있거나 마음이 열린(또는 둘 다인) 사람들은 환경 및 기후 변화가 중대한 영향을 미친다는 사실에 더 큰 관심을 기울였다. 거대한 태양폭풍과 코로나 대량 방출coronal mass ejection로 세계의 전신국을 마비시켰던 1859년의 태양대폭풍(그 관측자의 이름을 따서 '캐링턴Carrington 사건'으로도 불린다)이나, 지금까지 터진 가장 강력한 수소폭탄의 네 배(또는 제2차 세계대전에서 사용된 모든 재래식 폭발물의 총 폭발력의 40배)의 폭발력이었던 것으로 추산되는 1883년의 크라카타우산의 극적인 분출 같은 사태들은 기상 패턴에 관심을 집중시키고 그들이 어떻게 변하고 있고 인간의 활동과 환경 개입이 여기에 얼마나 큰 영향을 미쳤는지에 관한 연구를 자극하는 데 큰 몫을 했다.[114]

과학자들은 상당 기간 기후 변화를 더 잘 이해하기 위해 노력해왔다. 예를 들어 1801년에 유명한 천문학자 윌리엄 허셜William Herschel은 자신의 논문에서 태양 흑점이 기후 조건에 결정적인 요인이며 또한 곡물 수확량, 밀 가격, 경기 순환에도 마찬가지라고 주장했다. 이후의 시기에 다른 사람들도 뒤를 따랐다. 아서 슈스터Arthur Schuster는 포도 수확량이 11년 태양 주기와 상관관계가 있는 듯하다고 밝혔다.[115] 윌리엄 제번스William Jevons는 1870년대에 한발 더 나아가 18~19세기의 태양 활동을 물가, 상업 위기, 경제의 "분명한 붕괴" 패턴과 연결시켰다.[116]

또 어떤 사람들은 대기 상태를 조사했다. 프랑스의 과학자이자 수학자인 조제프 푸리에Joseph Fourier는 이를 처음으로 체계적으로 바라본 사람들 가운데 한 명이었다. 그는 대기의 기체들이 열기를 가두고 지상의 온기를 보존하는 장벽 역할을 한다고 주장했다. 그리고 지구상의 "인간 사회의 진보"가 "평균 온도의 변화" 같은 "주목할 만한 변화"에 영향을 미칠 수 있는지에 대해서도 문제를 제기했다.[117]

또 다른 선구자는 유니스 푸트Eunice Foote였다. 그는 1850년대에 자신의 발견이 과학과 지구의 미래에 얼마나 중요한지를 인식했다. 푸트는 여러 기체의 조합을 유리 원통 안에 넣어 가열하는 실험을 했는데, 이산화탄소와 수증기가 다른 조합들에 비해 더 빨리 뜨거워질 뿐만 아니라 원통에 여러 가지 기체가 들어 있는 상태에서 열원을 제거했을 때 "식는 데 여러 배의 시간"이 걸렸다. "이 기체로 이루어진 대기는 지구가 높은 온도를 유지하게 할 것이다."[118]

20세기로 접어들면서 존 틴들John Tyndall, 새뮤얼 랭글리Samuel Pierpont Langley, 체임벌린T. C. Chamberlain, 그리고 가장 유명한 사람으로 스반테 아레니우스Svante Arrhenius 등이 온실효과greenhouse effect 이론을 세웠다. 물론

이 연구는 이산화탄소 수준이 높아지는 것에 대한 우려에서 출발한 것은 전혀 아니었고, 세계의 지질학적·지구물리학적 과거를 탐구하려는 노력의 일환이었다. 아레니우스는 지구 온난화에 대해 우려하지 않았다. 사실은 정반대였다. 지구가 더워지면 도움이 되고 "더 안정적인" 환경, 더 풍부한 식물상, 더 많은 식량 생산으로 이어지지 않을까 하는 생각을 했다.[119]

이런 진전에도 불구하고 기후학은 수십 년 동안 주변적인 주제로서 진지하게 탐구할 가치가 있는 것이라기보다는 비전문가, 괴짜, 별난 학자들이나 하는 것으로 한쪽으로 밀쳐져 있었다.[120]

그런 사건들이 태양 주기, 화산 활동, 기상 패턴에 관한 의문을 대중의 의식에 심어주었지만, 대중 과학서와 초기 과학소설의 급증 역시 마찬가지였다. 그 상당수는 인간이 만든 변화에, 인간의 행동이 좋든 나쁘든 기후를 변화시킨 내용에 초점을 맞추었다. 1820년대에 이미 파데이 불가린Faddei Bulgarin 같은 작가들은 러시아 과학자들이 북극의 해안 지역을 덥게 만들어 그곳을 해상의 전원으로 변모시키는 데 성공한 세계를 상상했다. 수십 년 후에 바이런 브룩스Byron Brooks와 라이샌더 리처즈Lysander Richards는 각기 기후 조작을 통해 사하라 사막을 들판으로 변모시킨다는 생각을 내놓았다. 영국 작가들은 파나마 운하 건설의 결과로 틀림없이 오게 될 멕시코만류의 패턴 변화의 공포에 대해 이야기했다. 그리고 이에 따른 근본적인 기후 변화로 제국이 무너질 것이라고 우려했다.[121]

조지 그리피스George Griffith도 있었다. 그의 책 〈날씨 회사The Great Weather Syndicate〉에서 주인공 아서 아크라이트는 기후를 변화시키는 기계를 개발하고 스스로 "세계의 운명의 주인"이 되기를 기대한다. 그와 그의 "회사"가 주문받은 기상 조건을 거기에 돈을 지불할 의사와 능력이 있는 사람

들에게 파는 것이었다.[122]

비슷한 주제를 가지고 쓴 또 다른 작가는 쥘 베른이었다. 그의 〈위아래 없는Sans dessus dessous〉은 지축을 기울여 지구의 기후를 똑같이 만들려는(계절과 밤낮의 길이 차이를 없앨 뿐만 아니라 북극을 녹여 막대한 석탄 매장지에 접근하려는 것이었다) 무모한 투자자들의 계획에 대한 신랄한 풍자였다.[123]

베른과 그 밖의 여러 사람들이 알 수 없었던 것은 19세기 말과 20세기 초에 해수면이 전 세계적으로 상승하고 있었을 뿐만 아니라 그 속도도 가속화되기 시작했다는 것이었다.[124] 최근 연구는 해수면 상승 시작 시기를 1863년으로 콕 집어낸다. 그것은 그린란드 빙상의 대량 유실이나 인위적인 요인과 연관된 것 같지는 않다. 대신에 대서양자오선역전순환(AMOC), 플로리다 해류의 강도, 멕시코만류의 강도와 위치 등으로 인해 일어난 대양 순환의 변화와 더 관련이 있는 듯하며, 대기의 바람, 부력 변화, 기압 등의 변화 패턴과도 관련이 있었던 듯하다.[125]

기후 변화라는 틀을 지어 암울한(혹은 밝은) 미래를 그려낸 작품들은 인간의 활동이 자연계와 환경에 어떻게 영향을 미치고 있는지에 대한 관심의 증대를 보여준다. 이는 전적으로 놀라운 일은 아니었다. 특히 일찍, 그리고 집중적으로 공업화가 이루어진 곳에서는 더욱 그랬다. 영국 도시들의 공기 오염은 너무도 심해서 영아 사망률을 8퍼센트포인트나 끌어올렸으며, 산업용 석탄은 19세기 말에 도시인의 기대수명에 무시할 수 없을 뿐만 아니라 매우 해로운 영향을 미쳤다.[126] 이 시기에 석탄을 연료로 사용하는 공업화에 의한 대기 오염은 오늘날에 비해 50배나 높았으며, 건강 실태와 성인의 키에 상당히 부정적인 영향을 미쳤다.[127]

도시 생활은 언제나 시끄럽고 북적거리고 혼란스러웠다. 그러나 19세기가 달랐던 것은 도시 성장의 규모와 속도였다. 맨체스터의 인구는 1801년에서 1851년 사이에 네 배가 되었다. 일자리에 대한 전망이 사람들을 끌어들인 것이다.[128] 도시 지역의 급속한 팽창은 빈약한 위생시설 및 높은 공해 수준(주로 화석연료를 태우면서 배출된 것이다)과 어우러져 방문자들에게 충격을 안겼다.

프리드리히 엥겔스는 "토혈吐血, 호흡 곤란, 흉통, 기침, 불면증"을 초래하는 도시의 "더러운 공기"에 충격을 받았다. 그곳의 여자와 소녀들은 "신선한 공기를 전혀 마시지 못하면서" 옷을 만들고 있었다. 그들이 일하는 곳은 조명도 형편없어서 많은 사람들이 시력 장애를 겪고 있었으며 일부는 심지어 실명까지 했다. 이것은 진한 연기를 뿜어내고 있는 공장 뒤에 있는 자본주의 원리 및 "단조롭고 볼품없는" 작업과 "야만적인 노동자 착취"에 지나지 않았다.[129] 이런 상황은 서·북유럽 어디나 마찬가지였다. 엥겔스와 한 동시대인의 말처럼 "작은 맨체스터" 천지였다.[130]

부와 지위가 언제나 질병에 대한 방벽을 어느 정도 제공하기는 했지만, 늘 충분한 보호를 제공하지는 못했다. 1841년, 윌리엄 해리슨은 미국의 제9대 대통령으로 선서를 한 지 꼭 한 달 만에 죽었다. 그의 죽음은 오랫동안 폐렴 때문이라고 여겨졌고 몹시 추웠던 취임식 날 모자, 외투, 장갑을 모두 거부한 그의 결정 탓이라고 했지만, 그의 진짜 사인은 장티푸스였던 듯하다. 가장 가능성이 높은 원인은 워싱턴시의 열악한 위생시설이었다. 구체적으로 백악관의 상수도는 질퍽한 공터 부근에 있었는데, 이곳은 시의 하수 시설이 없이 오수가 멋대로 흐르는 곳이었다. 그의 후임자 가운데 두 명(제11대 제임스 포크와 제12대 재커리 테일러)도 대통령 재임 중에 병에 걸렸던 듯한데, 같은 원인이었을 것이다.[131]

도시의 성장, 오염과 질병 증가, 환경 악화에 대한 한 가지 반응은 문학의 활성화였다. 가장 유명한 것이 낭만적인 시다. 그 시들은 영향을 받지 않은 전원으로서 시골과 가족생활을 극찬했다. 인간의 개입으로 망쳐지지 않은 그곳은 모두 공업화의 현실과 뚜렷한 대조를 이루었다. 윌리엄 워즈워스에 따르면 어머니들은 변변한 "재봉 솜씨도 가지지 못했고", 어린 소년들은 노동자 겸 "포로"로서 공장에 밀어넣어지면 빼앗길 "짧은 어린 시절의 휴가"를 즐기고 있었다.[132]

다시 말해서 현대라는 것은 대가를 치러야 얻을 수 있는 것임을 파악하는 데 오랜 시간이 걸리지 않았다는 얘기다. 그리고 그 대가를 전 세계가 공평하게 나누어 치르지 않았다는 사실을 말이다. 예를 들어 대기 오염은 대체로 일찍, 그리고 빠르게 공업화된 곳으로 국한됐다. 특히 북유럽과 북아메리카의 도시들이다. 한편 물과 강의 오염은 심한 삼림 파괴와 개간이 벌어진 곳에서 실로 파멸적이었다.

대규모 인구 이동은 도시화와 노동력 분산에 의해 유발됐다. 수요에 따른 대응으로서 강제적으로 이루어졌든 기회를 찾아 나선 것의 반영이든 말이다. 그 결과로 사람들의 집중과 분산은 인간 역사의 어느 시기보다도 더 극적으로, 더 빠르게 변했다. 그 과정에서 그것은 오늘날 우리가 직면하고 있는 문제의 상당 부분에 자취를 남긴 영향을 초래했다. 아마도 가장 분명하고 공감할 수 있는 것은 유행병에 대한 영향일 것이다.

도시화는 갈수록 더 많은 사람들을 더 가까이 접촉하게 했다. 그것은 상업적·문화적 교류의 속도를 더욱 빨라지게 했을 뿐 아니라 감염병 확산을 촉진했다. 이런 영향은 인간에게만 미친 것이 아니었다.

예를 들어 1872년 가을에 북아메리카 일대에서는 말 인플루엔자가 유행했다. 처음에 토론토 부근에서 나타났고, 그해 연말에 멕시코만 연안에 닿았다. 이 질병이 치명적인 경우는 드문 것으로 드러났지만(사망률이 약

2퍼센트였다), 말들이 탈진해 일을 할 수 없었다. 그렇게 되면 경제에 상당한 지장을 초래하므로 작은 일이 아니었다. 도시에서 "석탄, 짐짝, 상자"를 나르는 일은 주로 말에 의존했기 때문이다. 그 결과 가운데 하나가 상품과 용역 비용의 급격한 상승이었다. 일부에서는 이것이 기회주의적인 가격 인상의 결과라고 보고 있다. 또 하나는 도시가 화재에 취약해졌다는 것이었다. 보스턴의 대형 화재는 말이 없어서 화재 진압 장비를 현장으로 끌어오지 못해 커진 것이었다.[133]

다른 곳에서는 가축 유행병이 뜻밖의 결과를 낳았다. 가장 두드러진 곳이 동아프리카와 남아프리카였다. 이곳에서는 1890년대에 우역이 발생해 수백만 마리의 소와 양, 염소, 기타 가축이 죽었다. 이 때문에 기근이 발생해 마사이족의 3분의 2가 굶주려 죽었으며, 현지의 사회·정치 구조가 약화돼 광범위한 폭력이 벌어지고 결국 식민 세력의 팽창에 길을 열어주었다. 현지 지배층이 희생된 것이다.[134]

다른 곳에서도 어떤 사람들의 불운이 다른 사람들에게는 기회를 가져다주었다. 1875년 피지의 홍역 발생은 인도인 노동력 수요 증가로 이어졌다. 특히 남아시아 주민들이 영아기에 획득한 높은 면역력 때문이었다.[135] 오스트레일리아 퀸즐랜드와 기타 지역의 태평양 섬 출신 농장 노동자들은 홍역으로 이례적으로 높은 사망률을 기록했다. 특히 첫해에 두드러졌다. 이는 노동집약적인 작물을 재배하기 위한 환경의 변형 혹은 재편 과정에서 이주 노동력이 움직이면서 역학적 경계가 어떻게 변화했는지를 보여준다.[136]

한 저명 역사가가 말했듯이 19세기의 대륙 간 연결의 심화는 "질병에 의한 세계 통합"을 초래했다. 교역로, 이주 통로, 군대의 이동이 세계를 이리저리 가로지르고 한데 연결하는 "간균의 공동시장"을 만드는 데 이바지했다.[137] 크고 작은 유행병은 치러야 할 대가의 일부였다. 인간의 교류와 활동이 병원균을 한 대륙에서 다른 대륙으로 확산시킨 것이다. 봄베이(뭄바이), 케이프타운, 싱가포르, 홍콩, 캘커타(콜카타) 같은 항구들은 상품을 싣고 내리는 일에서뿐만 아니라 서로 이어진 세계 질병의 연결망에서도 결절점으로서 중요했다.[138]

다른 결절점들 역시 중요했다. 그 가운데 지다는 아마도 가장 중요했을 것이다. 선지자 무함마드의 시대 이후 이슬람교도들은 하지ḥajj를 해야 했다. 하지는 메카를 순례하는 것이고, 여러 가지 의식도 포함됐다. 이 여행은 증기선 등장 및 수에즈 운하 개통 이후 빈번해진 콜레라 발생과 동의어가 되었다. 콜레라는 19세기 메카에서 평균 3년마다 한 번꼴로 발생했다. 1831, 1865, 1893년에 크게 확산됐고, 각기 수만 명의 사망자를 냈다.[139]

그런 사건들은 홀로 오지 않았다. 1866년의 한 위생 관련 회의에서 표명됐듯이 순례는 "콜레라 전염병의 발달과 확산에 이바지하는 모든 원인 가운데 가장 강력한 것"이었다.[140] 메카와 마찬가지로 "힌두교 신자들의 순례가 이루어지는 곳"은 감염이 발생하기로 악명이 높았다. 식민지에서 순례를 "더럽고, 미신적이며, 본래부터 비합리적"이고 국가에서 도입한 "위생 조치에 저항적"이라고 비유한 것이 꼭 들어맞았다.[141]

인도 북부의 성스러운 네 강(갠지스강 변의 하리드와르, 고다바리강 변의 나시크, 시프라강 변의 우자인, 갠지스강과 야무나강 및 신화 속의 사라스바티강 합류 지점에 있는 프라약Prayag)에서 번갈아 열리는 힌두교 축제는 특별한 관심을 모았다. 쿰브멜라Kumbh Mēlā는 특히 그랬다. 이 축제는 대략 12년 만에 한 번씩 열려 수많은 순례자를 불러모았다. 2019년의 행사에는 5천만 명이 참여한 것으로 추산됐다.[142]

축제는 치명적인 감염과 전파의 근원이 되었다. 예를 들어 1867년에는 폭우로 땅이 흠뻑 젖어 전염이 크게 확산됐다. 식민 당국이 순례자를 검진하고 증상이 있는 사람을 격리시켰지만 소용없었다. 돌확을 만들어 배설물을 태우고 도랑을 파서 변소로 사용한 뒤 마른 흙으로 덮는 조치를 취했음에도 불구하고 질병은 확산됐다. 처음에는 그런 조치들이 성공하는 듯해서 한 목격자는 이렇게 썼다. "앵글로색슨인은 고약한 냄새에 원주민보다 훨씬 민감한데, 그들 중 한 사람도 (어떤 냄새를) 맡지 못했다." 1879, 1891, 1901년에도 전염병이 크게 창궐했다.[143]

그런 재난에도 한 줄기 희망이 있을 수 있었다. 우선 대규모 질병은 학자와 의사들에게 연구와 조사를 하도록 자극했다. 존 스노John Snow, 필리포 파치니Filippo Pacini, 로베르트 코흐Robert Koch 등은 콜레라의 원인을 밝히고 치료법을 찾아내며 결국 콜레라 간균 자체를 규명해냈다.[144] 또 하나, 고난은 시민의 책임에 대한 관념의 변화를 초래했다. 인도의 파르시인 같은 일부 공동체들은 병자를 돌보는 병원을 설립한 데 긍지를 갖고 있었다. 1851년에서 1900년 사이에 열린 열 차례의 주요 국제 학술회의는 전 세계에서 연구자들이 모여들어 자기네의 발견과 가설을 나누었는데, 매우 높은 수준의 공동 연구를 보여주었다.[145]

다른 사례들은 갈수록 통합되는 수송망 연결과 높은 인구 밀집도의 부정적 측면에 대한 추가적인 증거를 제공했다. 1889년 여름, 매우 강력한 인플루엔자 변종으로 보이는 것의 첫 사례가 중앙아시아 부하라에서 발견됐다. 얼마 지나지 않아 이 질병은 러시아 제국 여러 곳에서 발견됐고, 상트페테르부르크에서는 공장과 학교가 문을 닫기에 이르렀다. 그곳에서는 주민의 거의 20퍼센트가 감염됐다. 이 질병은 빠르게 독일로 확산되고 그해 연말에는 북아메리카 동해안 도시들을 휩쓸었으며, 이어 뉴올리언스에서 샌프란시스코에 이르는 지역 주민들에게 영향을 미쳤다. 이스탄불에도 닿았는데, 그곳에서는 주민의 절반이 감염됐다. 넉 달이 되지 않아 이 바이러스는 세계를 한 바퀴 돌며 100만 명을 죽였다.[146] 새로운 가설이 제기됐다. 이 대유행병은 인플루엔자가 아니라 사실은 코로나바이러스의 결과라는 것이다. 어느 쪽이 맞든 인간이 생활하고 여행하는 방식이 병원균이 전 세계로 확산되는 데 이상적인 통로를 제공한 것이다.[147]

질병의 확산, 정치적 취약성, 경제 파탄에 대한 우려는 국제적 협력을 향한 결집된 요구를 촉발했다. 예를 들어 1911년 전염병 예방에 관한 한 학술회의에서 청나라 동삼성東三省 총독 시량錫良은 "이 나라뿐만 아니라 다른 곳에서도 어디든 불행하게도 무서운 질병이 발생한다면 사람들의 생명을 구해낼 수 있는" 안전장치를 개발할 방법을 찾아야 한다고 대표들에게 촉구했다.

감염병을 규명하고 그 확산을 막기 위한 전략을 실행하려는 노력은 세계 다른 지역의 정책 입안자들과 비영리 기구가 큰 관심을 갖는 영역이 되었다. 국제적 협력 역시 마찬가지였다. 불행한 종말을 맞는 국제연맹은 1924년 보건 기구를 전담하는 조직을 만들었고, 록펠러재단은 미국 이외의 나라들 중에서는 가장 많은 돈을 중국에 투자해 질병 예방에 쓰도록 했다.[148]

이러한 관심은 부분적으로 지난 세기의 가장 유명한 대유행병인 1918~1920년의 '1918년 대유행 인플루엔자'에 대한 대응이었다. 이 인플루엔자는 마찬가지로 감염된 인간에게 치명적이었던 것만큼이나 바이러스에 우호적이었던 특별한 일련의 조건들에 편승할 수 있었다. 이 유행병으로 죽은 사람의 수에 대한 평가는 매우 다양하다. 어떤 사람들은 대략 1700만이라는 수치를 제시하고 있고, 또 어떤 사람들은 1억 명에 이르렀을 것이라고 주장하기도 한다.[149] 제1차 세계대전 이후 병사들이 대거 전역하고 여기에 유럽·아시아·아프리카의 4년에 걸친 전쟁의 결과로 열량 섭취가 줄어든 것(그것이 자연면역을 감소시켰다)이 겹쳐 이 질병이 전 세계로 확산되는 데 일조했다.[150]

감염된 환자를 돌보는 병원의 열악한 위생 수준은 상황을 더욱 악화시켰고, 사망자의 상당수(심지어 아마도 대다수)는 흔한 상기도 세균에 의한 2차적인 세균성 폐렴의 결과라는 주장이 나왔다.[151] 장소 역시 중요했다. 도시의 사망률은 높았다. 주민들이 다닥다닥 붙어서 살면 분명히 전염의 요인을 제공한다는 것이 그 한 이유다. 그러나 사망률은 또한 석탄을 많이 때는 도시에서 두드러지게 높았다. 그런 곳에서는 그러지 않은 곳에 비해 사상자가 수만 명 더 나왔다.[152] 다시 말해서 도시화되고 공업화된 도시들은 덜 연결된 곳들에 비해 허술하고 취약한 것으로 드러났다.

이는 그저 단기적으로만 문제가 되는 것이 아니었다. 1918년 대유행병에 대한 최근 연구가 보여주듯이 장기적인 영향도 있었기 때문이다. 예를 들어 이 질병은 브라질의 영아 사망률에 심각한 영향을 미쳤다. 그것은 이곳에서 성비를 크게 변화시켰다.[153] 수십 년 동안에 걸친 미국의 조사 결과에서 나온 증거는 1918~1920년에 태내에 있던 아이들 집단은 대유행병 이전 또는 이후 태어난 아이들에 비해 신체장애가 많고 소득이 적으며 학업 성취도가 낮았다.[154]

마찬가지로 눈에 띄는 점은 이 유행병에 대한 시민의 대응이 투표 행태나 독일의 정치적 극단주의와 밀접하게 연결돼 있다는 것이다. 대유행병의 영향을 가장 많이 받은 지역, 그리고 이후 수십 년 동안 지방 당국의 1인당 지출이 적었던 곳은 1930년대 초 현저하게 많은 사람들이 히틀러

와 국가사회주의독일노동자당(NSDAP)에 투표했다.[155]

이 유행병은 단일 유행병으로는 역사상 알려진 가장 많은 수의 사망자를 냈다. 그것이 힘을 발휘한 핵심 요인은 오랫동안 플랑드르와 북프랑스의 전쟁터에서 염소가스를 사용했기 때문이라고 의심돼왔다. 그것이 아시아에서 발원해 연합군이 유럽으로 들여온 세균의 돌연변이를 일으켰거나 가속화했다는 것이다.[156] 그러나 폭우와 기온 하강 같은 형태의 갖가지 이상 기후(특히 1917년 가을과 1918년 가을의) 역시 중요한 역할을 했던 듯하다.

역사가들은 궂은 날씨가 제1차 세계대전 동안의 전투 결과에 물리적인 영향을 미쳤음을 지적했다. 참호에 물이 차고, 침수로 인해 작전이 중단되고, 사상자 수가 상당히 증가한 것 같은 일이다. 폭우와 추위는 북대서양에서 온 차갑고 습한 해양의 공기가 이례적으로 급증한 결과였다. 이 세기 최대의 집적이었다. 이것은 또한 유럽의 바이러스가 생존하고 번식하는 데 이상적인 조건을 제공했다. 물웅덩이의 전염력을 높이고 또한 아마도 새와 오리의 이동을 방해했기 때문일 것이다. 그것들의 감염된 배설물이 수원지를 오염시키고 질병 확산을 증폭시키는 데 이바지했다.[157]

1918년 대유행병은 제1차 세계대전의 고난의 산물이었고, 이 전쟁 자체는 2천만 명이나 되는 사망자를 낳았다. 유럽·아프리카·아시아에서 벌어진 군사적 대결의 결과였고, 또한 만성적인 식량 공급 위기(특히 독일, 오스만, 러시아 제국의) 때문이기도 했다.

러시아는 1914년 이전 세계 밀 공급의 약 3분의 1을 담당했기 때문에, 보스포루스해협이 닫히면서 불가피하게 세계 곳곳의 경제에 지장을 초래했다. 이는 어려운 기후 조건으로 인해 더욱 악화됐다. 전쟁 초 좋지 않은 날씨로 인해 캐나다와 오스트레일리아 같은 주요 생산국으로부터의 공급이 줄었다. 두 나라 모두 가뭄을 겪어 오스트레일리아의 수확량은 평년의 겨우 4분의 1에 머물렀다. 남아메리카의 농작물 생산은 뜻밖에도 빈약했고, 미국에서는 얼음이 일찍 얼어 오대호 서쪽의 수송이 지연됐다.

이것이 런던에서 공포를 촉발했다. 인도에 전보를 쳐서 부왕에게 수출을 늘리라고 촉구했다. 공급을 유지해 가격을 안정시키기 위해서였다. 특히 미국에서는 농민과 투기꾼들이 이미 이 난국을 활용하기 위해 움직이고 있었다.[158]

군대의 인력 수요는 문제를 더욱 악화시켰다. 러시아의 곡물 생산 감소는 징병과 밀접한 상관관계가 있었다. 노동력을 빼내면서 농작물이 자라는 지역의 생산 감소를 초래했다. 수확량이 그만큼 줄었다. 소농들이 징병과 전쟁으로 인해 야기된 불확실성에 대한 추가적인 반응으로 곡물 판매를 거부했고, 이것이 식량 위기를 더욱 심화시키고 결국 식량 부족으로 이어져 빵을 사기 위한 줄이 길어졌다. 이 모든 것이 혁명의 밑자락을 까는 데 이바지했다. 특히 차르 정부의 무능을 두드러지게 했다.[159]

어떤 경우에는(가장 대표적인 것이 러시아 제국에 엉성하게 통합돼 있던 중앙아시아였다) 무능이 징병을 감독할 책임이 있는 현지 관리들의 권력 남용과 밀접하게 연결돼 있었다. 여기에 불만을 품은 대중이 결국 여러 차례 공공연한 저항을 일으켰다.[160] 현대 학자들은 흔히 이 반란들이 러시아 혁명의 씨앗이 되었다고 인식하지만, 그것을 이해하는 더욱 유용하고 흥미로운 방식은 더 광범위한 당대의 저항 운동의 일환으로 보는 것이다. 남아시아, 북아프리카, 서아프리카, 아일랜드 등에서 일어난 식민 지배 철폐를 목표로 한 운동들 말이다.[161]

그 이유 가운데 하나는 식민지 사회에 가해지는 만족을 모르는 요구였다. 그들을 통제하며 갈수록 더 많은 간섭을 통해 더 많은 양의 자원을 뽑아가는 사람들에 의한 요구였다. 현지 주민들에 대한 학대는 전쟁 전에 비해 더욱 적대적인 것으로 드러났다.[162] 프랑스에서는 제1차 세계대전 중에 35만 헥타르 이상의 삼림이 잘려나갔다. 참호 건설, 야영지, 연료, 기타 용도를 위한 목재를 공급하기 위해서였다. 이것은 프랑스 생태계와 식민지에 대한 그들의 압박에 분명한 영향을 미쳤다. 60년 치의 나무를 벤 것을 벌충해야 했기 때문이다.[163]

아프리카의 구리는 이미 유럽의 도시들을 열광시켰다. 우아한 야회에서부터 물건을 찍어내는 공장에 이르기까지 모든 곳에 전력을 공급하도록 돕는 수백만 킬로미터의 전선을 공급함으로써다. 그것은 이제 죽음, 파괴, 전례 없는 규모의 생태 파괴에 한몫했다. 구리는 중앙아프리카와 기타 지역의 개발되고 수탈된 땅에서 나와 서유럽에서 발사된 것으로만 14억 5천만 발의 포탄을 위한 싸개가 되었다. 헤아릴 수 없는 소총 탄창과 권총 탄알에 필요한 구리와 납은 차치하더라도 말이다. 그 결과 북유럽 전쟁터의 토양은 오염되었고, 오늘날에도 여전히 구리와 납 성분이 검출되고 있다.[164]

이런 자원들은 모두 식민지 관리들이 확보한 것이었다. 그들은 유럽 열강 사이의 전쟁(지배층 내 작은 집단들 사이의 엄청난 경쟁을 바탕에 깔고 있다)을 수행하는 데 필요한 것을 수탈하고 뽑아낼 권리가 있다고 생각했다. 수백만의 남자들이 인도에서, 아프리카에서, 인도차이나에서 징집됐다. 오스트레일리아, 뉴질랜드, 캐나다 군대에 복무하기를 자원한 사람들은 말할 것도 없었다. 식민지에 대한 압박(주인에게 봉사하라는 것이었다)은 혁명 운동과 반식민 운동의 촉매제로 작용했다. 이런 운동들은 역설적으로 세계화를 초래하고 선진국 세계의 경제력을 강화한 바로 그 도시와 항구들에서 번성한 연결망을 통해 이미 소통하고 협력하기 시작했다.[165]

미국 대통령 우드로 윌슨이 1917년 전쟁에 뛰어들지 않는 것을 해명하면서 말했듯이, 미국은 "오늘날 전쟁에 묶이지 않은 유일한 백인의 대국"이며 그런 태도를 바라는 것은 "문명에 대한 죄악"이 될 터였다. 어쨌든 그가 한 핵심 보좌관에게 말했듯이 미국이 전쟁에서 한발 물러서 마침내 평화가 찾아왔을 때 자기네가 "전쟁으로 파괴된 나라들"의 재건을 돕는 것이 중요했다. 이것은 "백인 문명과 그 세계 지배"가 문제없이 지속돼야 하기 때문에 중요하다고 그는 말했다.[166]

윌슨만이 아니었다. 막스 베버(저개발 국가들에서 농업 생산성이 낮은 이유는 농민들이 '비합리적'이기 때문이라는 그의 주장은 1950년대와 1960년대에 경제학자와 정책 입안자들 사이에 매우 영향력이 있었다)는 "아프리카 및 아시아의 미개인 찌꺼기와 온 세계의 도둑 떼와 부랑자들"이 1917년 서부전선에서 무기를 들고 싸웠다고 썼다. 그들 중 상당수가 유럽의 세력 균형이라는 관념에 사로잡힌 여러 황제와 지도자들의 변덕 및 선입견 때문에 그들의 생명을 버릴 찰나에 있다는 말은 하지 않았다.[167] 1930년대에도 네덜란드령 동인도 총독은 단도직입으로 이렇게 말했다. "우리는 채찍과 곤봉으로 이곳을 300년 동안 지배해왔다. 그리고 우리는 300년은 더 지배할 것이다."[168]

자연, 환경, 기후의 맥락에서 그런 견해는 유럽의 백인을 인간의 최상위에 놓는 분류와 서열을 말해주는 중요한 지표였다. 또한 자연계가 땅의 산물, 농작물, 광물을 모두 사용하고 통제하는 데 가장 적합하고 가장 자격이 있다고, 그리고 그 가장 유능한 보호자라고 스스로 생각하는 존재의 처분에 맡겨져 있다는 생각을 드러낸다.

제1차 세계대전은 흔히 제국의 끝과 식민주의 종말의 시작을 나타내는 것으로 간주됐다. 많은 것이 보는 사람의 눈에 달려 있다. 자연, 환경, 인간의 행위로 인한 기후 변화의 관점에서 이후의 100년은 자원이 추출되고 소비되고 사용되는 방식이 매우 가속화되고 심화되기 때문이다. 20세기가 남긴 영향은 21세기의 운명을 좌우하게 된다. 그리고 미래의 운명도.

21장 새로운 이상향 만들기

1920년 무렵부터 1950년 무렵까지

독일의 풍광을 보존하는 것이 긴요하다.
그것은 과거에도 늘 그랬고 지금도 그렇듯이
독일 민족의 힘과 강점의 궁극적 기반이기 때문이다.
— 아돌프 히틀러(1936)

전체적으로 판단할 때 제1차 세계대전 발발 이후의 100년은 인류 역사에서, 동시에 자연계의 역사에서 유례가 없는 대재난의 연속이었다. 수많은 사람들이 궁정에서, 재상실에서, 대통령 집무실에서, 혁명사령부에서 기획된(아니 오히려 잘못 기획된) 전쟁으로 인해 죽어갔다. 수많은 사람들이 인종, 종교, 민족을 둘러싼 기괴한 선입견에 근거한 박해와 증오의 결과로 죽어갔다. 수많은 사람들이 기근, 고의적인 음식 박탈, 기본적인 의료 혜택 부재로 죽어갔다. 지난 100여 년 동안 겪은 고통은 그 규모와 공포라는 측면에서 역사에 기록된 그 어느 것에 비해서도 단연 가장 컸다.

자연계에 강요된 희생은 이 많은 인간의 희생에 필적한다. 지난 100년은 심각한 생태계 변화의 시기였다. 그 변화는 대규모 도시화의 영향에서부터 대규모 자원 추출에 이르기까지 광범위했다. 후자는 이전에 없었던 규모의 도시에 사는 주민들을 뒷받침하고 그들에게 이바지하고 동력을 공급하기 위해 필요한 것이었다.

이 시기는 우리가 사는 방식이 어떤 결과를 가져올지에 대한 이해가 부족하거나 덜 생각했던 시기였다. 그 결과로 현재와 미래의 환경 및 기후 변화는 과거에 이미 일어난 일에 좌우되고 앞으로도 그럴 것이다. 그저 지금 내리는 결정에 따라 이루어지는 것이 아니라는 말이다.

그 상당 부분은 서로 다른 지역과 대륙 사이 또는 각 내부에서의 교류 수준 상승, 그리고 세계화(그것은 현대보다 훨씬 앞선 시기에 뿌리를 두고 있다)의 심화에 의해 추동됐다. 새로운 기술은 18세기 이후 급격한 가속화의 기반을 제공했다. 기계화, 공업화, 철도 및 해운을 통한 운송의 속도와 비용 개선이 모두 세계를 한데 연결하는 데 도움을 주는 이득을 제공했다. 이 모든 것은 석탄, 철, 구리, 강철 같은 원료에 의존했고, 이는 다시 개발할 수 있는 자원을 가진 지역에 대한 관심을 불러일으켰다.

그 자원들은 흔히 접근하기 어렵거나, 접근할 동기가 가장 큰 사람들의 통제하에 있지 않았다. 석유는 그 분명한 사례 가운데 하나다. 석유의 가치는 19세기 후반에 분명해졌다. 석탄에 비해 뽑아내기 쉽고 수송과 저장 비용이 적게 드는 에너지원이었다. 또한 에너지 밀도가 높았다.

석유(그리고 가스)는 석탄을 대체하지 않았고, 20세기에 접어든 뒤에도 한동안 그 보충재 노릇을 했다. 그러다가 1970년대 이후 석탄을 사용하는 증기기관이 휘발유를 연료로 쓰는 연소기관에 밀려나고, 석유·가스 난방이 석탄 화덕을 이어받고, 탄화수소가 전기 생산의 주요 원천이 되면서 비로소 석탄을 대체했다.[1]

펜실베이니아에 이어 카스피해 부근에서 석유가 발견되자 이 지역 및 세계의 다른 지역에서 상업성이 있는 유정을 찾아내기 위한 경쟁이 벌어졌다. 관심은 버마(미얀마)와 동인도 지역으로 쏠렸고, 1907년 이후 대규모의 발견이 이어지면서 페르시아로 옮겨갔다. 이들 각각은 개인 재산과 거대 석유 기업의 등장을 위한 씨앗이 되었다. 스탠더드오일, 버마석유, 셸, BP 같은 기업들이다. 그 밖에 브라노벨이 있었는데, 이는 결국 알프레드 노벨(브라노벨 지배 주주 루드비그 노벨의 동생이자 스스로도 약간의 주식을 보유했다)과 그 이름을 딴 상을 위한 자금원 노릇을 했다.[2]

자동차 같은 혁신이 수요를 자극했고, 급증하는 수요에 대응해 생산이 극적으로 증가했다. 1900년에 미국의 도로에는 4천 대를 겨우 넘는 자동차가 다녔다. 20년 후에는 거의 200만 대로 증가했다.[3] 생산은 포드사의 T모델이 지배했는데, 성공 비결은 날씬하고 표준화된 디자인과 이동식 조립 라인으로 가격을 낮추어 구매 접근성을 높인 것이었다.[4]

이 무렵에 안정적인 공급을 확보하는 것은 유럽 각국의 주요 관심사였다. 그 지질사 및 기후사로 인해 거의 원유가 나지 않는 대륙이었다. 약간의 소소한 예외가 있지만 말이다. 영국은 특히 취약했고, 주요 정치인과 관리들은 이를 인식하고 있었다. 모리스 행키Maurice Hankey는 제1차 세계대전이 진행 중이던 때에 이렇게 썼다. "유일하게 가능한 큰 공급 방법은 페르시아와 메소포타미아에서 공급받는 것이다."

따라서 "이 석유 공급자에 대한 통제권"을 확보하는 것은 바로 "1급 전쟁 목표"가 되어야 한다고 이 전시 내각 각료는 덧붙였다.[5]

석유는 서아시아의 역사를 규정지었고, 아마도 다른 많은 곳에 대해서도 마찬가지였을 것이다. 물론 다른 거대한 공급처도 있었다. 특히 베네수엘라에 그랬다. 그 해안 지역에는 아직도 세계 최대의 매장지가 있다.[6] 그러나 종합적으로 보아 1940년대에 미국 정부 사절이 이란·이라크·사우디아라비아와 기타 페르시아만 일대의 석유를 "역사상 최고의 귀중품"이라고 말한 이유를 짐작하기는 어렵지 않다.[7]

석유 산지에 접근할 수 없다는 것은 제2차 세계대전의 전략 전개에서 중요한 역할을 했다. 실패로 끝났지만 독일이 남쪽으로 밀고 내려가 캅카스의 유전을 차지하려 했던 것이나, 일본이 1941년 진주만을 공격한 것도 그 때문이었다. 일본의 경우는 자기네의 에너지가 한계가 있음을 잘 알고 있었고, 동남아시아 일대의 자원이 풍부한 지역에서 석유와 기타 광물을 확보해 마음대로 해보고 싶은 욕망이 그 동기의 적어도 일부였다.[8]

석유와 가스는 이후 80년 동안 세계 지리정치학의 중심을 차지하고 산유국의 부상을 규정했으며, 눈에 띄는 축구팀과 월드컵 경기, 포뮬라 원 자동차 경주, 깜짝 놀랄 만큼 많은 상금이 걸린 골프 경기 등에 비용을 댔다. 또한 러시아 등의 신흥 재벌 올리가르히Oligárxi의 부의 원천이 되고, 최근에는 러시아의 2022년 우크라이나 침공 이후 그들이 유럽 및 서방과의 관계를 통제하는 무기로도 사용됐다.

에너지 가격에 대한 불안은 미국의 국내 정치는 물론이고 외교, 방위, 경제 문제에서도 중요한 요인이 되어왔다. 북아메리카의 송유관 부설과 관련된 것이든, 새로운 유정 굴착 허가와 관련된 것이든, 셰일가스 추출 방법 개발에 관한 것이든 말이다. 셰일가스는 미국이 모든 석유제품(원유와 정제 석유제품을 포함해서)의 순수입국에서 순수출국으로 전환하는 데 도움을 주었다.[9]

인도와 중국의 에너지 수요(두 나라 모두 석유 및 가스 수입에 크게 의존하고 있다)는 단순히 세계에서 가장 인구가 많은 두 나라의 먼 미래에 중요한 부분일 뿐만 아니라, 두 나라가 석유 나는 나라와 가스 나는 나라에 대한, 그리고 다국적기업에 대한 정책을 결정하는 데서 매우 근본적인 취약성을 가질 수 있는 문제다.[10]

석유는 천연자원을 둘러싼 경쟁의 한 사례일 뿐이었다. 다른 하나는 금이었다. 수십억 년 동안 외계 물체가 충돌한 결과로 지구에 존재하는 금속이다. 금이 상업성이 있는 양으로 분포하는 것은 혜성, 유성, 소행성의 충돌 지점이 어디냐에 따른 우연한 결과다.[11] 금은 고대부터 매우 귀중하게 여겨졌고 부와 지위의 표지였다. 현대 세계에도 역시 전도성이 낮다는 점 때문에 가치가 있다. 회로기판과 자동차 및 가전제품(전자레인지, 냉장고, 난로 같은)의 배선에 유용하다.

금 채굴은 흔히 효율성이 낮고 오염이 매우 심하다. 반지 하나를 만들 수 있는 금을 생산하려면 보통 20톤의 흙과 돌이 필요하다. 그리고 그 폐기물 상당수는 금을 추출하는 데 사용된 청산염과 수은으로 오염돼 있다.[12] 인도네시아 파푸아의 그라스버그 광산(입증된 금 매장량 세계 1위, 구리 매장량 세계 2위다)의 채굴 작업은 2006년까지 이미 10억 톤 이상의 금속이 박힌 선광 부스러기를 지역 하천에 떠내려 보냈다. 이후 생산이 급증하면서 이 수치는 상당히 늘었다.[13]

금을 얻기 위한 다툼은 최근 토착민들의 땅이 침탈되는 데 중요한 역할을 했다. 아마존 같은 곳이 그렇다. 그러나 과거의 금광 열풍 때에도 인구 이동에 상당한 변화를 초래했다. 미국의 캘리포니아·콜로라도, 시베리아, 오스트레일리아 같은 곳이었다. 사람들의 이주는 다시 환경 변화로 이어졌다. 땅이 정리되고(대체로 불을 질러서다), 채굴을 지원하기 위해 크고 작은 도시와 수송 기반시설이 건설되고, 광석이 강에 버려져 장기적인 공해 문제를 일으키고, 단백질 공급원으로 가축이 들어오면서다(통상 현지 동물들을 모두 잡아먹은 뒤에 들여온다).[14]

또 다른 사례는 구리다. 그 용도와 가치는 20세기 초에 크게 치솟았고, 이후 계속 상승하고 있다. 구리는 아마도 세계가 더 탄소 친화적인 기술로 이행하면서(또는 이행을 추구하면서) 가장 수요가 많은 물질의 자리를 탄화수소로부터 빼앗기까지 할 것이다. 골드만삭스에 따르면 구리는 리튬(더 일반적으로는 희토류), 수소, 비非천연자원(데이터 같은 것)과 더불어 "21세기의 석유"다.[15] 구리의 중요성은 미국에서 만드는 자동차에 평균적으로 20킬로그램 이상의 구리가 들어간다는 사실에서 알 수 있다. 통상적인 전기자동차에는 일반 차량에 비해 이 광물이 여섯 배나 필요하다.[16]

구리 수요는 그것이 많이 매장된 지역과 장소에서 대규모 투자를 자극했다. 특히 중앙아프리카의 구리 지대가 그랬다. 20세기 초의 한 보고서에 따르면 이곳에는 "사실상 무궁무진하다고 생각해도 좋을 정도로 많은 양의 광물"이 있었다. 더구나 이례적으로 품질도 높았다. 구리와 기타 금속 채굴은 아프리카에서 철도를 부설할 빌미를 제공했다. 해안의 항구 도시들과 연결하는 노선들이었다.

구리는 사회 변화도 초래했다. 인력 수요로 인해 많은 수의 젊은 남자들이 구리 생산 지역으로 들어갔기 때문이다. 이렇게 많은 남자들이 외지로 이주하면서 사회의 성역할에 분명한 영향을 미쳤다. 농업 생산에는 여성의 참여가 더 많이 필요해졌다. 또한 생태계에도 영향을 미쳤다. 채굴과 선광에서는 많은 폐기물 더미, 액체에 뜨는 선광 찌꺼기, 미립자 배출물이 강으로 들어가게 되었다. 상당한 양의 이산화황도 마찬가지다. 이 모든 것이 토양과 동식물의 삶에 큰 손상을 가하고 치명적인 질병 환경을 조성하는 데 기여했다.[17]

연료, 갱내 지지목, 철도 침목 등의 용도를 위해 삼림을 벌채한 것도 마찬가지였다. 중부 및 남아프리카의 4대 광산에서만 매년 5만 7천 세제곱미터의 켠 목재가 필요했다. 더구나 노동자들에게 먹일 단백질 공급원의 필요성은 수중 생태계를 파괴하는 데 일조했다. 어류 개체수는 남획으로

인해 크게 줄었고, 그것은 유럽에서 들여온 방법과 기술에 의해 가속화돼 엄청난 피해를 안겼다.[18]

구리 수요는 세계 경제와 밀접한 상관관계에 있었다. 그것은 당연히 일자리와 생계가 멀리 보이지 않는 곳에서 일어난 문제와 경향과 사건에 의해 영향을 받았다는 얘기다. 그 한 사례는 1929년 미국에서 시작된 대공황이었다. 대공황은 중앙아프리카의 고용과 정착에 영향을 미쳤고, 세계 다른 지역에서의 수요가 무너지면서 실업으로 이어졌다. 또 하나의 사례는 1970년대의 충격이었다. 석유 위기는 경제가 돌연 급격하게 위축되면서 구리 수요가 급감했을 뿐만 아니라 자이르와 잠비아의 채무 위기를 촉발했다. 두 나라는 모두 구리 수입에 크게 의존하고 있었다. 그 결과로 가격이 떨어지는 시기에 생산을 늘리지 않으면 안 되는 압박이 생겼다. 해외 채무를 갚아야 하기 때문이었다. 당연한 일이지만 이것 역시 환경에 파멸적인 영향을 미쳤다.[19]

유럽과 그 이주민 분파(특히 남·북아메리카의)의 풍요로운 세계로 빨려 들어간 광물, 금속, 원자재의 목록은 길었다(지금도 마찬가지다). 부유한 선진국들은 막대한 양의 천연자원을 가능한 한 최저 가격에 이용했다. 유럽은 아프리카로부터 구리와 기타 광물들을 풍부하게 공급받지 못했다면 제2차 세계대전의 파멸적 손상 이후 그렇게 빠르게, 비교적 적은 비용으로 재건할 수 없었을 것이다. 값싼 석유와 가스는 경제 성장, 생활수준 개선, 대량소비 관념의 생명선이었다. 그 혜택을 가장 분명하게 누린 것은 먼저 공업화하고 투자를 보호하는 체제를 만든 사회와 국가들이었다.

콩고 남부 카탕가의 신콜로브웨 광산의 우라늄은 세계의 다른 어느 산지의 것보다 우수했다. 그 산화우라늄의 순도는 75퍼센트나 되었다(이에 비해 미국과 캐나다에서 나는 것은 0.02퍼센트다). 신콜로브웨는 미국의 원자력 사업에(그리고 따라서 냉전에) 매우 중요했고, 그것은 미국의 국가 안보에 필수적인 것으로 여겨졌다. 콩고는 전체적으로 "우리 국내 경제에 극도로 중요한 천연자원을 제공"했다고 '맨해튼 프로젝트'에서 일한 관리와 공학자들은 지적했다. 그들은 성공한 첫 번째 원자폭탄 실험에 사용된 우라늄의 출처를 숨기려고 무진 애를 썼다. 캐나다 산지에서 온 것이라고 둘러대면서 말이다. 1951년의 보고서가 단언했듯이 콩고에서 나는 우라늄은 "자유세계에서 가장 중요"한 것이었다.[20]

평화, 자유, 번영이 광범위한 자원을 확보하는 데 달려 있다면, 내부에서 구할 수 있는 것이 매우 적다는 사실은 주목할 만했다. 특히 유럽의 경우에 말이다. 또한 자원 개발의 이득이 선진국 세계로 흘러들어가면서 자원이 풍부한 나라들은 흔히 자기네가 마땅히 누려야 할 부를 누리지 못하는 것 또한 명백했다.

그것은 부분적으로 '자원의 덫resource trap'으로 알려지게 되는 것의 결과였다. 석유, 가스, 광물 자원을 가진 나라들은 권위주의 국가가 되거나 그런 상태를 유지한다는 것이다. 광범위한 대중에게 권리 분배와 평등은 제한적이었다. 상품 가격이 해마다 천양지차로 출렁이는 경향은 또한 수입을 예측할 수 없고 경기 순환이 널뛰기함을 의미한다. 그 결과로 부채 위기가 일어날 수 있고, 결국 제도 발전에도 영향을 미칠 수 있다. 자원 부국의 정권은 통상 의료, 교육, 사회복지 분야에 돈을 덜 쓰며, 통상 관료 봉급, 연료, 식량 보조, 대형 기념물에 돈을 많이 쓴다.[21]

한 가지 문제는 투자가 사회 발전보다는 자원 추출에 중요한 지역과 시설 주변에 집중됐다는 것이다. 예를 들어 구리와 우라늄이 매우 풍부하게 매장돼 있는(코발트, 주석, 금도 묻혀 있다) 콩고에는 1960년에 여덟 개의 국제공항, 30개의 큰 공항과 100개의 작은 공항이 있었다. 광업 덕분이었다. 그러나 이에 걸맞은 병원, 학교, 지역 주민에게 도움이 되는 기반 시설 건설은 없었다. 현지 관리들에게 뇌물을 주는 것은 최소한의 저항을 받고 가장 빠른 시간 내에 가능한 한 가장 낮은 비용으로 자원에 접근하는 데 필수적인 요소였다.[22]

물론 자원이 풍부한 많은 곳(아프리카든 어디든)이 식민주의의 영향에 대처해야 했다는 것 역시 중요했다. 그것이 산만하고 때로는 빈약한 행정 체계를 남겨놓았다. 이것 자체는 식민지의 사회 및 정치 구조를 이어받은 것이어서 인적 자본을 줄이고 능력을 제한하며 통치를 어렵게 만들었다. 특히 식민지 통제의 즉흥적인 필요성을 위해 국가와 주가 만들어졌기 때문이다.[23] 서아프리카 같은 여러 곳에서는 식민지 이전 과거가 독립 이후의 시기에 영향을 미치는 데 중요한 역할을 했다.[24]

그러나 또 하나 중요한 요소가 있다. 20세기에 각국이 독립하면서 식민주의의 시대가 명목상으로는 물러갔지만, 땅의 열매에 접근하려는 유혹은 거부하기 어렵다는 것이 입증됐다. 독립 국가의 내정에 간섭하는 것은 지난 100여 년을 규정하는 요소가 되었다. 미국의 이란 및 서아시아 개입에서부터 정치적 암살을 지원하고 어떤 경우에는 직접 수행한 첩보 작전(콩고, 칠레, 중앙아메리카, 동남아시아 같은 다양한 지역에서의)에 이르기까지 분명한 사례들이 많다.

문제가 언제나 천연자원인 것은 아니었다. 상황은 흔히 냉전에 의해, 지리정치학적 가정(우호적이고 믿을 수 있는 지도자의 필요성이나 적대적인 인물의 제거에 관한)에 의해 제공됐기 때문이다. 그러나 때로 광물, 연료의 원천, 심지어 식물(초목과 식료품)에 대한 통제를 유지하고자 하는 욕망도 있었다.

예를 들어 19세기 후반에 바나나가 미국에 도입된 것은 영양가 있고 수송하기 쉬운(수확한 후에도 계속해서 익어가는 추가적인 이점도 있었다) 열대 과일에 대한 수요 폭증을 자극하는 데 이바지했다. 바나나 무역이 인기를 끌고 수익성이 높자 미국 과일 회사들은 중앙아메리카와 카리브해 지역에 수십만 헥타르의 땅을 사서 농장으로 변모시켰다. 그렇게 함으로써 그들은 경제적·정치적 권력을 획득했다. 그 권력은 너무도 압도적이어서 '바나나 공화국'이라는 말까지 만들어졌다. 단일 작물에 크게 의존하고 그 정부와 관리들은 주요 생산자들에게 코가 꿰인 나라들을 가리키는 말이었다.

유나이티드프루트(UFC, 현재의 치키타브랜즈Chiquita Brands) 같은 회사들이 그렇게 권력의 지렛대를 통제했다. 20세기 초에 회사들이 정권을 무너뜨리고 우호적인 정치 지도자(투자자의 이익을 보호하고 늘려줄 것이라고 믿을 수 있는)를 세웠다는 기록이 낯설지 않다.

온두라스에서 일어난 일이 그런 것이었다. 1911년 미겔 다빌라 대통령이 리 크리스머스Lee Christmas라는 잊기 어려운 이름의 미국인 용병이 이끈 쿠데타로 쫓겨났다. 크리스머스는 UFC에 고용된 사람이었다. 많은 보상이 뒤따랐다. 땅을 양여받고, 항구·철도·건물을 건설할 권리를 확보했으며, 혁명 기획에 도움을 준 데 대한 현금 '보상'도 받았다.[25]

냉전 기간에 개입과 쿠데타는 미국 중앙정보국(CIA)의 지원을 받았다. 때로는 함께 작업을 했다. 과테말라가 그런 경우다. UFC는 제2차 세계대전 때 그곳에 수백만 헥타르의 땅을 가지고 있었다. 이 나라에서 가장 큰 지주였고 가장 많은 인력을 고용하고 있었으며 연간 수입은 과테말라 정부 수입의 두 배에 달했다.[26]

급여 수준이 낮고 때로 계절별로 한 차례씩만 지급됐으며, 여기에 조직적인 인종차별이 판을 쳤다. 모든 유색인 노동자들은 백인에게 길을 양보해야 했고, 그들과 이야기할 때는 모자를 벗어야 했다. UFC 사장 새뮤얼 제머리Samuel Zemurray는 토착민 노동자들이 "너무 무식"해서 불만을 어떤 의미 있는 형태의 저항으로 표출할 줄 모른다고 말했다. UFC가 느긋하게 굴 수 있다는 그의 확신은 오판으로 드러났다. 대대적인 토지개혁이 시행되어, 방대한 규모의 UFC의 토지에 접근하거나 이용할 수 없었던 현지 농민들에게 도움을 주게 된 것이다. 그 토지의 85퍼센트는 경작되지 않고 있었다.[27]

이것이 UFC의 사업 방식과 회사에 대한 평가, 그 투자자들에게 미칠 영향을 우려해 미국 정부에 로비를 벌이는 상황으로 이어졌고, 모종의 조치가 취해지지 않으면 이 나라는 소련의 위성국이 될 것이라는 적나라한 경고가 나왔다. 그 경고가 먹혀 중앙정보국이 1954년 '피비석세스PBSUCCESS' 작전을 수행하도록 재촉했다. 이로 인해 하코보 아르벤스 구스만 대통령이 쫓겨나고 그 자리에 독재자가 심어졌다. 이것이 40년 가까이 이어지는 내전을 촉발했다. 이 기간에 여러 명의 군사 지도자가 미국의 원조, 무기, 돈에 의한 뒷받침을 받았다.[28]

이들 사례(그리고 다른 많은 사례들)는 각각이 중요하지만, 그 중요성은 급속한 현대화, 공업화, 표준화(그것이 20세기의 모든 종류의 변화를 추동했다)의 과정에서 그들이 담당한 역할에 있다. 원자재가 없었다면 도시화 모형은 실제 일어났던 것처럼 그렇게 일찍 나타나지 못했을 것이다. 장거리 여행의 모형도, 궁극적으로 대량살상 무기의 제조도 마찬가지다.

하지만 여기에는 기후 상황도 한몫했다. 공업의 성장과 확산은 지난 100년에 걸쳐 제조, 생산, 교환, 소비 수준의 증가를 가져왔기 때문이다. 이와 함께 이산화탄소, 온실가스, 연무질(이들이 인간 행위에 의한 기후 변화의 핵심 부분을 이룬다)의 배출이 증가했기 때문이다.

가장 주목할 만한 온난화 가속 시기 가운데 하나는 1890년대에서 1940년대 사이였다. 세계의 여러 핵심 지역의 자료가 제한적이거나 존재하지 않지만, 흔히 '20세기 초 온난화'라 불리는 국면의 분명한 패턴이 나타났다.

이 시기에는 세기 초에 기상 이변과 인도양 계절풍계의 이상이 나타났고, 1920년대와 1930년대에 확연한 북극 온난화와 빙하 퇴각이 일어났으며, 거의 같은 시기에 북아메리카에서는 폭염이 발생했고, 1930년대 말과 1940년대에 오스트레일리아에 가뭄이 들었고, 1940~1942년 유럽에 이례적으로 추운 겨울이 왔다. 자료의 한계에도 불구하고 틀림없이 평균 표면 기온은 상승했고 특히 유럽, 대서양, 북태평양, 캐나다의 고위도 지역에서 두드러졌다.[29]

세계적인 기온 상승은 지구 대기의 에너지 수지energy budget〔에너지의 유입과 유출을 비교한 대차대조표〕의 상당한 변화를 말해준다. 그것은 한 요인으로 인한 것이 아니고 여러 가지 요인의 복잡한 상호작용에 따른 것이다. 예를 들어 20세기 전반기에 열대 지역의 대규모 화산 분출이 없었던 것은 중요했다. 방대한 양의 돌, 재, 입자가 대기로 유출되지 않아 냉각을 유발하지 않았다. 일사량의 변화(이 시기에 미미하게 증가한 것으로 나타난다) 역시 한몫했을 것이다. 물론 이를 정확하게 평가하는 것은 쉽지 않다. 기후계의 10년 주기 변화 역시 온난화 패턴의 한 원인이었을 것이다. 대서양수십년진동(AMO), 태평양십년진동(PDO), 또는 둘 다였을 것이다.[30]

반구 기후 조건을 재구해보면 이 시기에 확연했던 온난화의 또 한 가지 요인이 드러난다. 바로 온실가스의 증가다. 사실 이런 모형들은 20세기 중반까지 일어난 세계 기후 변화의 상당 부분이 인간의 개변 활동의 결과임을 시사한다. 온난화가 해상보다는 육상에서 심하고, 게다가 북극

지방에서 심해졌기 때문에 인간 활동의 지문이 가장 두드러진다. 다시 말해서 공업 생산, 온실가스 배출 증가, 화석연료 연소 증가에서 예상할 수 있는 바로 그것이었다.[31]

이것은 다시 사람들이 살고 일하고 소통하는 방식의 변화로 인한 것이었다. 물론 이런 변화는 전 세계에서 똑같이 일어나지는 않았지만, 몇몇 경우에 그것은 극적이었다. 예를 들어 미국에서는 수송망과 혁신이 여행의 속도를 높이고 운송 비용을 줄이고 생산을 소비자와 더 멀리 떨어진 곳에서 할 수 있게 되면서 도시의 규모와 수가 급격하게 늘어났다.

국가 철도망의 총연장은 1860년 약 5만 킬로미터에서 30년 후 25만 킬로미터 이상으로 거의 여섯 배가 되었다. 같은 기간에 기관차는 두 배 이상으로 커져서 더 많은 짐을 운송할 수 있게 되었다. 그 속도는 상당히 증가해 시속 20킬로미터에서 100킬로미터 가까이가 되었다. 여기에 이례적으로 빠른 통신망 증가가 더해져서 교역의 흐름을 조정하는 데 도움을 주고 가격 수렴을 가능하게 했으며 경제 성장을 자극했다. 1860년에 미국의 전신선은 약 8만 킬로미터에 달했다. 1890년에는 3천여만 킬로미터로 늘었다.[32]

이것이 인구 분포의 성격 변화를 자극하는 데 이바지했다. 지역들을 서로 더 가깝게 연결할 뿐만 아니라 도시의 성격을 변화시킴으로써 그곳들을 농산물의 집산지에서 그 자체의 공업 중심지로 전환시켰다. 1880년에서 1920년 사이에 미국 도시의 수가 두 배 이상으로 늘었다는 것도 중요하지만, 더욱 두드러진 것은 도시의 규모 변화, 그리고 같은 시기에 급속한 대규모 도시화가 일어나면서 생긴 인구 분포의 변화였다. 도시는 그저 더 많아졌을 뿐만 아니라 갈수록 더 많은 인구를 흡수했다. 1920년에 인구 10만 명 이상의 도시가 68개였다. 불과 그 40년 전에는 20개였다.

1880년에는 미국 인구의 약 4분의 1이 도시에 살았는데, 그 40년 후에는 절반 이상이 도시민이었다.[33]

이런 역동적인 변화는 노동력이 농업에서 제조업으로 이동하면서 상당한 사회 변화를 보장했다. 혁신, 효율성, 신기술 및 기반시설에 대한 투자는 미국을 경제 강국으로 바꿔놓았다. 1900년에 노동생산성이 영국의 두 배가 될 정도로 높았다.[34] 그 이유 가운데 하나는 기계화와 공장의 등장이었다. 공장은 직물에서부터 철물에 이르기까지 모든 분야의 기술공 및 공예가의 작업장을 대체했다. 도시가 성장한 이유는 복잡했다. 증기기관의 발달, 이민, 국내 이주 같은 여러 요인들과 연관돼 있었고, 더구나 미국에서 그런 성장은 지역적으로나 시기적으로나 한결같은 것이 아니었다.[35]

미국의 변모는 영국, 유럽 대륙, 일본이 겪은 비슷한 과정과 일치하는 것이었다. 이들 나라에서 철도, 공업화, 도시화, 물가 및 임금의 수렴은 마찬가지로 19세기 말과 20세기 초의 중심 주제를 형성했다.[36]

이런 과정들은 극적이긴 했지만, 러시아와 1917년 혁명(그리고 블라디미르 레닌 및 볼셰비키의 권력 장악) 이후의 소련과 비교하면 빛이 바랜다. 고전적인 마르크스주의 교리는 계급투쟁에서 도시 무산계급(프롤레타리아)과 새로운 정치 체제의 수립을 강조했을 뿐만 아니라 생산 수단의 발전을 요구했다. 이에 따라 소련은 권위주의 국가가 되는 데 더해 하향식 계획과 거대 사업 개발(인간 및 생태계가 큰 희생을 치러야 한다)을 중심으로 하게 되었다.

레닌은 혁명이 일어나기 오래전에 러시아를 공산주의 모범 국가로 변모시키는 핵심은 기계화와 대폭적인 전력화電力化 실시라고 주장했다. 그는 이에 관해 1890년대 말 시베리아 유형 생활 중에 장문의 글을 썼다.[37]

신생 소련은 극적인 조치가 취해지지 않으면 소농을 기반으로 한 시시한 농업 국가로 남을 것이라고 그는 경고했다. 따라서 나라를 현대화하는 것이 긴요하며 그것도 서둘러 해야 했다. 혁명 자체의 성공은 전력화에 달려 있었다. 그것은 시간이 걸리겠지만, 전력화는 "어떤 식이든 자본주의로의 회귀"는 없을 것임을 보장할 터였다. 간단히 말해서 공산주의는 "소비에트의 권력에 온 나라의 전력화를 합치는 것"이라고 그는 1920년 12월의 한 보고서에서 말했다.

전력화는 더 광범위한 현대화의 일부였다. 그것은 소련에서 "우리에게 있는 문맹"을 걷어낼 터였다. "우리는 교양 있고 개명됐으며 교육받은 노동자가 필요하기" 때문이다. 그런 이유로, 러시아전력화국가위원회(GOELRO)를 위한 야심찬 시도를 수행하는 데 "몇백만 통의 시멘트가 필요하고 몇백만 개의 벽돌이 필요한지를 보여주는" 계획을 세우기 위해 "우리의 최고 인재, 우리의 경제 전문가"를 함께 데려왔다고 그는 주장했다.[38]

이것은 이데올로기적 꿈을 실현하고 정치적 신조를 충족시키기 위해 구상된 일련의 대형 건설 사업을 예고하는 의향서였다. 많은 것들이 엄청난 생태계 손상을 초래했다. 방대한 면적의 삼림이 벌채됐다. 때로 낭비적으로, 그리고 거의 언제나 불필요한 정도로 베어냈다. 목재 공급은 수요를 훨씬 앞질렀다. 엄청난 양의 살충제가 농업에 사용됐다. 그 양은 유럽과 미국에서 같은 면적에 사용한 것에 비해 흔히 세 배에서 다섯 배였다. 1920년대 이후에는 계속해서 강이란 강은 다 막아서 더 큰 수력 발전소를 더 많이 건설할 수 있게 했다. 완전한 공업국을 이룩하는 데 필요한 금속과 자원 생산에 드는 전력 및 물을 제공하기 위해서였다.[39]

트로핌 리센코Trofim Lysenko는 소련 출범 초기에 권력의 회랑에 들어선 농학자로 영향력이 있으면서도 논란이 된 견해들을 제시했는데, 그는 자신의 좌우명으로서 식물 육종가育種家 이반 미추린Ivan Michurin이 했다는 말을 자주 인용했다. "우리는 자연의 호의를 기다리고만 있을 수 없다. 우리의 임무는 자연으로부터 그 호의를 빼앗아 내는 것이다."[40]

레프 트로츠키도 그런 생각을 갖고 있었다. 이 이상주의 혁명가는 이렇게 썼다. "인간은 이미 자연의 지도에 변화를 가했다. 그것은 얼마 되지 않거나 시시한 것이 아니다." 이것은 할 수 있고 해야 하는 것에 비하면 아무것도 아니었다. 산을 깎아내고 옮기며, 강의 물길을 돌리고, "진지하고도 반복적으로 자연을 개선"시킬 시간이 왔다. "결국 (사람은) 지구를 다시 건설할 것이다. 자신의 형상을 따라서는 아닐지라도, 적어도 자신의 취향을 따라서 말이다. 이 취향이 나쁠 것이라는 두려움은 눈곱만큼도 없다."[41]

전력화와 자원 배분은 도시를 변모시키는 데도 필수적이었다. 모스크바는 가장 두드러진 사례였다. 1931년 6월, 공산당 중앙위원회는 모스크바의 도시 경관에 대한 대규모 정비 계획을 발표했다. 지하철 망, 현대적인 하수도 시설, 가로등, 공원, 새로운 건물을 지어 노동자 계급의, 그리고 소련의 승리를 보여주려는 것이었다. 지하철은 "건설되고 있는 새로운 사회의 상징"이라고 라자리 카가노비치Lázar' Kaganóvich는 수긍하며 말했다. 그 이유는 이랬다. "자동식 계단 하나하나마다 새로운 사람의 정신, 우리의 사회주의적 노동이 배어 있다. 거기에 우리의 피, 우리의 사랑, 새로운 사람과 사회주의 사회를 위한 우리의 투쟁이 담겨 있다." 그의 말은 틀리지 않았다. 모스크바와 소련 곳곳에서 수행된 다른 많은 작업들과 같이 지하철은 정치범, 계급의 적, 지식인, 유대인, 기타 이 자조自助적이고 자족적인 새로운 이상향에 저촉되는 사람들에 의해 건설됐기 때문이다.[42]

모든 것이(그리고 모든 사람이) 소비에트 국가의 진보에 부차적인 것으로 간주됐다. 고발, 공포, 보복으로 인해 엄청난 규모로 불어났던 굴라크gulag(강제노동수용소)에서 연원한 강제노동은 백해와 발트해를 연결하는 운하 건설(수만 명의 희생자를 낸 사업이었다)이나 북극에 가까운 지방에서 금과 기타 금속을 찾아내고 캐내는 일에 적용됐다. 100만 명 이상의 죄수가 러시아의 동쪽 끝 오호츠크 해변 마가단으로 보내졌다. 기온이 섭씨 영하 37도로 기록된 곳이었다. 노동력은 거기서 콜리마와 추코트카의 유형지로 나뉘어 이동해 땅의 열매를 찾았다. 한때 정교회 주교들이 선교사들을 보내 아직 기독교 신앙을 받아들이지 않은 자들의 영혼을 요구했던 것과 매우 흡사한 방식이었다.[43]

이오시프 스탈린 치하의 강제적인 농업 집산화는 수확량을 20퍼센트 늘렸다고 한다. 수확 계획을 더 늘려 세우고 최신 영농 기술을 사용했기 때문이라는 것이다. 하지만 새로운 방법과 강제 모두에 대한 농민의 저항으로 협력을 얻지 못한 데다 징발과 억압이 겹쳐 우크라이나와 러시아 남부 일대의 기근으로 이어지는 상황을 초래했다.

이 기근으로 놀랄 만큼 많은 사람이 죽었다. 1932~1933년에 아마도 800만 명이나 죽은 듯하다. 1932년 우크라이나에서 태어난 남자의 기대수명은 서른 살이었다. 1933~1935년에 태어난 사람들의 경우는 불과 다섯 살이었다.[44] 희생자는 우크라이나에서 유달리 많았다. 소련의 편향된 정책 결정이 반영된 결과였다. 2022년 러시아의 우크라이나 침공을 생각하면 중요한 특징 가운데 하나였다.[45]

소련에서는 많은 억압의 요소가 있었지만 한 가지 일관된 것은 자연계를 길들여야 할 어떤 것으로 대하는 관념이었다. 자연의 변형은 무산계급의 독창성과 근면성의 표현이었다. 자연은 혁명적 사회를 건설하는 데 이바지할 수 있고 이바지해야 하는 도구를 제공했다. 도시 무산계급의 이익을 위해 도시를 개선하는 데 필요한 화강암, 대리석, 철, 강철은 모두 그들이 사는 곳에서 흔히 지리적으로 멀고 이데올로기적으로 여러 광년 떨어진 곳에서 베고 자르고 파내온 것이었다. 그것을 추출할 때 환경이 치러야 할 대가에 대해서는 조금도 생각하지 않았다. 스탈린은 1929년에 이렇게 선언했다. "우리는 소련을 자동차에 태우고 농민을 트랙터에 태웠는데, 그 잘난 자본가들에게 (…) 우리를 따라잡아 보라고 해보세요. 그러면 그때 어느 나라가 후진국으로 '분류'되고 어느 나라가 선진국으로 분류되는지 알 수 있을 겁니다."[46]

중앙 통제와 불가능할 만큼 짧은 기간 안에 믿기 어려울 정도로 많은 물량이 요구되자, 생산 수준에 대한 과장(그것은 비현실적인 결과가 가능하다고 주장하는 악순환을 낳았다)과 공해, 유해 폐기물 처리, 광부 및 건설노동자들(강제노동자든 아니든)의 건강과 관련된 편법이 나타났다. 예를 들어 1928년에 소련 당국은 수확량이 7300만 톤 이상이라고 주장했다. 수백만 톤의 과장이 더해진 듯한 수치였다. 어떻든 매년 수천만 세제곱미터의 흙이 손으로, 또는 기계로 옮겨졌다. 그리고 매년 수백만 헥타르의 땅이 다른 용도로 변경됐다.[47]

그렇다고 환경에 가해지는 영향에 관해 아무런 관심이 없었다거나, 자연계를 보존하고 보호하기 위해 아무런 조치도 취하지 않았다고 말하는 것은 진실이 아닐 것이다. 볼셰비키가 권력을 잡고 옛 차르 제국이 내전으로 빨려 들어간 지 불과 몇 달 후인 1918년 5월에 이미 새 지도부는 '삼림기본법'을 통과시켰다. 강제 방식은 상향식이 아니라 하향식이었지만(당대의 한 삼림 잡지는 단도직입적으로, 그리고 수긍하며 "나라의 삼림 경제를 중앙집권화하고 그 의지를 지방에 관철시키며 그들의 절대적인 경제적 복종을 요구"하는 것이 목표라고 했다), 보존은 일부 지역에서 일부 사람들에 의해 진지

하게 이루어졌다.[48]

일부 농학자들은 소련의 삼림 보존 방식이 분명히 구식이라는 점을 우려하고 있었다. 소련에서 발행된 한 삼림 관련 주요 잡지에 실린 기사는 이렇게 단언했다. "차르 시대 방식의 잔재가 진보의 길을 막고 있다." 독일의 환경에 대한 태도는 새로운 접근법으로 인해 바뀌고 있었지만, 1920년대 중반 소련의 경우는 "독일의 새로운 삼림 관념과는 맞지 않는 구식 개념, 기술적 후진성, 무기력, 정형화된 품질"로 특징지어졌다.[49]

농업인민위원부와 국가경제최고소비에트 사이의 치열하고 거의 상시적인 대립 역시 문제였다. 목재의 목표량이나 정책 일반의 결정권을 누가 가지느냐 하는 것이었다.[50] 지속 가능성에 관해서도 이견이 있었다. 1926년의 한 보고서는 "재정 목표가 압도적으로 우리의 삼림 관리를 지배"하고 있다고 불평했다. "50년에서 80년" 동안 흔적을 남길 영향에 대해 거의 염두에 두지 않고 있다는 것이다.[51]

그래서? 국가경제최고소비에트의 일원인 공산당의 고위 인물 페도르 시로몰로토프Fedor Syromolotov는 대꾸했다. 스몰렌스크, 트베리, 노브고로드 같은 지역의 "모든 삼림을 벌목하면 이 지역은 농작물 경작에 적합한 지역으로 전환될 수 있다"는 것이었다. 그 결과로 고통을 받는 사람은 아무도 없다고 그는 이어갔다. 반대로 그런 전환은 자유를 가져다줄 것이라고 했다.[52] 그럼에도 불구하고 1930년대 초에 300만 헥타르 가까운 삼림이 보류지가 되어서 보호됐다.[53]

이 무렵, 물에 관한 우려가 러시아의 유럽부에서 대규모 삼림 보존 결정으로 이어졌다. 그것은 당시 세계에서 가장 큰 보존 지역이 되었다. 드니프로강, 돈강, 볼가강, 우랄강, 드비나강과 여러 지류들을 따라 20킬로미터의 띠 지역 안에서 나무를 베는 것은 형사 범죄로 취급되었다. 몇몇

다른 지류를 따라서도 비슷하지만 규모가 작은 회랑 지대가 설정됐다.[54]

이런 노력들에도 불구하고 소련 지도자들과 사상가들은 처음부터 소련이 자연의 '정복' 등을 통해 성공을 거둘 것임을 기술이 보증할 것이라고 분명하게 생각했다. 예를 들어 막심 고리키는 백해 운하가 소련 인민의 승리라고 환호했다. 자본주의나 해외 경쟁자들에 대한 승리가 아니라 "북방의 엄혹한 자연의 힘에 대한" 승리였다. 고리키는 그 승리가 노동자 수만 명의 희생 끝에 얻어졌다는 것에 대해서는 언급하지 않았다. 그들은 이런 구호 아래 일에 투입됐다. "우리는 자연에 명령하고 우리는 자유를 얻으리라." 기술에 대한 믿음, 당 고위 관리들이 내린 결정에 대한 과장된 지지, 눈에 뻔히 보이는 반대의 결과 등이 어우러져 공해, 염도 증가, 표토 상실, 기타 삽과 기계를 드는 일(환경을 변화시켜 정치 책자, 교과서, 기술 관료들이 해야 한다고 주장한 역할을 따르기 위한 것이었다)이 초래할 파멸적 결과에 대한 반발은 거의 또는 전혀 없었다.[55]

그런 문제는 사실상 무제한의 권력을 지닌 독재자가 이끄는 권위주의 국가에만 국한된 것이 아니었다. 유럽에서는 제1차 세계대전이 소비 패턴에 극적인 영향을 미쳤다. 1914년 이전에 영국인의 식사에서 열량의 약 60퍼센트가 수입 식품에서 나왔다. 전쟁 중에 식량 부족은 심하지 않았고 지속 기간도 비교적 짧았지만, 소비자들이 먹는 것과 구할 수 있는 것에 중대한 변화가 있었다. 소시지, 베이컨, 마가린, 농축우유 소비가 크게 늘고 설탕, 버터, 과일, 채소 소비가 줄었다.

농업 생산과 식량 징발에 관한 간섭주의적 정책은 전쟁 때문에 필요해졌다. 특히 독일의 우보트(잠수정) 작전은 1916년 가을까지 약 200만 톤의 상선을 침몰시켰다. 이 사건은 토지 사용, 식량 구득 가능성, 영양에 대

한 태도에 중대한 변화를 일으켰고 그것은 전쟁이 끝난 후에도 지속됐다.[56]

그 결과 가운데 하나가 1918년 이후 제국의 모든 지역에서 세금을 늘리려는 시도였다. 전쟁으로 대폭 줄어든 국고를 채우기 위해서였다. 또 하나는 갈수록 더 많은 경지를 개간해 식량 구득 가능성을 높이기 위해 노력하는 것이었다.[57]

다른 또 하나는 순환경제circular economy를 만들어내고자 노력하는 것이었다. 영국 사람들이 지역 또는 적어도 대영제국을 근거지로 하는 생산자와 농민들이 생산한 것을 사도록 장려했다. 1920년대 중반에 제국판촉위원회가 설치되어 소비자들에게 그들이 먹는 식품의 산지가 어디인지를 생각해보라고 촉구했다. 1926년 신문에 실린 한 초기 권유 광고는 이렇다. "제국의 상품을 산다는 것은 당신 자신의 나라 상품을, 해외에 있는 제국의 상품을 사는 것입니다. 다른 나라 제품을 사는 것이 아닙니다." 그 위에 붙어 있는 제목은 이랬다. "물건 사는 대중에게 알림—영국산 먼저!" 소비자들에게 하는 이야기는 이런 것이었다. "캐나다산 연어, 오스트레일리아산 과일, 뉴질랜드산 양, 남아프리카산 포도주, 인도산 차를 구입하세요. 그게 곧 먼 길을 가서 우리 나라에서 만든 상품을 사온 바로 그 사람들과 거래하는 것이며, 따라서 이곳에서 고용을 창출하고 임금을 지불하며 번영을 증대시키는 것입니다." 소비자들은 물건을 사기 전에 이렇게 하라는 권유를 받았다. "이렇게 물으세요. 영국산입니까?" 왕실도 이런 노력을 지원하는 일에 나섰다. 조지 5세와 메리 왕비는 개인적 공감을 표시하고, 1927년 예수 탄생 기념일 푸딩은 온전히 제국 안에서 공급받은 재료들로만 만들었음을 알려달라고 했다.[58]

이에 따라 영국의 해외 식민지에서 농작물 생산을 늘리는 데 많은 노력이 기울여졌다. 그리고 예측 가능한 결과가 나왔다. 식민지 관리들은 쟁기를 매우 중시했다. 이 장비를 아프리카와 아프리카인들에게 그들의 땅을 어떻게 '개선'하고 현대화하는지를 가르치며, 게다가 그렇게 함으로써 가부장적 핵가족이라는 유럽의 규범을 따르게 할 수 있는 수단으로 여겼다.[59]

말할 것도 없이 쟁기 사용의 대폭적인 확대는 새로운 경작지를 많이 개발해 현지 주민들을 이상향적인 황홀경으로 이끈 것이 아니라 거의 정반대의 결과를 낳았다. 우간다의 한 구역에서는 쟁기의 수가 1923년 불과 300개 미만에서 1937년 1만 5천 개 이상으로 늘었다. 그로 인해 땅의 침식이 심해지고 생태계가 점차 악화되었다. 이전에 가볍지만 시간이 많이 드는 괭이를 사용할 때는 소생됐던 땅이었다. 서아프리카에서는 실험이 대거 파탄 나서 영국 농학자들은 결국 씨 뿌리고 거두는 전통적인 방식이 유럽의 방식보다 훨씬 효율적이라고 결론지었다.[60]

지속 불가능한 방식의 도입은 식민지에만 한정된 것이 아니었다. 미국 대평원의 상당 지역은 19세기 말과 20세기 초에 환금작물과 목장을 위한 땅으로 전환됐다. 철도 확대, 농기계 구득 가능성, 제1차 세계대전 발발 이후의 높은 상품 가격에 자극받은 것이었다. 그러나 호시절은 결국 끝이 났고, 농업 호황에는 위험이 도사리고 있었다. 유럽의 농민들이 1870년대에 어렵사리 깨달음을 얻었듯이 말이다. 그리고 수확량이 늘고 비료와 토양화학의 혁신이 이루어지고 수입품을 쉽게 구할 수 있게 되자 가격 조정이 일어났다. 과잉 생산과 함께 곡가는 최고치 이후 20년 만에 절반으로 떨어졌다. 그 결과로 땅값이 곤두박질치고 경기가 침체됐다. 가장 대표적인 곳이 영국이었다.[61]

제1차 세계대전이 마침내 끝나면서, 그리고 얼마 지나지 않아 미국에서는 농업의 황금기 역시 끝나면서 상황이 더욱 나빠졌다. 저리 대출, 시장의 활황, 전문가 조언으로 들뜬 농민들은 밀·옥수수·쇠고기·돼지고기 생산을 적극적으로 늘려 수요 증가나 늘 오르는 가격에 운을 맡겼다. 1929년 월스트리트의 주가 폭락은 엄청난 충격을 가했다. 가격이 폭락해 곡물은 무가치해졌고, 많은 사람들은 주체할 수 없는 채무를 상환할 수 없었다.

1932년, 중서부 일대의 농민 50만 명이 항의 시위에 나섰다. 전신주로 길을 막고, 고의로 우유와 곡물을 폐기해버리고, 도시에 사는 사람들에게 아무것도 팔지 않겠다고 위협했다. 당시 뉴욕 주지사였던 프랭클린 루스벨트는 이미 자신이 "도시 생활과 농촌 생활 사이의 적절한 균형 파탄"이라 부른 것을 보았고, 그것이 그로 하여금 미국 정치의 새 장을 제안하도록 자극했다. 그가 대통령 선거에 출마하면서 선언했듯이 "미래를 위한 무언가 더 심도 있고 훨씬 중요한 것, 다시 말해서 국가 계획"을 위한 시대가 다가와 있었다.[62]

미국의 농업 위기는 이제 점입가경이었다. 중서부는 10년에 걸친 폭염, 가뭄, 모래폭풍을 겪었다. 그로 인해 농장이 초토화되고 사람들은 궁핍과 절망에 빠졌다. 은행은 담보물을 처분해 농촌 사회에 더 큰 수모와 고통을 안겼다. 존 스타인벡이 〈분노의 포도〉에서 묘사한 것이 이런 상황이었다.

모래폭풍은 표토를 벗겨냈다. 이미 비가 오지 않은 데다 그동안 지력을 거의 한계까지 다 써버린 탓에 마르고 노출돼 있었다. 1930년대는 이상 고온의 시기(21세기 초 온난 현상의 일부인 전형적인 라니냐 패턴에서 벗어나 있었다)였지만, 초목이 줄고 땅을 과다 이용한 것이 재앙을 일으키는 데 일조했다.[63]

그 결과는 잇단 모래폭풍이었다. 어느 학자가 이야기한 대로 그것은

"물리적 측면에서 보든 인간과 경제에 미친 영향으로 보든 미국이 겪은 최악의 인공적 환경 문제"였다.[64] 그 이유를 알기란 어렵지 않았다. 어떤 폭풍은 너무도 강력해서 1935년 4월의 어느 하루 오후 동안에만 30만 톤 이상의 표토가 지표면에서 떨어져 나간 것으로 추산됐다. 파나마 운하 공사로 7년에 걸쳐 파낸 흙의 두 배나 되었다. 이로 인해 동해안의 도시들은 먼지로 뒤덮였다.[65]

10년 가까이 지속되던 삭막한 상황이 마침내 끝났지만 그 결과는 극적이었다. 1940년대에 대평원의 많은 지역은 표토의 4분의 3 이상을 잃었다. 사람들이 더 나은 기회를 찾아, 또는 그저 살아남기 위해 떠나면서 인구 역시 크게 감소했다. 모든 지역이 똑같이 영향을 받은 것은 아니었다. 그러나 고난을 당한 것은 단지 농촌이나 농민만은 아니었다. 침식이 많이 일어난 지역은 부채 부담도 커지고 은행이 약화됐다. 그것은 지역의 신용 공여를 줄이고 사회경제적 회복을 지연시켰다. 이 모래폭풍 사태는 땅값을 지속적으로, 그리고 상당한 폭으로 떨어뜨렸다. 특히 피해가 가장 큰 지역에서 그랬다.[66]

이 재난이 끝나기도 전인 1936년에 발표된 한 보고서는 매우 비판적으로 그 원인을 제시했다. 원인은 이상 기후와 기후 변화가 아니라 근시안적이고 지속 불가능한 인간의 의사 결정이었다. 수백만 헥타르의 표토가 파괴됐다. 그 원인의 "일부는 과도한 목축, 일부는 과도한 농경"에 있었다. 습한 조건에 적합한 영농 방법, 기술, 기대치가 반건조 지역에 적용됐다. 제1차 세계대전 동안 밀 가격이 오르고 이윤을 추구한 데서 촉진된 것이었다. 그것은 트랙터와 트럭 같은 혁신으로 인해 더욱 악화됐다.[67]

1930년대에 이례적인 기상 패턴이 나타났던 것 역시 문제였다. 이례적으로 건조한 봄과 기록적인 온도를 보인 극단적인 폭염 같은 것들이었다. 이는 온기의 이례적인 남방 이류移流와 전 대륙에 걸친 고기압류流로 인해 촉발된 것이었다. 그러나 이곳의 모래폭풍은 이미 일어나도록 예정된 사건이었다.[68]

모래폭풍은 대중과 언론의 상상력을 사로잡았다. 언론 기고자들과 과학 저술가들은 대평원이 '아메리카 사막'으로 변하는 것은 아닐까 하고 의구심을 품었다. 대평원이 "거의 전적으로 경작에 부적합"하며 심지어 북아메리카 유럽인들의 서방 팽창에 장벽이 될 수 있다는 19세기 초 조사자들의 결론을 반복한 것이다.[69] 한 신문은 "침식은 세계적 문제"라는 제목의 글을 실었다. "미숙한 농민들"의 "토양 혹사"로 인해 캐나다에서 우간다, 실론(스리랑카)에서 오스트레일리아까지 세계의 많은 지역이 파괴됐다고 지적했다.

세계의 다른 지역에서 나온 기사들도 이미 똑같은 이야기를 했다. 예를 들어 영국에서는 인구 증가, 밀과 식량 생산, 토양 악화 사이의 관계에 관한 불안이 상당했다. 대니얼 홀Daniel Hall은 〈왕립아프리카학회 저널Journal of the Royal African Society〉의 세계 기후 조건 특집에 기고한 글에서 토양 침식이 국지적이거나 지역적인 문제가 아니라고 지적했다. 그것은 "세계에, 그리고 특히 대영제국에 영향을 미치는" 문제였다. 중국, 일본, 기타 지역의 다른 필자들도 말했듯이 이 문제는 정말로 어느 곳에서나 제기되는 것이고 게다가 매우 심각했다.[70]

자연환경에 가해지는 손상에 관한 이런 비관적이고 걱정스러운 기록은 인간이 자원을 찾고 이익을 추구하는 과정에서 초래되는 위협에 대한 더 광범위한 문서적 경고의 일부였다. 이 시기의 가장 영향력 있고 중요한 작업은 1939년 〈지구 강탈The Rape of the Earth: A World Survey of Soil Erosion〉이라는 제목의 결과물로 나왔다. 이 책은 토양 악화를 질병에 비유하고 있을 뿐만 아니라, 그 확산 책임을 정확하게 유럽인과 '유럽 모형'(세계의 한쪽 구석에서 먹혔던 영농 관행과 방식을 전 세계로 확산시키고자 하는 것)에 돌렸다. 저자들은 이렇게 말한다. "자연은 질서정연한 자신의 영지에 갑작스럽게 침입해 들어오는 외래 문명에 대해 전면적인 반격에 나서고 있다." 땅은 "안전의 한계를 넘어" 착취당하고 있다고 그들은 이어갔다. 지구의 토양 파괴는 "역사상 일찍이 없었던 속도와 규모로 진행"되고 있었다. 비옥한 지역이 사람이 살 수 없는 사막으로 변하고 있었다.[71]

저자들은 대략 이 시기에 비슷한 글을 쓴 다른 사람들과 마찬가지로 반식민주의를 요구하거나 유럽인 정착자들이 자기네가 차지한 땅에서 철수해야 한다고 요구하지 않았다. 오히려 그 반대였다. 토양 침식은 그것이 일으키는 문제로 보아 백인의 영토 통제를 더 어렵게 만들 것이기 때문에, 당국이 생산 잠재력이 있는 땅들을 유지하려면 이 문제를 반드시 해결해야 한다고 주장했다.

〈지구 강탈〉이 출간되던 것과 거의 비슷한 시기에 글을 쓴 또 다른 작가는 "백인의 영향이 확산되면서" 서아프리카의 토양 조건이 갈수록 악화되는 것은 "점점 더 분명"하다고 말했다. 유럽인의 식민 정착 이전에는 "부족 간 전쟁과 질병의 침탈"이 "사람과 동물 모두"에게 타격을 입혔고 그럼으로써 땅에 가해지는 압박을 완화했다. 이제 백인 정착자들이 평화를 가져옴으로써 인구는 늘고 토양은 혹사당하며 삼림이 파괴되고 과도한 목축이 이루어지는 등 문제가 생겼다.[72]

1930년대 말, 일부 과학자들은 인간의 행동이 환경에 또 다른 부정적 영향을 일으키지 않을지에 대해 고찰했다. 증기 전문가인 가이 캘런더Guy Callendar는 자신이 쓴 한 논문에서 "지난 50년 동안 대기 중에 약 1500억 톤의 이산화탄소"가 추가됐다고 지적했다. 이런 배기가스 배출이 지구의 육상 온도를 높인 원인 중 하나일 거라고 그는 주장했다. 그럼에도 불구하고 이는 분명한 이점이 있다고 그는 결론지었다. 특히 과거에 세계를 빙하시대로 밀어넣었던 "치명적인 빙하의 복귀"가 이제 "무기한 연기"되리라는 것이다.[73]

캘런더가 주장한 화석연료원에서 나오는 배기가스와의 연관성은 과학계에서 널리 받아들여지지 않았다. 이는 부분적으로 방법론과, 그가 의존한 측정의 정확성에 관한 우려 때문이었다.[74] 사실 20세기 전반의 특징이었던 온난화에 관한 활발한 토론도 벌어졌다(그리고 여전히 이어지고 있다). 특히 이른바 인위적 요인의 성격과 역할과 규모에 관해서다.[75] 그럼에도 불구하고 1930년대에 다른 많은 사람들이 온난화 패턴을 제시하는 작업들을 선보였다. 특히 북극 지방, 그리고 그린란드 및 노르웨이 스발바르제도의 스피츠베르겐(1912년 기상 관측소가 설치된 곳이다)의 측정할 수 있고 극적인 변화와 관련해서다.[76]

기후 변화에 대한 우려 속에서 자연환경의 보호와 보존에 대해 생각하는 일부 사람들이 있었다. 예를 들어 북아메리카에서는 몇몇 사람들이, "지치고 신경이 곤두서고 지나치게 고상한 사람들"이 점점 더 "산에 가는 것은 집에 가는 것이고, 야생은 필요한 것이며, 산의 자연공원과 원주민 보호구는 목재의 원천과 관개하는 강을 위해서만이 아니라 삶의 원천으로서도 유용"하다는 것을 발견하고 있다고 열심히 주장했다.[77] 미국 국립공원관리국(NPS) 초대 국장 스티븐 매더Stephen Mather는 국립공원이 "명소이고 휴양지이기도 하지만 거대한 교실이기도" 하다고 썼다. 그곳에서 사람들은 "자기네가 살고 있는 이 땅을 더욱 깊이 사랑하는 법"을 배운다는 것이었다.[78]

국가 정체성, 행복, 자연을 연결시키는 데 가장 열성적인 사람들 가운데 일부는 독일에 있었다. 그곳에서는 야생 생물 보호, 삼림 보호, '야생권' 보호에 대한 관념이 19세기에 뿌리를 내렸다. 그러한 관념은 자연뿐만 아니라 게르만인의 정체성에 관한 더 광범위한 관념 속에 반영돼 있었다. 콘라트 권터Konrad Guenther는 1910년 "자연에 대한 사랑은 조국에 대한 사랑의 뿌리"라고 썼다. 그는 나중에 한발 더 나아가 "게르만 영혼의 현弦은 자연에 맞추어져 있다"라고 주장했다.[79] 더구나 자연은 사회의 평형기平衡器였다. "오직 자연에서만 부자와 빈자, 높은 자와 낮은 자 사이의 차이가 없기 때문이다. 오직 거기서만 많은 지식과 행복을 얻는 데 아무런 돈도 들지 않는다."[80]

이런 이상주의적 관점은 인종적 '순수성'에 관한 유독한 관념과 함께 버려졌다. 히틀러는 〈나의 투쟁〉에서 이렇게 썼다. "자연은 정치적 경계를 전혀 알지 못한다. 자연은 우선 살아 있는 생물들을 이 지구상에 놓아두고 여러 세력의 자유로운 움직임을 지켜본다. 그런 다음 가장 마음에 드는 아이에게 주인의 권리를 부여한다. 용기와 근면성이 가장 뛰어난 자에게 말이다."[81] 이런 이야기는 환경보호론자들을 기쁘게 했다. 그들은 환경에 관한 자기네의 견해를 나치의 정치 이데올로기와 섞었다. 자연을 보존하는 것이 게르만인의 통합에 도움이 될 것이라고 권터는 썼다. 그는 금발벽안金髮碧眼인 사람이 다른 누구보다도 자연에 애착을 갖고 있다는 관념의 열렬한 지지자였으며, 독일 국가를 생태적으로 순수하게 만드는 것은 인종 정화에도 도움이 된다고 믿었다.[82] 빌헬름 리넨캠퍼Wilhelm Lienenkämper는 히틀러 정부가 국가 환경 보존법을 통과시키고 얼마 지나지 않은 시기에, "나치의 관점에서 자연보호"의 방법론을 제시하는 것이 중요하다고 썼다.[83]

히틀러는 이렇게 말했다. "우리는 힘 있는 독일을 만들 뿐만 아니라 아름다운 독일도 만들겠다."[84] "상인 정신"(유대 자본주의라는 말을 엉성하게 가린 표현이다)에서 나온 "외국의 건축 방식"을 근절하는 것이 중요한 이유가 그것이라고 저명한 생물학자이자 나중에 프로이센주 자연보호국장이 되는 발터 쇠니헨Walther Schoenichen은 썼다. "과거에 게르만 사람들은 외국의 영향을 극복하고 게르만인다움으로 다시 돌파해나갈 필요가 있을 때는 언제나 게르만의 자연과 게르만의 풍광에서 힘을 끌어왔다."[85] 이것 역시 히틀러 자신의 견해와 운韻이 맞는 듯했다. '지도자' 히틀러는 이렇게 말했다. "게르만의 환경을 보존하는 것이 긴요하다. 그것이 게르만 민족의 힘과 강점의 궁극적 원천이기(그리고 과거에도 언제나 그랬기) 때문이다."[86]

사실 문제가 그렇게 간단하지는 않았다. 온갖 격려의 말에도 불구하고 농학자들은 자주 옥신각신했고, 결과를 보면 자기네가 원했던 것만큼 영향을 미치지 못했다.[87] 게다가 나치는 자연을 보호하기 위해 한 일이 별로 없었다. 삼림 확대는 최소한에 그쳤고, 때로 심지어 역효과를 내기도 했다.

히틀러가 아름다움과 자연에 대해 즐겨 이야기했다고는 하지만, 그는 베를린 같은 도시들의 거대한 건설 공사를 살피고 고속도로망을 확장하는 데 더 관심이 있었다. 그는 환경에 미치는 영향에 관해 질문을 받으면 그리 관심을 보이지 않았다. 고속도로 건설 때 가능하다면 너도밤나무 숲을 보존해야겠지만, 결국 "매우 거대한 기술 사업의 요구가 있으면 양보해야" 했다. 실제로 환경 보호 비용은 전체 건설 지출의 0.1퍼센트에 불과했다. 나치 지도부가 환경에 대한 관심도가 높았다고 보기 어려운 징표다.[88] 히틀러가 신체 훈련을 권장했지만 스스로는 훈련을 별로 하지 않았고, 알프스 시골에서 천천히 내려간 뒤 다시 차를 타고 산으로 올라왔다는 사실 역시 자연에 대한 그의 전반적인 태도가 양면적이거나 심지어 아예 무관심에 그쳤음을 시사한다.[89]

그러나 외국인이나 소수민족이나 초목의 맥락에서 환경에 대한 생각을 이야기할 경우에는 모호함이 별로 없었다. 나치 산하의 중앙식물조사국장 라인홀트 튁센Reinhold Tüxen은 "게르만의 경관에 어울리지 않는 외국 것을 제거"하는 것이 필요하다고 촉구했다. 이 경우에는 하찮은 산의 한 초목을 상대로 "절멸을 위한 전쟁"을 벌일 필요가 있다는 것이었다. 그는 이렇게 말했다. "볼셰비키를 상대로 한 싸움에서와 마찬가지로 우리 서방 문화 전체가 위기에 처해 있다."[90] 이것은 제2차 세계대전 동안 독일이 점령한 새로운 영토로 확장됐다. 게르만민족성강화국가위원부(RKFDV) 국가판무관 하인리히 힘러는 1942년에 발포한 공식 포고에서 '환경 설계를 위한 원칙'을 제시했다. 폴란드의 점령 영토에 대한 힘러의 명령은 이랬다. "그 지역에 모든 사람들을 이주시키고 외국인들을 제거하는 것으로는 충분하지 않다. 그 지역은 우리의 존재 양식에 부합하는 구조를 가져야 한다."[91]

그 '존재 양식'은 한동안 일부 독일 사람들의 마음속에 있었다. 히틀러와 나치가 등장하기 오래전에 독일 주변국들을 물리치면 대규모 생태 변형의 큰 기회가 오리라는 제안들이 있었다. 제1차 세계대전 동안의 동유럽에서의 승리는 "토담집과 초가집과 기와집"을 "멋진 모습의 마을과 작은 도시"로 바꿀 기회를 열어줄 터였다. "지난 시기 도시 개발의 과오를 해소"할 수 있을 터였다.[92]

비슷한 주장이 1939년 폴란드 침공과 함께 나왔다. 동방은 "심지어 우리 가운데 가장 열정적인 사람이 이전에 꿈꾸었던 모든 것을 초월할 독일의 환경 및 정원 설계의 황금기"를 이룰 기회를 제공한다고 농학자 하인리히 비프킹위르겐스만Heinrich Wiepking-Jürgensmann은 썼다.[93] 같은 저자는 이듬해 이 주제를 다시 꺼냈다. "게르만 농민은 더 높은 소명을 지녔다는 점에서 폴란드 귀족보다 삶에 더 적합하며, 모든 게르만 노동자는 폴란드 최고 지식인보다 더 창의성이 높다. 4천 년에 걸친 게르만의 진화는 되돌릴 수 없는 증거의 연쇄를 제공한다."[94]

또 다른 중요 인물 알빈 자이페르트Alwin Seifert(그는 나중에 독일 녹색운동의 영향력 있는 인물이 되었다)는 이것이 무슨 뜻인지를 단도직입적으로 이야기했다. "동방이 독일 온 동네 출신 게르만인의 터전이 된다고 해도, 그리고 그곳이 번영하고 우리 나라의 다른 곳들처럼 아름다워진다고 해도, 도시에서 과거 폴란드의 잘못을 걷어내 깨끗하고 쾌적한 마을을 만드는 것만으로는 충분하지 않다. 전체 환경이 게르만화돼야 한다."[95] 이 일은 폴란드 노동자들이 해야 한다고 힘러는 명령했다. 그리고 그들은 게르만인들과 분리될 필요가 있었다. 아마도 자기네를 '오염'시킬 것이라는 두려움 때문이었을 것이다.

이른바 인종적 우월성은 환경 관리의 측면에서는 흔히 능력이 있다는 주장으로 표현됐다. 1942년에 익명으로 출판된 책 〈열등인Der Untermensch〉은 이렇게 말한다.

> 환경에 흔적을 남길 수 있는 것은 오직 인간뿐이다. 따라서 한쪽 독일에는 정돈된 풍요, 계획된 들판의 조화, 세심하게 배려된 마을이 있다. 그 너머에는 뚫고 들어갈 수 없는 잡목 숲, 스텝, 끝없는 원시림의 구역이 있다. 그곳을 토사가 쌓인 강들이 힘들게 지나간다. 이 제대로 활용되지 않지만 비옥한 흑토 뙈기는 낙원이 될 수 있다. 유럽의 캘리포니아다. 그러나 사실 그곳은

황폐하고 대체로 관리되지 않았으며 전례 없는 문화적 불명예의 자국이 찍혀 있다. 열등인과 그 지배에 대한 영원히 지울 수 없는 고발이다.[96]

다시 말해서 슬라브인에게는 오직 혼란밖에 없다는 것이다. 자연을 변모시키고 개발해 이용하는 것은 게르만인이 해야 했다.

이 숨이 막힐 듯하고 인종차별적인 게르만인의 자신감을 더욱 고약하게 만든 것은 그러한 주장이 현실을 제대로 반영한 것이 아니었다는 점이다. 전쟁 동안의 농업 생산 착취는 매우 비효율적인 것으로 드러났다. 의사 결정이 그릇되고, 우선순위도 기회를 최대한 활용하지 못할 뿐 아니라(특히 서유럽에서) 오히려 앞장서서 역효과를 낳은 것으로 드러났다. 독일의 무능력은(방해나 저항이 아니라) 관리들이 만들어낼 수 있고 심지어 만들어내야 하는 자원과 결과를 이끌어내지 못한 데서 분명하게 입증됐다.[97]

계획의 부실은 제2차 세계대전 중 독일의 다른 실패에서도 그 한복판에 있었다. 1941년 소련 침공 때 베어마흐트(국방군)에 식량을 보급하는 문제가 그중 하나였다. 보통 사람들은 독일군이 스탈린그라드(현재의 볼고그라드)와 기타 지역에서 교착 상태에 빠진 데는 러시아의 맹추위가 중요한 역할을 했다고 알고 있지만, 겨울이 시작되기 전에도 침공은 순조롭지 않으리라는 것이 분명했다. 보급선에 기본적인 병참 문제가 있었고, 식량·연료·무기를 그것이 가장 필요한 곳에 전달하지 못했기 때문이다.[98]

1940년대 초 벵골의 대량 아사에 좋지 않은 기후 상황이 영향을 미쳤다는 것은 사실이다. 나중에 인도의 초대 총리가 되는 자와할랄 네루는 이렇게 썼다. "기근이 발생했다. 끔찍하고 충격적이며 말로 표현할 수 없을 정도로 무시무시했다. 남자와 여자와 어린아이들이 하루에 수천 명씩 죽었다. 먹을 것이 없어서였다." 세계의 어느 지역에서는 "남자들이 죽어가고" 있었다. "전투에서 서로를 죽였다." 말라바르, 비자야푸라, 오리사와 무엇보다도 "풍요롭고 비옥한 벵골주"에서는 이야기가 달랐다. "여기서 죽음은 아무런 의도도, 논리도, 필연성도 없었다. 그것은 인간의 무능과 무정함의 결과였다."[99]

대체로 200만에서 300만에 이르는 사람들이 굶주림이나 그와 연관된 질병으로 죽었다. 네루가 옳았다. 그들의 죽음은 아무런 보람이 없었다. 아마르티아 센이 기근에 관한 중요한 연구(그것이 그가 노벨 경제학상을 받은 핵심 요인이었다)에서 주장했듯이, 기근 시기의 식량 비축과 그에 따른 가격 상승은 당국의 형편없는 의사 결정 때문이고 그것이 좋지 않은 상황을 더 악화시켰다.[100]

실제로 가장 심한 가뭄은 식량 부족 사태 1년 이상 전에 발생했고, 게다가 기근이 발생하기 직전 몇 달 동안에는 평균 이상의 비가 내렸다. 따라서 높은 수준의 사망률은 가뭄 그 자체보다는 정치적·군사적 요인에 주된 책임이 있었다. 식민지 관리들이 부과한 곡물 수입 제한, 이 지역으로의 대규모 난민 유입(특히 버마에서), 이미 만연한 높은 수준의 영양실조, 말라리아 등이 어우러져 치명적인 영향을 미쳤다. 이후 시기의 19세기와 20세기 인도에서 발생한 대부분의 기근과 달리, 벵골의 재난은 계절 강우의 문제나 토양의 수분 함유량 때문이라기보다는 주로 인간의 잘못과 관련된 것이었다.[101]

공포스러운 제2차 세계대전은 1945년에 마침내 끝났다. 6년에 걸친 유혈 사태로 수천만 명이 죽었다. 전사한 사람의 수는 굶주려 죽고 질병으로 죽고 유대인 대학살의 가스실에서 죽은 사람에 비하면 아무것도 아니었다. 남자와 여자와 아이들이 떼로 죽었다. 그것은 인간의 잔인성으로 인한 것이기도 했고, 사람을 전에 없이 효율적으로, 전에 없이 많이 죽일 수 있는 수단을 개발한 인간의 천재성 탓이기도 했다.

가장 강력한 것은 새로운 유형의 폭발 장치였다. 그 가공할 힘은 아마도 세계를 비교적 평화로운 번영의 시기로 이끌었다고 할 만하다. 특히 그 무기를 사용한 결과가 너무도 끔찍하고 너무도 무시무시하고 너무도 파멸적이었기 때문에 세계를 절멸의 위기로 몰아넣었다. 따라서 대량 파괴 무기는 전쟁 상황에서 거의 사용할 수 없다고 생각됐다. 지금까지 딱 두 번의 예외가 있을 뿐이었다. 바로 히로시마와 나가사키였다.

이 무기의 개발은 목표물을 파괴하는 것으로 그치지 않으리라는 우려를 낳았다. 히틀러 자신은 "핵물리학의 혁명적 본질을 파악할 수 없었고", "그 관념은 명확히 그의 지적 능력에 어울리지 않았다"고 그가 신임한 측근 알베르트 슈페어Albert Speer는 말했다. 슈페어는 독일의 정상급 이론물리학자들에게 원자폭탄의 폭발에 관해 질문하고 "성공적인 핵분열이 절대적으로 확실하게 억제될 수 있는지 아니면 연쇄반응으로서 이어지는 것인지"에 관한 답변을 졸라댔다. 그는 솔직한 답변을 듣지 못해 고민했다. 히틀러 자신도 고민했다. 그는 "자신의 지배하에 있는 지구가 불타는 별이 될 수 있다는 가능성을 분명히 기꺼워하지 않았다."[102]

대서양 건너편에서 '맨해튼 프로젝트'에 참여해 일하던 사람들 역시 핵폭발의 결과로 대기에 재앙적 점화가 일어나는 것은 아닌지 고려했다. 그들은 결국 적어도 현재 크기의 폭탄으로는 그런 일이 일어날 것 같지 않음을 보여주는 보고서를 작성했다. 세 정상급 이론물리학자는 이렇게 주장했다. "대기의 한 부분이 아무리 높은 온도로 가열되더라도 자전自傳

핵 연쇄반응이 시작될 것 같지는 않다."[103]

핵무기는 전쟁에서 두 발만 사용됐지만, 1945년에서 1963년(미국, 영국, 소련이 공중 및 수중 핵무기 실험을 금지한 부분핵실험금지조약(PTBT)에 합의한) 사이에 400차례가 넘는 공중 폭발이 이루어졌다. 그 이후에도 중국이 실험을 시작하고 프랑스가 실험을 계속하면서 63차례의 공중 폭발이 더 있었다. 1945년에서 1980년(중국이 로프노르에서 마지막 실험을 한) 사이에 이루어진 504차례의 공중 폭발 총량은 440메가톤이었다.[104]

물리학자들이 폭발이 대기에 점화를 일으키지 않는다고 한 말은 옳았지만, 그들은 폭발에 의한 방사성 낙진으로 무슨 일이 일어날 것인지에 대해서는 오판을 했다. 그것은 고르게 퍼졌다가 몇 년 후 방사능의 수준이 감소해 땅으로 떨어지는 것이 아니었다. 결과적으로 그 지리적 분포와 방사성핵종放射性核種 퇴적의 양에는 상당한 다양성이 있었다. 게다가 낙진의 하강은 위도와 밀접하게 연관돼 큰 차이가 있었다. 북쪽 지방은 남쪽에 비해 훨씬 빨리 영향을 받았다.[105]

따라서 이런 맥락에서 제2차 세계대전 직후의 시기는 '21세기 초 온난기'의 끝에 해당한다는 데 주목할 필요가 있다. 전쟁 막바지에 일본과 독일의 도시들은 연합군의 폭격으로 파괴됐다. 일본에서는 히로시마와 나가사키를 포함해 69개 도시의 461제곱킬로미터의 지역이 미국 B-29 수퍼포트리스의 폭격을 당해 그 화재로 거대한 연기 기둥을 만들어냈다. 독일에서도 그런 일이 일어났다. 그곳에서는 연합군 항공기가 전쟁 도중 도시들에 투하한 폭발물 총량의 80퍼센트 이상이 1944~1945년에 투하됐다. 그 상당수는 소이탄이었다. 미국 전략사령부가 파악한 바에 따르면 소이탄은 고성능 폭약에 비해 4~5배나 파괴적이었다. 그로 인해 독일의 전체 주거용 부동산의 20퍼센트가 파괴되어 민간인 750만 명이 집을 잃

었다. 그것은 연기 기둥과 열기류를 발생시켰고, 조종사들은 이를 "캄캄한 지옥"으로 표현했다.[106]

화재로 인해 매우 많은 매연이 발생했지만, 지구 표면 대기 온도에는 별다른 영향을 미치지 않은 듯하다.[107] 더 중요한 것은 1940년대에 북쪽의 해들리 환류권Hadley環流圈을 적도 쪽으로 옮겨놓은 일과 북반구의 냉각인 듯하다.[108] 그러나 20세기 중반의 기후 패턴 변화와 지구 온난화 정체停滯의 또 다른 핵심 요인은 일반적으로 핵 관련 활동 증가와 특수하게는 공중 실험이었던 듯하다.

기후 변화를 핵무기 실험과 연결시키는 것은 1950년대에 이미 나온 이야기다. 방사성-생물학적 위험을 살핀 미국원자력위원회(AEC)와 미국 공군의 한 보고서는 방사성 잔해가 상층부 대기의 이온화에 미칠 수 있는 영향을 논의하며 이렇게 지적했다. "대기에 입자 물질이 채워지면 (…) 지구의 날씨에 영향을 미칠 수 있다."[109] 사실 기후 조정에 대한 대중의 공포는 이미 미국 중서부의 긴 가뭄 기간 이후 나타났으며, 일본의 이례적으로 기온이 낮고 습한 여름은 마찬가지로 광범위한 논쟁과 아라카와 아키오荒川昭夫 등이 쓴 논문들을 촉발했다. 논문들은 개별적으로 또는 집단적으로 기상 이변을 핵폭발과 연결시켰다.[110]

날씨의 영향과 기후 교란은 미국원자력위원회, 미국 공군, 랜드 연구소RAND Corporation가 이끈 미국의 기밀 작업 '선샤인 프로젝트'의 일부였다. 이 기관들은 1953년 "이런저런 방식으로 인간의 체내로 들어간 방사성 폐기물의 위험성"에 대해 보고했다.[111] 이스트먼코닥이 1500킬로미터 이상 떨어진 곳에서 벌인 실험으로 인한 오염으로 엑스선 필름이 망가졌다며 원자력위원회에 책임을 묻겠다고 위협하자 방사성 물질 방출의 영향을 알아보려는 시도들이 나왔다. 특히 폭탄이 갈수록 커지고 폭발이

더 높은 고도에서 일어나는 상황에서였다.[112]

1950년대 중반에 핵무기의 영향을 조사한 의회의 한 위원회는 이렇게 지적했다. "인간의 많은 발명품(화약, 라디오, 비행기, 텔레비전 같은)은 날씨와 기후 변화에 책임이 있다는 말을 들었다." 따라서 "인류의 가장 극적인 성과에 속하는 원자폭탄과 수소폭탄이 자기네 몫의 비난의 대상이 되는 것은 너무도 당연"했다.[113] 이 위원회 보고서는 이전 수십 년 동안 "이례적이고 바람직하지 않은 날씨"가 증가했음을 인정하면서, 명백한 이상기후는 우연으로 설명될 수 있는 범위를 넘어서지 않았다고 주장했다. 그렇더라도 "통계적으로 유의미한 변화가 검출되지 않은 것"은 "폭발에 의해 물리적으로 중요한 변화가 생기지 않았다는 증거"가 되지는 않는다고 보고서는 덧붙였다. 이 문제를 어느 쪽으로든 입증하기 위해서는 더 많은 연구가 필요했다.[114]

이것은 당시 과학자들의 공통 의견을 반영한 것이었다. 탄소 배출의 영향에 관한 가이 캘런더의 가설에서도 그랬지만 그것은 자료를 더 수집하고 분석을 더 하며 결론으로 달려가는 것을 피하는 데 달려 있는 문제였다.[115] 최근 연구(부분적으로 핵전쟁이 초래할 수 있는 영향에 대한 이후의 연구에 의존했다)는 공중 폭발, 특히 대형 수소폭탄(그리고 그 결과로 방출된 미세먼지)이 20세기 중반 이후 일어난 지구 온난화 정체의 원인이라고 주장했다.[116] 그러나 역설적으로 제2차 세계대전 직후 군사 기획자들의 머릿속에 가장 먼저 떠오른 생각은 기후가 새로운 대량살상 무기에 의해 우연히 변화했는지 여부가 아니라 기후를 변화시키고 통제할 수 있는 무기의 개발이 가능한지 여부였다.

22장 지구 환경의 재편

20세기 중반

> 우리는 그 불쌍한 참새들이 지칠 때까지 냄비를 두드려야 했다.
> 우리는 며칠 동안 그 짓을 했다. 그 후에 참새는 훨씬 줄었다.
> — 충칭농업대학 학생, '사해四害 박멸 운동'에 관하여(1958)

날씨를 조작한다는 생각은 오래고도 뿌리가 깊은 것이었다. 비가 내리게 하고 농작물을 보호하고 수확을 풍성하게 하고 기후 조건을 온화하게 만들기 위한 의식은 먼 고대부터 현대에 이르기까지, 남아시아에서 남·북아메리카까지의 많은 사회들에서 존재했다. 이런 의식은 흔히 생명이 있거나 없는 신들의 호의를 얻기 위해 고안된 여러 가지 복잡한 행위를 동반한다. 음식물과 제물을 바치고, 때로는 단식 같은 행위의 변화도 보여준다. 초자연적인 힘의 호의를 얻기 위해서다.

19세기에 날씨에 개입하려는 시도는 그 방법과 목표에서 더욱 단호해졌다. 관심은 미국에서 특히 높았다. 그곳에서는 몇몇 선구자들이 나서 비가 오게 할 수 있는지 알아보는 실험을 해보고자 노력했다. 그중 한 사람이 제임스 에스피James Espy였다. 그는 처음으로 연방정부의 자금을 받은 기상학자로, 1840년대에 인공강우를 일으키는 일련의 실험을 했다. 그는 넓은 면적의 숲에 불을 질렀는데, 그렇게 하면 거대한 가열 공기의 기둥이 형성되고 이것이 구름을 만들어서 비가 내리게 될 것이라는 희망이었다. 물론 이 실험은 실패로 끝났지만, 다른 과학자들은 이른바 전투와 폭풍우의 상관관계를 바탕으로 한 새로운 발상을 짜냈다. 포탄을 많이 사용하는 전투가 벌어진 직후에 흔히 폭풍우가 따라온다는 생각이었다.[1]

성과는 없었지만 미국 정부는 예민한 관심을 보였고, 의회는 19세기 후반 농업부에 폭발물을 통한 하늘로부터의 '충격' 강우 실험을 지원하기 위한 자금을 배정했다. 그리고 초기 발견이 긍정적인 듯이 보이자 지원을 늘렸다. 후속 작업 결과는 덜 성공적이었다. 두 달 동안 쉴새없이 폭발물을 터뜨렸지만(목격자들은 큰 전투가 벌어진 것과 완전히 똑같았다고 말했다) 비는 전혀 내리지 않았다. 이는 전혀 놀랄 일이 아니었다고 믿을 만한 논자들은 말했다. 전제가 틀렸고, 세금 낭비였으며, "인간의 재주로 고안할 수 있는 가장 어리석은 작업"이었다. 그렇게 되자 아직 집행되지 않은 예산은 다시 국고로 귀속됐다.[2]

인공강우는 20세기 초에 사기꾼의 산업 같은 것이 되었다. 그들은 비를 내리게 해서 풍성한 수확을 올리게 해주겠다며 농민들에게 돈을 내라고 설득했다. 찰스 햇필드Charles Hatfield 같은 사람은 "사기꾼에게 사기치는 사람"이었다. 그는 최신의 과학적 발견에 해당하는 믿을 만하고 검증되고 확실한 화학적 산물처럼 보이는 것을 설명하는 데 능숙했다.[3]

흔히 그렇듯이 전쟁은 전략적 이득을 제공할 것으로 보이는 신기술에 대한 관심과 투자의 급증을 불러왔다. 예를 들어 영국에서는 제1차 세계대전 때 과학산업연구부 산하 국가항공자문위원회(ACA)가 여러 가지 혁신 실험을 운영했다. 체펠린 비행선을 상대로 사용하기 위한 소이탄, 조준기 개선을 돕는 모형 항공기, 총포를 위한 유압식 타이밍 장비 같은 것

들이었다. 또 다른 사업은 인공 구름 만드는 것을 들여다봤다.[4]

전쟁터의 기상 조건을 예측하는 것의 가치가 분명해지면서 기상학에 대한 관심도 급증했다. 1917년 미국이 전쟁에 뛰어들면서 통신대는 1천 명의 병사를 군 기상 관측 및 예보 요원으로 훈련시키기 시작했다. 한 물리학자가 '추측과학'이라 부를 정도로 인식이 낮았던 것을 감안하면 쉬운 일이 결코 아니었다. 유명한 기상학자 네이피어 쇼Napier Shaw는 "관찰, 지도 작성, 예보"에 의존하는 것만으로는 충분하지 않다고 지적했다. 오히려 필요한 것은 수학과 물리학의 전문적 기술을 개발하는 것이었다. 조사 분야는 1920년대에 꽃피기 시작했다. 물론 시간이 걸리긴 했지만 말이다. 1919~1923년의 기간에 미국에서는 600명 이상이 화학에서 박사 학위를 받았고, 식물학과 물리학에서는 각기 200명, 지질학에서는 100명 가까이가 박사 학위를 받았다. 기상학에서는 단 두 명이었다.[5]

항공학과 항공전자공학의 발전으로 안개를 없애는 일에 대한 관심이 생겨났다. 항공기 착륙장의 시야를 개선하려는 욕구에 따른 것이었다. 1920년대에 전하電荷 모래를 이용한 실험이 이루어졌고, 이어진 구름 형성 시험에서는 성과가 있는 듯 보였다. 그것이 국내외 언론의 눈에 띄었다. 〈뉴욕 타임스〉는 기상 제어가 "100여 년 동안 사기꾼들이 설친 분야"이기는 하지만, 군이 추구한 연구 방침은 희망적일 뿐만 아니라 "지리와 역사를 바꾸고" 궁극적으로 "인류의 미래를 변화"시킬 전망이 보인다고 평했다.[6]

군에서 행한 실험은 1920년대에 기력이 다했고, 자금 지원도 끝이 났다. 그럼에도 불구하고 학술적인 관심은 지속됐다. 기상 형성에 관해 더 잘 이해하는 것과 거기에 영향을 미치는 것 모두에 대해서였다. 여기에 도움이 된 것이 미국기상학회(AMS) 설립이었다. "기상학(기후학 포함) 지식의 발전과 전파, 그리고 공중보건, 농업, 공학, 육상 및 내륙 수로를 통한 운송, 항공 및 항해, 기타 형태의 산업 및 상업에 대한 그 응용의 발전"을 촉진하기 위해 설립한 것이었다.[7]

제안된 아이디어 가운데는 수증기 이동, 빙정氷晶 처리, 염화칼슘 가루 사용 등이 있었고, 어떤 것들은 스웨덴에서 미국, 독일에서 소련에 이르는 과학자들에 의한 시험도 이루어졌다. 소련의 투르크메니스탄 강우연구소는 지상 또는 공중에서 수행된 화학반응을 이용해 "구름 없는 하늘에서 비를 만들어내는" 데 성공한 것으로 보도됐다.[8]

제2차 세계대전 중에 이루어진 구름 비말의 크기와 결정 형성에 관한 연구는 기상 조작 연구의 새로운 파도를 촉발하고 희망적인 초기 결과를 낳았다. 뉴욕 스케넥터디에 있는 제너럴 일렉트릭(GE) 연구소의 한 팀은 요오드화은과 고체탄산(드라이아이스) 입자가 핵이 되어 주위에 수증기가 달라붙게 함으로써 강우를 자극할 수 있음을 밝혀냈다. '비구름 파종cloud seeding'으로 알려진 과정이다.[9] 이런 결과는 매우 흥분되고 그 함의가 매우 깊어서 기술계의 일부 지도급 인물들은 "인간에 의한 날씨 통제가 미래에 과학적으로 가능"하며 곧 "폭풍우를 잠재우거나 그 진로를 바꾸는" 것이 가능하리라고 생각했다. 간단히 "무선 장치 단추 하나만 눌러서" 말이다.[10]

또 다른 사람들은 폭풍우를 통제하는 일에 관해서가 아니라 싹트고 있는 이 신기술을 공격용 무기로 사용할 수 있느냐에 관해서 기회를 잡았다. 전쟁 중에 과학연구개발국(OSRD)을 이끌고 맨해튼 프로젝트에서 핵심 역할을 했던 버니바 부시Vannevar Bush는 비보다는 눈을 만들 수 있을지 궁금해했다. 인공 눈이 가능하다면 적진에 많은 눈을 쏟아부음으로써 분명한 전략적·군사적 이득을 얻을 수 있을 것이라고 그는 덧붙였다.[11]

1947년, "모든 곳에서 거대 자연력을 인간의 이익을 위해 조작"하는 방법을 찾는 연구 계획이 공식 수립됐다. '시러스 프로젝트Project CIRRUS'라는 암호명이 붙은 이 계획의 목표는 예보를 개선하기 위해 기상 패턴에 대한 이해도를 높이고 고체탄산 알갱이를 사용해 구름에 대한 조작을 시도(비를 내리게 하려고 뭉게구름에 은을 씨앗으로 넣거나 물의 비말을 뿌려 연쇄 반응을 촉발하고자 했다)하는 것이었다. 한 비밀 메모는 전략적·전술적 관점에서 기상 변개의 가능성을 확인한다는 목표를 제시했다. 모든 사람이 확신을 가진 것은 아니었다. 군 연구개발위원회의 한 위원은 차라리 "딸랑이는 방울과 뱀가죽을 잔뜩" 사는 데 돈을 쓰는 것이 낫겠다고 주장했다. 그렇게 하는 것이 비를 내리게 할 가능성이 더 높다는 것이었다.[12]

이 프로젝트에 관여하고 있던 사람들은 좀 더 낙관적이었다. 실험에 관해서도, 그 함의에 관해서도 마찬가지였다. 1932년 노벨 화학상을 받은 GE 연구소 소장 어빙 랭뮤어Irving Langmuir는 그 중요성에 관해 전혀 의심치 않았다. 1950년 8월, 랭뮤어는 〈타임〉 표지에 나왔다. "인간은 자신이 살고 있는 대기를 통제하는 법을 알아낼 수 있을까?"라는 제목을 달고서였다.[13] 그는 그해 12월의 한 회견에서, 인공강우와 기상 제어는 "원자폭탄만큼이나 강력한 전쟁 무기"가 될 수 있다고 말했다. 랭뮤어는 "최적 조건에서 단 30밀리그램의 요오드화은의 영향은 원자폭탄 하나와 맞먹는다"라고 말한 것으로 보도됐다.[14]

전직 해군 장교로 드와이트 아이젠하워 대통령에 의해 기상통제자문위원회 위원장에 임명된 하워드 오빌Howard Orville은 기상 변개의 잠재력은 엄청나다고 말했다. 오빌은 잡지 〈콜리어스〉에 기고한 글에서 "지금은 공상적으로 들릴지 모르지만" 그다지 머지않은 장래에 비행기를 하늘로 띄워 텍사스 상공이나 다른 어느 곳의 상공에서라도 폭풍과 태풍을 없애는 것이 "충분히 실현될 수 있을 것"이라고 썼다. 심지어 "상상을 초월해 모든 기상 상태에 대해 어느 정도 영향을 미치는 것"도 가능하다고 했다. 필요한 것은 대중의 지지와 연구 자금이었다. 두 가지가 주어진다면 "결국 기상을 주문하는 대로 만들 수 있을 것"이었다.

오빌은 자신의 이야기에 젖어들어 그 의미에 대해 설명했다. 우선 "소련이 불리한 위치에 서게 될 것"이라고 썼다. "기상은 통상 서쪽에서 동쪽으로 움직이기" 때문이다. 기상 패턴에 영향을 줄 수 있다는 것은 미국 시민에게만 도움이 되는 것이 아니고, 무기로 쓸 수도 있었다. 오빌은 그 점을 설명했다. 기상을 통제하게 되면 "적진에 비를 퍼부어 물에 빠뜨리거나 농작물에 필요한 비를 내리지 않게 해서 적의 식량 보급에 타격"을 가할 수 있게 된다.[15]

이것은 1950년대에 냉전이 본격화되면서 온갖 토론의 맨 앞자리를 차지한 주제였다. 소련은 그 영공에서 움직이는 "종자 구름"에 의해 만들어진 "억수같은 비" 때문에 약화될 수 있다고 과학 기고가 프랭크 캐리Frank Carey는 주장했다. 아니면 "반대의 효과가 바람직할 경우 그 구름을 '흩어' 버려 식용 작물을 마르게 하는 파괴적인 가뭄을 일으킬" 수도 있었다. 다행히도 "대부분의 기상은 서쪽에서 동쪽으로 움직이기 때문에 소련이 보복할 방법은 별로 없다"고 오빌과 같은 생각을 덧붙였다.[16] 더욱 야심찬 구상을 갖고 있던 텍사스 출신 상원의원이자 미래의 대통령인 린든 존슨은 한 가지만 생각하라고 말했다. "우주에서 무한한 세계의 주인은 지구의 날씨를 통제하고, 가뭄과 홍수를 일으키고, 조류를 변화시키고 해수면을 끌어올리고, 멕시코만류의 흐름을 바꾸고, 온화한 날씨를 혹독한 날씨로 바꾸는 힘을 가질 수 있다."[17]

기후 통제에 대한 온갖 낙관적인 주장들에도 불구하고 실험 결과는 실망스러운 것으로 드러났다. 비구름 파종은 이론적으로는 물론이고 실제상으로도 들어맞았지만, 경제성을 인정할 수 있을 정도로 많은 비를 내리게 하기는 어려웠다(더 나아가 불가능했다). 전략 무기로서든 미국과 기타 지역의 농민들을 돕기 위해서든 말이다.[18] 자금 지원은 계속됐다. 남들이 먼저 기상 변개 기술을 개발할지 모른다는 우려가 그 한 이유였다. 그런 일이 일어난다면 결과는 참혹할 것이라고 오빌은 경고했다. 그는 이렇게 말했다. "우호적이지 않은 나라에서 우리보다 먼저 기상 통제 문제를 해결하고 대규모 기상 패턴을 통제하는 위치에 서게 된다면 그 결과는 핵전쟁보다도 더 파멸적일 수 있다." 〈뉴욕 타임스〉 1958년 1월 1일자 1면에 실린 기사의 필자는 그 의미를 이렇게 말했다. "뉴욕시는 수백 미터 높이의 얼음으로 덮이거나 수백 미터 깊이의 물에 잠길 수 있다. 온도를 높이느냐 낮추느냐에 달린 일이다."[19]

매사추세츠공과대학(MIT)의 헨리 호턴Henry Houghton 교수는 "실행 가능한 기상 통제 방법을 소련이 먼저 개발했을 경우의 결과를 생각하면 오싹"할 수밖에 없었다. 소련의 날씨에 관한 진전은 "우리 경제와 우리의 저항 능력을 상당히 약화시킬 수 있었다." 그런 일이 의도를 가지고 추진한 결과든 우연히 일어났든 상관없이 말이다.[20]

이런 조바심은 소련이 이룬 기술 진보로 인해 고조됐다. 핵무기 개발에서뿐만 아니라 1957년 10월 인공위성 스푸트니크호 발사를 이끌어낸 우주 사업 추진에서도 마찬가지였다. 스푸트니크호 발사는 미국을 깜짝 놀라게 했고, 일부 분야에서 공포에 가까운 충격을 유발했다. 이것이 일부에서 이야기했듯이 "선전전의 우세"를 의미하기 때문만이 아니라 소련의 탄두 무기를 위한 탄도학과 발사 체계를 드러냈기 때문이다.[21] 미국

과학자들은 소련 우주선이 찍은 달 뒷면 사진을 자세히 살폈다. 그리고 그것을 가능하게 한 기술에 대해서도 살폈다.[22]

당연한 일이지만 이는 소련이 기상 변개에서도 진전을 보이고 있는 건 아닌지 하는 우려를 불러일으켰다. 1946년, 평년보다 훨씬 높은 기온(특히 6월)으로 인해 심각한 가뭄이 들면서 소련에서 농업 생산성이 가장 높은 지역 대부분에 흉년이 들었다.[23] 그에 따라 심각한 기근이 발생해 1948년까지 이어졌으며, 100만 명 이상이 목숨을 잃었다. 제2차 세계대전 동안 2400만에서 2700만 명이 사망한 데 더해진 것이다.[24] 그 결과 가운데 하나가, 어느 학자가 "세계 최대의 생태공학 사업"이라 부른 것을 추진하는 하향식 노력이었다. 즉 소련의 기후를 변화시키는 계획이었다.[25]

1948년 10월 20일에 발표된 '스탈린 자연 개조 대계획'은 인위적 요인에 의한 기후 변화의 영향에 대응하려는 치밀한 시도였다. 스탈린 자신이 자연계에 인간이 영향을 미치는 것에 대해 확신을 품고 있었다는 점에 비추어 이런 구상을 하고 승인까지 됐다는 점 자체가 주목할 만했다. 그는 1930년대에 이렇게 썼다. "지리적 환경은 의문의 여지 없이 사회 발전의 한결같고 필수불가결한 조건들 가운데 하나다." 그러나 지난 3천 년 동안 "유럽의 지리적 조건은 전혀 변하지 않았거나 아주 미미하게 변했다." 무의미할 정도로 말이다. 자연계의 중대한 변화에는 "수백만 년이 필요"하다고 그는 덧붙였다. 이는 차이가 생겨나는 데 "수백 년이나 1천~2천 년이면 충분"한 "인간 사회의 제도"와는 달랐다.[26]

이제 대평원을 600만 헥타르의 새로운 삼림으로 변모시킬 계획이었다. 여덟 개의 띠 형태의 삼림 지대가 이어지고 모래와 흙도 안정화된다. 그것이 중앙아시아에서 불어오는 바람을 막아주는 역할을 하고, 그럼으로써 러시아 남부의 기온을 떨어뜨리고 동시에 이 지역에 비가 내리게 하는 것이다. 1950년에 추가된 새로운 법령들은 이 대규모 생태 개조의 범위를 확대했으며, 댐과 수력발전소를 건설하고 새로운 수로망을 만들고 더 많은 나무를 심는 사업들을 주문했다.[27]

이 야심찬 계획은 소련 안에서 선전의 핵심 요소가 되었다. 삼림관리부 장관은 이렇게 물었다. "자본주의 국가 가운데 어느 국가가 그런 웅대한 규모의 사업을 추진할 수 있겠는가? 어느 나라도 그런 사업을 할 수 없다. 그들은 인민에게 관심이 없고, 그들의 돈가방을 지키는 것에 관심이 있다. 그들 자신의 것과 여타 인민의 것을 강탈한다. 이것이 유산자 국가의 사업의 바탕에 깔려 있다."[28]

야망과 의기양양한 자만은 결과와 부합하지 않았다. 우선 자연 개조에 무엇이 수반되고 수반될 수 있고 수반돼야 하는지에 관한 중앙의 계획은 소련의 큰 사업들이 흔히 그렇듯이 형편없는 것으로 드러났다. 그 이유로는 개성 충돌뿐만 아니라 끝없는 관료적 내분도 있었다. 또 하나, 목표와 방법 모두를 뒷받침하는 과학에 관한 가정이 도무지 기대했던 것만큼 강력하거나 선진적이지 않았다는 것이다.[29]

사실 1953년 3월 스탈린이 죽은 이후 이 사업은 추진력을 잃었고, 삼림관리부는 폐지됐으며, 삼림 관리를 위해 고용된 노동자 대다수는 해산됐다.[30] 이제는 새로운 시대를 위한 시간이라고, 니키타 흐루쇼프는 1956년 2월 모스크바에서 열린 공산당 제20차 대회 비공개 회의 때 한 유명한 연설에서 스탈린의 통치를 평가하며 말했다. 스탈린은 아무 데도 가지 않았고, "노동자와 집단농장 농민들을 전혀 만나지 않았으며", 농촌 문제에 대해 아는 것이 별로 없었고, 농촌 지역은 완전히 그의 능력 밖이었다. 그가 마지막으로 시골 마을을 찾은 것은 1928년이었다. 대신에 그는 "잔뜩 꾸미고 시골의 실제 상황을 모두 멋지고 아름답게 만든 영화들"에 의존했다. 농촌의 식탁은 칠면조와 거위의 무게에 짓눌려 신음하고 있는 모습이었다. 그가 주도한 일들이 성공적으로 마무리된 적이 없는 것도 이상할 것이 없었다.[31]

스탈린의 다른 죄악 가운데는 당원들을 그릇되고 날조된 혐의로 고문하고 처형한 것, 외교정책상의 잘못, 그에 대한 개인숭배 위험성 같은 것들이 있다고 흐루쇼프는 말했다. 몇 시간에 걸친 그의 연설은 듣는 사람들에게 충격을 주었다. 스탈린은 스스로를 천재라고 생각했다고 흐루쇼프는 거듭 말했다. 그리고 천재가 "자신의 견해를 표명하면 모든 사람이 그것을 복창하고 그의 지혜를 찬양해야 했다." 특히 스탈린처럼 큰 권력을 손에 쥐고 있는 경우에는 말이다. 스탈린은 "설득, 설명, 인민과의 인내심 있는 협력을 통해 행동한 것이 아니라 자신의 관념을 강요하고 자신의 생각에 대한 절대적 복종을 요구했다." 소련 농업의 문제와 실패는 오롯이 스탈린의 책임이었다. 이제 그것을 고쳐야 하고, 과거로 돌려야 한다고 흐루쇼프는 말했다. 세계 속에서의 소련의 위치에서부터 국내의 환경 문제 처리에 이르기까지 새로운 접근법을 선보일 때였다.[32]

그런 계획 가운데 일부는 극히 야심찬 것이었다. 미국에서는 소련의 여러 연구 기관에 소속된 학자들이 수행하는 구름의 물리학에 관한 연구에 상당한 관심이 기울여졌다. 미국의 과학자와 정보 장교들이 수집한 자료를 맞추어 보며 누가 어떤 사업에서 일하고 있는지, 어느 곳에서 어느 정도나 성공을 거두었는지 살폈다.[33]

소련 과학자들은 극지 빙모의 융해를 조사하고 있었으며, 또한 "북반구 전체의 바람 순환 패턴을 뒤집어엎을 대규모 공공사업 계획"을 짜내고 있었다. 소련 사람들의 생각은 매우 앞서가고 야심찼다. 아르카디 마르킨Arkady Markin이라는 한 공학자는 베링해협을 가로지르는 제방을 설계하는 국제적인 사업을 제안했다. "태평양의 따뜻한 물을 더 차가운 북극해로 퍼넣고" 때로는 반대 방향으로 퍼넣으며, "그린란드 해류, 래브라도 해류 등 차가운 해류를 상쇄"시켜 뉴욕, 런던, 베를린, 스톡홀름, 블라디보스토크의 기온을 몇 도 끌어올리자는 것이었다.

그럼에도 불구하고 "소련은 점차 과학 및 기술의 우위를 늘려 싸우지 않고도 우리를 이길 수 있다"고 '수소폭탄의 아버지' 에드워드 텔러Edward Teller는 말했다. 소련은 "과학에서 빠르게 앞서 나가 우리가 훨씬 뒤처져" 있으니 "거기에 대해 우리가 할 수 있는 일은 아무것도 없었다." "그들은 이런 새로운 종류의 통제력을 갖고 있고 우리는 그러지 못한다면 어떤 식의 세계가 되겠는가?"[34]

이런 우려는 터무니없이 야심찬 지구공학(기후공학이라고도 한다) 분야의 현재 및 장래의 연구에 자금을 제공하도록 의회를 설득하기 위해 꼼꼼하게 고려된 것이었다. 그중에는 "극지 얼음 표면에 유색 물감을 대량으로 부어 얼음을 녹이고 현지 기후를 변화시키는" 것에서부터, 거대한 우주 거울을 "거대 확대경"으로 삼아 태양 광선을 모아 "과수원의 동결을 막거나 대서양의 빙산을 녹이고, 얼어붙은 항구를 열"거나 "밤중에 온 도시와 기타 지역에 안전한 조명을 제공"하는 것까지 들어 있었다.[35]

그리고 "최대의 파괴력"을 가진 원자력이라는 원초의 힘이 있다고, 아이젠하워 대통령은 1953년 유엔에서 한 〈평화를 위한 원자력Atoms for Peace〉이라는 제목의 연설에서 말했다. 그럼에도 불구하고 그것은 "온 인류의 이익을 위한 큰 선물로 개발"될 수 있으며, "세계의 공포가 아니라 그 필요에 이바지"하는 데 사용될 수 있었다. "사막에 초목이 우거지게 하고, 추운 곳을 따뜻하게 하며, 배고픈 자를 먹이고, 세계의 고통을 완화"시킬 수 있었다.[36] 에너지 가격은 너무 싸져서 거기에 가격을 붙이는 것이 무의

미해질 것이라고 일부 고위 관리는 주장했다.[37]

그것이 물리학자와 공학자들이 이용할 수 있는 새로운 동력들이니 이제 "약간 흠결이 있는 행성"을 바로잡을 때가 되었다고 에드워드 텔러는 주장했다. "자연의 흠결을 교정"할 기회와는 별개로, "새롭고도 중요한 학문"인 "지구공학"은 무한한 가능성을 열어놓았다. "우리는 지구 표면을 우리에게 맞게 변화시킬 것"이라고 그는 말했다. 핵폭발 같은 새로운 기술은 "인간으로 하여금 많은 풍광을 개조할 수 있게 할 것"이다.

이런 변화들은 풍광을 개조하는 데 그치지 않았다. 원자력은 물고기 유전자의 돌연변이를 유발할 수 있어 "고급 음식으로서의 가치가 있는 새로운 품종"을 만들 수 있었다. 그뿐이 아니었다. 고압 폭발은 탄소를 "지구상에서 가장 단단하고 가장 희귀하고 가장 아름다운 물질, 즉 다이아몬드"로 변화시킬 수 있었다. "100년이나 200년 후에 지구를 찾는 사람이라면 누구도", 일어났을 다른 변형은 고사하고 "주요 지형지물"도 알아보기 어려울 것이라고 당대의 군사사학자 랠프 샌더스Ralph Sanders는 말했다.[38]

소련의 과학자들도 똑같이 거창한 약속을 하고 있었다. "인간의 천재성은 무한"하기 때문에 핵폭발을 통해 이룰 수 있는 "굉장한 결과"에는 한계가 없다고 아르카디 마르킨은 주장했다. "산맥에 새로운 협곡"을 만들거나 새로운 섬을 만들고 새로운 "수로, 저수지, 바다"도 만들어 자연을 개조할 수 있었다. 앞으로 분명히 더 많은 일이 이루어질 것이라고 니콜라이 루신Nikolai Rusin과 리라 플릿Lila Flit은 〈인간 대 기후Man versus Climate〉에 썼다. "우리는 그저 자연 정복의 문턱에 서 있을 뿐이다."[39]

또 다른 소련 작가는 몇몇 다른 구상들이 곧 실현 가능해질 것이라고 주장했다. 북극 빙모의 융해, 북아프리카 기후의 변경, 차드호 및 콩고호의 형성, 사하라 사막의 관개 같은 것들이다. 이런 것들이 "넓디넓은 비옥한 경작지"를 만들어내 "인류의 이익을 위해 1년에 이모작, 심지어 삼모작의 수확"을 제공할 것이다. 이것은 "아프리카인들의 민족 해방을 위한 투쟁"에 도움을 줄 것이다.[40] "수십 년 안에" 거대한 댐과 수로, "전체 바다를 다룰 수 있는 양수장, 그 밖에 아직 알려지지 않은 기타 시설들"이 인간으로 하여금 세계의 "난방 설비"를 완전히 통제할 수 있게 할 것이라고 작가는 예측했다.

유일한 장애물은 "자본주의가 계속 존재하는 것"이라고 그는 이어갔다. 그것이 "인간이 더 행복한 곳으로 나아가는 것을 방해하는 족쇄" 노릇을 하고 있었다. 그는 이렇게 결론지으면서 이를 다행스럽게 여겼다. "아무것도 역사의 행진을 멈추게 할 수 없다. (…) 밤이 지나면 낮이 오듯이 승리는 분명하게 올 것이다." 지구를 변형시키고 한계 짓는 능력은 "한도가 없다"고 그는 썼다.[41]

이 멋진 신세계에 대한 온갖 약속에도 불구하고 보여준 것은 별로 없었다. 사실 과학이 인간의 진보를 도울 것이라는(또는 너무 무시무시해서 단극單極의 세계를 만들어내고 그것을 유지할 파멸적인 신무기를 만들어낼 것이라는) 주장은 이미 일부 관찰자들을 짜증나게 했다. 그들은 그 약진이 약속한 것만큼 금세 오는 것도 아니고 그만큼 극적인 것도 아니라고 결론지었다. 미국의 한 고위 관리는 "1온스의 특정 생물질만 가지고도 2억 명을 죽이기에 충분하다"는 주장에 대해 경멸을 퍼부었다. 이런 주장들은 "공상적이며 현실적 근거가 없었다."

1946년 미국 전쟁부 장관을 위해 작성된 〈머크 보고서Merck Report〉의, 생물학전으로 인해 야기될 가능성이 있는 일들에 관한 진술들은 "터무니없고 부정확하며 현재의 과학 지식에 비추어 과도하게 치장"됐다는 이유로 일축됐다. 대략 비슷한 시기의 한 보고서가 미래를 너무 멀리 내다보고 "공상과학소설 〈벅 로저스〉에 나오는 것 같은 전쟁이 도래했다거나 10년 이내에 도래할 것"이라고 생각하는 것의 위험성에 대해 경고했음을 감안하면 역설적이다.[42]

1960년대 중반에 발표된, 미국국가과학원(NAS)의 국가연구위원회에 제출된 한 고급 보고서는 과거 10년에 대해 조사해보니 "매우 흥미로운" 결과가 나왔으며 "기상 변개에 관한 장래의 노력"에 대해 고무적이었다고 지적했다. 그러나 전체적인 평가는 "기상 변개에 관한 대규모 운영 계획 마련에 나서는 것은 아직 시기상조일 것"이라고 덧붙였다. 실질적인 진보가 이루어지기 전에 답이 필요한 "근본적인 문제들"이 있었다. 따라서 대체적으로 보아 "성공에 필요한 시간"은 수십 년 단위로 계산돼야 함을 "강조해둘 필요가 있다"고 보고서의 저자들은 지적했다.[43]

이 무렵에 여론은 자연환경에 영향을 미치는 실험에 대해 그저 회의적인 정도가 아니라 어떤 경우에는 적극적으로 반대하는 상황에까지 이르렀다. 이것은 핵전쟁이 일어날 경우의 영향에 대한 우려와 겹쳐졌다. 또는 달 표면에서 핵무기를 폭발시키는 실험이 이루어질 경우에 대해서였다. 이런 일들은 미국의 일부 집단에서 진지하게, 그리고 자주 논의됐다.[44]

수학자 존 폰 노이만John von Neumann 같은 유명한 대중적 지식인들은 인간이 의도적으로 기후 조작에 나서면 핵전쟁보다 더 큰 영향을 미칠 수 있다고 경고했다. 그의 글 제목 〈우리는 기술 발전에서 살아남을 수 있을까Can We Survive Technology?〉는 인간의 발전이 스스로 완전히 이해하지도 못하고 통제하지도 못하는 괴물들을 만들어내고 있다는 데 대해 점점 공포가 커지고 있음을 잘 알려준다.[45]

이것도 경보를 울릴 만한 한 가지 사유가 되겠지만, 우유에 스트론

튬-90 동위원소가 많이 들어 있다는 언론 보도가 쏟아지는 것은 더욱 분명한 사유였다. 심지어 잡지 〈플레이보이〉조차도 "오염원"에 관한 사설을 실어 아이들이 "제 명대로 살지 못하고 죽거나 (…) 이상한 돌연변이가 생길" 수 있다고 경고했다. 존 F. 케네디 대통령은 국민을 안심시키고자 하는 의도에서 우유를 마시는 장면을 찍게 하고 자신이 백악관에서 식사 때마다 우유를 마신다고 말했다.[46]

자연을 변개하는 것의 영향에 대해 기울여진 듯한 생각은 그 결과를 경시했다. 남아메리카와 아프리카의 새로운 수로를 열거나 알래스카에 새로운 심해 항구를 만들기 위한 핵폭발에 따른 방사성 낙진은 "무시할 만하다"라고 텔러는 주장했다. 지하 폭발은 방사능이 지구 표면 아래 깊숙이 갇혀서 그 영향이 최소화될 수 있었다.[47]

이런 기대와 약속은 결국 실현되지 않았다. 군용과 일반용으로 제작된 다양한 영화들은 원자력의 긍정적인 잠재력에 대해 많은 것을 보여주기는 했지만 새로운 에너지가 끔찍한 고통을 초래할 수 있다는 점도 명확하게 보여주었다. 〈플럼밥 작전Operation Plumbbob: Military Effects Studies〉(1957) 같은 영화들은 핵실험에 노출된 돼지들에 끼친 끔찍한 영향을 보여주었다. 〈네바다의 핵실험Atomic Tests in Nevada〉(1955) 같은 영화는 밤의 정적에 싸여 있는 유타주 세인트조지의 모습으로 시작된다. 해설자는 이렇게 말한다. "동트기 전 새벽 5시. 인적이 끊긴 시간이다. 모든 것이 닫혔다. 모든 사람이 자고 있다." 도시가 깨어나고 사람들이 일터로 나가기 전에 하늘은 눈부신 흰색으로 변했다. 모두가 일어나 자신의 일상 업무를 시작했다. 해설자는 관객에게 말한다. 설득력 없이 말이다. "흥분할 만한 일은 없었다." 주민들은 이전 실험들을 통해 그 광경을 여러 차례 봤다. 그러나

그들이 지금은 희망의 시대가 아니라 공포의 시대라는 생각을 떨쳐버리기란 쉽지 않았다.[48]

태평양 존스턴환초 상공의 고고도 실험에 앞서 벌어진 시위, '채리엇 프로젝트CHARIOT Project'(새로운 항구를 만들기 위해 몇 차례 핵무기를 폭발시키는 계획이었다)를 둘러싼 논란, 네바다에서 실험된 '세단Sedan' 수소폭탄 폭발(미국인의 약 7퍼센트인 1300만 명 이상이 노출됐다)은 더 엄격한 지침을 촉발했다.[49] 이는 1963년 4월 케네디 대통령의 국가안보 각서 제235호로 정리됐다. "물리적 또는 생물학적 환경에 중대하거나 지속적인 영향을 미칠 수 있는 대규모 과학 및 기술 실험 수행을 통제하는" 것이었다.

그로부터 몇 달 후에 부분핵실험금지조약이 나왔다. 1962년 쿠바 미사일 위기와 제3차 세계대전 발발 가능성으로 대중의 불안감이 커져가고 핵무기에 대한 반대 시위가 늘고 있는 상황에서 조인됐다.

1957년 9월, 소련 첼랴빈스크의 마야크Mayak 핵 시설에서 사고가 일어났다. 저장고가 폭발해 당시로서는 역사상 최악의 핵 사고가 되었다. 그리고 지금도 방사성 물질 누출 기준으로 체르노빌과 후쿠시마 재난 바로 다음의 위치를 차지하고 있다.[50] 앞으로 보겠지만 이 시기에 미국과 소련의 관계가 우호적이었던 데는 다른 요인들도 작용했다.[51]

자연환경을 변모시키거나 날씨를 변개하는 일을 들여다보고 있었던 것은 미국과 소련뿐만이 아니었다. 미국 정부가 비구름 파종 계획을 검토하고 있다고 발표한 지 1년이 지나지 않아 오스트레일리아, 프랑스, 남아프리카공화국에서 연구가 시작됐다. 12개월 후, 최소 12개국이 이 분야에서 실험을 진행하고 있었다. 1950년 말에는 대략 30개국이 그 일을 하고 있었다.[52]

그러나 투자에 비해 건지는 것이 적어 1950년대 말에는 흐지부지됐다.

그럼에도 물리적 환경을 변화시키려는 야망은 수그러들지 않았다. 인도에서는 독립이 인도 사회를 변화시키고 현대화할 대규모 생태계 변경의 계기였다. 그것이 적어도 사르다르 바하두르Sardar Bahadur〔영국 식민지 시기에 인도인에게 준 명예 칭호의 하나〕였던 다타르 싱Datar Singh(제국농업연구위원회 부위원장이었다) 같은 고위 관료들의 소망이었다. 그는 이렇게 썼다. "수백 년 동안 인도 농민들은 옛날 쟁기와 낫을 사용해왔다. 수백 년 동안 그들은 비인간적인 고통과 고역에 시달려왔다. 그림을 다시 그려야 할 때가 왔다. 5천 년을 거슬러 올라가는 옛 모헨조다로 시기의 원시적인 농민경제는 과학적 발전과 과학적 기술로 대체돼야 한다. 그래야 농민들이 교육을 받고 문화를 추구할 여가를 가질 수 있다."[53]

이를 위한 한 가지 방법은 '증산Grow More Food' 계획 같은 협력 사업을 벌이는 것이었다. 이 계획은 1947년에서 1951년 사이에 국내의 곡물 생산을 증대시키는 일로 이어졌다. 또 하나는 정부가 양곡을 통제하는 것이었다. 정부는 1948년 9월에 관련 조치를 발동했다.[54]

나라를 현대화하는 또 하나의 방법은 여러 가지 초대형 사업을 벌이는 것이었다. 인도는 독립 전에 높이 3미터 이상의 댐이 30개에 불과했다. 한 고위 관료가 이야기했듯이 이제 댐은 "새 인도의 열망의 상징"이 되었고, "흘러나오는 축복은 이 세대에서 후손에게 주는 영원한 선물"이었다. 댐, 수로, 송전선, 도로, 그 밖의 것들은 모두 진보의 동력일 뿐만 아니라 자연의 변덕(그리고 특히 기상 이변)에 대한 의존에서 벗어나는 방법으로 보였다. 댐은 인도, 그리고 인도인이 "최악의 계절 강우 부족" 속에서도 안전할 것이라는 의미였다. 따라서 그것들은 그들이 "독립을 이루기" 전에 계획을 세우거나 심지어 바랄 수조차 없었던 민족의 새로운 미래를 상징했다.[55]

대규모 건설 공사를 통해 현대화를 이루는 과정에서 인간과 생태계가 치러야 했던 희생에 대해서는 그다지 이야기되지 않았다. 인도에서는 댐 건설 사업으로 인해 4천만 명이나 되는 사람들이 터전을 떠났으며, 다른 주요 건설 공사로 인해서는 1천만 명이나 되는 사람들이 떠났다. 그리고 토양의 염도 증가, 삼림과 경작지의 범람, 강의 폐색 및 유로 변화, 자연 배수에 대한 영향 등 수많은 영향을 미쳤고 그 영향은 20세기 후반에 가서야 분명하게 드러나게 된다. 이들에 앞서 말라리아의 확산, 어종 감소, 물 공급을 둘러싼 부패 만연, 댐 붕괴로 인한 재앙 등이 나타났다. 한 학자가 지적했듯이 수혜자는 부유한 지주 계급이었다. 반면에 떨려난 사람들은 "빈곤화와 가중된 주변화"로 고통을 당했다.[56]

그러나 댐 건설은 단순히 위신이나 허세와 관련된 것만이 아니었다. 특히 미국에서 댐은 굶주림을 막는 데 긴요한 것으로 여겨졌다. 평화를 촉진하는 역할도 했다. 해리 트루먼 대통령은 창장 유역으로부터 도나우강 유역까지의 거대한 댐들을 마음속에 그리며 회의론자들을 경멸했다. 그는 한 보좌관에게 이렇게 말했다. "이런 일들은 할 수 있어. 그리고 누구한테도 거기에 모자란다는 말을 들어선 안 돼." 댐이 건설되고 "수많은 사람들이 더 이상 배고프지 않고 압박을 받지 않고 시달리지 않게 되면, 그때는 전쟁의 명분이 그만큼 줄어드는 거야" 라고 그는 말했다.[57]

트루먼은 댐 건설 옹호론을 펼치면서도 인도는 염두에 두지 않았다. 무엇보다도 그는 인도를 "가난한 사람들 천지에, 소들이 거리를 활보하고 사람들이 갠지스강에서 목욕하는" 나라로만 생각하고 있었기 때문이다. 그는 어쩌면 이런 얘기를, 코네티컷 주지사를 지낸 민주당 정치 지도자 체스터 볼스Chester Bowles가 1951년 인도 주재 미국 대사로 임명되자 관심을 표하면서 입에 올렸을 수도 있다.[58]

그럼에도 불구하고 트루먼과 그의 대통령 후계자들은 이런 사업들이 매우 유익하다는 생각의 열렬한 옹호자로서 나일강, 티그리스강, 요르단강, 인더스강, 메콩강, 이라와디강, 갠지스강 유역에서의 사업 추진을 격려했다. 이런 사업들은 어느 학자의 표현대로 '기술관료 전사 엘리트' 지위를 얻은 건설자들이 주도했다. 그 전형적인 사람이 하비 슬로컴Harvey Slocum이었다. 그는 226미터 높이의 인도 히마찰프라데시주 바크라낭갈Bhakra Nangal 댐(그 저수지는 90억 세제곱미터의 물을 담고 있다)의 수석 설계자다. 슬로컴은 겸손하게 자신이 "나폴레옹, 아이젠하워, 알렉산드로스 대제, 나아가 모든 위대한 장군들"을 잇는 계보의 일부라고 생각했다.[59]

댐은 또한 이웃하는 경쟁국들이 서로 협력할 수 있는(또는 서로에게 도전할 수 있는) 길을 제공했다. 1947년 '분할'을 통해 인도와 파키스탄이라는 별도 국가를 창설한 이후 인도는 바리도아브Bari Doab에서 파키스탄으로 가는 물길을 끊었다. 인더스강의 주요 수로 가운데 하나였다. 이는 무력 충돌로 이어지고 전면전으로 비화하기 직전까지 치달았으며, 이슬람교도와 힌두교도들이 남아시아의 한 부분에서 다른 부분으로 대거 이주해야 하는 상황이 되었다.

이 분쟁은 확대돼 금세 유엔에 회부됐다. 파키스탄은 국민 "수백만 명의 생존"이 달린 "물길을 끊는" 것은 "국제사회의 범죄이며 (…) 유엔 회원국의 의무 위반"이라고 주장했다. 반면에 인도는 "자국을 흐르는 강물에 대한" 권리를 주장하면서, 국제법은 '분할'의 독특한 상황 때문에 이 특수한 경우에 적합하지 않다고 역설했다.[60]

카슈미르 문제는 "이제 전쟁이 아니면 해결될 수 없을 것"이라고, 미국원자력위원회(AEC) 위원장을 지낸 미국 행정부의 고위 인사 데이비드 릴리엔솔David Lilienthal은 썼다. 인도는 "더 많은 물을 사용하지 않으면 굶주리게 된다." 한편 파키스탄은 당연히 "장래에 대한 두려움"을 느낄 수

밖에 없었다. 그러나 긴장은 상식과 공학으로 완화될 수 있었다. "전체 인더스 수계"가 단일체로서 "한 단위로 개발돼 설계되고 건설되고 운영"되면 문제는 크게 개선될 수 있었다. 마치 미국의 테네시강 유역개발공사(TVA)처럼 말이다.[61] 용수권을 둘러싼 협정을 중재하려는 노력은 20년 후 베트남에서의 갈등 악화를 해결하려는 미국의 노력과 비슷했다. 이때 린든 존슨 대통령은 정확하게 같은 방식의 해소를 제안했다. 메콩강의 거대한 댐과 관개시설 건설이었다.[62]

문제를 찾아내고 해결하는 시각이 편협한 것도 두드러졌지만, 이뤄낸 성과가 제한적인 것 역시 마찬가지였다. 어떤 경우에는 그저 사태를 악화시키는 냉엄한 현실도 있었다. 미국과 소련 사이의 경쟁은 제2차 세계대전이 끝나고 냉전이 시작되면서 격화됐다. 경쟁의 무대는 온 세계였다.

미국과 유럽이 특별한 관심을 기울인 곳은 서아시아였다. 지리적 위치 때문이기도 하고, 그곳에 막대한 석유가 부존돼 있기 때문이기도 했다. 이란은 "자유세계 방어선 외벽의 약한 지점"으로 여겨졌기 때문에 상당한 관심을 끌었고, 따라서 떠받칠 필요가 있었다. 한 가지 분명한 문제점은 이란 주민의 4분의 3이 땅을 전혀 소유하지 못하고 자산도 별로 없는 소작농이었다는 점이다. 또 하나는 대출 이자가 터무니없는 정도가 아니라 징벌적인 수준이었다는 것이다. 돈을 빌리려면 75퍼센트나 되는 이자를 내야 했다.[63]

이에 따라 이 나라의 현대화를 돕기 위해 상당한 노력이 기울여졌다. 미국 최대의 자선 조직이자 미국 정부 최상층에 완벽한 연줄을 대고 있는 포드재단이 앞장섰다. 이란에서의 사업을 지휘한 1950년대의 재단 이사장 폴 호프먼Paul Hoffman은 제2차 세계대전 이후 서유럽의 재건을 도운 미국의 대외원조 제공 사업이었던 유럽부흥계획(마셜플랜으로도 불린다)

이행을 지휘한 전력이 있었다. 재단은 소액금융 계획을 도입하고, 농민들을 유럽의 구매 대리인들과 연결시켰다. 또한 생산 방법을 향상시키고 지역 문제에 대해 더 많은 공동체의 참여를 자극하고 지불 능력을 개선하는 사업들을 추진했다.

여기에 더해 미국 정부는 원조 자금도 쏟아부었다. 1946～1953년에는 매년 2700만 달러 수준이었지만 1953년 모함마드 모사데크Moḥammad Moṣaddeq를 권좌에서 몰아낸 미국 중앙정보국(CIA) 기획의 쿠데타 이후에는 매년 평균 1억 2천만 달러 이상으로 늘렸다. 물론 대규모 댐에 댄 자금도 있었다. 이번에는 테헤란 인근의 카라지 댐이었다.[64]

이런 움직임에 대해 이란의 정치 기득권층은 거의 완전한 무관심으로 대했다. 그들은 개혁으로 얻을 것이 별로 없는 입장이었고, 심지어 손해를 볼 수 있었다. 아마도 더욱 좋지 않았던 것은 이란의 현대화를 도우려는 모든 노력에도 불구하고 최종 결과는 정반대였다는 점이다. 우선 장기적으로 서방에 의존하게 되었다. 또 군사 장비(주로 미국 것이었다)에 많은 돈을 지출해 미국 계약자들에게 보상을 제공하는 과정에서 이란 상류층의 손에 경제적·정치적 권력이 집중되는 데 일조했다. 그리고 이란 국민들 다수의 끓어오르는 분노가 모였다. 그것이 강경파 이란민중당(투데당)이나 아야톨라인 호메이니Rūhollāh Khomeinī 같은 종교인들이 활용하기 딱 좋은 상황이 되었다. 호메이니는 주저 없이 이란의 불평등을 지적하면서 그 책임이 미국에 있음을 보여주었다.[65]

아프가니스탄에서도 사정은 비슷했다. 이 나라는 20세기 전반기에 좋은 상황이었고, 제2차 세계대전이 끝날 무렵 1억 달러를 비축하고 있었다. 그러나 모함메드 다우드Mohammed Daoud 총리는 이렇게 말했다. 아프가니스탄은 "후진국이다. 무언가를 하지 않으면 나라가 망한다." 그는 댐 건설에 특히 신경을 썼다. 이에 따라 헬만드강 유역의 계획이 세워졌다. 그러나 그것은 아프간인의 꿈을 실현하기는커녕 악몽이었음이 드러났다. 지하수면이 너무 높게 올라갔을 뿐만 아니라 염도 증가로 금세 큰 문제가 되었다. 많은 건설비가 들었고, 건설 과정에서 기술자들의 임금도 많이 들었다. 비용은 농민들에게 전가됐는데, 그들은 이 사업 때문에 미국에서 빌린 돈을 갚기 위해 설계된 비효율적인 세금도 내야 했다. 아마도 더 좋지 않았던 것은 소련의 경쟁심을 유발했다는 것이다. 소련은 이 지역에서 영향력을 잃지 않으려 애쓰고 있었다. 그것이 잘랄라바드 댐 건설과 대규모의 아무다리야강 개발로 이어졌다. 자금은 미국이 준 것의 세 배에 해당하는 차관으로 댔고, 그 차관 상환 조건은 거의 감당하기 어려운 것이었다. 이 모든 것이 왕과 정부의 신뢰성을 흔드는 데 일조했다. 이후 혼란이 일어날 상황을 마련한 것이었고, 그 혼란은 오늘날에도 계속되고 있다.[66]

환경에 대한 비슷한 개입은 세계의 다른 곳들에서도 시도됐다. 미국과 소련 양쪽 모두였고, 마음을 얻기 위한 싸움의 일환이었다. 결과는 흔히 기대에 못 미쳤다. 예를 들어 "공산주의 선동의 풍요로운 들판"으로 인식된 라틴아메리카에는 미국에서 개발된 관행과 모형을 도입하기 위한 노력이 기울여졌다.

베네수엘라는 그중 하나로 새로운 영농 방법을 도입했다. 수확량을 늘리기 위해 화학비료를 많이 사용하고, 식량 조달 계획을 세우며, 공급망을 최적화하는 것 등이었다. 그 의도는 나라의 경제를 안정시키고, 노동조합의 과격함을 누그러뜨리며, 베네수엘라 중산층에게 현대적 생활의 편리함(자급식自給式 슈퍼마켓 같은)을 제공해 그들을 자극하고 동시에 보상을 주고자 하는 것이었다. 그러나 실제로는 의혹과 분노를 불러일으켜, 한 라디오 해설자의 표현대로 나라를 "거대한 경제 노예 농장"으로 변모시켰다. 그 배후에는 베네수엘라의 식량 공급과 분배를 독점하려는(그리고 이 나라를 명목만 남기고 식민지로 삼으려는) 미국 기업가들의 계획이 도사리고 있었다.

1960년대에 이런 공포(정당한 근거가 있든 없든)는 미국의 이익과 활동의 가장 상징적인 인물인 석유 부호이자 자선가 넬슨 록펠러Nelson Rockefeller에게 '공적公敵 제1호' 딱지를 붙이기에 이르렀다(좌익 선동가가 아니라 베네수엘라 중앙은행이 붙였다). 미국의 기업들은 공격을 당했고, 시위자들은 미국 투자자들의 "우리 나라 약탈"을 끝내라고 촉구했다.[67]

미국과 소련 사이의 경쟁은 전 세계에 걸쳐 중대한 정치적·경제적·군사적 결과를 가져왔다. 그러나 그것은 생태계에도 심각한 영향을 미쳤다. 1949년에 다시 대통령이 된 해리 트루먼은 취임사에서 이렇게 말했다. "세계의 인구 절반 이상이 빈곤에 가까운 상황에서 살고 있습니다." 이는 굶주림과 고통을 이야기한 것이었다. 간단히 말해서 "그들은 먹을 것이 부족"하다고 그는 이어갔다.[68] 트루먼은 미국이 무기고에 "강력한 무기"를 갖고 있음을 확신하게 하는 보고를 받았다. "다른 나라 국민의 관심을 끌" 수 있을 뿐만 아니라 "식량, 옷, 기타 소비품" 생산을 늘릴 수 있는 "거대한 기술 자원"이 바로 그것이었다.[69]

일부에서는 트루먼에게 조심스럽게 접근해야 한다고 경고했다. 국가안전보장회의(NSC)는 1949년 12월, 아시아가 "중요한 원료들의 산지이며, 그중 다수가 전략적 가치를 지니고" 있지만, 대통령은 "아시아의 생활수준을 끌어올리는 데 따르는 책임을 세심하게 피해야" 한다고 조언했다.[70] 그렇게 하는 것은 끝없는 문제를 초래할 수 있었다. 그보다는 "역사의 시곗바늘이 세계의 다른 곳에서는 다른 시각을 가리키고" 있음을 받아들이는 것이 낫다고, 그 후 얼마 지나지 않아서 한 고위 외교관은 말했다.[71]

전 세계의 빈곤이라는 조건을 안고 좌익의 주장을 홍보하며 각국의 혁명을 부추기는 소련의 망령은 미국 정책 담당자들의 관심을 집중시켰다. 특히 아시아의 농촌 주민은 "사실상 끝이 없는 마을의 연속 속에서 복닥거리고" 있다고, 1950년대 초 트루먼 대통령의 대외원조 보좌관 이지도어 루빈Isidor Lubin은 대통령에게 말했다. 그곳은 "폭력혁명의 온상"이나 다름없었다.[72]

이것은 미국 외교정책의 진화에서 중요한 요소였다. 제2차 세계대전이 끝나고 얼마 지나지 않아 허버트 후버 전 대통령은 40여 개 나라와 지역을 방문한 뒤 식량 공급과 기근이라는 측면에서 그곳들이 직면한 문제에 관해 보고했다. 그의 기근응급위원회(FEC)가 마련한 보고서는 인도의 경우 밀 공급책이 마련되지 않으면 2억 3천만 명이 위험에 빠질 상황이라고 지적했다.

몇 년 안에 세계 수십 개국에 차관, 원조, 전문가가 제공됐다. 2천 명이 넘는 기술 전문가들이 35개 이상의 나라에서 일했다. 이런 여러 가지 사업(그 상당수는 농업 생산을 중심으로 한 것이었다)을 벌인 적어도 한 가지 이유는 과잉 인구, 자원 고갈, 굶주림이 정치 불안 및 공산주의자 봉기와 맞물려 있다고 진단했기 때문이다. 따라서 그런 사업들은 냉전(즉 미국의 국가 안보)이라는 맥락 안에서 틀이 지어졌다.[73]

그러나 매우 성공적(적어도 주요 수혜자인 유럽계 이민자들의 후예에게는)이었던 미국의 개발 모형을 답습해 세계 다른 지역의 형편을 개선하려는 진정한 욕망도 작용했다. 개선과 혁신은 1930~1940년대의 농업 생산 황금기로 이어졌다. 화학비료, 농약, 잡종 씨앗, 육종育種 계획, 기계화된 농기구, 항생제 등이 개발돼 20세기 중반에 연간 성장률이 두 배, 심지어 세 배로 뛰는 결과를 낳았다.[74] 게다가 더욱 놀라운 것은 미국의 곡물 생산량(1910년 무렵 7천만 톤가량에서 1965년 1억 톤으로, 그리고 그 10년 후 1억 4천만 톤 가까이로 증가했다)이 더 작은 식재 면적에서 나왔다는 사실이다. 식재 면적은 1954년 3200만 헥타르에서 1970년 2200만 헥타르로 줄었다.[75]

이런 대성공은 국가적인 토론과 정부 정책으로 옮겨갔다. '미국의 세기'는 미국이 미국인의 생활방식뿐만 아니라 "우리의 근사한 공산품"까지도 "모든 민족과" 공유하는 것이 미국의 "운명"임을 의미한다고 출판인 헨리 루스Henry Luce는 1941년 초 잡지 〈라이프〉에 썼다. 그는 이렇게 이어갔다. 무엇보다도 "세계적인 문명 붕괴의 결과로 기아와 빈곤에 빠진 세계 모든 사람들을 먹이는 일을 하는 것이 이 나라의 명백한 의무다."[76] 트루먼 대통령은 1949년 취임사에서 이를 비슷한 말로 표현했다. "미국은 공업 및 과학기술 발전에서 다른 나라들보다 탁월합니다. 기술적 지식에서 우리의 헤아릴 수 없는 자원은 끊임없이 늘어가고 있으며, 무궁무진합니다. 나는 평화를 사랑하는 사람들이 우리가 가지고 있는 기술 지식의 혜택을 누릴 수 있게 만들어야 한다고 생각합니다. 그들이 더 나은 삶을 향한 열망을 실현할 수 있도록 돕기 위해서입니다."[77]

트루먼은 "옛 식민주의는 (…) 우리 계획에 끼어들 자리가 없다"고 주장했지만, 이런 노력들에는 신식민주의적 열정이 들어 있었다. 따라서 발전도상국들을 지원하려는 시도에서 출발한 것이 모종의 아주 다른 것으로 바뀌었다는 사실이 중요했다. 전후 시기에 미국 농민과 생산자들은 수출 시장이 쪼그라들어 어려움을 겪었다. 전쟁으로 파괴됐던 세계의 다른 지역에서 농업이 회복되기 시작했기 때문이다. 연방정부의 곡물 창고는 수용 한계까지 꽉 찼고, 보관에 드는 연방정부 비용만 하루에 약 100만 달러였다. 1950년대 초에는 그 비용이 연간 5억 달러로 늘었다. 따라서 '평화를 위한 식량Food for Peace' 사업은 몇 가지 문제를 단번에 풀었다. 발전도상국(특히 아시아의)에 미국의 들판에서 나는 과일을 공급함으로써 빈곤을 '퇴치'했고, 미국의 가치관에 대해 문을 열고 소련의 것에 대해서는 문을 닫게 했고, 불안정과 혁명의 위협을 줄였고, 미국의 농민을 지원했고, 비축량을 줄였고, 지출을 줄였다.[78]

그것은 너무 좋아서 믿기 어려울 정도였지만, 사실이 그대로는 아니었다. 막대한 양의 미국 잉여 농산물을 의도적으로 낮은 가격에 퍼붓자 현지 농민들이 손해를 보았다. 그것은 다시 농업 투자와 농촌에 전반적인 영향을 미쳤다. 인도 총리 자와할랄 네루는 1948년에 "다른 모든 것은 기다릴 수 있으나 농사만은 그럴 수 없다"라고 말했지만, 이듬해에 국내 생산을 충분히 끌어올리지 못하자 미국을 상대로 수입을 의논해야 했다.[79] 연간 수입은 크게, 그리고 꾸준히 늘었다. 1954년에서 1960년 사이에 인도의 미국산 밀 수입은 연간 20만 톤에서 400만 톤 이상으로 증가했다. 네루는 농촌 지역의 어려움에 관한 질문을 받자 대범한 체하면서, "가격이 낮은 것이 가격이 높은 것보다 훨씬 낫다"고 말했다.[80]

그러나 현실은 저곡가가 국내 생산을 위축시키고 수입 의존도를 높여 외환 보유고를 고갈시켰으며, 사회경제적 발전을 돕기는커녕 1950년대 말 긴장과 위기의 조짐을 보이기 시작한 경제에 압박을 가했다. 유엔 식량농업기구(FAO)와 몇몇 미국 관리들이 경고했던 그대로였다.[81]

여기에 그치지 않았다. 1956년 미국에서 식량 부족에 직면한 나라로 식량을 수출할 수 있게 한 'PL(공법) 480' 사업에 서명한 뒤, 할인 가격으로 받은 곡물 대금은 당시 인도 안에 있던 미국 정부 보유 루피화로 지불됐다. 잔고는 크게 치솟아 미국은 1970년대에 인도 통화 공급량의 3분의 1을 통제하게 되었다. 이례적일 정도로 잠재적이고 실제적인 힘을 가지게 된 것이다. 그리고 그것은 그 자체로 경제적·정치적 문제였다.[82]

베네수엘라에서도 그랬지만 미국의 우월적 지위는 의도했던 것과는 정반대의 결과를 부채질하는 데 일조했다. 1957년, 심한 가뭄과 흉작으로 곤경에 처한 인도 정부는 농민들에게 할인된 가격으로 곡물을 팔도록 강요했다. 이는 불가피하게 몇몇 주에서 토지개혁(다른 무엇보다)을 약속하는 좌익 정당들의 지지율 급등으로 이어졌고, 케랄라주의 경우 공산당이 주정부를 이끌었다.[83]

이것이 경종을 울렸다. 특히 널리 알려진 1955년 네루의 소련 방문 때였다. 네루 총리는 1927년에 처음으로 모스크바를 찾았을 때 소련이 직면한 문제와 인도가 맞닥뜨린 문제가 유사하다는 생각을 가슴에 새겼다. 그는 공업화 계획인 '5개년 계획'에 감명을 받았음을 나중에 인정했다. "그 문제점과 잘못과 무자비함"으로 손상되기는 했지만, 그럼에도 불구하고 "어둡고 비참한 세계에서 밝고 기운이 나는 일" 노릇을 한 것이었다.[84] 이 방문에서 네루는 농장과 공장 시찰에 초대됐으며, 이어 수백 대의 트랙터, 수확기, 기타 기계 등의 장비를 선물하겠다는 약속을 받았다. 소련이 인도 농촌을 지원함으로써 우의를 다지려는 노력의 일환이었다.

이는 많은 사례 가운데 하나일 뿐이었다. 소련의 원조와 차관으로 자금을 댄 개발 사업은 캄보디아에서 에티오피아까지, 수단에서 네팔에까지 걸쳐 시행됐다. 이 사업들은 많은 경우 농촌 현대화와 연결돼 황량한 시골 지역을 생산성이 높은 들판으로 바꿔놓거나 수확량을 늘리게 했다.[85] 또한 세계의 반식민주의 운동에 영향을 미치려는 소련의 광범위한 노력 가운데 맨 위에 있는 것들이었다. 흔히 전략적 중요성이 있거나

귀중한 천연자원을 가진 지역에서 서방의 영향력을 훼손하려는 의도를 가지고 있었다.[86]

전체적으로 보아 그런 접근은 미국이 옹호하는 자유와 민주주의라는 미래상에 대한 도전으로 여겨졌다. 사실 일부 대형 사업은 정말로 의도를 드러낸 것이었지만(가장 유명한 것이 이집트의 아스완하이 댐이며, 소련이 자금을 지원한 사실에 미국 국무부가 충격을 받고 원통해했다), 소련의 경제학자, 농학자, 개발 전문가들은 자기네가 배정받은 나라에서 의미 있는 성과를 거둘 자원을 가지고 있지 않다고 자주 불평했다. 그들은 구체적으로 경쟁하는 미국의 담당자들이 쓸 수 있는 자금과 비교를 했다.[87]

소련의 성과가 말과 다르다는 것은 1953년 스탈린이 죽은 뒤 10년 동안 소련 안에서 추진된 농업 및 생태계 개조에서도 마찬가지였다. 흐루쇼프는 스탈린과 특히 그의 말년에 서로 으르렁거리는 관계였지만 소련 정치에서 결정적인 막후 실력자로 떠올랐고, 마침내 최고지도자가 되었다.

그는 스탈린 사후 몇 달 동안에 '미개척지 개간'이라는 이름의 대규모 농촌 점검 운동을 제안하고 실행에 옮기기 시작했다. 소련 농업을 변모시키는 것이 목표였다. 흐루쇼프는 소련 각지(주로 시베리아와 카자흐스탄)의 땅 수백만 헥타르를 기계화된 기업농 규모의 경지로 전환시킨다는 계획을 세웠다. 그것이 자연계의 성격뿐만 아니라 주민의 식생활까지도 극적으로 바꾸었다. 1953년에 육류와 우유 소비는 1914년에 비해 줄어든 상태였다.[88]

이런 접근은 어떤 면에서 제2차 세계대전과 특히 인구 변화 덕분이었다. 소련의 일부 지역에서는 여자와 남자의 성비가 2 대 1, 심지어 3 대

1로 바뀌었다. 이는 전쟁에서 여자보다 남자가 많이 죽었기 때문이기도 하고, 또한 대규모 도시화로 인해 전선에서 돌아온 남자들이 도시로 옮겨갔기 때문이기도 하다. 시골에서 찾을 수 있는 것에 비해 더 나은 보상이나 노동 조건을 제공하는 일자리와 기회를 찾아 떠난 것이었다.[89]

그러나 상당 부분은 또한 흐루쇼프 자신의 경험과 농업에 대한 견해 덕분이었다. 소련의 통계는 매우 부정확하고 왜곡돼 있다고 그는 1954년 초에 주장했다. 2년 전의 곡물 생산량은 당국이 주장했듯이 1억 3천만 톤이 아니라 30퍼센트가 적은 9200만 톤이었다. 게다가 제2차 세계대전 이전에 비해 훨씬 적은 양의 곡물이 생산되고 있었다. 필요한 것은 넓은 면적의 땅(4천만 헥타르 이상)을 개간하는 것이었고, 규모의 이점을 살려 이익을 얻을 수 있는 거대 농장을 조성하는 것이었다.[90] 이것은 사람이 먹을 곡물을 더 많이 생산하려는 의도이기도 했지만, 동물의 사료를 크게 늘리려는 것이기도 했다. 그러면 단백질인 고기와 우유, 달걀 생산이 늘고 생활수준이 향상될 터였다.[91]

그 핵심 요소는 옥수수 재배였다. 흐루쇼프는 1949년 우크라이나에서 기근을 어떻게 피하는지를 보았다. 그는 그곳에서 이 작물을 살피며 10여 년 동안 근무했고, 이제 복음 전도자가 되어서 옥수수가 소련의 새로운 혁명 시대의 촉매제 역할을 할 것이라고 생각했다. 옥수수는 "식량으로서 무한한 잠재력을 지녔음을 스스로 입증"했으며, 육류와 유제품 생산을 증대하는 데 "결정적인 필요성"이 있는 것이었다.[92] 강력한 중앙 계획은 즉각 결과물을 산출했다. 옥수수 식재는 1953년에서 1955년 사이에 다섯 배로 늘었고, 이후 7년 사이에 다시 그 두 배가 되었다.[93]

이 사업은 단순히 경작지를 늘리고 새로운 작물을 재배하는 것이 아니었다. 그것은 새로이 유전학, 토양화학, 기계와 공학, 그리고 풍요를 추구하는 과정에서 전체 분야를 쇄신하는 회계학을 포함하는 더욱 광범위한 계획의 일부였다. 흐루쇼프는 열렬한 신자였다. 그는 이집트를 방문했을 때 현지의 검증된 재배 방법을 설명하려 애쓰는 한 관리에게 이렇게 말했다. "그건 모두 엉터리예요. 당신들은 시간 낭비를 하고 있어요. 화학 농업이 정답입니다."[94] 이 새로운 농법과 기술이 생활방식을 개선하게 될 터였다. 흐루쇼프는 이렇게 단언했다. "우리는 소련 사람들이 실컷 먹기를 원합니다. 그리고 그냥 빵이 아니고 좋은 빵을, 충분한 고기, 우유, 버터, 달걀, 과일과 함께 말입니다."[95]

소련 농촌의 변모는 정치적 운명의 실현이라는 틀 속에 있었다. 흐루쇼프는 이렇게 말했다. "동지들, 미국과의 경쟁에서 우리가 이기리라는 것은 의심할 바가 없습니다. 그것은 마르크스와 레닌의 가르침을 바탕으로 한 우리의 경제가 자산계급(부르주아지)과 지주, 또는 인간에 의한 인간의 착취 없이 발전하기 때문입니다."[96] 1955년 북아메리카를 방문했던 한 대표단원은 소련으로 돌아온 뒤 작성한 보고서에서 같은 것을 확인했다. 방문 기간에 "우리 사회주의 체제의 지대한 강점을 우리는 분명하게 느꼈다"고 그는 설명했다. 특히 미국 "소농들의 몰락"을 통해서였다. 이 이야기는 흐루쇼프의 생각과 완전히 부합하는 것이었다. 세계 농업의 많은 부분은 "수적으로 적은 자본가 농민 집단의 손아귀에 집중"돼 있다는 것이다. 보고서는 그것이 분명하다고 단언했다. "우리는 미국에 비해 무수한 강점을 가지고 있다."[97]

그러나 이는 사실이 아니었다. 소련은 미국에 비해 고질적인 기후상의 불리함을 안고 있었다. 소련의 기온 조건은 농사에 별로 적합하지 않았다. 소련 경작지의 80퍼센트가 '생산성이 낮은 온도 지대'로 분류될 만한 곳에 있었다. 미국의 경우보다 네 배나 많았다. 더구나 미국 경작지의 약

3분의 1이 농작물 생산에 적합한 곳에 있는 데 비해, 소련의 경우는 단 4퍼센트만이 그런 곳에 있었다. 강우량을 비교해보더라도 북아메리카 쪽이 훨씬 우위에 있었다. 그곳에서는 습한 대양의 공기가 대륙의 수분 수준을 높게 유지하는 데 도움을 준다. 일부 평가에 따르면 미국의 곡물 재배에 적합한 땅의 56퍼센트가 온도와 습도의 최적 조합을 이루는 반면에 소련 땅의 경우 1.4퍼센트에 불과했다.[98]

이것은 소련이 자기네 모델을 미국 및 자본주의 서방과 비교할 때 마주치는 유일한 문제가 아니었다. 미국 및 서방에서는 '미국식 생활방식'이 엄청난 풍요, 선택, 저가라는 생각(그것은 현실이 되었다)에 바탕을 두고 있다. 공급망의 효율성, 품질의 표준화, 소매점들 사이의 경쟁, 최소한의 이문 등은 서방 슈퍼마켓을 이례적으로 성공한 사업으로 만들었다. 그리고 사실상 세계의 다른 지역들을 위한 상품 진열장으로 만들었다. 상품과 제품이 꽉 들어찬 선반은 강력한 홍보물 노릇을 했고, 냉전 경쟁의 중요한 도구가 되었다. 학자들의 관심은 대개 미사일이나 기술, 이데올로기에 집중되지만, 자연이 이용되는 방식은 해석하기 쉬운 화폭을 제공하고 일상 속의 시민들에게 거창한 이론적 논의 이상의 것을 의미했다.

미국인들도 그것을 알고 있었다. 1957년 자그레브 무역 박람회 같은 행사는 미국의 전국식품연쇄점연합회 회장 존 로건John Logan이 "동유럽의 민주주의 방식의 효과적인 선전"이라고 부른 것의 완벽한 본보기였다.

또 다른 사례는 1959년 모스크바의 소콜리니키 공원 전시회였다. 소련 당국이 자국과 미국의 관계 해빙을 드러내기 위해 허가한 것이었다. 이 행사는 미국 쪽 기획자에게 자유세계를 집약적으로 보여주는(그리고 소련권과 대조를 이루는) "선택과 표현의 자유, 그리고 다양한 상품과 생각의 자유로운 흐름"을 과시할 기회가 되었다.

그곳을 찾은 리처드 닉슨 부통령은 진열된 장비들을 보라고 말했다. "주부들의 생활을 편리하게" 해줄 자동 난로, 로봇 청소기 같은 것들이었다. 흐루쇼프가 전형적으로 "자본주의적인 여성에 대한 태도"라는 말로 닉슨에게 핀잔을 주며 복수했지만, 미국 사회와 기업 환경이 소련을 훨씬 앞서는 결과를 가져왔음은 너무도 분명했다. 아나스타스 미코얀Anastas Mikoyan 소련 부총리는 1959년 미국을 답방했을 때 이렇게 말했다. "소련에는 이런 가게가 없어요."[99] 미국을 "따라잡고 넘어서는" 것이 중요하다고 흐루쇼프는 모스크바의 관련 회의에서 거듭 말했다. 식료품 및 상품 생산량과 과학 및 기술 혁신 모두에서 말이다.[100] 식민 국가들은 서방에서 전시하고 있는 풍성함에 "들썩이고" 있었다. 따라서 사회주의 모델이 그들을 따라가는 것 이상의 것을 할 수 있음을, 더 잘할 수 있음을 보여주는 것이 긴요했다.[101]

소련의 사회경제 정책을 추동한 것은 단지 외부 세계와의 경쟁만이 아니었다. 개혁, 현대화, 적응 실패의 위험성에 대한 공포도 있었다. 흐루쇼프가 나중에 회상했듯이 생활수준을 끌어올리는 것은 국내의 안정성과 지속성을 확보하는 데 중요했다. 초라한 주거, 단조로운 식생활, 물자 부족은 개별적으로 또는 한데 어우러져 대중 봉기를 일으킬 수 있는 요인들이었다. 1953년 동독과 1956년 폴란드 및 헝가리에서 입증됐듯이 말이다. 스탈린 치하에서 냉혹하게 옥죄었던 통제를 풀면 의도치 않은 결과가 초래될 수 있다는 우려도 있었다. 흐루쇼프는 이렇게 썼다. "우리는 나라에 대한 통제력을 잃을까 두려워했다. 우리는 우리를 휩쓸어버릴 해일이 발생하는 것을 원치 않았다."[102]

다시 말해서 소련 농업의 변모는 소련과 그 위성국가들의 광범위한 방향 전환의 일환이었다.[103] 예를 들어 1950년대 말에 야심찬 새 법령이 아파트를 제공하기 위한 대량의 새 주택 건설을 주문했다. 삶의 방식을 개선할 뿐만 아니라 국가가 배제되는(적어도 이론적으로는) 사적 공간을 만드는 것이었다.[104]

폴란드의 '모다 폴스카Moda Polska' 같은 의류 상표와 동독의 〈지빌레Sibylle〉 같은 잡지들은 기성품 의류와 최신 양식을 장려하기 위해 만들어졌다. 소비주의consumerism로의 전환의 사례들이다. 그것들은 또한 생산에 압도적으로 초점이 맞추어진 탓에 시민의(특히 여성의) 필요가 무시됐음을 암묵적으로 인정한 것이었다. 집에서 "여성의 일을 쉽게 해주는" 소비제품을 생산하려는 노력이 기울여졌고, 한 주요 신문은 '가정과 가족'란을 새로이 개설했다. 여성 독자를 겨냥해 패션, 가사에 대한 조언, 가정용품 등에 초점을 맞추었다.

레닌과 그 조력자들이 제시한 교의로부터의 극적인 변화는 흐루쇼프의 1961년 제22차 당대회 연설에서 분명히 나타났다. "노동자가 많은 물건을 사적으로 소유하는 것은 (…) 공산주의 건설 원칙에 위배되지 않습니다."[105]

이것이 미덥지 않게 들린다면 '미개척지'는 더욱 좋은 평가를 받을 수 없다. 수십만 명의 새로운 정착자들이 카자흐스탄으로 보내져 기반시설에 압박을 가하고 사회적 마찰과 생태 재앙을 초래했다. 그것이 소련 역사에서 "최악의 환경 파괴 사례"라 불리는 것으로 이어졌다.

아랄해로 흘러드는 강들을 관개수로로 개조한 것은 구상이 잘못돼 참담한 결과를 낳았다.[106] 아랄해(한때 세계에서 네 번째로 컸다)의 마른 바닥이 드러난 면적은 2010년에 8만 7천 제곱킬로미터에 달했다. 바람은 매년 4500만 톤의 짜고 오염된 먼지를 확산시켜 길이 400킬로미터, 폭 40킬로미터의 지역까지 이르기도 하는 먼지 기둥을 만들어낸다. 이것이 지금

500만 명의 주민들에게 직접적인 영향을 미치고 그 결과로 여성 두 명 가운데 한 명이 심각한 여성의학적 질병에 시달리고 있다.[107] 전체적으로 아랄해 연안의 개조는 재앙이나 마찬가지였다.[108]

자연환경을 개조하려는 흐루쇼프의 기본 계획은 굴욕으로 끝났다. 1963년, 소련은 미국에 식량 수입을 타진하지 않을 수 없었다. 농업개혁이 실패했음을 인정하는 것이자, 동시에 한 미국 상원의원이 "모든 공산주의 국가의 최대 약점"(즉 "그들이 식량을 생산할 수 없다는 것")이라 부른 것의 꼼짝 못할 증거였다. 다른 상원의원들은 그 기회를 더욱 적극적으로 활용하고 싶어 했다. 스트롬 서먼드Strom Thurmond는 이렇게 말했다. "식량은 냉전의 무기다. 탄환이나 폭탄과 맞먹는 것이다." 소련에 밀을 파는 것은 그저 그들로 하여금 계속해서 군사 문제에 투자하게 만들 뿐이었다. 훨씬 좋은 것은 소련을 굶주리게 해서 민주주의 쪽으로 끌어들이는 것이었다(그는 그렇게 생각하는 듯했다).[109]

이런 파탄으로 흐루쇼프는 자신의 자리를 잃었다. 1964년 10월, 그는 지도자 자리에서 떨려났고, 동료들과 이전 지지자들은 "말도 안 되는 계획"을 짰다며 그를 비난했다. 특히 그가 옥수수에 집착한 것을 문제로 삼았다.

그러나 더 관대한 최근 학자들이 지적했듯이 그것이 흐루쇼프의 책임이라고 보기는 어려웠다. 그가 이끌고 현대화하려 애썼던 소련은 농업생산 위기와 보다 일반적인 위기로 황폐해진 나라였다. 더구나 흐루쇼프가 자신의 정책을 밀어붙였다고 비난하는 것은 거대한 규모로 나라를 개편하는 계획을 보증하고 용인한 사람들의 책임을 모호하게 만든다.[110]

소련에서 일이 계획대로 풀리지는 않았지만, 적어도 중국만큼 엉망이 되지는 않았다. 이 나라는 마지막 황제 푸이溥儀를 폐위시키고 중국을 공화국으로 바꾼 1911~1912년 신해혁명 이후 격랑에 빠졌다.

이어진 시기에 제1차 세계대전 말의 터무니없는 합의로 촉발된 잇단 위기가 공산당의 탄생으로 이어졌다. 그 결과는 내전이었다. 그것이 1930년대와 제2차 세계대전 동안의 반일 저항을 극적으로 약화시켰다. 1931년 만주 합병과 6년 후에 일어난 난징 대학살(이때 4만에서 30만 명에 이르는 사람들이 목숨을 잃었다)은 그 축도縮圖였다. 문제를 더욱 악화시킨 것은 유럽에서의 전쟁이 끝나기 전인 1945년 2월 스탈린이 영토를 요구한 일이었다. 특히 항구인 뤼순의 통제권과 함께 철도 기반시설에 대한 상당한 이권을 주장했다. 이 요구는 처칠과 루스벨트가 중국 당국에 묻지도 않고 인정해주었다.[111]

스탈린은 마오쩌둥이 이끄는 중국 공산당을 지원하고 격려하는 일은 별로 제안하지 않았다. 사실은 그 정반대였다. 스탈린은 1945년 8월 마오쩌둥과 접촉해 그의 군대가 정부군과의 충돌을 피하도록 확실히 하라고 요구했다. 마오쩌둥은 이를 유념하고 몇 주 후 이렇게 명령을 내렸다. "우리는 내전을 중지하고, 현대적인 중국 건설을 위해 모든 정당이 장제스 주석의 지도 아래 하나로 뭉쳐야 한다." 스탈린의 동기 가운데 하나는 미국 군대가 동아시아에서 철수하도록 확실히 하는 것이었다. 그러나 공업 중심지 만주의 유혹도 있었고, 그곳은 그해 가을 붉은군대 병사들에 의해 조직적으로 약탈됐다. 한 목격자는 이렇게 회상했다. 그들은 "눈에 띄는 것은 무엇이든 가져갔다. 망치로 욕조와 변기를 깨고 벽에서 전기 배선을 끄집어냈다." 그들이 일을 끝낼 때가 되자 "공장은 뼈대만 앙상했고, 기계는 몽땅 뜯겨나간 상태였다." 그렇게 약탈당한 가액은 약 20억 달러였다.[112]

냉전의 단층선이 이미 모습을 드러낸 뒤 미국은 이제 상당한 중요성을 지닌 일련의 결정을 내렸다. 그 재건을 돕기 위해 막대한 자금이 투입됨으로써 혜택을 입은 서유럽과는 달리 중국을 지원하기 위해 책정된 돈은 거의(또는 전혀) 없었다. 게다가 전후 유럽 재생의 설계자인 조지 마셜George Marshall은 트루먼 대통령의 지시를 받고 중국에 파견돼 장제스 정부를 지원하는 것이 아니라 마오쩌둥 및 공산당과의 협정을 중재하고자 했다. 스탈린이 외견상 중국에 관심이 없어 보이고 마오쩌둥이 이끄는 "중국 민주주의"는 "미국의 길"을 따를 것이라는 유화적인 약속에 넘어간 것이었다. 마오쩌둥과 그 추종자들은 그런 약속을 해도 잃을 것이 별로 없고 얻을 것은 많았다. 특히 미국이 무기 수출을 금지한 것은 장제스의 손을 묶었고, 반면에 그의 경쟁자는 손이 묶이지 않고 소련으로부터 막대한 소총, 기관총, 항공기, 대포를 받아 힘을 키웠다.[113]

결과는 예측할 수 있었고 극적이었다. 불확실성과 신뢰 상실은 만성적인 물가 상승으로 이어져 1947년에는 생활비가 불과 10여 년 전에 비해 약 3만 배나 올랐다. 당연한 일이지만 이는 금세 경제 혼란으로 번지고, 정부가 관료 봉급 지불에 어려움을 겪으면서 관료 조직이 사실상 붕괴할 것이 확실해졌다. 이것은 공산당의 수에 놀아난 꼴이었다. 그들은 도시를 하나씩 하나씩 장악하며 1948년에 잇달아 엄청난 승리를 거두었다. 1949년 초, 해방군은 베이징 서쪽 문에 도달했다.[114] 새로운 세계가 탄생했다.

이 새로운 세계가 어떤 모습일지는 전혀 분명하지 않았다. 마오쩌둥의 군대가 중국 본토 대부분의 통제권을 장악했을 때쯤에는 이미 중국의 학자, 작가, 전략가들 사이에서 상당한 성찰이 이루어지고 있었다. 그들은 중국이 어떻게, 그리고 왜 유럽 나라들에 뒤처졌는지 토론했다. 유럽 나라들은 세계의 열강으로 성장하고 그 과정에서 '바이녠궈츠(백년국치)'

로 알려지게 되는 기간에 중국의 목을 졸랐다. 많은 사람들은 이 나라를 현대화하고 한때 그랬던 것처럼 다시 대국으로 만들기 위해 필요한 것에 관해 급진적인 생각을 갖고 있었다.

가장 목소리가 크고 권위가 있었던 사람 가운데 한 명이 쑨원孫文이었다. 그는 1912년 초 중화민국의 첫 임시대총통으로 선출됐다. 쑨원에게 미국은 본받아야 할 분명한 모범이었다. 그는 미국인들에게 보낸 편지에서 이렇게 썼다. "우리의 성공을 확실히 하기 위해 우리는 당신들의 것을 본받아 우리 새 정부를 조직할 생각입니다." 여기에는 여러 가지 이유가 있었다. 그러나 "무엇보다도 당신들은 자유와 민주주의의 옹호자이기 때문"이라고 썼다.[115]

그는 중국의 "결정적인 문제"에 관한 책을 썼다. 거기에는 영국이 포함됐다. 영국은 "자기네에게 이바지할 수 있는" 자를 동맹자이자 친구로 보았다. 물론 "친구가 너무 약해 자기네에게 아무런 쓸모가 없으면 그 친구는 자기네의 이익을 위해 희생돼야" 하지만 말이다. 영국은 농민이 누에를 대하는 것과 다름없이 친구를 대한다고 그는 말했다. 즉 그들을 써먹은 뒤에 죽인다는 것이다.[116]

쑨원은 중국에 무엇이 필요한지에 대해 골똘히 생각하고 쓰고 발언했다. 1924년에 그는 자신의 생각을 표명한 연설을 했다. 무엇보다도 중국은 현대적인 공업국으로 변신해야 했다. 그 모습이 어때야 하는지에 대한 그의 생각은 명확했다. 런던이나 뉴욕 크기의 도시들이 곳곳에 있고, 그 도시들이 16만 킬로미터의 철도로 연결되고 150만 킬로미터의 새로운 포장도로로 연결되는 나라다. 이것이, 제대로 연결되지 않았던 농업국을 강국으로 변모시킬 터였다. 창장과 황허강의 수력발전소에서는 1억 마력 정도를 얻어야 한다고 그는 주장했다. 그 정도면 전기를 "철도, 자동차, 비료 공장, 그리고 모든 종류의 제조 회사들에 공급"하기에 충분했다. 다시 말해서 이제 중국은 발전의 몇 단계를 뛰어넘어 선진국이 되고 세계에서 자신의 자리를 되찾아야 할 때였다.[117]

마오쩌둥은 중국이 미국의 궤적을 따라 발전해가야 한다는 생각을 지닌 채 "중국 민주주의는 미국의 길을 따라야 한다"라고 선언했지만, 그의 생각은 권력을 잡고 강화한 이후 근본적으로 변했다. 그것은 다시 그가 김일성의 군대를 지원하기 위해 수십만 명의 병사를 보낸 한국전쟁 동안에 날카로워졌다. 미국을 가리켜 "너무도 시커멓고 너무도 부패했고 너무도 잔인"하다고 어느 유력 신문은 단언했다. 마오쩌둥의 생각을 거의 그대로 대변한 것이었다. 미국은 "소수 백만장자들의 에덴동산"이었다. 그러나 "셀 수 없이 많은 가난한 사람들에게는 지옥"이었다. 간단히 말해서 미국은 "어둠, 잔인, 타락, 부패, 방탕, (그리고) 인간에 의한 인간의 억압의 (…) 근원"이었다.[118]

마오쩌둥은 다른 모범을 찾았다. 그것은 미국에서 찾을 수 있는 것이 전혀 아니었다. 1950년 12월에 발표된 중앙의 지시는 이를 분명히 했다. "미국을 증오하라. 미국을 경시하라. 미국을 무시하라."[119] 대신에 마오쩌둥은 소련에서 영감을 얻었다. "소련으로부터 배우자"가 1950년 마오쩌둥과 스탈린 사이에 우호조약이 체결된 직후 채택된 구호였다. 러시아어가 학교에서 필수 과목이 되었다. 중국은 미국의 발자취가 아니라 소련의 발자취를 따르게 되었다. 마오쩌둥이 확신에 차서 예측했듯이 "소련의 오늘은 우리의 미래"였다.[120]

따라서 이런 맥락에서 1956년 흐루쇼프의 맹렬한 스탈린 비판은 일반적으로 중국에서, 그리고 마오쩌둥 개인적으로도 격심한 반향을 불러왔다. 권력 장악은 극심한 동란과 폭력을 대가로 치르고 얻은 것이었고,

그 동란과 폭력은 마오쩌둥이 승인했을 뿐만 아니라 적극적으로 부추긴 것이었다.

그는 '반혁명 분자'를 색출한다는 투박한 목표를 세웠다. 그것은 의도적으로 범주를 넓게 잡았는데, 부유한 소지주와 교사 등도 여기에 포함됐다. 어떤 경우에는 지역 전체가 들어가기도 했다. 예를 들어 상하이(뉴욕을 제외하면 세계의 어떤 대도시보다도 외국인 주민이 많은 곳이었다)는 "비생산적인 도시, 기생충 도시"였다. 이후 그 규모와 파괴력 면에서 엄청났던 폭력의 주기가 이어졌는데, 모두 마오쩌둥이 부추긴 것이었다. 그는 이렇게 말했다. "반혁명 분자를 죽이는 것은 시원하게 퍼붓는 빗줄기보다도 더 상쾌한 일이다."[121]

스탈린이 권력을 휘두르고 폭력을 부추기고 진정으로 긍정적인 결과를 가져오는 개혁을 추진하지 못했다는 흐루쇼프의 공격이 마오쩌둥에게도 적용된다는 것은 쉽게 알 수 있는 일이었다. 흐루쇼프의 폭격 몇 달 후인 1956년 9월, 중국공산당 제8차 전국대표대회(제1차 회의)에서 개인숭배가 비판되고 집단 지도의 중요성이 찬양됐다. 인상적이게도 '마오쩌둥 사상'이 중국 공산주의의 중심 교의에서 삭제됐다. 이 지도자의 위치가 얼마나 취약해졌는지에 대한 한 징표였다.[122]

마오쩌둥은 풍향 변화에 매우 민감해 소련에서의 분위기와 방향 변화에 대해 빠르고 단호하게 대응했다. 소련 모형은 사실 따를 만한 것이 아니라고 그는 말하고, "모든 것을 모방하고 그것을 기계적으로 이식"하는 사람들을 호되게 꾸짖었다. 더구나 소련은 많은 잘못을 저질렀고 특히 시골과 농촌 주민에 관해 그랬는데, 중국에서는 그렇게 말할 수 없다고 마오쩌둥은 넉살좋게 주장했다.

그것도 대담했지만, 지금 필요한 것에 대한 그의 요구 역시 마찬가지였다. 그는 바로 공산당 자체의 철저한 개혁을 요구했는데, 이는 분명히 궤도를 벗어난 것이었다. 자유는 스스로를 위해 권력을 잡고 유지하려는 사람들에 의해 억압됐으며 그 과정에서 사람들은 목소리를 내지 못했다고 그는 말했다. "온갖 꽃들이 피게 하고 온갖 사상의 유파들이 경쟁하게 하는 것(百花齊放 百家爭鳴)"이 중요했다.[123] 이것은 1급 생존 본능이었다.

그러나 마오쩌둥은 자신이 그리는 중국의 미래상을 재정립하고 스스로를 재정립하는 것을 넘어설 필요가 있었다. 마오쩌둥은 이미 '흐루쇼프를 넘어선 흐루쇼프'로서 스탈린, 그의 정책, 그를 둘러싼 사람들의 약점을 잔인하게 비판했기 때문에 분명하고 단순하며 성취할 수 있는 구체적인 제안을 내놓아야 했다.

그가 완벽한 혼합물을 위한 재료를 찾아내는 데는 시간이 많이 걸리지 않았다. 그중 하나가 1956년에 발표된, 농업 생산을 늘리기 위한 중국의 "화학화, 기계화, 전력화"를 위한 장기 계획이었다. 흐루쇼프가 소련에서 시도하고 있는 것과 똑같았다. 한 공식 보고서는 이렇게 이야기한다. "곡물 자급을 통한 식량 안전 보장 확보의 원칙은 발전 전략에서 최우선시될 필요가 있으며, 이 원칙은 느슨해져서는 안 된다."[124]

마오쩌둥은 대중을 위해 이를 정제해서 한 구절로 압축했다. "인간은 자연을 이기게 되어 있다(人定勝天)." 인간이 천문, 지질, 그리고 자연계에 영향을 미칠 수 없다고 생각할 이유는 없다고 그는 썼다. 반대의 주장을 편 스탈린의 글을 비판한 것이다.[125] 자연은 그 주인인 인간의 의지에 복종하도록 강제될 수 있고 강제돼야 한다. 마오쩌둥은 이렇게 말했다. "우리가 산에 고개를 숙이라고 요구하면 산은 그렇게 해야 한다! 우리가 강에 길을 양보하라고 요구하면 강은 그렇게 해야 한다!"[126] 그는 다른 자리에서 이렇게 말했다. "인간이 자연을 알고 변화시키는 능력에는 한계가 없다." 한 고위 조력자는 이를 긍정하며 이렇게 평했다. "세계의 다른 어떤 지도자도 그렇게 오만하게 높은 산과 큰 강을 업신여긴 경우가 없다."[127]

이런 말들은 사람들에게 행동에 나서도록 자극하기 위해 선택한 것이었다. 댐, 수력발전소, 관개시설이 거대한 규모로 건설됐다. 대체로 극적이고 급속한 변화가 필요하다는 마오쩌둥의 절박감에 의해 추동된 것이다.[128] 예를 들어 1958년에만 6억 세제곱미터의 흙이 옮겨졌다. 이듬해에는 파나마 운하 건설 동안 옮겨진 것의 열두 배에 이르는 흙이 한 주 만에 옮겨졌다. 당국의 주장에 따르면 그렇다. 적어도 이 주장은 중국의 현대화에 쏟아부어진 자원을 보여준다. 그리고 그 모든 것의 이면에 있는 야망을 보여준다. 농산물 수확량은 증가하고 생산은 급증할 것이며, 15년 안에 중국은 서방 제국주의의 상징인 영국을 따라잡을 것이라고 마오쩌둥은 예측했다. 사실 그로부터 오래지 않아, 그는 이것을 더 일찍 달성할 수 있다고 주장했다. 아마도 불과 2~3년 내에 말이다.[129]

이런 논리, 방법론, 원리에 의문을 품은 사람들은 악마로 규정되고 망신을 당했다. 그것은 심지어 1950년대 말의 거대 사업들 이전에도 다반사였다. 예를 들어 1950년대 초에 황완리黃萬里는 황허강 싼먼샤三門峽 댐 건설 계획에 대해 우려를 제기했다. 일반적으로 '중국의 슬픔'으로 알려진 이 수로에 실려 온 많은 토사로 인해 제방이 손상되고 환경이 파괴되며, 거의 50만에 이르는 주민들이 이주해야 한다는 것이었다. 그러나 보람도 없이 황완리에게는 '우파' 딱지가 붙었다. 누구든 의심스러운 사람에게 통상적으로 붙이는 명칭이었고, 그의 전문가 이력은 하룻밤 새에 끝이 났다.

이런 일은 다른 여러 사람들에게도 일어났다. 천싱陳惺은 댐 건설로 인해 땅이 물에 잠기고 이후 염도 증가와 알칼리화가 일어날 것이라고 주장했다. 마오쩌둥의 측근이라도 직위를 박탈당하는 것은 물론이고 공직 생활에서도 쫓겨났다. 그의 개인 비서였던 리루이李銳는 대약진 운동의 위험성을 경고했다가 그런 일을 당했다.[130]

'우파'로 간주된 사람들은 수용소로 보내졌다. 흔히 나라의 먼 변경 지역이었다. 거기서 그들은 도시에서 보내진 수백만 명의 노동력에 보태져 나무를 베고 수로를 파고 도로와 다리를 건설하고 새로운 땅을 개간했다. 그 결과로 중국의 방대한 지역이 개조됐다. 노동자들은 이런 구호를 외치도록 강요당했다. "숲을 파괴하고 황무지를 개간하자! 암봉巖峰에서 땅을 짜내고 바위에서 곡식을 얻어내자!"[131] 특별한 목표를 달성한 마을들은 모방해야 할 본보기로 제시됐다. 근면과 대의에 대한 헌신으로 성취할 수 있는 사례였다.

그런 사례 가운데 하나인 간쑤성 덩자바오鄧家堡는 전단과 영화에 등장했다. 특히 성역할에 관한 긍정적인 이야깃거리가 있었기 때문이다. 여성들이 '비생산적'인 수공예를 떠나 집체농업에서 한몫을 하도록 장려하기 위해 오랫동안 노력이 기울여졌다. 1952년에서 1956년 사이에 곡물 생산량이 두 배 이상으로 늘자 지역 당국은 '1만 덩자바오'를 만드는 야심찬 계획을 내놓았다.[132]

덩자바오의 현실은 전혀 달랐다. 한 관리는 몇 년 후 이렇게 말했다. "대부분 과장이었습니다. 허풍이었어요." 게다가 수확량은 잠깐 올라갔다가 곧 이전 수준으로 돌아왔다. 이에 따라 마을에서는 자기네가 먹을 식량도 모자랄 지경이었다. 국가에서 곡물을 징발했기 때문이다.[133] 그것도 중요한 이야기이지만, 대약진 운동을 생태계 및 먹이사슬 변화와 연결시킨 처참한 결정 역시 중요했다. 인구가 밀집한 중국의 대도시들은 오랫동안 공중위생 문제가 골칫거리였다. 그중에서도 크고 작은 유행병의 확산이 가장 두드러졌다. 1950년대 초, 당국은 긴장이 높아지던 시기에 미국이 세균전을 벌이고 있다고 주장했다. 감염된 파리, 모기, 거미, 개미, 기타 곤충을 고의적으로 도시 주민들에게 떨어뜨리고 있다는 것이었다.[134]

급속한 현대화를 추진하고 있던 중국은 다시금 불가피하게 위생 수준을 높여야 할 때였다. 특히 도시에서 그랬다. 공상적인 사회주의 이상을 반영하기 위해서 말이다. 이에 따라 전국적으로 마오쩌둥이 부추긴 '사해四害 박멸' 운동이 시작됐다. 그는 1958년 공산당 제8차 전국대표대회(제2차 회의)에서 이렇게 주장했다. "다섯 살짜리 아이들을 포함해서 모든 인민은 네 가지 해충 제거에 나서야 합니다." 여기서 말한 해충은 쥐, 파리, 모기, 참새였다. 참새가 포함된 것은 그것이 추수를 망친다는 생각 때문이었다. 한 학생은 이렇게 회상했다. "우리는 사다리를 만들어 그 둥우리를 부수고 그것들이 보금자리로 돌아오는 저녁에 징을 울려댔다."[135] 1959년 3월부터 11월 사이에 중국 전역에서 20억 마리 가까운 참새가 떼죽음을 당했다.[136]

거기에서 고려되지 않은 것이 있었다. 참새가 정말로 곡식을 먹지만 또한 수많은 곤충도 잡아먹는다는 사실이었다. 많은 참새가 사라지자(이후 여러 해 동안 눈에 잘 띄지 않았다) 그 결과 곤충의 개체 수 증가에 따른 곡물 손실이 생겼고, 이것이 수확량에 직접적인 영향을 미쳤다. 이것이 급속한 현대화, 도시화, 공업화로 야기된 문제를 증폭시켰다.

이 모든 노력의 결과는 한 중견 역사가의 말대로 "인간이 초래한 사상 최대의 기근"이었다. 1959년에서 1961년 사이에 굶주려 죽은 사람의 수는 도저히 믿을 수 없을 정도였다. 정확한 수치를 알기는 어렵지만, 대다수의 역사가들은 3500만에서 5천만에 이르는 사람들이 식량 부족으로

죽었다고 판단하고 있다.[137]

환경에 대한 영향 역시 파멸적이었다. 기근이 시작되자 온갖 종류의 동물을 잡아먹었다. 가축에서부터 애완동물과 설치류에 이르기까지 종류를 가리지 않았다. 식물 또한 수난을 당했다. 살아남고자 몸부림치는 사람들은 먹을 수 있는 것이면 무엇이든 먹어치웠다. 씨앗과 뿌리를 땅속에서 파내 먹었고, 나무에서 잎과 껍질도 뜯어냈다. 환경이 회복되는 데는 수십 년이 걸렸다.[138] 그 맨 꼭대기에 있는 것이 농작물을 재배하기 위해 더 많은 경작지를 확보하려는 대규모 삼림 파괴로 인한 생태계의 영향이었다. 1966년 저우언라이周恩來 총리는 손실을 입은 데 대한 자신의 불안감을 이례적으로 솔직하게 인정했다. 그는 이렇게 말했다. "나는 우리가 물을 이용하고 저장하는 데서, 그리고 삼림을 그렇게 많이 벌채한 일에서 잘못을 저지르지 않았는지 두렵습니다. 어떤 잘못은 하루나 1년 사이에 바로잡을 수 있겠지만, 수자원 관리나 삼림 분야의 잘못은 여러 해 동안 되돌릴 수 없을 것입니다."[139]

20세기 중에 여러 과학 분야의 혁신, 식품과 에너지에 대한 수요, 정치 이데올로기 사이의 경쟁은 끊임없이 천연자원 개발을 추동했다. 일부에서는 다른 곳의 고통스러운 사례에서 교훈을 얻기를 한사코 거부했다. 피델 카스트로는 1963년 10월 쿠바에 허리케인 플로라가 덮친 뒤 이렇게 말했다. "혁명은 자연보다 더 강력한 힘입니다." 바람, 폭풍, 태풍은 "혁명에 비하면 아무것도 아니다"라고 그는 말했다. 그것은 맞는 말이라고 카스트로의 대변자 노릇을 한 신문 〈레볼루시온Revolución〉은 맞장구쳤다. 이 신문은 태풍이 지나간 다음 날 이렇게 단언했다. "'플로라'가 100번 닥쳐도, 제국주의가 100겹으로 몰려와도 우리를 이길 수 없다." 정말 옳다고 라울 로아Raúl Roa 쿠바 외무부 장관은 말했다. 그는 남아메리카의 상당 지역을 해방시킨 위대한 인물을 들먹이며 이렇게 단언했다. "시몬 볼리바르처럼, 자연이 우리를 거역하면 우리는 그에 맞서 싸울 것입니다."[140]

그런 도전적인 말을 에누리해서 듣고 저항 선언을 글자 그대로의 진술이 아니라 역경 앞에서 정치적 결의를 표명한 것으로 이해하는 것이 중요했다. 그럼에도 불구하고 20세기 중반에는 그 자리에 멈춰 서서 지속가능성에 대해 생각한 사람은 많지 않았다. 새로운 기술이, 1942년 헨리 월리스Henry Wallace가 말한 "보통 사람의 세기"를 가져올 것이라는 낙관이 그 한 이유였다. 당시 미국 부통령이었던 월리스는 새로운 관념, 새로운 발명, 새로운 기술이 자유를 확산시키고 특히 농업 생산을 늘리는 데 긴요할 것이라고 확신했다. 그는 한 평론가가 '제2차 세계대전의 게티스버그 연설'이라고 바람을 잡은 한 연설에서 이렇게 말했다. "현대 과학은 우리가 여태까지 꿈꾸지 못했던 잠재력을 지니고 있습니다." 그러나 상상할 수 있었던 것 하나는 이것이었다. 혁신은 "세계의 모든 사람이 먹을 것을 충분히 가질 수 있다는 사실을 아는 것을 기술적으로 가능하게 만들었습니다."[141]

1960년대에 사태는 조금 덜 낙관적으로 보였다. 밝고 희망찬 조짐이 별로 없었다. 모든 사람이 평등해지자는 것을 목표로 삼은 마틴 루서 킹과 미국의 민권 운동, 1960년대 말에 인간이 달 위를 걸을 수 있게 한 로켓 과학의 발전 정도였다. 그러나 많은 사람들은 먹구름이 몰려오고 있는 듯한 느낌을 받았다. 쿠바 미사일 위기는 판돈이 얼마나 큰지를, 그리고 평화의 세계와 파괴의 세계 사이의 구분이 얼마나 명확한지를 뚜렷하게 상기시켜주었다. 동남아시아로 확산된 베트남 전쟁은 이런 우려를 증폭시켰다.

이런 맥락에서, 움트기 시작한 저항문화counterculture가 그저 자유와 소비주의에 대한 저항에만 초점을 맞추지 않고 생태계와 관련된 중요한 화두를 들고 나온 것은 아마도 우연이 아니었을 것이다. 우려는 권력자들 사이에서도 커지고 있었다. 자원의 소모, 생활방식의 선택, 경제 성장의 추구 등 모든 것이 자연환경에 압박을 가하고 그 희생 위에 이루어진다는 우려다. 일부 지역에서는 우려가 커지면서 일부 사람들이, 인간의 행동과 결정이 우리 인류의 절멸을 초래하는 것은 아닌지 하는 의문을 품기에 이르렀다. 중대한 변화가 일어나야 할 시기였다.

23장 불안의 증폭

1960년 무렵부터 1990년 무렵까지

> 일차적 영향의 규모가 매우 크고 그 함의가 너무 심각해
> 우리는 여기서 제기된 과학적 문제가 활발하고도
> 비판적으로 검토되기를 희망한다.
> — '핵겨울'에 관한 TTAPS 논문, 〈사이언스〉(1983)

냉전은 세계의 여러 지역에서 다양한 방식으로 진행됐다. 그것이 지닌 중요하지만 흔히 간과되는 영향은 환경에 대한 태도에 관한 것이었다. 그러나 생명에 대한 실존적 위협은 결정적이었다.

미국의 인류학자 마거릿 미드Margaret Mead가 1960년대 말에 지적했듯이 한 세대가 지구의 파괴에 대한, 파멸적인 핵전쟁에 대한, 거의 불가피한 세상의 임박한 종말에 대한 공포 속에서 자라고 있었다. 젊은이들은 "전쟁이 절멸에 가까운 것이 아니었던 시대를 알지 못한다"라고 미드는 썼다.[1] "전쟁 말고 사랑을 하라"라는 구호는 흔히 미국의 베트남 전쟁 개입으로 일어난 전쟁 반대 운동을 보여주기 위해 사용됐는데, 떠오르고 있던 저항문화의 관념은 생태계에 대한 우려와 밀접하게 연관돼 있었다.

잭 케루악Jack Kerouac 같은 비트 세대 작가들은 이미 도시 생활로부터의, 미국 교외의 일상적인 현실로부터의 도피로서 자연에 관해 쓰기 시작했다. 예를 들어 〈다르마 유랑자The Dharma Bums〉(1958)에서 케루악의 화

자인 재피 라이더는 '큰 배낭 혁명'을 꿈꾸었다. "수천 또는 심지어 수백만의 젊은 미국인"이 속물적인 생존을 버리고 산으로 가서 기도하고 시간을 보내며, 아이들은 웃고 노인들은 즐거워하는 것이다. "모든 사람과 모든 생명체에 영원한 자유의 비전을 제공"한다는 관념에서 비롯된 것이다.[2]

마약 역시 한몫을 했다. 리제르그산酸 디에틸아미드(LSD)는 노동의 생활이 제공하는 것보다 차원 높은 의미를 추구하는 문을 열었다고 티머시 리어리Timothy Leary는 1966년 뉴욕에서 말했다. 존재의 목적은 "신을 영광스럽게 하고 경배하는 것"이라고 리어리는 말했다. 그것은 오늘날에도 인정받아 마땅한 "고대의 목표"였다. 따라서 해야 할 올바른 일은 "켜고 맞추고 빠지는turn on, tune in, drop out" 것이었다(이 구호를 퍼뜨린 리어리는 이를 마약으로 각성하고, 고차원에 빠져들고, 사회와 거리를 둔다는 의미라고 설명했다).[3]

마틴 루서 킹의 아내인 코레타 스콧 킹Coretta Scott King 같은 미국의 흑인 활동가들은 핵무기 반대 운동으로 유명했다. 군비 축소를 인종 평등을 위한 싸움과 연결시켰다.[4] 여성들은 또한 온갖 우려를 대중의 의식 전면으로 가져오게 하는 데 중요한 역할을 했다.

1961년 11월 1일, 약 5만 명의 '걱정하는 주부들'이 미국 전역에서 파업에 들어갔다. 이와 함께 뉴욕, 시카고, 디트로이트, 세인트루이스, 로스앤젤레스 등 60여 개 도시에서는 행진에서부터 핵 시설 앞에서 피켓 들기, 관리를 상대로 한 청원 운동에 이르기까지 다양한 항의 활동을 벌였다. 그 목표는 공중 핵무기 실험 금지였다.[5] 이것은 막 시작된 운동의 유명 인물인 아동도서 삽화가 다그마 윌슨Dagmar Wilson이 케네디 대통령에게 보낸 공개 편지에 나와 있다. "지금 미국 여성들은 어느 나라에서도 핵무기 실험을 끝내는 것을 보기 원합니다."[6]

이것은 북아메리카와 영국의 훨씬 오랜 전통의 일부였다. 이들 지역에서는 여성들이 삼림, 수로, 야생 생물을 보호하는 자연보호 활동을 조직하는 데서, 그리고 동물권 운동(실험동물에 대한 처우나 동물원과 야생 생물 보호구역의 상태에 관한 우려에서 촉발됐다)을 출범시키는 데서 영향력을 발휘했다.[7]

20세기 중반에 여성들의 역할은 100년 전에 비해 훨씬 제한됐다. 남성이 공공 영역을 지배하고 여성은 통상 가정주부가 되어 전통적인 여성의 역할을 맡을 것으로 기대됐다. 예를 들어 교사나 도서관 사서가 된다든지 가정생활에 대한 조언을 한다든지 하는 따위였다.[8] 그러나 1960년대 초부터 변화가 생겼다. 〈아메리칸 홈〉, 〈레드북〉, 〈굿 하우스키핑〉 같은 여성 잡지들이 공해, 환경 기준 저하, 그리고 그것이 가정생활에 미치는 영향에 관한 기사들을 자주 싣기 시작했다. 최근의 한 학자는 이렇게 말했다. "환경 운동은 (중산층 여성들의) 가정주부와 어머니로서의 관심의 자연스러운 연장인 듯했다."[9] 따라서 1962년에 출간된 레이철 카슨의 〈침묵의 봄〉은 생태계 손상에 관해, 그리고 미국 자연계의 목가적인 꿈뿐만 아니라 미국적 생활방식의 붕괴에 관해 깊이 우려하던 사람들에게 구호를 제공했다.

카슨은 "모든 생명체가 환경과 조화를 이루며 살아가는 것 같았던" 시절이 사라졌음을 애석해했다. "곡물이 자라는 들판과 과수원이 있는 언덕"이 특징적이었다. 그곳에서는 여우가 울고 "사슴이 가을 아침의 안개에 반쯤 가린 채 조용히 들판을 건너고" 있었다. 이 모든 것은 농약을 잔뜩 사용하는 데 의존하는 상업적 영농으로 대체됐다. 고요함으로 대표되는 "어떤 마법의 주문이 마을에 걸려" 있는 듯했다. "소리 없는 봄"이었다.

화학 약품이 새를 모두 죽였다. 그 뒤에도 "갑작스럽고 예상치 못한 죽음"이 있었다. "어른들뿐만 아니라 심지어 아이들도" 있었다. 농민들은 "가족 가운데 아픈 사람이 많다"고 말했다. 견딜 수 없는 일이었다. "어딜 가나 죽음의 그림자"가 있었다.[10]

카슨은 이렇게 썼다. 농약은 "멀리 떨어진 산의 호수에 살던 물고기에게서, 땅속에 굴을 판 지렁이에게서, 새의 알에서 발견됐다. 그리고 인간 자신에게서도 발견됐다. 이런 화학약품은 이제 매우 많은 사람들의 몸에 축적돼 있기 때문이다. 나이와 상관없이 말이다. 그것은 어머니의 젖에서 검출되고, 아마 태어나지 않은 아기의 조직에도 있을 것이다." 이것으로 명확하게 이해할 수 없다면 카슨이 박식가 알베르트 슈바이처에게 감사하며 인용한 그의 말에 기댈 필요가 있다. 그의 음울한 예언은 이런 것이었다. "인간은 앞을 내다보고 미리 조치할 능력을 잃었다. 인간은 지구를 파괴하고야 말 것이다."[11]

〈침묵의 봄〉은 고삐 풀린 베스트셀러였다. 그 판매는 상당 부분 출판사의 영리한 상술 덕분이었다. 그들은 신간 견본을 저명한 위치의 여성들에게, 여성유권자연맹 같은 단체에, 아동국, 전국유대인여성회의, 전국여성단체연맹 같은 여러 기구의 대표자들에게 보냈다. 또한 이 책은 당대 정치권의 논의에도 영향을 미쳤다. 심지어 케네디 대통령을 자극해 농약 사용에 관한 보고서를 주문하게 만들기도 했다.[12]

카슨이 집중적으로 비판한 합성 화학물질 같은 생태적 문제를 둘러싼 활동은 개인 재산과 대중의 빈곤에 관한 좀 더 광범위한 토론 속에서 생겨났다. 거기서는 아마도 아서 슐레진저 2세와 J.K. 갤브레이스 같은 하버드대학 학자들이 가장 저명한 인물들이었을 것이다.[13] 갤브레이스는 〈침묵의 봄〉보다 몇 년 전에 나온 자신의 베스트셀러 〈풍요로운 사회〉에서 어떻게 도시들이(물론 괜찮은 곳도 많지만) "잘 포장되지 않고, 어지럽고 칙칙한 건물과 광고판", 그리고 "오래전에 지하로 들어갔어야 할" 전선들로 흉물스러워질 수 있느냐고 지적했다. 어떻게 풍요를 누릴 수 있다 하더라도 그것을 "쓰레기가 썩어가는 악취 속에서" 누릴 수 있는가? 이것이 "미국인의 천재성"이냐고 그는 물었다.[14]

이런 의문들은 주류 속으로 번져 들어가 〈뉴욕 타임스〉 같은 언론에 대서특필됐다. 이 신문은 1960년에, 미국이 "지구상에서 이전에 볼 수 없었던 개인 재산"의 수준을 누리면서도 많은 문제를 안고 있다고 불평했다. 이 나라의 "교육은 재정이 부족하다. 개울은 오염돼 있다. 병원의 병상은 여전히 부족하다. 빈민가가 확산되고, 중산층 주택은 부족하다. 우리는 더 많고 더 나은 공원, 거리, 구류 시설, 상수도를 사용해야 한다. 이런 것들이 부족하기 때문에 미국인의 생활의 질 자체는 떨어지고 있다."[15]

적절한 위치에 있는 미국 정계의 고위 인물이 이 문제에 달려들었다. 케네디 행정부와 존슨 행정부에서 계속 내무부 장관으로 일한 스튜어트 유달Stewart Udall은 이렇게 썼다. "미국은 지금 부와 권력의 정점에 균형을 잡고 서 있다. 그러나 우리는 아름다움이 사라지는, 추함이 늘어나는, 열린 공간이 줄어드는, 전체 환경이 공해·소음·황폐화로 나날이 줄어드는 땅에 살고 있다."[16] 린든 존슨은 케네디가 암살당하고 대통령 자리를 이어받은 지 몇 달 지나지 않은 1964년 5월에 이를 단도직입적으로 이야기했다. 그는 미시간대학에서 한 연설에서 이렇게 말했다. "우리는 언제나 미국이 강하고 미국이 자유로울 뿐만 아니라 미국이 아름답다는 사실을 자랑으로 삼아왔습니다. 오늘날 그 아름다움이 위험에 처해 있습니다. 우리가 마시는 물, 우리가 먹는 음식, 우리가 숨쉬는 공기 자체가 오염으로 위협받고 있습니다. (…) 푸른 초원과 빽빽한 숲이 사라지고 있습니다."

그 결과로 우리의 "자연과의 교감"은 감퇴하고 있다. 이것은 불길한 위험을 초래했다고 그는 이어갔다. "일단 전투에서 패하면, 일단 우리 자연의 장려함이 파괴되면 그것은 결코 회복할 수 없기 때문입니다."[17] 조속한 대처가 필요했다.

생태계 파괴에 대한 불안은 베트남 전쟁의 경험으로 증폭됐다. 이 전쟁은 미국이 삼림, 농작물, 논에 고의적으로 제초제와 고엽제를 사용(환경을 악화시키고 '비엣남꽁산Việt Nam cộng sản', 즉 베트콩 군대의 식량을 빼앗으며 그렇게 해서 그들의 능력을 약화시키고 사기를 꺾으려는 것이었다)한 결과로 환경에 중대한 영향을 미쳤다. 이런 전술은 자연에 대한 접촉과 간섭을 통해 군사적 이득을 얻는 최선의 방법을 탐구하려는 의도를 지닌 기밀 연구 사업에서 나온 것이었다.[18]

1962년에서 1971년 사이에 '랜치핸드Ranch Hand 작전'(랜치핸드는 고엽제를 살포했던 C-123 수송기의 속칭이다)을 통해 남베트남에 살포된 제초제는 약 9천만 리터였다. 분홍색제, 백색제, 청색제도 있었지만 가장 유명한 것은 주황색제였고, 그것이 가장 광범위하게 사용됐다.[19] 1966년, 과학자들은 존슨 대통령에게 항의했다. "화학제품이 인체에 해가 없음을 보여줄 수 있는 경우라도 그런 전술은 야만적입니다. 무차별적이기 때문입니다. 그것은 농작물이 파괴되는 지역의 전체 주민에 대한 공격에 해당합니다."[20] 노벨상 수상자 17명을 포함한 5천 명의 과학자들이 서명한 두 번째 청원은 존슨 대통령에게 전달되었는데, 동남아시아에서의 제초제 사용을 중지할 것을 요구하는 것이었다.[21] 예일대학 교수이자 식물학자인 아서 골스턴Arthur Galston은 여러 해 동안 베트남 전쟁에서 초목과 인간(미군 병사 포함)에게 제초제를 사용한 것이 생태계와 건강에 미치는 영향을 연구했는데, 미국이 한 일은 "환경 파괴"에 해당한다고 말했다.[22]

그리고 상당한 피해를 일으키고 미국과 세계의 언론으로부터 크게 주목받은 사고들이 있었다. 1969년 1월, 캘리포니아 샌타바버라 앞바다 플랫폼 A에 유니언 오일에서 뚫은 유정이 파열돼 석유가 바다로 방출됐다. 한 시간에 약 4만 리터의 규모로 11일 동안 계속됐다. 그것이 멈추기까지 모두 140만 리터 가까이가 방출됐다.[23]

며칠 안에 한 집단(스스로 '겟오일아웃Get Oil Out!'이라는 이름을 붙였다)을 이룬 활동가들은 이 사건이 언론에 보도되도록 하는 데 중요한 역할을 했다. 이 사건은 1년 후 한 언론인에 의해 "전 세계에 울려 퍼진 생태학적 총성"으로 묘사됐다.[24]

또 다른 총성은 클리블랜드 카야호가강에서 나온 것이었다. 이곳에서는 1969년 6월, 석유와 기타 오염물질에 불이 붙었다. 이 사고는 규모가 작아 쉽게 처리될 수 있었지만, 역시 관심을 끌었다. 특히 언론에서 관심을 가졌다. 그 직후 발간된 〈타임〉에 기고한 한 필자는 이렇게 외쳤다. "대단한 강이었다! 그것은 초콜릿색에 기름투성이였고, 표면 아래의 가스로 부글거려 흐른다기보다는 걸쭉하게 움직인다고 할 수 있었다." 1970년 〈내셔널 지오그래픽〉 '우리의 생태 위기' 특집호에 실린 기사는 이 강에는 "제강소, 화학 및 육류 가공 공장, 기타 제조업체들에서 나온 찌꺼기들이 흘러들었다"라고 말했다.[25]

이런 재난들은 세간의 이목을 끈 다른 재난들(1967년 토리캐니언호가 영국 서해안 앞바다에서 좌초해 1억 6천만 리터의 원유를 쏟아낸 것 같은)과 어우러져 행동에 나서야 한다는 요구를 부채질했다. 미국 주요 도시의 첫 흑인 시장이었던 칼 스토크스Carl Stokes는 중요한 역할을 했다. 의회에서 증언을 하고 "카야호가강의 파괴"와 그것이 오대호 생태계에 미치는 영향을 처리하기 위한 통제책의 도입을 요구했다.[26]

샌타바버라 파열이 일어나기 불과 일주일여 전에 취임한 닉슨 대통령은 변화가 필요함을 분명하게 알고 있었다. 미국은 "우리가 미래에 원하는 사회"를 위해 자연계를 "보존하는 데 더 많은 관심을 가지고 더 효과적인 방식으로 바다의 자원과 땅의 자원"을 사용할 필요가 있었다. 그는 이어 환경에 해를 끼치는 사고들이 "미국인의 양심을 노골적으로 건드렸음"은 의심할 바 없다고 말했다.[27]

닉슨은 여론의 변화를 점쳐보고 있었다. 여론이 너무 심각해서 〈뉴욕타임스〉는 "환경 위기에 대한 우려가 커져" 그것이 "베트남 전쟁에 대한 학생들의 불만을 능가할 정도의 강도로 온 나라 대학가를 휩쓸고" 있다고 보도했다. 학생들은 청탁 운동 모임을 조직하고 학습 조직을 만들고 불필요한 포장에 대해 항의하며 어떤 경우에는 심지어 대학 당국이 생태계를 해치고 공해를 일으키는 데 일조한다며 불만을 제기하기도 했다.

워싱턴대학의 한 학생은 "환경 문제는 분명히 지금의 다른 큰 문제들을 대체할 것"이라고 말했다. 콜로라도대학의 한 젊은 지질학도는 사람들이 "위기의 긴급성을 인식하기 시작"하고 있는 것이 고맙다고 말했다. 많은 학생들은 이미 전국적인 운동이 벌어질 1970년 4월 22일 '디데이'를 기대하고 있다고 이 신문은 보도했다. 일부에서는 "전쟁 반대 시위보다 더 크고 더 의미 있는 사건이 될 것"으로 생각하고 있었다.[28]

이런 예측은 정확한 것으로 드러났다. "거대한 대중 시위"를 조직하자는 위스콘신 상원의원 게일로드 넬슨Gaylord Nelson(환경의 활용과 수질 및 대기 오염물질에 대한 더욱 엄격한 규제를 오랫동안 가장 강력하게 주장해온 사람들 가운데 한 명)의 촉구에 따라 학생, 과학자, 자연보호 운동가들은 함께 작업해 '지구의 날'로 새로 명명된 것을 공표했다. 1970년 4월 22일, 약 2천만 명의 미국인들이 시위를 벌이고 환경 위기에 관한 토론 집회를 열었다.

그리고 이 문제를 전 세계의 정치적 의제 맨 꼭대기로 몰아붙였다.[29] 유명한 방송인 앨리스테어 쿠크Alistair Cooke가 말했듯이 '지구의 날'은 "썩어가고 있고 오염된 지구를 많은 대중에게 처음으로 일깨워준" 행사였다.[30]

닉슨 대통령은 감동해서 "새로운 10년의 국가 의제 맨 앞자리에 개선된 삶의 질을 놓았다"고 〈뉴욕 타임스〉는 보도했다.[31] 그가 그런 일을 한 첫 대통령은 물론 아니었다. 그의 전임자인 린든 존슨은 300여 건의 자연보호 조치들을 입법화하도록 서명했다. '대기정화법'(1963), '수질법'(1965), '원생지原生地법'(1964) 같은 것들이다. '원생지법'은 400만 헥타르 가까운 국유림을 대상으로 한 것이었다.[32] 닉슨은 한발 더 나아가 실천에 나서 '국가환경정책법'에 서명하고, '대기정화법'을 개정했으며, 환경보호청(EPA)을 설립하는 행정명령을 발동했다. 모두 1970년 연말 이전에 한 일이었다.[33]

이 무렵에는 이미 "일국 및 국제 수준에서 인간 환경의 손상을 제한하고 가능한 곳에서는 제거하기 위한 강화된 행동이 긴급하게 필요"함을 지적하는 호소가 유엔에 들어갔다.[34] 1972년 6월, 스톡홀름에서 열린 첫 유엔 환경회의로 가는 과정에서 쿠르트 발트하임 유엔 사무총장이 발주한 한 비공식 보고서는 "이 행성의 에너지 체계"의 취약성과 "시소의 균형을 바꿔놓을 작지만 치명적인 변화들"의 위험성을 강조했다. 저자들은 이렇게 촉구했다. 필요한 것은 "새로운 세계적 의사 결정 및 세계적 배려의 능력, (…) 세계적 책임성에 대한 새로운 약속이다."[35] 간단히 말하면 이런 것이었다. "인간은 세계를 보살피는 책임을 받아들여야 한다."[36]

인디라 간디 인도 총리는 이 회의 연설에서 이렇게 말했다. "우리는 동식물의 급속한 상태 악화에 관한 여러분의 우려에 공감합니다. 우리 야생 생물 일부는 말살됐고, 묵묵히 역사를 지켜본 아름다운 나무들이 있던 많은 숲들은 파괴됐습니다." 그러나 "막 시작된 환경의 문제를 처리" 하는 것도 중요하고 심지어 필수적이지만, 또 다른 종도 "또한 위험에 처해 있다"는 사실을 잊지 말아야 했다. 그 종은 바로 인간이다. 간디는 이렇게 말했다. "빈곤한 인간은 영양실조와 질병으로 위협받고 있고, 약한 인간은 전쟁으로 위협받고 있고, 부유한 인간은 자신의 번영으로 인해 초래된 오염으로 위협받고 있습니다." 선진국은 다른 나라를 지배하고 그 자원을 수탈해 부자가 되었다. 간디는 이렇게 이어갔다. "우리는 더 이상 환경을 피폐하게 만들기를 원치 않습니다. 그렇지만 수많은 사람들의 엄연한 빈곤을 한순간도 잊을 수 없습니다. 가난과 필요가 최대의 오염원이 아니겠습니까?" "우리가 갈라진 세계에 살고" 있음을 강조하는 것이 중요했다.[37]

이는 세계의 여러 지역에서 빈곤과 기아 추방을 위해 노력하겠다는 오래전에 한 약속을 상기시켰다. 케네디의 1961년 대통령 취임사에서 가장 유명한 말은 이것이었다. "나라가 여러분에게 무엇을 해줄 수 있는지를 묻지 말고, 여러분이 나라를 위해 무엇을 할 수 있는지를 물으십시오." 그러나 그의 연설은 광범위하면서도 야심찬 약속을 했다. 새 대통령은 이렇게 말했다. "우리가 자유 국가의 반열에 기꺼이 맞아들일 새로운 나라들에게 우리는 이 말을 다짐합니다. 한 형태의 식민 통제는 그저 훨씬 심한 철권 독재로 대체되는 것만으로는 사라지지 않을 것이라고." 미국은 도움이 필요한 나라들을 도울 터였다. 케네디는 이렇게 덧붙였다. "굴레와 만연한 고통에서 벗어나고자 몸부림치는 세계 절반의 열악한 조건에 처한 사람들에게 우리는 그들의 자조 노력을 돕기 위해 최선을 다하겠다고 약속합니다. 얼마나 많은 시간이 걸리더라도 말입니다. 공산주의자들이 그 일을 할지 모르기 때문이 아니고, 그들의 지지를 끌어내기 위해서도 아니고, 다만 그것이 옳기 때문입니다. 자유로운 사회가 가난한 많은 사람을 도울 수 없다면 그 사회는 부유한 소수도 구할 수 없을 것입니다."[38]

이것은 10여 년 전 트루먼 대통령이 했던 약속의 반복이었다. 앞에서 보았듯이 트루먼은 미국이 세계에서 선善을 위한 세력이 될 수 있다는 생각을 거의 복음 전도자처럼 가지고 있었다. 그는 1946년 4월 전국에 방송된 연설에서 "미국은 신성한 의무에 직면해" 있다고 말했다. "배고픈 아이들의 울부짖음을 외면"할 수는 없었다. "분명히 우리는 그저 빵 한 조각만 달라고 청하는 수백만의 사람들에게 등을 돌리지는 않을 것입니다. (…) 우리가 우리의 상대적인 풍요를 고통받고 있는 사람들과 나누려 하지 않는다면 우리는 미국인이 아닐 것입니다. 미국이 세계 절반의 굶주림을 해소하기 위해 할 수 있는 모든 일을 다 할 결심이라고 내가 말하는 것은 곧 모든 미국인의 마음을 대변한 것이라고 나는 확신합니다."[39]

미국의 많은 정책 담당자들 및 지식인들에 따르면 기아 문제의 핵심은 '발전도상' 세계의 인구가 계속 늘고 있다는 것이었다. 1970년대 초 미국 중앙정보국(CIA)의 한 보고서에 따르면 그것은 "출생률의 증가 때문이 아니라 사망률(특히 영아 사망률)의 급격한 감소 때문"이었다.[40]

그것이 무엇을 의미하는지에 대해 일반 독자들은 상당한 흥미를 가졌다. 그들은 인구 증가, 자원 압박, 정치 불안정 사이의 관계를 파악하기 위해 고심하고 있었다. 맬서스로까지 거슬러 올라가는 문제였다. 이 문제에 관해 새로운 선지자들이 나왔다. 에드워드 머리 이스트Edward Murray East의 〈기로에 선 인류Mankind at the Crossroads〉(1923), 워런 톰프슨Warren Thompson의 〈태평양의 주민과 평화Population and Peace in the Pacific〉(1946), 그리고 무엇보다도 윌리엄 보그트William Vogt의 〈생존의 길Road to Survival〉(1948)과 페어필드 오즈번Fairfield Osborn의 〈약탈당한 지구Our Plundered Planet〉(1948) 같은 저작들이었다. 모두 다가올 미래에 대해 불길한 그림을 그리고 있다.[41]

이들 책은 결과적으로 영향력이 매우 컸다. 세계 최고 부자 가운데 한 명인 록펠러재단 이사장 체스터 바너드Chester I. Barnard는 전 세계 사람들이 먹을 만큼 또는 그 이상의 식량이 생산되는데도 멕시코의 생산량을 늘리기 위한 사업에 자금이 지원되는 이유를 휘하 사람들에게 물었다.[42] 그런 시각의 논리적 결론은 여러 보고서에서 분명해졌다. 록펠러재단이 주문한 〈세계 식량 문제World Food Problem〉는 "인구 증가와 자원의 불평등하고 불충분한 배분 사이의 충돌"을 강조했고, 1959년 포드재단이 인도 정부에 제출한 〈식량 위기 보고서Food Crisis Report〉는 인도가 직면한 "문제의 핵심"은 식량 공급과 빠르게 증가하는 인구 사이의 격차라고 주장했다.[43]

대규모 기아로 이어질 인구 급증에 직면한 세계의 위협은 몇 년이나 수십 년을 두고 생각할 문제라기보다는 지금 당장의 문제였다. 트루먼 대통령은 1946년 유럽과 아시아의 상황이 매우 긴박해 "빵을 모으고 유지油脂를 비축"하는 것이 긴요하다고 미국인들에게 말했다. 그는 연설에서 이렇게 강조했다. "자발적인 희생을 통해 절약하는 빵 한 조각, 유지 한 방울이 굶주리는 사람들을 살릴 것입니다. 우리가 먹는 것을 줄이지 않으면 틀림없이 수많은 사람이 죽을 것입니다."[44]

그것은 분명한 사실이었다. 이는 1950년대와 1960년대에 거듭 강력해진 이야기였다. 폴 에얼리크Paul R. Ehrlich와 앤 에얼리크Anne H. Ehrlich가 〈인구 폭탄The Population Bomb〉(1968)에서 싸움은 이미 졌다고 경고했지만 말이다. 매우 영향력이 컸던 이 책에서 저자들은 "온 인류를 먹일 식량을 확보할 가능성은 없다"라고 단언했다. "수천만의 사람이 굶어 죽고 있다"고 했다. 이 책의 표지는 이렇게 주장했다. "당신이 이 책을 읽는 동안 네 사람이 굶어 죽을 것이다. 대다수가 아이들이다."[45]

갈수록 더 많은 사람이 지구에 함께 살아야 한다는 전망은 핵전쟁으로 인한 파멸에 대한 불안과 자연계의 공업 중심지로의 변화(그것은 환경에 상처를 내고 흙과 물과 인간을 중독시켰다)에 더해진 것이었다. 과잉 인구는 이제 또 하나의 재앙을 만들려 하고 있었다. 그 책임이 누구에게 있는가? 일부 사람들은 그 답을 분명하게 밝혔다. 수전 손택은 1960년대 중반에 이렇게 썼다. "백인은 인류 역사의 암이다. 자주적인 문명들(어디에 자리 잡고 있든)을 말살하고 지구의 생태 균형을 뒤엎고 이제 생명의 존재 자체를 위협하고 있는 것은 백인이며 백인뿐이다. 그 이데올로기와 그 발명품들이다." 몽골 군단보다 훨씬 두려운 것은 "이상주의와 장엄한 예술을 지닌, 지적 모험심과 세계를 집어삼키는 정복의 에너지를 가진 서방 사람들"이었다.[46]

해법을 제시하려는 사람들도 있었다. 케네디 대통령은 "사회적 파급력에서 공업혁명에 필적할 과학혁명"을 자극하게 될 "식량 부족 국가에 대한 기술 이전"을 제안했다.[47] 그런 희망이 근거가 전혀 없는 것은 아니었다. 화학비료를 많이 쓰고 관개가 잘되면 효과를 내는 다수확 품종에 대한 연구는 흔히 '녹색혁명'으로 이야기되는 것을 제시했다. 물론 현대의 학자들은 그것이 얼마나 효과를 냈는지에 대해 회의적이다. 그것이 정말로 혁명적이었는지, 얼마나 믿기 어려운 것이었는지에 관해서 말이다.[48]

초기 결과는 짚이 짧은 일본 품종과 멕시코 품종을 교배해 새로 선보인 키가 작은 밀 품종이 전통적인 품종들에 비해 네 배의 수확을 올릴 수 있음을 보여주었다. 녹병에 대한 저항력이 개선되었고, 늦게 익는 것과 관련된 문제를 해결한 덕분이기도 했다. 이어 새로운 쌀 품종을 개발하기 위해 비슷한 접근이 시도되었다. 마찬가지로 조생종이었고, 낮의 길이에 민감하지 않았으며, 줄기는 짧고 빳빳했다.[49] 가장 유명한 선구자 가운데 한 사람인 노먼 볼로그Norman Borlaug는 노벨 평화상을 받았다. 새로운 곡물 품종을 개발해 "세계의 굶주리는 사람들을 먹이기 위해 광범위하게 생산"할 수 있도록 한 노력을 인정받은 것이었다.[50]

이런 발전은 세계 인구 증가라는 최악의 문제를 피해갈 수 있다는 희망을 주는 듯했다. 1960년대 말에 닉슨 대통령이 '기적의 씨앗'이라 부른 것을 얻게 되자 세계의 식량 공급 문제에 대한 해결 전망이 밝아졌다.[51] 잡종인 새 곡물 품종 도입은 상당한 덤을 제공했다. 최근 연구에 따르면 전 세계의 열량 공급원이 약 11~13퍼센트 증가했다.[52]

사실 역설적으로 수확량의 획기적인 증가의 주요 수혜자는 이미 공업화된 나라들에 있었다. 그들은 새로운 기술을 개발해 빠르게 적용했다.[53] 게다가 생산 증가는 생각지 못한 새로운 문제들을 초래했다. 주요 전문가들이 모인 한 학술회의에서는 얻을 수 있는 식량이 너무 적은 것이 걱정이었다가 이제는 너무 많은 것이 걱정이라는 얘기가 나왔다. 제3세계가 생산 과잉의 시기로 접어들었다는 것이다. "굶주린 사람보다 빈둥거리는 사람이 더 걱정이다."[54]

사회경제적 결과에 대해 생각하는 것은 틀린 것이 아니었다. 예를 들어 남아시아에서는 재산이 늘고 신용이 높아지자 돈을 빌릴 수 있고 요령을 아는 농민들이 소농들의 땅을 사들이면서 겸병을 촉발했다. 인도와 파키스탄의 일부 지역에서는 지주들이 눈앞의 기회를 살리려고 달려들면서 땅값이 세 배로 뛰고 사회 양극화가 심화됐다. 특히 불평등이 이미 존재하는 곳에서 그랬다.[55] 1974년에 나온 유엔의 한 연구가 밝혔듯이 녹

색혁명은 사회적 불평등을 개혁하는 것이 아니라 그것을 악화시켰다.[56]

그리고 녹색혁명은 그 자체가 파괴적이었다. 그 핵심 목표 가운데 하나가 자연을 극복하는 것이었을 뿐만 아니라 정치 불안정을 완화하는 것이었기 때문이다. 실제로 많은 경우에 그것은 정반대의 역할을 했다.

예를 들어 1970년대 초 인도에서는 대중영합주의자들이 수확량 증가로 인해 커진 부자와 가난한 자의 격차를 강조하면서 지지를 끌어냈다. 서아프리카 '쌀 생산 지대'의 주요 국가이자 쌀이 사회생활과 경제 활동에서 핵심적 역할을 한 시에라리온에서는 이미 부유하고 쌀 시장에 개입돼 있던 농민들이 새로운 기술로 얻는 보상을 차지할 수 있었다. 특히 전통적인 품종의 쌀(재배할 때 비에 더 많이 의존했다)을 선호하지 않은 저지대 지역에서 그랬다.[57] 필리핀에서는 페르디난드 마르코스의 정권과 그 가족에게 권력 강화의 기회가 열렸다. 그들은 종자, 농약, 대출, 기계 등의 공급을 독점했다. 게다가 가격도 통제했다.[58]

녹색혁명은 "풍요와 평화를 낳는 데서 자연과 정치 양쪽의 대용품으로서의 기술"을 제공하는 것으로 생각됐지만, 일부 학자들은 두 가지 다 실패했다고 주장한다.[59]

실패의 한 원인은 녹색혁명이 기본적으로 대규모 농업 생산에 전혀 적합하지 않은 세계 여러 지역에서 생태계의 제약을 극복하고자 한 것이라는 분명한 사실에 있었다. 흔히 폭우가 쏟아지는 열대 지역은 침식, 토양 유실, 땅(농작물 재배를 위한 전환 시에 표토가 상실된다)의 영양소 소모가 일어나기 쉬웠다.[60] 합성 농약 및 화학비료의 과다 사용은 토양의 카드뮴, 납, 비소 같은 중금속 축적으로 이어지고 그 결과로 토양의 알칼리성이 높아졌다.[61] 어느 학자는 이렇게 말했다. "이상화된 새 농업 기술의 가장 큰 '성과'는 생산량이 많지만 분명히 지속 가능성이 없는 선진국들의 영농 체계를 열대 지방에 수출한 것이었다."[62] 이런 사업과 관련된 영농 방식으로 인한 토지 품질 저하의 엄청난 규모는 전 세계적으로 거의 20억 헥타르에 영향을 미친 것으로 추산된다. 이와 관련된 사람은 26억 명이다.[63]

녹색혁명은 또한 생태계와 건강 모두에 중대한 영향을 미쳤다. 1960년대와 그 이후 인도에 도입된 농작물은 물을 많이 필요로 하는 것이었다. 이로 인한 관개농업은 이 나라가 현재 수자원 압박을 받고 있는 가장 큰 원인이 되었다.[64] 빨리 자라는 잡종 농작물 재배는 또한 수수, 보리, 땅콩 같은 작물 재배의 대폭 감소로 이어졌다. 그것은 동식물의 생태적 균형에 영향을 미쳤다.[65] 외국에서 잡종이 들어오면서 토종 쌀 품종 10만 종이 사라진 것으로 추산됐다.[66] 적절한 보호 없이 농약을 사용하는 농민들에 대한 영향도 있었다. 이 위험성은 여성(인도 같은 나라에서는 농업 노동자의 절반을 차지한다)의 경우에 더욱 두드러지며, 특히 어린 나이에 농약에 노출될 경우 더욱 취약하다.[67]

또 다른 문제는 대규모 인구 이동에서 생겼다. 정부 정책에 의한 것도 있고, 세계은행(WB)이 돈을 댄 사업에 의한 것도 있고, 일자리와 먹을 것을 찾아 나선 경우도 있었다. 예를 들어 인도네시아에서는 1500만에서 2천만에 이르는 정착자들이 수마트라, 칼리만탄, 술라웨시, 이리안자야의 밀림으로 들어갔다. 이것은 현지 생태계를 변화시켰을 뿐만 아니라 광범위한 인권 침해와 대규모의 벌목업 발전을 가져왔다. 오늘날 동남아시아의 이 지역에서만 매년 75만 헥타르의 삼림이 벌목되고 있다. 1980년대 중반까지도 이것은 "세계은행의 가장 무책임한 사업"으로 불렸다.[68]

저발전 세계의 도시화 확산과 뭄바이, 마닐라, 멕시코시티 같은 도시들의 규모 확대는 사회 및 정치 안정에 대한 새로운 우려를 낳았고, 시 당국이 늘어나는 인구수에 적절히 대처할 수 있을 정도로 신속하게 기반시설을 건설해야 한다는 압박을 가했다. 그리고 그것은 다시 환경의 악화로 이어졌다. 일부 지역에서는 생산이 애당초 인구 동태를 따라갈 수 있을지에 대한 회의론이 고개를 들었다.

1968년 인도 식량농업부 장관 수브라마니암Chidambaram Subramaniam이 스탠퍼드대학에서 강연했을 때 폴 에얼리크는 의혹을 가진 채 들었다. "인도가 지금보다 약 1200만 명이나 더 많은 사람들을 먹이기에 충분한 식량을 생산할 방법을 찾을" 가능성은 없다고 에얼리크는 썼다. 수백만 명이 죽을 것이라고 그는 예측했다.[69]

에얼리크가 보기에는 "인구 조절이 유일한 해법"이었다.[70] 이는 1950년대 이래 세계은행이 지지해온 정책이었다. 세계은행은 인도인들이 적극적인 피임 계획을 채택하면 30년 안에 40퍼센트 이상의 소득 증가를 기대할 수 있다고 예측했다.[71] 볼로그 역시 열렬한 지지자였다. "이 인구 공룡의 중대성과 위험성"을 충분히 인식하고 있는 사람이 많지 않다고 그는 1970년 12월에 주장했다. 그의 작업과 신품종 쌀을 개발한 다른 사람들의 작업은 그저 시간(그의 표현으로 "숨 돌릴 틈"이었다)을 벌었을 뿐이었다. 아마도 30년쯤이었을 것이다.[72] 그런 무서운 경고가 정부로 하여금 출산 보건에 개입하는 데 나서게 했다. 그것은 성교육과 가족계획 권장에서부터 대규모 강제 피임 계획에 이르기까지 다양했다.[73]

다른 사람들은 그렇게 보지 않았다. 적어도 처음에는 말이다. 1950년대 말 중국의 한 신문 제목은 이랬다. "사람이 많으면 많을수록 우리는 인간의 가장 큰 이상인 공산주의를 더 빨리 실현할 수 있다." 마오쩌둥이 보기에 중국의 많은 인구는 긍정적인 자산이었다. 나라를 위험으로부터 차단해주는 것이었다. 그는 1957년 모스크바에서 흐루쇼프에게 충격적인 이야기를 했다. "우리는 핵무기에 대해 겁먹을 필요가 없습니다. 어떤 종류의 전쟁이 벌어지든(재래식 전쟁이든 핵전쟁이든) 우리는 이깁니다. 중국에 대해서 말하자면, 제국주의자들이 우리에게 전쟁을 걸면 우리는 3억 명 이상이 죽겠죠. 그래도 뭐 어떻습니까? 전쟁은 전쟁이에요. 시간은 지나갈 것이고, 우리는 이전보다 더 많이 아이를 낳는 일에 나설 겁니다."[74] 적어도 마오쩌둥에 따르면 인구 증가를 억제하거나 피임약 사용을 옹호할 필요는 없었다. 100년 후 중국에 세계 인구의 절반이 살게 된다면 그때는 모든 사람이 "대학 졸업자"가 되고 "자연히 산아 제한이 될" 테니 문제없을 것이라고 했다.[75]

결국 1970년대 초에 중국마저도 인구(1949년 이후 50퍼센트나 늘었다) 관리를 위해 설계된 조치를 채택했다. 가족계획 운동을 도입하고, 법적 결혼 연령을 대부분의 지역에서 20대 중반으로 올렸으며, 어머니들에게 아이들의 터울을 길게 하도록 권장했다.[76] 1979년, 이것이 기대했던 대로 인구 증가의 둔화를 가져오지 못하자 한 자녀만 갖는 정책이 도입됐다.[77]

통상 효과적인 현대화 계획을 실행하기로 결의한 공산당에 의해 중앙에서 강제된 징표로 해석되지만, 사실 정책을 뒷받침한 거의 모든 주요 아이디어는 서방과 서방 과학으로부터 차용했다.[78] 너무도 자주 그렇듯이 이 해법은 여러 가지 새로운 문제들을 낳았다. 특히 뒤의 세대가 이전 세대를 대체하지 못하는 인구의 문제와 급속한 노령화 문제가 생겨났다. 이 두 가지 문제는 미래의 중국 경제에(그리고 그 사회적·정치적 궤적에) 심각한 영향을 미칠 수 있는 것이었다.

이런 문제들(그리고 공포들) 가운데 상당수는 오늘날의 세계에도 매우 낯익어 보인다. 핵으로 인한 대규모 파괴, 경제 성장 추구로 인한 생태계 손상, 자원의 지속 불가능한 이용, 세계 인구 증가에 따른 기반시설과 식량에 대한 압박, 희망을 높이지만 동시에 판도라의 상자를 여는 새로운 착상과 기술에 대한 지나친 의존, 각국 정부와 국제기구들의 협력 강조와 이에 관한 실질적 진전의 결여, 그리고 가장 중요한 것으로 미래가 어떻게 전개될지에 대한 뿌리 깊은 우려 같은 것들이다. 여기에 기후 변화에 대한 우려 역시 추가돼야 한다.

일부 과학자들은 인간의 행위가 그저 공해, 농약, 천연자원 고갈을 통해 자연계를 변화시키는 것만이 아니라 기후 자체까지도 변화시키고 있다는 우려를 하게 되었다. 로저 리벨Roger Revelle과 한스 수스Hans Suess는 1957년에 발표한 한 논문에서 대기의 이산화탄소 증가를 고찰하는데, 이렇게 예측했다. "다음 수십 년 동안에 화석연료 연소의 속도는 계속해서 빨라질 것이다. 전 세계 공업 문명의 연료와 동력 수요가 계속해서 기하급수적으로 증가한다면 말이다." 이것은 좋지 않은 결과를 가져올 것이라고 두 과학자는 썼다. "인류는 지금 과거에 일어났던 적도 없고 미래에 재연되지도 않을 것 같은 방식의 대규모 지구물리학적 실험을 하고 있다." 공업혁명과 그 결과로서 화석연료 연소를 통한 이산화탄소 증가(특히 19세기 중반 이후)의 영향은 이런 것이었다. "우리는 수억 년에 걸쳐 퇴적암에 저장된 농축 유기탄소를 수백 년 안에 대기와 해양으로 되돌려주고 있다." 리벨과 수스는 그 결과를 추측하려 하지는 않았지만, 그것이 광범위할 것임은 틀림없었다.[79]

대략 비슷한 시기의 다른 연구들은 걱정스러운 결과들을 내놓기 시작했다. 앞에서 보았듯이 기상 패턴에 관한, 기후 조건에 관한, 장단기 변화에 관한 관심은 20세기 초 이래 (어쩌면 그 이전부터) 군사 기획에서 핵심적인 부분이었다. 냉전이 한창일 때 미국 국방부는 이렇게 말했다. "국방부는 군사 업무가 작전이 필요한 지역에서 환경에 대해 이해하고 그것을 예측할 능력을 지니며 심지어 그것을 통제해야만 하게 된 이후, 환경 연구에 사활적인 관심을 갖고 있다." 특히 유도탄 장치가 상층 및 하층 대기, 전리층의 상태, 측지학 및 지자기학, 기타 여러 가지에 대해 가능한 한 많은 정보를 필요로 하기 때문이다.[80]

상당한 정력과 자원이 극지極地 연구에 투입되기도 했다. 대규모 원정이 이루어지고 1940년대 말에 남극에 기지들이 세워졌다. '하이점프Highjump' 작전과 10년 후 그린란드의 캠프센추리Camp Century가 미국 육군 공병대의 빙설동토연구소(SIPRE) 승인하에 이루어졌다. 조사에는 현재뿐만 아니라 과거의 이산화탄소 추적도 들어 있었다. 하와이 마우나로아 같은 곳의 감시측정소들에서 하는 일과 마찬가지의 것이었다.[81]

캠프센추리에서는 특히 한 가지 사실을 밝혀냈다. '아이스웜ICEWORM' 프로젝트의 기지로 선택돼 600발의 탄도미사일 무기고로 삼고자 한 이곳의 과학자들은 앙리 바데Henri Bader의 지휘 아래 얼음 시료를 채취해 여러 가지 발견을 했다. 바데는 이전에 알래스카 빙상에 갇힌 이산화탄소 기포를 연구한 바 있었다. 캠프센추리 연구팀은 오클라호마에서 가져온 굴착 장비를 이용해 수천 년, 심지어 수만 년까지 거슬러 올라가는 과거의 기후 조건의 경험적 증거를 제공하는 데 일조했다. 그리고 그렇게 함으로써 장기적인 기후 조건에 관한 통찰을 제공하는 데 도움을 주었다. 그것이 과거와 비교한 현대 세계의 변화의 규모와 속도를 보여주었다.[82]

소련에서도 이 시기에 일반적으로 기후 변화와 특수하게 인간의 영향에 관해 많은 연구가 이루어졌다. 예브게니 표도로프Yevgeny Fyodorov 같은 학자들에 의해서였다.[83] 그 주요 인물 가운데 한 사람이 미하일 부디코Mikhail Budyko인데, 하층 대기와 지구 표면의 관계에 관한 그의 획기적

인 연구는 소련 바깥에서 미국을 비롯한 여러 나라 기후학자들에게 대단히 흥미롭게 받아들여졌다.[84]

부디코의 연구 분야 중 하나는 대량의 인위적인 열 발생이었다. 그리고 이것이 지역, 광역, 심지어 지구의 기온에도 잠재적으로 영향을 미치는지 여부와 그 장소 및 방식의 문제였다. 연구는 극지 얼음반사율 피드백ice-albedo feedback을 보여주었다. 극지방의 눈과 얼음 감소는 태양의 가열로 심화되고 그것이 눈과 얼음 지역을 더욱 줄여 지구 온난화를 증폭시킨다는 것이다.[85] 이 모든 것은 인간의 행동과 활동이 "가까운 미래에 큰 기후 변화"를 일으키는 과정에 있음을 시사한다고 부디코는 1969년에 썼다. "그 결과로 자연적인 기후 변화는 이울고 인간이 초래하고 변형시킨 변화로 대체된다."[86]

인간이 기후에 미치는 영향은 과학계 안에서 상당한 논의의 주제가 되었다. 석유가스 관련 업계를 대변하는 미국석유학회(API)에서 발주한 한 논문은 화석연료 연소에 의해 방출된 탄소의 양을 감안할 때 미래에 대한 전망은 "심각하게 우려하지 않을 수 없다"고 보고했다.[87] 1970년 〈사이언스〉에 실린 또 다른 논문은 화석연료뿐만 아니라 먼지 입자, 미립자와 그것으로 인한 대기 오염, 그리고 도시("단연 가장 두드러지고 지역적으로 광범위한 영향을 미치는 인간 활동"이 벌어지는 곳이다)까지도 살폈다. 자연적인 기후 변화의 '교란 요소'는 인위적인 요소의 영향을 쉽게 가릴 수 있다. 따라서 긴급하게 필요한 것은 "이런 변화들을 조기에 판단할 수 있는 적절한 세계적 감시 체계"였다.[88]

현재의 간빙기가 언제 끝날지를 살피고(또는 과거 지구의 기후 조건을 검토하고) 세계는 현재 냉각 주기에 있으며 그것은 8300년 더 지속될 것이라고 주장한 논문들이 있었다.[89] 대략 비슷한 시기에 발표된 다른 연구들은 오존이 아산화질소에 의해 파괴되고 초음속 수송기의 출현으로 더욱 악화(고고도에서 가스가 배출되기 때문이다)될 수 있음을 강조하거나, 오존층에서의 염화불화탄소(CFCs)의 영향을 평가했다. 다들 미래가 어떻게 될 것인가에 생각을 집중시키는 데 기여했다.[90]

공포는 공공 영역으로 번졌다. 1950년대에만 해도 일반 언론들은 암담한 모습으로 그려진 세계에 관한 기사들을 실었다. "사하라의 부동산 열기"로 이어질 법한 새로운 빙하기로 들어서기 직전의 세계라는 것이었다.[91] 1970년대에 그런 생각은 즐겁게 받아들여졌다. 더 추운 겨울이 새로운 빙하기의 시작을 알리고 있다고 〈워싱턴 포스트〉는 1970년 1월에 단언했다. 〈로스앤젤레스 타임스〉는 나흘 뒤 "인간은 자신을 위한 새로운 빙하기를 만들 것인가?"라고 물었다. 새로운 빙하기가 21세기 초에 올 것이라고 〈보스턴 글로브〉는 몇 달 후에 보도했다. 이것은 인쇄 매체의 수많은 비슷한 기사들 가운데 그저 몇 가지 사례다.[92]

곧 닥쳐올 암울하고 추운 세계는 길고도 압도적인 것으로 드러났다. "숨길 수 없는 징후가 도처에 있다"라고 〈타임〉은 1974년에 주장했다. 세계의 기온이 떨어지고 있다는 지표가 도처에 있었고, 이미 그것이 사하라 이남 아프리카, 중앙아메리카, 서아시아, 인도의 가뭄에 영향을 미쳤다. 변화의 원인 가운데 하나는 태양 활동의 변화였다. "인간 또한 어떤 면에서 냉각 추세에 책임"이 있기는 하지만 말이다. "농경과 연료 연소의 결과로 먼지와 기타 입자들이 대기로 방출"돼 그것이 "갈수록 햇빛이 지구 표면에 도달해 가열하는 것을 막았기" 때문이다.[93] 〈뉴스위크〉는 1년 후 이런 주장의 기사로 뒤를 따랐다. "기상학자들 사이에서는 냉각 추세의 원인과 규모에 관해 의견이 일치하지 않는다. (…) 그들은 이런 추세에 따라 이번 세기 나머지 기간에 농산물 생산이 줄어들 것이라는 데 거의 동의한다."[94]

그러나 이는 전혀 사실이 아니었다. 대다수의 과학자들은 현재에 관해 일률적으로 이야기하는 것에 신중한 태도를 보였다. 미래에 파멸이 올 것이라고 예측하는 것에 대해서는 더 말할 것도 없었다. 1974년 미국의 국가과학재단(NSF) 이사회에 제출된 보고서들은 냉각 추세가 분명함을 인정했지만, 배기가스, 오염물질, 미립자 등이 현재의 기후에 영향을 미치고 있는지 여부나 그 장소와 상황을 확증하기 위해서는 "커다란 진전"이 필요하다고 지적했다.[95]

1년 후 미국 국가과학원(NAS)의 한 보고서는 "대규모 기후 변화가 전 세계 규모에서 경제 및 사회의 조정을 불가피하게 할 것"이라고 주장했으며, 이에 따라 추가적인 연구의 필요성을 재차 강조했다. 국가과학원은 "지구의 기후는 언제나 변해왔다"라고 인정하고 "이 미래의 변화가 어떤 규모"일지 알 수 없다고 말했다.[96] 이것은 헨리 키신저 미국 국무부 장관이 1974년 4월 유엔 총회에서 연설할 때 취한 입장이었다. 과학자들은 긴급하게 "계절풍대帶와 전 세계에 걸친 기후 변화의 가능성"을 조사할 필요가 있다는 것이었다.[97]

그럼에도 불구하고 일부 학자들은 자기네의 견해를 강력하게 표명했다. 지구 냉각화에 관한 한 논문의 필자들은 1972년 닉슨 대통령에게 이렇게 경고했다. "이제까지 문명화된 인류가 겪은 어떤 것보다 수십 배 큰 세계적인 기후 악화가 현실화될 가능성이 매우 높으며 정말로 아주 이른 시일 내에 올 듯하다." 백악관은 이를 몇몇 조직에 회람시켰다. "검토해서 적절한 행동"을 취하라는 것이었다.[98]

기후 변화가 "정보 문제", 국가 안보, 세계 문제에 어떤 의미를 가지는지에 대해 역시 그해에 나온 중앙정보국의 한 보고서는 이렇게 제시했다.

"기후는 정보 분석에서 주요 고려 사항이 아니었다. 최근까지 그것은 주요 국가들의 지위에 어떤 중대한 혼란도 일으키지 않았기 때문이다." 이 보고서의 저자들에 따르면 그것은 20세기의 기후 조건이 제2천년기(11세기까지 거슬러 올라가는) 대부분의 기간에 비해 농사에 가장 적합했기 때문이다.[99]

그러나 최근의 사건들은 회의론자들마저 경각심을 갖게 했다. 1970년대 초 미얀마·코스타리카·온두라스·파키스탄의 가뭄, 북한·필리핀·소련의 흉작, 일본의 곡물 냉해, 북아메리카 오대호 연안의 100년 이래 최악의 홍수, 북베트남의 이례적인 폭우, 소련과 중국의 악천후·가뭄·홍수는 "기후가 이제 결정적인 요인"임을 보여주는 데 기여했다. 특히 "식량의 정치는 모든 정부에서 핵심 과제가 될 것"이었다.[100] 중앙정보국은 "세계 기후 변화가 진행 중"이고 이는 "1970년대에 세계적인 흉작을 초래할 것"임을 시사하는 과학 연구가 날로 늘어가고 있다고 지적했다.[101]

비슷한 내용의 중앙정보국 별도 보고서는 그 함의에 대해 더욱 세밀하게 살폈다. "냉각 추세가 진행 중이라고 생각하는 기후학자들이 옳다면" 전 세계적으로 "극심한 식량 부족 사태가 초래될 것이 거의 확실"할 것이라고 그 저자들은 단언했다. 성장 가능 기간이 짧아지는 소련과 중국, 그리고 더 자주 계절 강우에 차질이 빚어지는 남아시아, 동남아시아, 중국 남부에서 가장 크게 생산이 감소할 것으로 예측됐다.[102] 그들은 이어 이렇게 말했다. "게다가 기후 변화가 진행 중인 기간에는 사나운 날씨(계절에 맞지 않는 서리, 이상 난동기, 대형 폭풍우, 홍수 등)가 더 흔해질 것이다." 이 모든 것은 식량과 인구의 균형뿐만 아니라 "세계의 세력 균형"에도 "막대한 영향"을 미칠 것이었다. 가장 큰 이유는 미국의 지리로 인해 그 생태계가 기후 변화에 덜 취약하다는 데 있었다. 이것은 이미 미국에 의존적이

거나 그렇게 되려는 나라들 가운데 일부에서 반미국 정서로 흐를 가능성이 있었다.[103]

보고서 저자들은 기근의 압박 속에서 "시골의 대중"이 "덜 유순"해지면서, 그리고 사하라 이남 아프리카, 동아프리카, 인도의 도시 중산층의 생활수준이 떨어지면서(식량 부족과 급격한 물가 상승으로 인한 것이다) 사회적·정치적 동란이 일어날 가능성이 매우 높다고 말했다.[104] 그들은 최악의 가능성에 대해 이렇게 경고했다. "힘을 동반한 대규모 이주가 매우 절박한 문제가 될 것이다. 핵무기를 동원한 협박의 가능성도 배제할 수 없다." 가난한 나라들의 경우에는 주민들의 "문제"가 "가장 불쾌한 방식으로" 해결될 것이다. 대량으로 아사한다는 얘기다.[105] 이 보고서를 입수한 〈워싱턴 포스트〉의 조지 윌George Will은 거기서 확인한 사실을 무뚝뚝하게 요약했다. 기후 변화가 일어난다면 "엄청난 떼죽음이 일어날 것"이라고 말이다.[106]

미국 행정부의 일부 고위 인사들은 농업, 기후학, 경제의 힘을 이용해 이득을 얻을 수 있다고 생각했다. 닉슨 행정부의 농업부 장관 얼 버츠Earl Butz는 "식량은 무기이며, 이제 우리 협상 카드의 핵심 도구 가운데 하나가 되었다"라고 말했다.[107] 문제는 미국이 내놓을 강한 패가 있다 하더라도 에너지 문제에서는 약자의 입장이라는 것이었다. 그리고 이것이 정책을, 기후 변화에 대해 경고하는 것보다 훨씬 더 영향력 있는 방식으로 결정하는 데 도움을 주었다. 그리고 이에 더해 화석연료를 적게 소비하고, 재생 및 청정 동력원에 대한 투자를 촉진하며, 지속 가능성에 대한 논의를 촉발하는 쪽으로 더욱 멀리 나아갔다.

그런데 역설적으로 화석연료의 사용을 줄여야 한다는 자극은 과학자들이나 정보 보고에서 경고한 결과가 아니라 1973년 10월 수천 킬로미터 바깥의 서아시아에서 일어난 사건의 결과였다. 아라비아 국가들이 통합〔1972년 리비아, 이집트, 시리아를 합쳐 세운 아라비아공화국연방을 말한다〕한 뒤 이스라엘을 기습 공격한 것이다. 그날이 욤키푸르('속죄일')라는 유대교의 성스러운 날이었는데, 이를 따서 이때 벌어진 전쟁의 이름을 붙였다.

석유수출국기구(OPEC) 회원국들이었던 아라비아 국가들은 미국에 압박을 가하기 위해 석유 생산을 감축한 뒤 미국으로의 석유 수출을 금지하는 조치를 내렸다. 이스라엘을 지지하거나 동정적이거나 그렇게 생각되는 다른 나라들에 대해서도 마찬가지였다. 그 결과로 큰 에너지 위기가 발생했다.

몇 주 지나지 않아 미국은 에너지 부족에 직면했고, 11월 7일 닉슨 대통령이 전 국민을 상대로 한 텔레비전 연설에서 "심각한 국가적 문제"라고 한 것이 닥쳤다. 미국은 석유 수입에 의존할 수 있었기 때문에 "근년에 성장하고 번영"을 누렸다. 서아시아에서의 전쟁은 이를 변화시켜 이 나라로 하여금 "제2차 세계대전 이래 가장 심각한 물자 부족"에 직면하게 했다. 그 결과로 미국인들에게는 이제 극적인 조치가 필요해졌다. 단기적으로 그것은 이런 의미였다. "우리는 에너지를 덜 사용해야 합니다. 다시 말해 난방을 덜 하고 전기를 덜 쓰고 휘발유를 덜 써야 합니다." 장기적으로 "그것은 새로운 에너지원을 개발해야 함을 의미"한다고 그는 이어갔다. 미래에 에너지 독립을 제공할 수 있는 것이었다.[108]

그는 곧 시행될 여러 가지 급진적인 조치들을 설명했다. 여기에는 전국의 모든 가정에서 일어나야 할 변화도 들어 있었다. 닉슨은 이렇게 말했다. "분명히 온 나라에 겨울을 나기에 충분할 만큼의 석유가 있습니다.

우리 모두가 조금 낮은 온도에서 살고 일하는 것이 필수적일 것입니다." 그 말인즉슨 "여러분 가정의 온도 조절기를 적어도 화씨 6도" 낮춰야 한다는 얘기였다. 그것은 그의 주치의가 보증한 것이었다. 주치의는 그에게, 따뜻한 환경보다 서늘한 환경에서 "당신은 정말로 더 건강"해질 것이라고 말했다. 사무실, 공장, "상업 시설"은 온도를 화씨 10도 내려야 했다. "온도 조절기를 낮추거나 근무 시간을 단축"해야 했다. 후자는 온도를 낮출 수 없는 경우의 얘기였다.[109]

연방정부 전체의 대대적인 조치가 발표됐다. "정부의 모든 기관과 모든 부서"에서 에너지 소비를 추가로 감축하고 있고 앞으로도 그럴 예정이었다. 주지사들에게는 "학교의 연간 수업을 약간 변경"(아마도 여름에 해가 길어진 것을 활용하기 위한 것이었던 듯하다)하고 지역사회의 "불필요한 조명"을 억제하는 계획을 고려하도록 권장됐다. 대중교통 이용과 합승을 늘리는 장려책 도입이 추진될 예정이었다. 모든 관용 차량은 연료를 아끼기 위해 속도가 시속 80킬로미터로 제한(비상시는 제외)된다. 연소기관의 최적 효율에 근거해 국도의 속도 제한도 설정된다. 하루 수십만 배럴의 석유를 절약하는 데 보탬이 되기 위해서였다. 닉슨은 이렇게 말했다. "변화를 위해 모두가 협력해야 합니다."[110]

미국은 최근의 달 착륙에서, 그리고 '맨해튼 프로젝트'의 기술적 성취에서 자극을 얻어야 한다고 대통령은 이어갔다. "외국의 에너지 공급에 의존하지 않고 스스로의 에너지 수요를 충족시킬 가능성"을 개발해야 했다. 닉슨은 자신이 '인디펜던스Independence(독립) 프로젝트'라 명명한 새 계획을 발표하면서 1980년까지 미국이 스스로의 자원으로 에너지 수요를 충족시킬 수 있을 것이라고 다짐했다.[111]

에너지 확보를 둘러싼 우려, 가격 상승, 환경, 해외 수출에 대한 의존 및 경제와 국가 안보에 대한 그 함의는 오늘날에도 공감이 가는 이야기들이다. 고질적인 문제를 갖가지 야심찬 발표를 통해 해결하겠다는 정부의 약속과 매진 역시 마찬가지다. 그것들은 실천이라는 측면에서는 별로 성과를 내지 못했다.

1970년대 초의 에너지 위기가 미국에 깊은 흔적을 남긴 것은 사실이다. 그중 가장 분명한 것은 시속 55마일(약 90킬로미터)의 속도 제한이다. 대통령 연설 몇 주 후 입법화된 그 조치는 20여 년 동안 남아 있었으며, 미국의 어떤 지역에서는 아직도 주의 정책이다. 초기 연구들은 이 제한으로 미국인들이 잃어버린 시간이 매년 거의 20억 시간임을 보여주었다. 다만 속도를 낮춤으로써 생명을 구하고 연료도 아꼈다.[112] 그러나 오늘날 길을 나서는(전기자동차가 되었든 무엇이 되었든) 사람들 가운데 자기네가 이동하면서 지켜야 하는 속도를 에너지 소비를 제한하려는 목적을 가진 비상조치와 연결시키는 사람은 별로 없다.

물론 문제 가운데 하나는 미국의 화석연료 압력집단의 힘이었다. 그것이 청정에너지로의 전환을 어렵게 했다. 유권자들의 저항도 있었다. 장기적인 계획에 자금을 댈 증세를 한사코 거부하는 사람들이었다. 이런 문제들은 지미 카터 대통령 재임 중(1976~1980)에 집약적으로 나타났다. 그는 1977년 11월 전 국민에게 한 연설에서 '국가 에너지 계획'을 발표했을 때 "의회 의원들이 직면한 선택은 쉽지 않다"고 말했다. 그는 이렇게 말했다. "한 달 한 달 지나면서 우리의 에너지 문제는 점점 악화됐습니다. 이번 여름에 우리는 역사상 그 어느 때보다도 많은 석유와 휘발유를 사용했습니다." 수입에 대한 의존은 줄어들기는커녕 늘고 있었다. 이로 인해 물가가 상승하고 그것은 정부의 통제를 벗어나 있다고 카터는 말했다. 그는 해럴드 브라운Harold Brown 국방부 장관의 말을 인용했다. 장관은

"현재의 확실한 에너지원의 결여는 (…) 우리의 안전과 우리 동맹국들의 안전에 유일하게 명백한 위협"이라고 했다는 것이다. 이것이 심각한 도전에 대한 대응을 감독하고 조정할 에너지부를 만드는 것이 필수적인 이유 가운데 하나였다.[113]

우리는 "소비를 줄일" 필요가 있다고 카터는 말했다. "석유와 가스에서 다른 에너지원으로 전환"하고 "미국 국내의 에너지 생산을 독려"해야 했다. 그는 이어, 정부는 국내의 화석연료 생산을 지원하는 한편, 세금을 당근과 채찍으로 활용해 "석유와 가스에서 석탄으로, 풍력과 태양열 발전으로, 지열과 메탄과 기타 에너지원으로의 전환을 서둘러야" 한다고 말했다. 이것은 어려운 과제라고 대통령은 인정했다. 미국은 "장기적인 미래의 도전들"에 직면해 있고 정치인들은 그저 짧은 기간의 재임을 위해 선출되기 때문이다. 그럼에도 불구하고 그는 이렇게 결론지었다. "나는 지금으로부터 100년 동안에 걸쳐 마르지 않는 에너지원을 만들 변화가 일어나기를 희망합니다."[114]

카터가 처음으로 청정에너지 연구개발에 대한 투자를 제안한 것은 아니었다. 1970년대 초에 닉슨은 에너지 효율성을 높일 계획과 더 청정한 연료(태양열 발전, 지열 에너지원, 수소 기반 핵융합로 같은)로의 전환을 가능케 할 기술에 대한 투자를 늘리는 정책을 수립했다.[115] 그러나 얻을 수 있었던 돈은 우스꽝스러울 정도였고, 상업성이 있는 자원을 개발해낼 정도가 되지 못하는 듯했다. 한편 카터 대통령은 취임 후 얼마 지나지 않아 전국에 방송된 텔레비전 연설에서 복음 전도자의 열정으로 이렇게 말했다. "세계는 미래를 위한 준비가 되어 있지 않습니다." 그는 석탄의 활용도를 늘리는 것을 지지하는 한편, 주택과 새 건물에 단열재를 설비하고 태양 에너지를 개발하고 확대하는 야심찬 목표를 설정했다. "우리의 일자리를, 우리의 환경을, 우리의 생활수준을, 우리의 미래를 지키기 위해" 이 모든 것이 필요하다고 그는 말했다. 간단한 이야기였다. "우리는 자식과 손주들이 괜찮은 세상에서 살기를 원한다면 이기적이거나 소심해져서는 안 됩니다."[116]

그러나 그에게 동의한 사람은 많지 않았다. 문제 가운데 하나는 1970년대 말의 지리정치학적 소용돌이였다. 석유수출국기구는 1979년 다시 한번 유가를 50퍼센트 인상해 세계 경제(미국을 포함해서)를 침체의 벼랑 끝으로 내몰았다. 사태는 카터의 미숙한 대응으로 인해 더욱 악화됐다. 그는 1979년 7월, 불과 몇 달 후 대통령 선거에 투표할 성난 유권자들에게 이렇게 말했다. "근면, 강한 가족, 굳게 단결한 공동체, 신에 대한 믿음을 자랑으로 삼는 이 나라에서 너무 많은 사람들이 이제 방종과 소비를 숭배하는 경향이 우리 사이에 있습니다." 그는 "정부와 교회와 학교는 갈수록 무시"되고 있다고 덧붙였다. "그것은 진실이고 경고"였다. 개인의 탐욕은 문제였다. "인간의 정체성은 더 이상 그가 무엇을 했느냐로 평가되지 않고 그가 무엇을 가졌느냐로 평가될 것입니다."[117] 이런 훈계는 먹히지 않았다. 카터의 지지도는 전례 없는 수준으로 급락했다. 이를 활용한 것이 로널드 레이건이었다. 그는 "자기네 방식으로 자기네의 삶을 살아가는 보통 남녀의 상식과 예의범절"을 옹호했고, 그게 잘 먹혀들어 쉽게 백악관에 입성했다.[118]

지금 돌아보면 에너지 전환의 기회를 어떻게 해서 놓쳤는지 알기가 어렵다. 예를 들어 1979년 여름에 카터는 태양광과 기타 재생에너지에 대한 10억 달러의 일괄 자금 지원을 발표하고 백악관 지붕에 설치된 새 태양 전지판을 자랑했다. 그는 이렇게 말했다. "오늘 설치된 제 뒤의 이 태양열 온수기는 2000년에도 여전히 여기서 값싸고 효율적인 에너지를 공급할 겁니다. 지금으로부터 한 세대 후에 이 태양열 온수기는 호기심의 대상이 되거나, 박물관 진열품이 되거나, 가지 않은 길의 사례가 되거나, 미국인이 이제까지 수행했던 것 가운데 가장 위대하고 가장 신나는 모험 중 하나의 그저 작은 부분이 될 수 있을 것입니다."[119]

이후 수십 년 동안 밟은 길은 청정에너지와 재생에너지의 세계가 아니라 에너지 소비, 화석연료 연소, 탄소 배출, 오염물질의 이례적 증가로 이어진 세계였다. 무엇보다도 국제 무역과 세계화의 증대 및 심화에 의해 촉진된 것이었다. 역설적으로 그 기폭제 가운데 하나는 미국 대통령제의 손상이었다. 다른 하나는 베트남 전쟁 동안에 개발된 기상 변개 계획이었다.

미국이 동남아시아에서 벌인 군사 활동에 관한 수천 건의 귀중한 은닉 문서들이 언론에 넘겨졌다. 넘긴 사람은 환멸을 느낀 연구자 대니얼 엘스버그Daniel Ellsberg로, 그는 제2차 세계대전 종전부터 1960년대 말까지 인도차이나반도에서의 미국의 역할에 관한 역사를 편찬하는 데 관계하고 있었다. '펜타곤 문서Pentagon Papers'로 알려진 이 문서들은 〈뉴욕 타임스〉와 〈워싱턴 포스트〉에 여러 차례의 특종과 폭로로 알려지기 시작해 독자들을 사로잡았다. 독자들은 승인된 비밀 작전의 수와 범위에서, 그리고 린든 존슨 행정부가 "대중에 대해서는 물론이고 의회에 대해서도" 조직적으로 거짓말을 했다는 점 때문에 분노했다.[120]

기사는 1971년 여름에 나오기 시작해 대법원의 판결 이후 줄기차게 계속됐다. 대법원은 보도를 막으려는 미국 정부의 노력이 수정 헌법 제1조 위반이며 법으로 정당화될 수 없다고 판결했다.[121] 가장 놀라운 폭로 가운데 하나는 베트남 전쟁 기간에 동남아시아의 기상을 조작하려는 장기적인 노력에 관한 것이었다. 심지어 '펜타곤 문서'가 보도되기도 전에 나온 한 보고서는 "공군 인공강우팀"이 1967년에 시작된 암호명 '인터미디어리 컴패트리엇Intermediary Compatriot'이라는 극비 작전을 통해 "북베트남인을 상대로 날씨를 바꾸는 데 성공"했으며 우기 동안에 밀림 도로망 상공에서 더 많은 비가 내리게 했다고 주장했다.[122]

이 보고서는 워싱턴의 일각에서 경종을 울리게 했다. 특히 상원 대양국제환경소위원회는 국방부 장관에게 답변을 요구했다. 그는 처음에 국가 안보를 위협할 것이라는 이유로 답변을 거부했으나 그 후 상원에서 날씨 변개 시도는 없었다고 증언했다. "우리는 북베트남 상공에서 그런 종류의 활동을 한 적이 없습니다."[123]

이는 매우 황당한 얘기였다. 그런 활동이 1972년 여름에 있었다는 상세한 기록이 장문의 폭로 기사에 정확하게 나와 있으니 말이다. 이 기사에서 시모어 허시Seymour Hersh 기자는 어디서, 어떻게, 왜 이 합동 작전이 전개됐는지 상술했다. 이 작전에 대해 상세히 알고 있던 한 장교는 "우리는 날씨 패턴을 우리의 편의에 맞게 조정하고자 노력"했다고 설명했다.[124] 이는 '파파이 작전'을 언급한 것이었다. '파파이Popeye'는 '인터미디어리 컴패트리엇'이라는 암호명을 바꾼 것이었는데, 기밀이었던 암호명이 노출돼 새 이름을 쓴 것이었다.[125]

나중에 밝혀졌듯이 '파파이'의 목표는 요오드를 사용해 북베트남과 라오스 남부 병참선을 따라 "충분한 비를 내리게" 하는 것이었다. "트럭 운송을 저지하거나 적어도 방해"함으로써 보급을 막기 위해서였다. 처음 실험은 라오스 영내에서 그들에게 알리지 않고 진행했으며, 극비리에 이루어졌다. "매우 제한된 수의 미군 장교 외에는 아는 사람이 없었다."

이 시험 국면에서 "50차례 이상의 비구름 파종 실험이 진행"됐다. 그 결과는 국방부에 의해 "매우 성공적"이라고 묘사됐다. 파종한 구름의 80퍼센트 이상이 그 직후 비를 만들어냈다. 그렇게 퍼부어진 비는 "차량 통행로가 사실상 (…) 제구실을 못하게 하는 데 기여"했다. 베트남의 한 미군 특수부대 야영지는 "네 시간 동안에 230밀리미터의 비가 내려 물에 잠겼다." 자기네 병사들을 급습한 셈이었다.[126]

결과는 매우 희망적이었다고 초기 보고서들은 주장했다. 이 기술이 적의 이동, 보급, 통신에 중대한 영향을 미칠 수 있다는 강력한 증거를 제공했다는 것이다. 거기에다 다리와 도하渡河를 폭격하면 소통 장애를 유발할 수 있었다. 그러나 거기에는 부작용이 있을 수 있었다. 우선 "제안된 프로그램"은 "당장 작전을 개시하기 위해" 딘 러스크 국무부 장관에게 제출된 요청에 따라 "이후 몇 달에 걸쳐 날씨 패턴을 급격하게 변화"시키는 것이었다. 이 비망록은 또 다른 문제도 있음을 인정했다. "가정적이지만 태국에서 좋지 않은 날씨의 영향이 일부 나타날 수 있다. 그곳에서 (…) 정상적인 강우량이 얼마간 줄어들 수 있다." 물론 이것을 걱정할 이유는 별로 없었지만, 어쨌든 강우 수준과 시기의 변화는 "목표 지역 바깥"에 "감지할 수 있는 정도의 영향"을 미칠 수 있었다. "계획된 인도에서의 기상 실험"에 대한 기밀상의 위험도 있었다. 파종용 미군 항공기가 격추될 가능성 또는 언론에 새어나갈 가능성이 있었다. 이런 제안을 더 진행하려면 대통령의 승인을 받아야 하는 이유가 그것이었다.[127]

나중에 상원 청문회에서 드러났듯이 '파파이'의 의도는 "적이 길을 지나다니지 못하게" 하려는 것이었다. "도로 통행을 방해하고, 길이 지나는 곳에 산사태를 일으키며, 강을 건너지 못하게 하고, 정상적인 기간 이상으로 토양이 물에 흠뻑 젖은 상태를 유지하게" 하는 것이었다.[128] 그 시작부터 종료(허시의 폭로 이틀 후)까지 5년여 동안 미군 항공기가 2500회 이상 출격했다. 목표 우선순위는 남베트남 탄손누트에 있던 정보 수집 장교들이 정했으며, 매년 약 360만 달러의 비용이 들었다.[129] 라오스와 캄보디아 북부 상공에서 "전적으로 비구름 파종 임무만 띠지는 않은" 이들 항공기는 태국 영공을 침범하지 않았으며, 태국 정부에는 승인을 요청하거나 이런 출격의 목적과 성격에 대해 알려주지도 않았다.[130]

이 폭로는 빙산의 일각이었다. 1972년 4월의 상원 청문회에서는 미국이 3년 전 필리핀에서 날씨 간섭에 관여했음이 드러났다. 그들은 이 나라 정부와 "태풍이 일어날 경우의 변개"에 관해 논의했다. 미국 해군 요원이 1971년 오키나와 앞바다에서 비구름을 선택하고 파종하고 "살려"서 가뭄 해갈을 돕고자 했다. 캐나다와도 '비공식'으로 오대호 상공의 비구름 파종에 관해 논의했으며, 영국과는 바하마제도의 "태풍 관련 작업"에 관해 논의했다.[131]

여기에 더해 '그로멧 프로젝트Project GROMET'도 있었다. 1966~1967년 인도의 가뭄을 완화하고자 한 극비 계획이었다. 존슨 대통령은 이에 대해 개인적인, 심지어 집착에 가까운 관심을 가지고 주간 강우 지도를 보며 "정확히 어디에 비가 내리고 어디에 내리지 않았는지" 파악했다. 이때 미국은 인도 총리 인디라 간디와 협의했다. 간디 정부는 이를 승인했다. 물론 미국이 관여하고 주도한다는 사실이 알려지지 않도록 확실히 하기 위한 조치를 취하기는 했지만 말이다. 결과적으로 이 개입은 성공하지 못했고, 1967년 여름에 계절 강우가 많이 내리면서 필요가 없어졌다.[132]

이 날씨 변개의 성격과 규모는 놀라운 것이었다. 미군에 의해 개발된 "파종 기술"은 "지금 세계의 거의 모든 나라에서 사용되고 있다"라고 한 고위 관료는 준비된 진술에서 상원의원들에게 말해 충격을 안겼다. 미국 내에 있는 수십 개의 기관 및 "많은 민간 기업"과 협력이 이루어졌고, "인도, 필리핀, 타이완, 칠레, 이스라엘, 로디지아(현재의 짐바브웨), 멕시코, 포르투갈, 프랑스, 이탈리아, 아르헨티나, 오스트레일리아"의 기후 변화에 "관심이 있는 개인들과 접촉"했다.[133]

이것은 "매우 고통스러운" 것이라고 1972년 4월 상원 청문위원장 클레이번 펠Claiborne Pell은 단언했다. 청문 일부는 비공개로 이루어졌다. 그는 이렇게 말했다. "군대의 이 환경 변개 기술의 사용을 제한하지 않으면 우리는 훨씬 더 위험한 기술이 개발되는 위험을 감수해야 합니다. 그 결과를 알 수 없고 우리 지구 환경에 회복할 수 없는 손상을 가할 수 있는 기술 말입니다."[134] 위원회는 "전쟁 무기로서 어떠한 환경 또는 지구물리학적 변개"도 금지하는 국제 협약을 추구하는 데서 "다른 나라 정부들과 협정을 모색"할 것을 미국 정부에 권고했다.[135]

이러한 제안은 소련에, 그리고 미국의 소련과의 관계에서 특히 중요했다. 1960년대 말에 소련은 핵무기를 증강하기 위한 대규모 계획에 착수했으며, 탄도탄 요격 미사일(ABM) 방어망에 투자해 군사적 대결의 전개 모형에서 결정적인 우위를 차지하고자 했다. 이는 마침내 전략무기 제한 회담(SALT)으로 이어졌다. 회담은 1969년에 시작돼 3년 후 모스크바에서 1차 협정에 서명함으로써 마무리됐다.[136]

이런 협력은 관계 개선을 고무한 것 가운데 하나로서 다른 협정을 위한 문을 열었다. 주요 정책 담당자와 과학자들은 뉴햄프셔에서 정기적으로 열리는 다트머스 회의 같은 행사에서 친목을 쌓았고, 그것이 미국-소련 대화의 기회를 제공했다.[137] 이런 접촉은 이제 인위적인 기후 간섭에 대한 양자 회담으로 확대됐고, 그것은 1974년 여름에 시작돼 1년 후 협정의 윤곽이 나왔다. 그 후 환경 변개 조약(ENMOD)으로 유엔에 제출돼 1976년 12월 10일 채택됐다.[138]

이 협정은 '환경 변개 기술', 즉 군사적 목적을 위해 "생물상, 지각地殼, 수권水圈, 대기 등 지구 또는 외계의 동역학, 조성組成, 구조를 (…) 변화시키는 기술"을 금지했다. 그런 기술에 의해 일어날 수 있는 현상에 대한 사례도 제시됐다. '지진, 지진해일, 지역의 생태 균형 와해, 기상 패턴의 변화(구름, 강우, 갖가지 태풍, 회오리 폭풍우), 기후 패턴의 변화, 해양 조류의 변화, 오존층 상태의 변화, 이온층 상태의 변화.'[139]

협력과 개방성을 더욱 과시하기 위해 과학자 대표단이 1976년 5~6월의 3주 동안을 소련에서 보냈다. 날씨 변개에 대한 연구와 구름 물리학에 대해 토론하고 캅카스, 몰다비아, 중앙아시아와 소련 진영 나라들(불가리아, 헝가리 같은)의 500만여 헥타르에서 비구름 파종이 어떻게 이용되는지를 견학했다. 소련 관리들과 과학자들은 그것들이 이미 "매우 성공적이며 (…) 작업이 앞으로 계속 확대될 것"이라고 했다.

대화는 건설적이고 학구적이었다. 캅카스와 콜로라도의 우박을 비교해보았고, 과냉각된 구름에 빙핵氷核을 주입하는 데 로켓을 활용하는 것의 장점이나 안개 흩기의 최적 기법에 대해 토론했다. 많은 연구 기관에 견학이 허용됐다. 모스크바, 레닌그라드(현재의 상트페테르부르크), 트빌리시, 키이우, 날치크 같은 곳들이었다. 그러나 방문자들에게 가장 인상적이었던 것은 연구 사업을 이끌고 있는 사람들의 나이였다. 그들은 모두 전임자들에 비해 눈에 띄게 젊었다. 소련 당국이 이 분야에 갈수록 관심을 가지고 몰두한다는 징표로 해석할 수 있었다.[140]

과학자들 사이의 개인적 관계와 학술 교류는 이후 시기에 중요한 것으로 드러났다. 핵심적 중요성을 지닌 것은 날씨 변개 작업의 의도적인 사용, 세계 온도의 변개, 대기 오염물질 배출의 영향 등이 아니라 미국과 소련 사이에 전쟁이 벌어질 경우 생길 수 있는 영향에 대한 모형화였다.

1975년에 발표된 한 연구가 지적했듯이, 심지어 두 초강대국 사이의 관계가 훈훈해진 이른바 데탕트의 시기에도 핵전쟁이 초래할 수 있는 결과에 대해 강조하는 것이 중요했다. 그런 지식이 이 강력한 무기를 사용하는 데 대한 억지력이 되도록 하는 것이었다.[141] 핵 대결의 영향 가운데 하나는 핵무기 발사로 인해 "햇빛이 지구 표면으로 뚫고 들어오는 것이 강력하게 제한"되는 것이 상당 기간(아마도 여러 달) 이어지리라는 것이다. 그런 경우에 생길 일은 이렇다. "북반구의 농산물 생산은 거의 전량 사라질 것이다. 이에 따라 전쟁의 초기 타격에서 살아남은 사람들은 먹을 것을 구할 수 없게 된다."[142] 그런 연구의 효과는 상당했다. 한 학자는 이렇게 썼다. "미국에서 1980년대의 기후 변화에 대한 가장 첨예한 논쟁은 이산화탄소 문제가 아니라 '핵전쟁'의 가능성에 관한 것이었다."[143]

불안은 곧 여러 출판물들에 의해 증폭됐다. 역시 미국과 소련 사이의 대규모 핵 충돌의 영향을 모형화한 내용들이었다. 두 나라에서 연구하는 학자들은 1983년에 몇 달 간격을 두고 가설을 내놓아 대중의 관심을 끌었으며, 뚜렷이 다른 두 사회경제 및 정치 체제 사이의 경쟁에 무엇이 걸려 있는지에 대한 공포를 부채질했다.

리처드 터코Richard Turco를 중심으로 하는 학자들이 〈사이언스〉에 실은 한 논문은 "새로운 자료와 개선된 모형"(이것 역시 화성의 모래폭풍 연구에 의존했다)을 사용해 산불과 광범위한 도시 화재에서 생기는 "검은 연기"의 영향을 고찰했다. 저자들은 이렇게 썼다. "세계의 대다수 사람들은 아마도 처음의 핵 공격에서는 살아남을 수 있을 것이다." 그러나 대규모 군사 교전은 이런 결과를 가져온다. "지구 표면 상당 부분이 여러 주 동안 검게 뒤덮이고 영하의 지표 온도가 길게는 여러 달 지속된다. (…) 그리고 지역 날씨와 강우 수준에 급격한 변화가 일어난다." 그 결과는 엄혹한 '핵겨울'이 될 것이라고 그들은 이어갔다. 더욱 걱정스러운 것은 이런 관측이었다. "심지어 비교적 작은 핵 충돌로도 비교적 큰 기후의 영향이 나타날 수 있다. (…) 도시 지역이 집중적으로 목표가 된다면 말이다." 그 이유는 "대량의 연기 방출"이었다.[144]

그 후 얼마 지나지 않아 소련에서 발표된 한 논문은 핵전쟁의 영향에 대해 비슷한 결론에 도달했다. 검은 연기가 지구 전체를 감싸 햇빛을 차단하고 극적인 기온 저하로 이어진다. 그 결과로 모든 민물이 얼고 농산물 수확이 전혀 없으며 생태계가 불안정해진다. 동식물과 미생물이 대량으로 멸종한다. 지구상의 모든 생물이 영향을 받는다.[145]

이에 관한 미국의 정보 분석은 모호했다. '핵겨울'에 관한 소련의 연구는 "거의 전적으로 미국의 착상, 자료, 모형에서 나온" 것이었다. 게다가 소련 과학자들은 "서방의 비슷한 연구에서 통상적으로 나타나는 것보다 더 심각한 기후 변화를 계속해서 보고"했다.[146]

미국의 정보 및 과학계의 평가는 소련 측의 계산이 독창적이지 않고 조잡할 뿐만 아니라 그들의 투박한 BESM-6 컴퓨터를 40시간 돌린(미국에서 사용하는 최신 컴퓨터 크레이-1로는 8분밖에 걸리지 않는다) 결과를 바탕으로 했다는 것이었다. 따라서 소련이 잘 겨냥된 선전 활동을 개발해 군비 축소 운동을 자극하고 군사 지출 감축을 추진하며 해외에서 불화의 씨앗을 뿌리고 있다는 결론을 피하기 어려웠다. 모두 소련이 관심을 가지고 있는 일이었다.[147]

그럼에도 불구하고 터코와 그 동료들이 이야기한 시나리오에 어떻게 대처하는지에 따라 핵 공격 30일 안에 표면 온도가 섭씨 영하 17도로 떨어질 수 있다는 사실은 생각해볼 가치가 있었다. 영하의 조건이 석 달 정

도 지속되고 약 1년 후에야 정상 수준으로 돌아온다는 기초 사례 시나리오와 함께 말이다.[148]

미국의 보다 정확한 모형화는 이런 가정 일부를 완화해 핵겨울이 아니라 '핵가을'을 제시했지만, '심판의 날' 시나리오는 "시대에 적합한 세상의 종말 이야기"로서 대중의 뇌리에 박혔다. 1980년대의 여러 재난들(에티오피아의 가뭄과 기근, 전 세계적 에이즈 유행병, 체르노빌 핵시설의 재난, 그리고 인간을 그들 자신의 최악의 적으로 규정짓는 더 많은 일들)과 함께 말이다.[149]

확실히 소련 안에는 핵 재앙의 위협을 심각하게 받아들이는 전문가들이 있었다. 물리학자 세르게이 카피차Sergey Kapitsa(그의 아버지 표트르는 노벨 물리학상을 받은 사람이다)는 1983년 12월 상원의원들인 에드워드 케네디Edward Kennedy 및 마크 햇필드Mark Hatfield의 초청으로 미국을 찾았을 때 핵전쟁의 영향을 검토하는 원탁 토론에 참가했다. 소련에서 텔레비전 주간 과학 프로그램을 진행한 유명 방송인이었던 카피차는 참석자들에게 1815년의 탐보라산 폭발을 상기시켰다. 그 이듬해에 쓰인 바이런의 시 〈어둠Darkness〉에 대해서도 이야기했다. 그는 이 시가 소련에서 잘 알려져 있다고 말했다. 작가 이반 투르게네프가 러시아어로 번역했기 때문이다. 그 시의 일부는 이렇다.

나는 여러 차례 꿈을 꾸었네
밝은 해는 사라지고,
별들은 영원한 우주에서
빛도 길도 없이 어둠 속을 떠도네
차가운 지구는 달 없는 허공에서
멋대로 흔들리며 어두워지네.[150]

카피차는 한 달 후 유엔에서 한 연설에서 "핵무기는 이제 더 이상 전쟁 도구가 아니"라고 말했다. 여기서 그는 다시 탐보라산 분출과 바이런의 시를 언급했다. 그는 이 시가 "문학에서 발견되는 핵겨울에 대한 단연 최고의 묘사"라고 했다. 그는 또한 메리 셸리의 〈프랑켄슈타인〉도 인용하며, 그 소설은 인간과 충분히 이해되지 않은 기술 사이의 접속면의 위험을 보여주었다고 말했다.[151]

미국과 소련의 관계를 군비 축소를 둘러싼 논의와 행동 쪽으로 이동시킨 여러 요인들이 있었다. 로널드 레이건과 미하일 고르바초프(그는 소련 지도자가 된 뒤 딱딱한 소련 체제에 신선한 바람을 불어넣었다) 두 사람의 성격은 중요했다. 두 사람의 사적인 관계 역시 마찬가지였다. 언론 등에서 매우 유명했던 전략방위구상(SDI) 같은 군사적 공격 및 방어 도구의 개발에서 진전을 이룬 것도 중요했다. 물론 일부 학자들은 이들이 한 역할이 흔히 생각하는 것보다 더 복잡하고 더 제한적이었다고 주장하지만 말이다.[152] 소련의 아프가니스탄 침공, 이란을 비롯한 서아시아와 기타 지역에서의 미국의 진통, 그것들이 불러온 국내의 압박은 또한 지리정치학적 변화, 군비 축소 회담, 1980년대의 초강대국 협력의 솥에 들어가게 되는 재료들이었다.

오염에 대한 우려, 환경 관련 법의 강화, 더 나은 폐기물 처리 방법, 천연자원의 고갈 등은 미국과 다른 서방 여러 나라들에서 두드러진 주제였을 뿐만 아니라 지역에서도 꾸준히 가장 중요한 것으로 꼽혔다. 이것이 정치적 의제, 캠페인, 녹색운동의 강화에 이바지했다.[153]

이것은 소련에서 반복됐다. 그곳에서는 경제 성장보다는 생태계 보호에 초점을 맞추고, 대기의 질을 개선하며, 유해한 채굴을 중지하고, 산업 폐기물을 치우고, 사막화를 중단시켜 그 추세를 역전시키고, 아랄해와 바

이칼호(인위적 황폐화의 가장 두드러진 두 사례였다)를 보호해야 한다는 요구가 커지고 있었다.[154]

이런 요구들은 고르바초프의 개혁 이후 더 쉬워졌다(그리고 더 커졌다). 그 바탕에는 글라스노스트glasnost'(공개)와 페레스트로이카perestroika(재건)의 원칙이 있었는데, 이것이 소련 시민들에게 더 쉽게 정부에 행동을 요구할 수 있게 했다. 국지, 지역, 전국, 세계의 환경 문제는 소련 주민들의 관심사에서 높은 순위에 올랐고, 그것은 대중 시위에 의해 입증됐다.[155]

세계의 다른 지역에서도 마찬가지였다. 히말라야 산기슭에서는 칩코Chipko 운동이 벌어졌다. 그것은 삼림 면적의 지속적인 축소에 대한 국제적 관심을 불러일으켰고, 다른 사람들에게 자극을 주고 환경 훼손이 지구촌 어디서나 일어나고 있다고(그리고 그 속도를 늦추거나 심지어 중지시킬 필요가 있다고) 경고하는 역할을 했다.[156]

1980년대는 세계 삼림 파괴의 절정기였다. 이 10년 동안에 수천만 헥타르의 우림이 벌목됐다. 대체로 아마존의 삼림 벌채였다.[157] 브라질에서 멕시코까지, 서아프리카에서 서아시아까지, 캐나다에서 중앙아메리카에 이르는 시위 집단과 운동이 이 시기에 우후죽순처럼 생겨나 부자 나라들이 자연과 천연자원의 개발을 추진하고 상당한 손상까지 입히는 소비 방식의 변경을 요구했다.[158]

환경 보호는 미국과 소련의 관계에서 분명하고 상호적이며 정말로 쉬운 공통분모를 제공했으며, 두 초강대국을 인정 많고 자애로운 세계 지도자로 내세우는 데 이점을 제공했다. 레이건과 고르바초프는 1985년 11월 제네바에서 처음 만나 화학무기를 전면 금지하는 문제에서부터 앞으로 자주 만나기로 약속하는 일에 이르기까지 여러 가지를 논의하고 합의했다. 그들은 또한 "합동 연구와 실질적 수단을 동원해 세계인의 임무

인 환경 보전에 공헌"하기로 약속했다.[159]

실제로 그렇게 할 기회는 금세 찾아왔다. 핵전쟁, 오염 확산, 생태계 악화로 인한 공포보다 더 큰 것이 기후 변화가 파멸적인 결과를 가져올지 모른다는 또 다른 걱정스러운 관심이었다.

오존층(지구의 성층권에 위치해 태양이 방출하는 거의 모든 자외선을 흡수한다)에 관해 연구하는 학자들은 1970년대 이후 그 감소를 우려했다. 물론 그 손상이 염화불화탄소(CFC, 흔히 연무질로 사용되며 용제溶劑, 냉매冷媒, 소화제消火劑로 쓰인다)의 방출에 의해 생겼다는 주장은 경제계 사람들로부터 거센 비난을 받기는 했지만 말이다.[160] 1980년대 중반, 추가적인 연구로 그 연관성이 확실하게 규명됐으며, 변화의 속도와 그 영향에 대한 우려 때문에 주류 언론에서 다루어졌다.[161]

염화불화탄소를 줄이고 퇴출시키기 위한 국제적 노력은 1985년 3월에 조인된 빈 협약과 1987년 9월의 몬트리올 의정서로 이어졌다. 나중에 유엔 사무총장이 되는 코피 아난은 몬트리올 의정서가 유엔이 주관한 "아마도 가장 성공적인 국제 협정"이라고 말했다. 이런 노력들로 오존층은 21세기 후반에 1980년대 중반 수준으로 회복되는 결과를 가져올 것으로 보인다.[162]

이 문제는 이 시기 미국과 소련 간의 모든 논의에서 중요했다. 몬트리올 의정서가 채택되고 불과 몇 달 후 레이건과 고르바초프가 워싱턴에서 만났을 때도 그랬다. 이때 두 지도자는 "성층권 오존의 보호와 보존 같은 공동의 관심 분야에서 협력을 통해 세계 기후 및 환경 변화에 관한 합동 연구"를 후원하기로 합의했다.[163]

그런 협력의 표현은 흔히 결과가 뒷받침되지 않는 의도를 적극적인 언행으로 드러내는 데 더 의미가 있지만, 지금 돌아보면 1980년대는 여러

모로 황금시대였다. 중요한 문제에 대해 공동으로 대응하고자 하는 진실한 결의의 시기였고, 심지어 세계적 문제에 대한 세계적 해법을 찾아낼 수 있으리라고 생각한 낙관론의 시기였다. 오존에 관한 1987년의 협정은 그 한 사례였다.

그러나 다른 중요한 일들도 채택됐다. 1988년 유엔이 환경 및 개발에 관한 대규모 회의를 열기로 합의한 뒤 이루어진 '생물 다양성 협약'(CBD) 같은 것들이다. 유엔 총회는 이에 대해 이렇게 선언했다. "환경 상태의 지속적인 악화와 세계 생명 유지 장치의 심각한 훼손에 대해, 그리고 그대로 계속되도록 내버려둘 경우 세계의 생태계 균형을 망가뜨리고 지구의 생명 유지의 질을 위험에 빠뜨리며 생태계의 재앙으로 이끄는 경향에 대해 깊이 우려한다." 총회는 "지구의 생태계 균형을 보호하는 데 단호하고 긴급하며 세계적인 행동이 긴요"함을 인정했다. 이제 남은 문제는 어떤 조치들이, 어디서, 누구에 의해 취해져야 하느냐였다.[164]

일부 사람들이 인식했듯이 문제는 그저 오존만이 아니었다. 1988년 6월, 미국항공우주국(NASA) 고더드 우주학연구소 수석과학자 제임스 핸슨James Hansen은 미국 상원에서 증언하면서 이렇게 말했다. "온실효과가 탐지됐고, 그것이 지금 우리 기후를 변화시키고 있습니다." 그는 그 바로 직후 언론에 이야기하면서 이를 단도직입적으로 말했다. "이제 더 이상 미적거려서는 안 됩니다." 말이 아니라 행동이 필요했다.[165]

그러나 말은 따라오는 것이었다. 기후 변화는 1988년 대통령 선거에 출마해(결국 당선된다) 선거 유세에 나선 조지 H. W. 부시 부통령도 언급할 만큼 매우 중요한 문제였다. 그는 이렇게 말했다. "나는 환경보호론자입니다. 언제나 그랬습니다. 우리가 '온실효과'에 관해 무언가를 하는 데 무력하다고 하는 사람들은 '백악관 효과'에 대해 잊고 있습니다." 그는 소

련, 중국, 기타 나라들을 협상장으로 불러 지구 온난화에 대해 논의하겠다고 약속했다.[166]

이는 고무적으로 들렸다. 1992년 6월 리우데자네이루에서 열린 유엔 환경개발회의(UNCED, 지구정상회의로 알려져 있다)는 "기후계에 대한 인간의 위험한 개입"을 처리하는 방법을 놓고 합의를 이끌어내는 데 나섰다. 온실가스 배출을 규제하고, "경제가 특히 화석연료의 생산·이용·수출에 의존하는 나라들, 특히 발전도상국"에 아량을 베푸는 것이 포함됐다. 리우에 모인 나라들은 "기후 변화를 예측하는 데 갖가지 불확실성이 있다"고 지적했지만, 그들은 다음과 같은 것을 인정했다. "세계 기후 변화의 성격은 모든 나라들을 상대로 가능한 한 가장 광범위한 협력과 효과적이고 적절한 국제적 대응에 대한 그들의 참여를 요구하고 있습니다."[167] 이것은 진정한 약진이라고 부시는 말했다. 이제는 "지구를 보호하기 위한 구체적인 행동"에 나설 시간이라고 말했다. 결국 "우리 아이들"은 "오늘 이후 우리가 취하는 행동에 의해 우리를 판단"할 터였다. "그들을 실망시키지 말자"고 그는 말했다.[168]

1988년의 '변화하는 대기: 지구 안전에 대한 함의' 회의는 2005년까지 이산화탄소 배출을 20퍼센트 줄이기 위해 참여국 정부들이 구속력 없는 약속을 하기로 했는데, 역시 유엔 '기후변화기본협약'(FCCC)은 많은 약속을 했으나 이행된 것은 별로 없었다. 당시에는 획기적인 협정으로 보였지만, 현실은 "대기의 온실가스 집적을 기후계에 대한 인간의 위험한 개입을 막을 수 있을 정도의 수준으로" 안정화시키기 위해 마침내 192개국이 서명한 약속이 가시적인 성과를 별로 거두지 못했다는 것이다.[169]

이것은 빗나간 묘책이었다. 특히 냉전의 종말이 제공한 이례적인 기회 때문이었다. 조지 H. W. 부시 대통령은 리우에서 이렇게 말했다. 1990년대 초는 "이전에 없었던 평화, 자유, 안정의 시기였고, 그것이 이전에 없었던 정도로 환경에 관한 단합된 행동을 가능하게 했습니다." 진전은 없었고, 약진도 없었다. 1992년 합의되고 1997년 교토에서 조인된 새 의정서는 각국이 "서로 다른 수준의 책임"을 진다는 원칙(즉 먼저 공업화된 부유한 국가들이 더 무거운 짐을 져야 한다는 것이다)을 제시했는데, 이런 추가적인 협상들 역시 결함 있는 결과를 냈다.[170] 그뿐이 아니었다. 세계 최대의 화석연료 소비국인 미국은 수정이 없는 교토 협정의 비준을 거부했다. 상원은 95 대 0의 표결로 이를 부결시켰다.[171]

그 이유 가운데 하나는 1992년 한 언론이 보도했듯이 부시가 공개적으로는 기후 문제에 열성적인 듯했지만 개인적으로는 기본적으로 '무관심'했다는 데 있었다. "그는 이 문제에 관해 정식으로 과학적 브리핑을 하거나 정부 정책에 대한 통제권을 행사한 적이 없고, 심지어 행정부 관리들 사이의 내분이 드러나거나 다른 선진국 지도자들이 행동을 약속한 경우에도 마찬가지였다." 그는 "지구 온난화 예상은 쓸데없는 걱정"이라고 하는 "개인적 신념"을 지닌 관리에게 모든 결정을 맡겨버렸다.[172]

기후에 관해 올바른 말을 하면 선거 승리에 도움이 되지만 그에 관한 무언가를 실천하면 선거에서 진다고 생각한 것은 부시 대통령만이 아니었다. 빌 클린턴 역시 대통령이 되었을 때 똑같은 문제에 직면했다. 최근 기밀 해제된 통화 기록을 보면 클린턴은 앤서니 블레어 영국 총리와 통화하면서 기후 변화가 "정말로 문제"라고 인정했다. "무언가 해야 한다"는 데는 의문의 여지가 없다고 그는 말했다. 더 청정한 에너지 보급에서부터 자동차 효율을 개선(그 결과로 배출을 줄이는 것)하기 위해 업계와 협력하는 것까지 말이다. 그러나 의회의 정치적 분할을 감안하면 기후 변화가 문제라는 "광범위한 인식"이 있다 하더라도 그에 대응하기 위해 의미 있는 조처를 취할 수 있는 가능성은 정말로 바늘구멍만 했다.[173]

어떤 것을 추진했더라도 성공적인 결과에 도달했으리라고 생각하는 것은 순진한 일일 것이다. 물론 최근 연구는 오존에 관한 몬트리올 의정서가 21세기 중반에는 그런 조치가 없었을 때에 비해 기온을 적어도 섭씨 1도(북극 지방에서는 섭씨 3~4도) 낮출 것임을 시사하지만 말이다.[174] 그러나 사실 그렇게 될 가능성은 사라졌다. 1989년 여름에 연쇄반응이 시작돼 베를린 장벽 붕괴로, 독일 재통일로, 유럽 일대의 공산당 정권이 민주적으로 선출된 정권으로 대체되는 일로, 소련이 공화국들의 잇단 독립 선언으로 분리되고 결국 1991년 12월 소련이 사라지는 일로 이어졌다.

돌이켜 보면 이것은 가교를 놓고 관계를 회복하고 서로 합의를 이룰 절호의 기회였다. 그러나 역사는 결국 다른 길을 밟았다. 러시아 민족주의자들에게 소련의 붕괴는 수치와 고통의 주제가 되었다. 2005년 블라디미르 푸틴 대통령이 말한 "가장 큰 참사"가 그것이었다.[175]

그것은 세계의 다른 나라들에게 크게 중요했다(물론 이유는 다르지만). 소련의 붕괴는 두 가지 엄청난 변화를 초래했다. 첫째는 수십 년 동안 러시아의 경제적·정치적 통제하에 있던 방대한 천연자원이 갑자기 집중적으로 개발돼 세계 시장에서 구입할 수 있게 되었다. 둘째는 그 이후의 몇 달, 그리고 몇 년 동안에 1989년 동유럽과 소련에서 일어났던 일의 충격이 중국인들의 생각에 심각한 영향을 미쳤다는 것이다. 그해 여름 학생들이 이끈 시위가 중국 수도의 심장부에 있는 톈안먼天安門 광장에 도달했을 때 중국 정부는 비슷한 개혁과 자유 요구에 거의 굴복할 뻔했다. 그 결과로 중국은 국내, 대외, 경제 정책을 근본적으로 재정립했다.

이 두 가지 전개의 중요성은 아무리 강조해도 지나치지 않다. 이 둘이 어우러져 새로운 세계를 만들어내는 데 이바지했다. 그것은 아마도 1490년대 유럽인의 아메리카 도착과 맞먹을 것이다. 1989년 이후 수십 년은 결과적으로 경제 교류와 통합이 역사상 단연 가장 심화된(또는 세계화된) 시기였다. 규모와 강도 측면에서뿐만 아니라 속도에서도 마찬가지였다. 말할 필요도 없이 국지, 지역, 세계 기후에 미친 영향은 심대했다. 인류사와 자연사에서도 미증유의 것이었다. 그 영향은 앞으로 올 여러 세대에 걸쳐 세계의 모습을 바꿀 것이다.

24장 생태 한계의 끄트머리에서

1990년 무렵부터 현재까지

꿈과 삶을 위한 광활한 공간이 다가올 미래에 펼쳐져 있네!
— 러시아 국가國歌

20세기의 마지막 10년에는 천연자원과 원자재의 수요가 크게, 그리고 끊임없이 늘었다. 풍부하고 값싸고 개발하기 쉬운 공급처를 찾는 것은 전 세계적인 현상이었다. 미국과 프랑스의 매장량이 바닥나자 개발된 보크사이트 광산은 자메이카와 기니가 선진국 공업 생산을 위한 주요 공급자가 되었다. 여기에 더해 서아프리카의 철, 모로코와 세네갈의 인산염, 파푸아뉴기니의 구리와 금, 남태평양 누벨칼레도니의 니켈이 있었고, 이들 지역의 수출은 1950년에서 1976년 사이에 최소 100배 늘었다.[1]

세계 무역의 심화는 계속됐을 뿐만 아니라 빠르게 가속됐다. 운송망 개발에 자극된 것이었고, 그 운송망은 상품이 전 세계를 과거 어느 때보다도 더 빠르고 더 값싸게 이동할 수 있게 했다. 새로운 기술이 지식 공유, 정보(및 가격)의 조화, 제고된 사업 능력을 통해 사람들을 더 가까워지게 했다.

이런 추세는 주문을 실시간으로 할 수 있게 된 디지털 혁명 훨씬 전에도 이미 분명했다. 1985년 소련 영공을 민항기에 개방한 것은 소련과 서방 사이의 반목이 완화된 결과이기도 했고 소련이 경제 사정이 악화된 시기 동안 외화의 원천을 찾을 필요성 때문이기도 했다. 이후 유럽과 아시아 사이의 통상적인 여행 시간이 극적으로 단축되었을 뿐만 아니라 기업과 기업 지도자들이 더 자주 만날 수 있게 됨으로써 급속한 경제 협력과 투자의 길이 열렸다.[2]

냉전의 종식은 상업적 유대와 경제 성장을 더욱 부추긴 촉매제였다. 소련의 붕괴는 그 풍부한 자원이 정치적 신조와 상관없이 아무런 조건이 붙지 않은 채로 세계 시장에서 판매될 기회를 제공했으며, 서방 기업의 소련에 대한 투자는 효율을 개선하고, 생산을 늘리며, 새로운 회사와 분야와 광산과 송유관에 자금을 대고, 세계 상품 가격에 압박을 가하는 데 한몫했다. 이 붕괴는 소련이 해체된 이후의 세계에 영향을 미쳤다. 비효율적인 공장이 문을 닫거나 사업을 접어 공업으로 인한 가스 배출이 크게 줄었다. 생활수준이 떨어지고 이에 따라 구매력도 줄어 소비가 크게 감소하는 바람에 1992년에서 2011년 사이 구소련 지역의 소와 돼지 사육 두수가 절반으로 줄었다. 농경지 폐기 같은 식량 체계의 재배치가 중단됐고, 농산물 무역의 재편은 세계 온실가스 배출을 크게 줄였다.[3]

1991년 소련 해체 이후 20년 동안 화석연료 생산에 영향을 미쳤던 불확실성은 그 이후 기간의 경제적·정치적 격동과 밀접하게 연관돼 있는 메탄 배출의 상당한 감소의 원인이 되었을 것이다.[4] 소련의 몰락은 정치적 이상주의자들에게는 좋지 않은 일이었겠지만 세계 기후에는 좋은 일이었던 듯하다. 적어도 단기적으로는 그랬다.

세계의 다른 지역에서도 중대한 변화가 일어났다. 중국이 세계 시장에 편입되게 한 추동력은 1970년대 초 닉슨 대통령의 베이징 방문과 뒤이은 카터 행정부 시기의 최혜국대우 지위 부여로 거슬러 올라갈 수 있겠지만, 결과적으로 그 변화에서 중요했던 것은 1990년대 초 중국 지도부의 외국인 투자에 대한 개방 결정이었다. 낮은 비용으로 상품을 만들 수 있는 값싼 노동력의 거대한 부대를 갑자기 이용할 수 있게 되었고, 이후의 시기에 빠르게 성장할 것이 확실해 보이는 인구 10억 이상의 시장에 의해 제공된 감질나는 전망도 마찬가지였다.

성장의 속도는 믿기 어려웠다. 세계 경제는 1990년 이후 30년 동안 규모가 네 배로 늘었다. 게다가 1990년의 이라크 전쟁, 1998년의 '아시아 위기', 9·11 공격과 그 여파, 2008년 금융위기, 코로나바이러스 대유행(일부 평가는 이 유행병으로 미국 경제에만 16조 달러의 손실이 있었다고 주장한다) 등 많은 난관을 뚫고 이룬 결과였다.[5]

국제적이고 전 세계적인 무역 협정의 확대와 수송 능력에 대한 투자(2만 개의 컨테이너까지도 나를 수 있는 거대한 화물선과, 물동량을 처리할 수 있는 항구 시설 등)는 시장의 더 긴밀한 통합을 부추기고 국제 공급사슬 형성을 자극했으며 세계 경제 성장을 떠받쳤다.

세계무역기구(WTO) 가입은 관세 장벽을 낮추었고, 가격 하락을 압박해 잇단 호황을 촉발했다. 적어도 거기서 이득을 얻을 좋은 위치에 있던 사람들에게는 말이다. 예를 들어 콜롬비아는 1995년 세계무역기구에 가입한 뒤 수입품에 대한 평균 관세율이 4분의 3 이상 내려갔다. 인도는 80퍼센트 이상에서 평균 30퍼센트로 떨어졌다.

미국 경제는 1990년 이후 30년 동안에 규모를 세 배 이상으로 불렸지만, 중국은 같은 기간에 45배로 성장했다. 중국의 명목 국내총생산(GDP)은 1990년 약 3100억 달러에서 2020년 14조 달러 이상으로 늘었다. 변화의 규모를 알 수 있는 지표 하나만 들자면, 1985년 중국에는 민간 자동

차가 2만 대로 추산됐지만 지금은 2억 4천만 대 이상이 있다.[6]

1990년대 초 이후 일련의 정치·경제·사회·기술·디지털 혁명은 우리가 살고 있는 세계를 바꿔놓았다. 그러나 그 모든 변화 가운데 가장 중요한 것은 자연계의 변모, 생태계의 개편, 현재와 미래의 국지·지역·세계 기후에 미친 영향일 것이다. 예를 들어 미국 중서부의 집중적인 농경은 1860년 이래 거의 600억 톤의 표토 상실을 초래했다. 이것은 유기물과 영양분을 상실해 토양이 악화됨으로써 농작물 수확량을 줄이고 영농비를 증가시키는 것이다.[7] 전 세계적으로 매년 360억 톤으로 추산되는 토양이 침식되며, 사하라 이남 아프리카, 남아메리카, 동남아시아에서 상실이 급증할 것으로 예측됐다.[8] 토양에 농약을 많이 사용하고 중금속과 플라스틱에 오염돼 토지의 질과 수확량에 영향을 줄 뿐만 아니라 그것을 섭취할 경우 인간의 심혈관계에도 손상을 준다.[9]

지속 불가능한 자원 개발은 그 자원이 일단 고갈되면 분명한 후과를 가져온다. 예를 들어 북아메리카 대평원 지역 서부의 오갈랄라 대수층帶水層은 대략 6500만 년 전 로키산맥에서 침식되고 미시시피강을 향해 흐르는 시내들에 의해 운반돼온 퇴적물들로 형성된 것이다. 이 대수층은 콜로라도주를 거의 14미터 깊이로 충분히 덮을 수 있는 물을 보유하고 있다. 오늘날 이것은 오직 토양으로 스며드는 빗물에 의해서만 보충되고 있다. 그 보유량은 들어오는 것보다 나가는 것이 더 많아 점점 줄고 있다. 나가는 것은 대체로 흔히 '세계의 빵바구니'로 불리는 곳의 관개를 위한 것이다.

이것은 새로운 이야기가 아니다. 심지어 1978년에도 캔자스주 부지사 셸비 스미스Shelby Smith는 캔자스주가 "심각한 물 문제를 안고 있고, 위기가 닥쳐오고 있다"고 경고했다. 물의 감소 속도는 늦춰졌지만, 대수층의 어떤 부분들은 지금 완전히 말라버렸다. 최근의 한 연구가 지적했듯이 오갈랄라 대수층은 수백만 년에 걸쳐 형성됐다. 그런데 그것이 "사람의 한평생 동안에 고갈되고" 있는 것이다.[10]

이것도 해롭지만 삼림 파괴 역시 마찬가지다. 수천만 헥타르의 삼림이 상실됐다. 20세기 말에 열대림이 새로운 농경지의 주요 원천이 되었다.[11] 사실 열대 지방 삼림 벌채의 무려 99퍼센트가 농경지 확장 때문이었다.[12] 동남아시아에서는 야자기름 생산을 위해 많은 땅이 개간됐다. 야자기름은 세계에서 가장 흔한 식물성 기름이자, 미국에서 팔리는 모든 포장 제품(입술연지, 비누, 아이스크림 같은)의 절반 이상에 들어가는 원료다.[13] 역설적으로 농장을 만들기 위한 삼림 개간은 야자기름이 화석연료에 대한 의존을 줄이는 데 도움이 되는 생물연료로서 적합하다는 사실이 밝혀진 뒤 유럽연합(EU)에서 권장한 것이었다. 한 걸음 나아가고 두 걸음 물러서는 전형적인 사례다.[14]

아마존에서도 마찬가지다. 이곳에서는 전 세계적인 소모품 수요에 대응하기 위해 대규모 개간이 이루어졌다. 아마존에서 모든 유형의 삼림 면적의 63퍼센트가량이 상실된 것은 쇠고기와 낙농 제품을 위해 땅을 개간한 결과이며, 브라질에서 땅을 소 목장으로 전환한 사례가 특히 많았다.[15] 21세기 초에는 삼림 파괴가 둔화됐지만 속도는 2021년에 15년 사이 최고치를 기록했다. 자이르 보우소나루 대통령 때 환경 법률의 강제가 축소되기 이전에도 불법 개간으로 숲을 태웠기 때문이다.[16]

세계 제2위의 습한 열대림이 있는 콩고강 수역의 국가들(카메룬, 중앙아프리카공화국, 콩고민주공화국, 적도기니, 가봉, 콩고공화국)에서는 2000년에서 2014년 사이에 650만 헥타르로 추산되는 삼림이 사라졌다. 농경과 목재를 위해 벌목했기 때문이다. 이 지역이 2100년까지 인구가 다섯 배로 늘 것이라는 예측을 감안하면 이런 손실은 가속화될 것으로 보인다.[17]

고기와 낙농 제품을 얻기 위한 대규모 벌채 또한 삼림 손실을 추동했다. 예를 들어 2000년 이후 브라질의 콩 농장은 3400만 헥타르로 두 배가 되어서 열대우림을 감소시킬 뿐만 아니라 '세하두Cerrado'(남아메리카 최대의 강 유역들에 신선한 물을 공급하는 세계 생물 다양성의 문제 지역이다)에 부정적인 영향까지 미치고 있다.[18] 세계에서 생산되는 콩의 약 4분의 3은 동물의 사료로 사용된다. 특히 닭과 돼지에게 먹인다. 그럼으로써 최근 수십 년 동안에 더 부유해지고 더 연결되고 더 혼잡해진(지구와 그 자원을 공유하는 사람의 수는 1960년 30억 명에서 2019년 약 80억 명으로 늘었다) 세계의 수요에 부응하는 데 이바지한다.[19]

생태계 붕괴, 생물 다양성 상실, 우리가 무엇을 먹을 것인지에 대한 결정의 명백한 장기적 영향 등과 환경 악화 사이의 연관성을 이해하기란 어렵지 않다. 이런 압박은 더욱 커질 것이다. 고기, 우유, 달걀의 수요는 앞으로 수십 년 동안 상당히 증가할 것으로 예상되기 때문이다.[20]

삼림 상실의 영향은 새로 개간된 땅에서 심고 재배하고 사육한 야자기름, 콩, 쇠고기를 수입하는 세계 반대쪽의 저녁 식탁을 훨씬 뛰어넘는다. 우선 약 16억 명이 삼림에 의지해 생계를 꾸리고 있다. 특히 발전도상국들에서 그렇다.[21] 또한 삼림 면적 상실은 동식물의 서식지와 생물 다양성에 극적인 영향을 미친다. 유엔환경계획(UNEP)에 따르면 삼림은 모든 양서류의 80퍼센트, 조류의 75퍼센트, 포유동물 종의 68퍼센트가 사는 곳이다.[22] 따라서 환경을 극적으로 변형시키는 것은 모든 형태의 생명체들에 심대한 영향을 미친다.

삼림 파괴는 기후 패턴에 중대한 영향을 미친다. 예를 들어 2000년 이후 10년 동안 야자나무 재배는 열대 지방 토지 이용에서 나오는 전 세계 전체 배기가스의 2~9퍼센트와 연관된 것으로 생각됐다.[23] 2001~2019년 동남아시아에서만 매년 평균 300만 헥타르 이상의 삼림이 상실됨으로써 매년 4억 2천만 톤 이상의 탄소가 대기로 방출됐다. 이런 상황은 삼림 벌채가 갈수록 더 고도가 높은 곳과 더 가파른 비탈에서 이루어진다는 사실에 의해 악화됐다. 그곳의 탄소 농도가 저지에 비해 더 높기 때문이다.[24]

아마존 우림의 생태계 생산성은 1980년대 이래 하락해왔다. 나무가 더 많이 죽고, 산불이 산불을 자극해서 건조화를 가중시키고, 증발산蒸發散이 줄어 그 결과로 수분 패턴, 강우 수준, 삼림의 생존력을 변화시켰다.[25] 이런 변화가 너무 현저해서 아마존은 탄소 흡수자에서 방출의 원천으로 바뀌었다. 방출은 인위적 변개 행위가 집중된 동부 지역에서 훨씬 많았다.[26] 메탄, 아산화질소, 생물 기원의 휘발성 유기화합물, 연무질 같은 여타 중요한 요인들을 이해하는 것 또한 필요하다. 그것들이 다양한 아마존 지역의 현재 상태와 예상되는 변화를 평가하는 데서 흔히 간과되기 때문이다.[27]

미래의 변화에 대한 모형들 사이에는 상당한 편차가 있지만, 최근의 여러 연구들은 아마존 기후계가 세계 기후에서 하는 중요한 역할이 갑작스럽게 붕괴할 위험이 갈수록 커지고 있음을 시사한다. 우리 모두에게 중대한 영향을 미치는 일이다.[28]

계획적인 삼림 벌채에 더해 산불은 이미 갈수록 잦아지고 강력해지고 광범위해졌다. 예를 들어 2021년에는 매분마다 미식축구 경기장 약 열 개에 해당하는 면적의 삼림이 산불로 인해 사라졌다. 러시아에서만 500만 헥타르 이상이 불탔다(의도적으로 벌채된 100만 헥타르는 별도다).[29] 최근의 한 보고서는 앞으로 수십 년 동안 초대형 화재가 급격하게 증가할 것임을 시사한다. 북극 지방의 화재 사건이 늘어 영구동토 이탄泥炭 지대 융해가 가속화됨으로써 불이 나기 쉬워지고 회수할 수 없는 토양의 탄소가

방출되는 것이다. 그것이 대기로 들어가 지구 온난화를 악화시킨다.[30]

2021년 11월 글래스고에서 열린 유엔 기후변화회의 제26회 당사국총회(COP26)에서 총 141개국이 "2030년까지 삼림 손실과 토양 악화를 멈추게 하고 역전시킬" 것을 약속했다.[31] 최근 수년, 수십 년, 수백 년의 증거로 보건대 그것은 야심찬 목표로 보일 것이다. 토지와 삼림의 용도 변경이 우리가 사는 세계를 극적으로 변화시킨 것과 똑같이, 세계화된 무역 역시 생태계와 동식물 서식지(우리의 주거지 포함)를 극적으로 변화시켰다. 확실히, 그리고 앞에서 보았듯이 과거에 교역망과 운송망을 연 것은 새로운 생물 종들을 들여오고 중대한 생태계의 변화로 이어졌다.

한편 매우 긴밀히 연결되고 세계화된 현대 세계의 교역망 및 운송망(그것이 생산자와 소비자를 더 가깝게 만들고, 인간이 세계를 더 쉽게 돌아다닐 수 있게 했다)은 또한 외국의 생물 종들을 새로운 지역으로 퍼뜨리고 이동하고 침범하게 해서 그 결과로 토착종들을 멸종시키고 먹이사슬을 교란시키며 자연환경의 중대한 변화를 일으켰다. 전례 없는 규모와 놀라운 속도로 말이다.[32]

이런 연결망들은 또한 인간의 건강, 복지, 경제에 중대한 함의를 지닌다. 그 다수가 경제 생산성과 관련된 활동에 중대한 영향을 미치거나 경제적 영향을 미치기 때문이다. 예를 들어 괌에 갈색나무뱀이 출몰해 수천 시간의 정전을 일으켰는데, 이는 뱀들이 전력선과 사무소를 건드리거나 거기에 갇힌 때문이었다. 한 해에 200건이나 발생해 손상 및 수리비와 생산 기회비용이 수백만 달러에 달했다.[33] 한편 하와이의 코키개구리는 그들의 출몰 지역의 땅값 하락과 관련이 있었다. 짝짓기 소리가 너무 커서 현지 주민들에게 상당한 방해가 되었기 때문이다.[34]

동아시아 원산인 호리비단벌레는 2002년 미시간과 온타리오에서 나무를 죽이고 있는 것으로 처음 밝혀졌다. 2년 후에 1500만 그루의 나무가 죽었거나 죽어가고 있었다. 미국의 물푸레나무 80억 그루는 이 해충에 취약하다. 이 나무들을 잃으면 삼림의 손실은 2800억 달러에 달한다. 도시의 죽은 나무를 제거하는 비용 200억 내지 600억 달러는 말할 것도 없다.[35]

그리고 동남아시아 원산인 아시아알락하늘소와 유자알락하늘소가 있다. 어떤 평가에서는 둘이 합쳐 미국 도시 나무의 30퍼센트(10억 그루 이상이다)를 죽일 것이라고 한다. 6690억 달러 상당이다. 그것들은 이미 러시아의 물푸레나무를 죽이고 있으며 서쪽 유럽 쪽으로 확산되고 있다.[36] 영국 켄트에서의 발생은 감염된 수입 목재 포장물로 인한 것이었을 가능성이 높은데, 동식물보건기구(APHA)와 삼림위원회에서 잡아내고 감시하는 6년 계획이 필요했다. 그것은 마침내 생물보안부 장관의 성공과 안도의 성명으로 이어졌다.[37]

그리고 열대거세미나방이 있다. 많은 농작물과 특히 옥수수, 수수, 벼를 크게 손상시킨다. 이것은 아메리카 원산이면서도 2016년 서아프리카에서 처음 보고됐고 1년 후 세계에서 가장 빨리 확산되는 주요 해충이 되었다.[38]

전체적으로 침입한 해충과 병원균이 확산될 경우 세계 농업에 미치는 영향은 매년 수천억 달러에 그치지 않는다. 중국, 미국, 인도, 브라질은 특히 위험한 약 1300종으로 인한 잠재적 비용이 가장 높아질 위험에 처해 있다. 그러나 국내총생산 대비로 가장 위험성이 큰 20개국 가운데 대다수는 사하라 이남 아프리카에 있다.[39]

해충은 생태계만 파괴하는 것이 아니다. 흰개미 같은 동물들은 건조물도 파괴할 수 있고, 앞으로 수십 년 동안에 군체의 규모와 지리적 분포가 급증하면서 더 자주 그럴 것으로 보인다. 이것은 기후에도 영향을 미친다. 이들 동물이 상당한 메탄 방출의 근원이기 때문이다.[40]

여기에 더해 농작물 질병이 있다. 기생 식물, 바이러스, 균류, 세균 등으로 인한 것이다. 이것들은 매년 세계 식량 생산의 약 10퍼센트 감소의 원인으로 지목되고 있다. 이것들은 통상 화학약품이나 항생제 사용을 통해 처리된다. 세균의 자연적인 저항력이 개발돼 그 효율성을 떨어뜨리기는 하지만 말이다.[41] 이는 최근 수십 년 사이 여러 농작물의 영양가가 상당히 감소한 데 더해진 것이다. 아마도 비료와 농약을 사용하고, 농작물의 크기와 수확량을 늘리기 위한 더 적극적인 방법들을 구사한 결과일 것이다.[42]

그러나 가장 중요한 환경 변화는 최근 수십 년 사이 인간 집단이 더욱 가까이 모여 살게 된 방식에서 말미암았을 것이다. 도시와 도회 지역은 기후 변화에 가장 큰 영향을 미친 원천이다. 가까이 모여 사는 것은 교환 속도를 높이게 되지만, 도시는 생산이 아니라 소비의 중심이다. 도시 주민은 음식, 물, 연료가 필요하며 그것은 먼 곳에서(때로는 상당히 먼 곳에서) 가져와야 한다. 배후지나 인근에서 가져올 수 있는 경우는 매우 드물다. 공장과 제조업체는 도시 부근에 위치한다. 노동력이나 운송, 동력, 전산망에 접근하기 쉽기 때문이다. 그러나 거기에 필요한 것은 통상 다른 곳에서 가져와야 한다. 역시 흔히 먼 곳에서 말이다.

운송은 세계 에너지 관련 이산화탄소 배출의 약 4분의 1의 원인이다. 여러 선진국에서는 더하다. 미국 전체에서는 배출의 약 29퍼센트, 캘리포니아주에서는 배출의 약 41퍼센트를 차지한다. 사실 거래는 사회경제적 편익이 있고, 상품이 서로 다른 지역에서 '더 청정'하지 않은 방식으로

생산되는데도 때로 운송이 실제로 배출을 감소시키는 경우도 있다.[43]

그럼에도 불구하고 도시화는 여러 환경 문제를 추동하고 있으며, 그것은 고도로 밀집해 사는 주민들의 필요 때문만이 아니다. 도시city는 문자적으로 세계(라틴어 civitas)를 뜻하는 '문명civilization'과 동의어임에도 불구하고 실제로는 도시가 세계 육지 표면의 극히 일부만을 차지하고 있다. 아마도 3퍼센트밖에 되지 않을 것이다.[44]

그러나 도시화가 진척되면서 현재 세계 인구의 절반 이상이 도시 지역에서 살고 있다. 이 수치는 2050년까지 70퍼센트로 올라갈 전망이다. 현재의 인구 추세를 감안하면 이는 앞으로 30년 안에 도시에 사는 인구가 25억 명 더 증가한다는 얘기다. 이는 필시 온갖 종류의 자원 수요에, 자연적이고 비자연적인 기반시설에, 탄소와 온실가스와 열기의 배출에 영향을 미칠 것이다.[45]

이것은 입이 떡 벌어지는 지난 30년에 걸친 도시화의 속도 위에 추가된 것이다. 중국 도시 지역의 건설은 1990년에서 2010년 사이에 네 배로 늘었다. 시계열 위성사진은 청두 일부 지역의 시가지 면적이 1996년 이후 6년 사이에 300퍼센트 증가했음을 보여준다.[46] 중국의 도시 인구 비율은 40년 동안에 약 18퍼센트에서 60퍼센트 가까이로 증가했다. 수억 명이 도시로 이동한 것으로 역사상 가장 규모가 크고 속도가 빠른 도시화인 셈이다.[47] 중국이 2011~2013년에 쓴 콘크리트는 미국이 20세기 내내 쓴 것보다 많았다.[48]

세계의 다른 지역(나이지리아, 인도, 브라질, 인도네시아 같은)에서의 도시화 역시 엄청났다. 멕시코시티, 라고스, 마닐라, 뭄바이, 자카르타, 다카, 카이로 같은 도시들은 현재 인구가 최소 2천만 명이며, 어떤 경우에는 이보다 훨씬 많다. 코로나바이러스 창궐 이전에 향후 15년 동안 GDP 기준으로 가장 빠르게 성장할 도시 열 개는 모두 인도의 도시로 예측됐다. 이 예측이 맞을 것인지 판단하기는 아직 너무 이르다.[49] 분명한 점은 대륙 및 지역별 도시화 수준과 성장률의 분포가 고르지 않아 북아메리카, 라틴아메리카, 카리브해에서는 80퍼센트 이상의 주민이 도시에 사는 반면에 사하라 이남 아프리카에서는 단 40퍼센트만이 그렇게 되리라는 것이다.[50]

도시에서는 심각한 사회경제적 불평등이 생겨났다. 세계 도시 주민의 3분의 2 이상이 1980년 이후 소득 불평등 확대를 겪었다. 30억 가까운 사람들이 현실과 전망에서 한 세대 전보다 악화된 도시에 살고 있다는 얘기다.[51] 빈민가의 상황은 지난 15년 사이에 개선됐지만, 10억 명으로 추산되는 사람들(세계 도시 주민 네 명 가운데 한 명꼴이다)이 내구성이 없거나 비좁은 집에서 살고, 안전한 물을 먹을 수 없거나 위생시설이 없거나 쫓겨날까 봐 불안에 떨고 있다.[52]

도시와 그 주민들은 소비의 중심일 뿐만 아니라 막대한 양의 쓰레기를 만들어내고 기반시설과 또한 자연환경에 압박을 가한다. 열기의 압박, 물 부족, 에너지 수요, 하수 처리의 어려움 등으로 인한 결과다.[53]

때로 문제는 버거울 뿐만 아니라 건강을 해치는 근원이 된다. 예를 들어 라고스에서는 도시 밀집 지역의 주민 절반 이하만이 수세식 변소를 이용하고 있다. 나머지는 노천 구덩이 변소에 의존한다. 손을 씻을 시설도 제한적으로 이용할 수 있다.[54] 고소득 국가의 도시들은 돈을 내서 쓰레기를 도시 밖으로 치워서 신경을 끌 수 있다. 뉴욕 같은 경우가 그렇다. 이곳에서는 매년 300만 톤 이상의 쓰레기가 도시 밖으로 치워져 소각되고 재생 공장으로 가고 쓰레기 매립지로 간다. 그 비용은 4억 5천만 달러 이상이다.[55] 그러나 세계 대부분의 대도시에서는 이런 방식을 동원할 수 없다. 그런 곳에서는 처리가 원시적이거나 위험스럽거나 아예 존재하지 않는다.

석유와 가스가 기후에 미치는 영향은 상당한 관심을 받은 반면에 쓰레기의 영향은 흔히 무시된다. 쓰레기가 인위적 요인에 의한 전체 배기가스의 20퍼센트 가까이를 차지하고 있음에도 불구하고 말이다(주로 쓰레기 매립장에서 이루어지는 유기물의 혐기성 부패의 결과다).[56]

매립 쓰레기는 2050년까지 인구 증가율의 두 배 이상의 속도로 늘어날 전망이다. 그렇게 되면 메탄 농도가 상당히 상승하고, 그것은 다시 지구 온난화에 큰 영향을 미칠 것이다. 델리, 뭄바이, 라호르, 부에노스아이레스의 쓰레기 매립장에 대한 인공위성 자료를 이용한 최근 연구는 도시 수준의 배기가스가 통상 보고된 것들보다 상당히 높은 수치임을 보여주었다. 이는 쓰레기가 대기 조건에 미치는 영향을 완화하기 위한 정책 개발 및 실행의 중요성을 뒷받침한다.[57]

이 연구는 또한 지나치게 많은 양의 배기가스를 만들어내는 '초다량 배출' 매립지를 찾아내는 일의 중요성도 확인했다. 그런 곳에서 배출을 줄이면 보상이 클 수 있다. 따라서 세계 여러 도시들에서 만들어진 부산물에서 교훈을 얻을 필요가 있다. 특히 배출된 온실가스의 70퍼센트 이상이 도시에서 유발되고 그것이 지구 온난화와 밀접하게 연결돼 있기 때문이다. 그중 절반 이상은 단 스물다섯 개의 '거대 도시'에서 유발하고 있고, 모스크바와 도쿄를 제외한 나머지는 모두 중국에 있다.[58]

도시화는 저소득 국가들의 급속한 공업화 및 국제 무역의 심화와 어우러져 대기 질의 하락을 초래했다. 그것은 이미 보았듯이 여러 가지 건강에 유해한 결과로 이어진다. 인도, 파키스탄, 방글라데시, 네팔의 분진 공해는 21세기에 들어선 이래 47퍼센트 증가했고, 인도의 일부 지역에서는 초미세먼지($PM_{2.5}$) 농도가 107μg/m^3였다. 세계보건기구 기준치의 21배를 넘는다.

**10대 인구 대국에서 초미세먼지를 2020년 농도에서
WHO 기준으로 영구히 감소시킬 경우의 기대수명 가능 상승분**

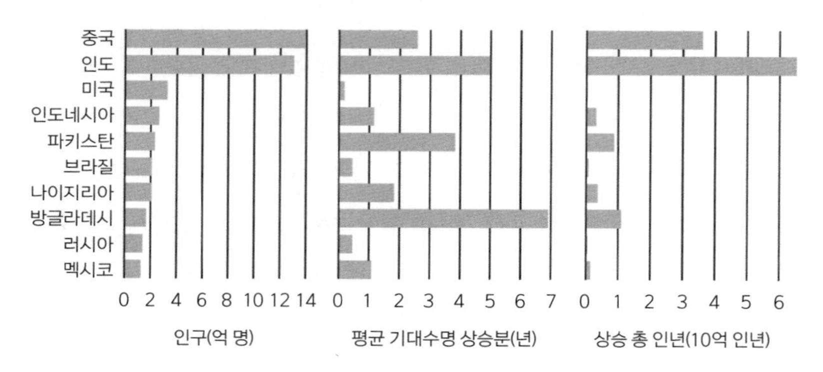

사망 위험 대비 초미세먼지 및 비관련 원인의 기대수명에 대한 영향

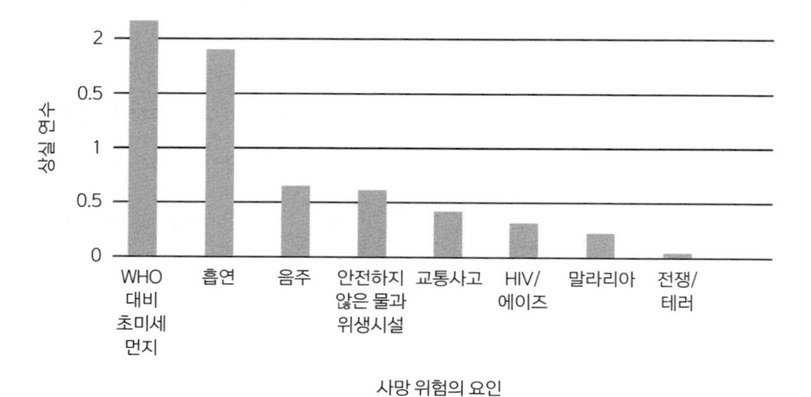

자료: Greenstone et al, 2022

열악한 공기 질로 콩고민주공화국 킨샤사특별주 동부 일부 지방이나 과테말라 믹스코의 기대수명은 3.5세 이상 떨어졌다. 주민의 99.9퍼센트가 세계보건기구 기준을 초과하는 지역에 살고 있는 동남아시아 일대에서는 모든 남자·여자·아이들의 기대수명이 1.5세 줄었다. 총 9억 6천만 인년人年이 줄어든 것이다. 세계 평균으로 볼 때 기대수명에 대한 분진 오

염의 영향은 음주보다 세 배 크고, HIV/에이즈보다 여섯 배 크며, 전쟁과 테러보다 89배 크다.[59]

고소득 국가의 공기의 질이 상당히 더 좋다는 것은 얼마간 입법의 효과를 입증하지만, 대체로 제조(및 그 더러운 부산물)가 세계의 다른 지역으로 외주화된 덕분이다. 그 결과로 환경, 건강, 인간에 미치는 영향은 다른 나라로 전가된다. 그럼에도 불구하고 유럽, 미국, 오스트레일리아 도시들의 1인당 온실가스 배출은 상당히 높은 수준이다. 높은 수준의 소비 행태, 생활양식 선택, 에너지 구득 편의성 때문이다.[60] 다시 말해서 부유한 나라들은 그렇지 않은 나라들에 비해 환경과 기후에 직간접적으로 더 많은 해를 끼치고 있다는 것이다.

이를 뒷받침한 것이 한 가지 기술의 개발과 적용이었다. 바로 에어컨이다. 한 유명 경제학자에 따르면 에어컨은 공민권 운동과 함께 20세기 후반 미국의 인구와 정치를 변화시킨 것으로 꼽혔다.[61]

온도를 통제하고 그것을 일정한 수준으로 유지할 수 있는 능력은 사람들이 사는 방법뿐만 아니라 그 장소까지도 바꿔놓았다. 사무실, 공장, 주택, 여가 시설이, 너무 더워서 이전에는 큰 도시 정착지로 현실성이 없었던 지역에 쑥쑥 생겨났다. 에어컨의 영향이 너무 커서 연구들은 미국에서만 열 관련 사망자 감소의 최대 80퍼센트가 그 덕분이라고 주장했다.[62] 더운 지방에서 교실과 작업장의 온도를 낮출 수 있는 능력은 생산성과 인지 능력에서 매우 중요하다. 연구들은 기온이 섭씨 20도대 초반에서 올라가면 학생들의 표준화된 수학 시험 성적이 떨어진다는 것을 보여주었다. 더위의 압박은 또한 단순한 인지 및 자동차 운전 같은 수작업에도 영향을 미친다.[63]

에어컨과 관련 에너지 수요는 인간이 자연환경과는 별개로 인공 기후 환경을 만들 수 있게 해주었다. 다시 말해서 이는 커다란 도시가, 에어컨이 없었다면 유지될 수 없을 곳에 세워질 수 있다는 얘기다. 그리고 그런 도시의 미래는 냉방 시설과 거기에 공급되는 동력에 의존한다는 얘기였다. 한 유명 논자가 지적했듯이 오늘날 여름 평균 최고 기온이 섭씨 35도 이상인 대도시가 이미 350개를 넘는다. 현재의 온난화 패턴을 감안하면 2050년까지는 같은 범주에 드는 도시가 600개 이상 추가될 것으로 보인다. 그렇게 되면 16억이나 되는 사람들이 인간 신체에 최적 온도라고 의학 문헌들이 끊임없이 이야기한 섭씨 15～20도의 범위를 훨씬 넘는 힘든 기후 조건에서 살게 된다.[64]

에어컨은 막대한 양의 에너지를 필요로 한다. 예를 들어 사우디아라비아에서는 주로 건물의 온도를 자연 상태보다 낮게 유지하기 위해 매일 70만 배럴의 석유를 사용한다. 사우디아라비아의 모든 에너지 소비의 약 70퍼센트가 에어컨 가동에 사용된다. 최근인 2017년에도 청정에너지 생산에서 약간의 진전이 있긴 했지만, 이 모든 것은 화석연료를 에너지원으로 한 것이었다.[65] 현재 상태로 에어컨과 선풍기는 세계 전기 소비의 10퍼센트를 차지한다. 2020년대 말에는 그 수요가 세 배, 심지어 네 배가 될 전망이다. 일부에서는 2050년이 되면 90억 대 이상의 냉방 기구가 사용될 것이라고 추산한다.[66]

이런 맥락에서 기존의 물에 대한, 기반시설과 수송과 에너지에 대한 압박에 추가된 가뭄이 자주 드는 지역(미국의 남부와 서부 산악 지역 같은 곳들)에서 인구가 급격하게 증가한 것은 단지 이해하기 어려울 뿐만 아니라 믿기도 어렵다.[67]

이것은 내일의 세계가 오늘의 세계만큼이나 온화하리라는 데 대한 명백한 확실성과 가정을 바탕으로 이루어지는 선택과 관련된, 더 광범위한 행동 유형에 들어간다. 예를 들어 미국 전역에서 400만 채에 가까운 주택이 열대 저기압, 홍수, 기타 위험에 노출된 홍수 구역에 지어졌다. 플로리다에서만 단독주택 여섯 채 가운데 한 채가 범람원에 지어졌다. 전체적으로 이것은 범람원에 위치한 미국의 주택 물량이 440억 달러 가까이 과대평가됐다는 얘기다. 심지어 해수면 상승, 더 잦고 더 극심한 폭풍우, 기타 위험의 영향을 고려하지 않은 상태에서 말이다.[68]

위험에서 먼 곳이 아니라 가까운 곳으로 이동한다는 결정도 당혹스럽지만, 우리가 하는 다른 수많은 선택 역시 마찬가지다. 인간이 만들어내는 모든 에너지의 4분의 3 가까이가 폐열廢熱로 낭비된다. 이것은 비록 직접 기온을 끌어올리지 않고 기후 변화에 무시해도 좋을 정도의 영향만 미치지만, 이런 소모는 우리가 주위 세계를 다루는 방식이 낭비적임을 입증한다.[69]

예를 들어 영국에서는 매년 1천만 톤 가까운 음식이 버려진다. 거의 200억 파운드 상당이다. 이 음식을 들판, 목장, 우리에서 쓰레기통까지 가져가는 데는 씨를 뿌리고 돌보고 베고 거두고 먹이고 방목하고 도축하고 수송(매장과 이어 저장실이나 냉장고로뿐만 아니라 퇴비 더미나 쓰레기통으로까지)하기 위해 에너지가 필요하다. 따라서 비효율성으로 인한 온실가스 배출이 3600만 톤이나 되는 셈이다.[70]

유엔환경계획과 기후 행동 조직인 폐기물자원행동계획(WRAP)은 다른 곳에서 나온 자료를 해석하면서 2019년 전 세계에서 9억 3100만 톤의 음식이 낭비됐다고 밝혔다. 40톤 트럭 2300만 대분이며, 이 트럭들을 간격 없이 늘어세우면 지구 일곱 바퀴 길이가 된다. 이 음식물의 3분의 2 가까이가 가정에서 낭비된다. 세계 평균으로 매년 1인당 74킬로그램을 버리거나 먹지 않는다. 고소득 국가와 중하위 소득 국가 사이에 큰 차이가 없다.[71] 전 세계 온실가스 배출의 8~10퍼센트가 소비되지 않은 음식물과 관련된 것으로 추산된다.[72] 우리가 먹는 것을 효율적으로 계산하고 계획을 세우지 못해 동식물과 토양과 대기가 희생되고 있는 것이다. 그리고 우리 서로가 말이다.

예를 들어 의류업계 전체는 세계 온실가스 배출의 10퍼센트의 책임이 있는 것으로 추산된다. 항공업과 해운업을 합친 것보다 많다.[73] 일부에서는 의류 생산이 2050년의 세계 탄소예산의 4분의 1을 차지할 것으로 생각하고 있다.[74] 의류 생산에 들어가는 에너지와 자원의 상당 부분이 낭비되고 있다. 영국에서만 약 500억 달러 상당의 옷을 입지도 않고 옷장에 걸어두고 있는 것으로 추산된다.[75]

이것은 빙산의 일각이다. 전 세계에서 매년 매일 매시간 매분 매초마다 쓰레기차 한 트럭분에 해당하는 의류가 쓰레기 매립지에 묻히거나 소각되고 있다. 더 이상 필요가 없거나 구매자를 찾지 못한 의류와 직물이다.[76] 최소 3만 9천 톤의 의류는 결국 세계에서 가장 건조한 지역 가운데 하나인 아타카마 사막에 버려졌다. 그곳에서 수백 년에 걸쳐 생분해된다. 그것이 가능하다면 말이다.[77]

게다가 의류 생산에는 물이 매우 많이 든다. 무명 셔츠 한 벌 만드는 데 민물 2700리터가 필요하다. 사람의 음용 필요량으로 2년 반 치에 해당한다. 청바지 한 벌을 만드는 데는 7500리터가 들어가는데, 누군가가 7년 동안 마실 물의 양이다.[78] 이것은 2010년에 이미 세계 주민의 4분의 1이 물 부족의 영향을 받고 유럽연합 영토의 17퍼센트와 그 주민의 10퍼센트 이상이 역시 이미 거기에 노출돼 있는 상황에서 분명히 의미가 있다.[79]

이런 압박은 빠르게 커지고 있다. 2020년대 말에는 물의 수요가 공급을 40퍼센트 웃돌 것으로 전망된다. 기후 변화가 구득 가능성에 미칠 영향을 감안하지 않고도 말이다.[80] 기반시설이 빈약해 어떤 곳에서는 물이 낭비되는 것도 문제다. 2021년 3월까지 12개월 동안 잉글랜드와 웨일스에서 매일 30억 리터 이상의 물이 유실된 것으로 추산됐다. 그리고 유럽의 가용 수자원의 20～40퍼센트로 추산되는 양이 마찬가지로 불필요하게 유실됐다.[81]

생활양식 선택의 결과를 보여주는 다른 사례들도 더 길게 나열할 수 있다. 바르셀로나의 물 음용 습관에 관한 연구는 병에 든 물이 환경에 미치는 영향이 수도꼭지 물에 비해 최고 3500배 크며, 이를 수돗물이나 여과수로 바꿀 경우 자원과 원료를 절약하기 때문에 큰 이득이 생긴다는 사실을 보여주었다.[82] 매년 약 5천억 개의 플라스틱 병이 생산된다. 매년 세계의 모든 남자·여자·아이들 한 명당 60개 이상꼴이다. 몇 년 전의 한 연구에 따르면 전 세계에서 매초마다 약 2만 개씩 팔린 플라스틱 병 가운데 절반 이하가 회수돼 재생됐다. 그리고 그중 단 7퍼센트만이 다시 플라스틱 병으로 만들어졌다.[83]

매년 1천억 개 이상의 일회용 플라스틱 병을 생산하고 있는 것으로 알려진 코카콜라의 한 고위 경영자는 자사의 플라스틱 병이 고객들에게 인기가 있기 때문에 그것을 포기하지 않을 것이라고 말했다. 그러면서 이렇게 말했다. "우리가 고객에게 맞추지 않으면 장사를 할 수가 없습니다."[84]

소비자의 요구는 단기적인 욕구를 충족시킬 것이다. 간과되거나 모호해질 수 있는 것을 대가로 치르고서다. 예를 들어 유람선의 인기는 고객들에게 일생일대의 항해를 하도록 하는 더 큰 배를 더 많이 만들게 몰아대는 데 일조했다. 최근 분석에 따르면 2017년 세계 최대의 유람선 운영자 카니발Carnival 기업이 유럽 연안 부근에서 배출한 유독 산화물은 유럽 전체의 자동차 2억 6천만 대가 배출한 것의 대략 열 배였다. 해양 및 해안의 모든 종류의 생명체들에 분명한 영향을 미칠 뿐만 아니라 인간의 건강에 대한 위험도 높였다. 특히 유람선이 들르는 베네치아, 팔마, 바르셀로나 같은 주요 항구에서 그렇다.[85] 그리고 우주여행 열기도 있다. 그것은 오존층 고갈을 위협하고 매연을 배출한다. 그 매연은 항공산업에서 나오는 것보다 500배나 많다.[86]

통신, 정보, 연결성에서의 혁명 동력을 제공한 디지털 시대는 또한 가격에 압박을 가함으로써 소비를 늘리는 데 이바지했다. 인터넷 소매상들은 시내 중심가에 비싼 매장을 가질 필요도, 선반을 고객들의 관심을 끌 물건으로 다시 채울 직원을 고용할 필요도, 주문을 받는 나라에 물리적으로 소재하거나 심지어 법적으로 소재할 필요도 없다.

이동통신 기기로 쉽게 주문할 수 있다는 점을 감안하면 몇몇 세계 최대급 회사들(애플에서 알파벳까지, 알리바바에서 아마존까지, 메타에서 버라이즌까지)이 직간접적으로 이런 교환 패턴을 신장시키고 있는 것이 놀라운 일은 아닐 것이다. 한 가지 예를 든다면 2019년 11월 11일, 알리바바의 연례 광군제光棍節(독신자의 날) 판매에서는 90초 남짓한 시간에 약 130억 달러어치를 팔았다. 그날 전체로는 12억 9천만 꾸러미를 배송했다.[87] 2020년에는 광군제 판매의 결과로 40억 꾸러미 가까이를 선적했다.[88] 2019년 한 해 동안 중국은 900만 톤의 플라스틱 포장을 사용했다. 어른 1억 3천만 명의 몸무게에 해당하며, 배출된 탄소를 상쇄하려면 7억 그루의 나무가 필요하다.[89]

비효율성과 낭비는 다른 분야에서도 골칫거리였다. 생산된 많은 의약품이 쓸모가 없어지거나 물리적·화학적 가치가 쉽게 떨어져(처방하거나 보관하거나 운송하기 어려워진 것이다) 폐기해야 했다. 그 결과로 모든 생물 의약품(예방주사제 같은 것이다)의 거의 절반이 사용되지 않고 폐기됐다.[90] 원료, 제조, 운송의 비용과 함께 저온 유통 및 물류 체계의 곤란으로 인해 수송 및 에너지 기반시설이 빈약하거나 기후 및 지리상 난점이 있는(또는 둘 다인) 나라, 또는 농촌이나 어설픈 도시에 사는 주민이 많은 나라에서는 예방주사제 같은 의약품을 배송하는 데 훨씬 더 많은 문제를 경험한다. 이는 소득, 사회 발전, 정치적 자유화에 영향을 미치는 여러 가지 결과들로 이어진다.[91]

그리고 군대도 있다. 그들이 소비하는 에너지는 엄청나다. 평시에도 그렇다. 신형 F-35A 전투기는 통상적인 훈련 출격에서 킬로미터당 거의 6리터의 연료를 소모한다. 연료 보급 없이 최대 능력으로 사용할 경우 28톤에 가까운 이산화탄소를 배출한다. 돈과 환경의 희생은 전쟁 기간에 급격하게 증가한다. 미국이 시리아, 이라크, 아프가니스탄은 물론이고 남중국해 같은 여타 무대에서의 작전에 활발하게 나선 2001년 이후 국방부는 미국 정부 전체 에너지 소비의 80퍼센트가량을 혼자 썼다.

사실 미국 국방부는 세계에서 석유를 가장 많이 사용하는 기관이고 온실가스를 가장 많이 유발하는 기관이다. 에너지는 주로 항공기 연료로 소비되지만 여타 차량과 선박, 그리고 군사 시설의 난방, 조명, 동력 공급에도 쓰인다. 미국과 세계 기타 지역 1100만 헥타르의 땅에 자리 잡은 800개 기지의 27만 5천 동의 건물에 있는 56만 개의 시설이다.[92]

미국에 비하면 다른 나라의 군대들은 상대가 되지 않고 그들 중 상당수의 에너지 소비는 정확하게 계산하기 어렵지만, 그럼에도 불구하고 방위에 매우 많은 돈이 든다는 점은 분명하다. 역설적으로 기후 변화와 전쟁 사이의 연관성은 1988년 '대기 변화'를 주제로 한 토론토 회의 참석자들의 생각 맨 앞에 있었다. 이 회의에서 대표들은 인간의 행동이 "최종 결과가 오직 세계적 핵전쟁을 제외한 다른 모든 것들보다 중대한, 의도되지 않고 통제되지 않은 전 세계에 만연한 실험"이라는 합의된 성명을 발표했다.[93]

이 이야기가 받아들여지는 데는 오랜 시간이 걸렸다. 영국영화텔레비전예술아카데미(BAFTA)와 환경 단체 앨버트Albert의 2019년 연구(딜로이트가 후원했다)는 영국의 4대 방송사가 2017년 9월부터 2018년 9월 사이에 방영한 13만 편 가까운 프로그램을 조사했다. '기후 변화'와 '지구 온난화'는 각기 3125번과 799번 언급됐다. 다른 것들과 비교해보자면 '그레이비' 소스는 3942번 언급됐고, '치즈'는 3만 3천 번 가까이, '개'는 10만 5245번 언급됐다.[94] 2021년 가을에 발표된 후속 보고서에서는 '기후 변화'가 '금붕어'보다 약간 많이, '셰익스피어'보다 약간 덜 언급됐다. '씨×놈 motherfucker'에 비하면 두 배를 약간 웃돌았다.[95] 이는 미래(그리고 현재)의 세계에 대한 인식과 우려가 그렇게 될 수 있고 아마도 그렇게 되어야 할 수준만큼 높지 않음을 시사한다.

세계기상기구(WMO)에 따르면 2010~2020년은 1880년대에 근대적인 기록 관리가 시작된 이래 가장 따뜻한 10년이었다.[96] 이 기간에 유럽에서는 수백 년 만에 가장 심한 가뭄이 발생해 가장 큰 영향을 받은 나라와 지역의 농작물 수확량이 40퍼센트나 줄었다.[97] 한편 미국 서남부에서는 2000년 이후의 시기가 적어도 800년 이래 가장 건조했다. 일부 과학자들이 대가뭄이라고 이야기한 것 때문이었다. 기온은 평균보다 높고 강우량은 매우 적어 북아메리카의 두 큰 저수지인 미드호와 파월호의 수위가 모두 최저 수준을 기록하기에 이르렀다.[98]

2019년에는 북극 지방에서 가장 높은 기온을 기록해 6600억 톤 가까운 얼음이 상실됐다. 이전 20년 평균의 두 배 이상이다.[99] 거의 틀림없이 인간의 활동과 관련된 것으로 보이는 페루 안데스산맥의 빙하 퇴각은 큰 홍수의 가능성이 높아진 결과로, 도시와 공동체들에 위협이 제기됐다.[100]

2022년 초 세 차례의 열대저기압과 두 차례의 열대폭풍우가 불과 6주 사이에 마다가스카르, 말라위, 모잠비크를 덮쳤을 때 일어난 거센 폭풍우와 극단적인 강우 또한 인위적인 요인에 의한 기후 변화와 연결시킬 수 있는 기상 변화의 일부다.[101]

이 현상이 그토록 중요한 이유는 그것이 세계적으로 동시에 진행되는 온난화 패턴의 일부이기 때문이다. 앞에서 보았듯이 과거에 특히 춥거나 더운 시기를 포함한 시대가 여러 번 있었지만(소빙기, 중세 기후 최적기, 로마 온난기 같은 경우다), 이들 경우는 전 세계적인 것이 아니고 한 지역이나 일부 지역, 심지어 한 대륙이나 일부 대륙에서 특히 두드러졌다. 이와 대조적으로 지난 150년은 전 세계가 거의 동질성을 보이고 있다. 지구의 98퍼센트 지역에서 20세기는 지난 2천 년 중에서 가장 기온이 높은 시기였다. 이는 전례가 없는 일일 뿐만 아니라 우연한 일도 아니다.[102]

온난화 가속의 핵심에는 자원 고갈, 제조업 활동, 도시화, 인구 증가가 있었다. 이 모두는 에너지와 특히 탄소에 의해 만들어지는 동력의 대량 소모에 크게 의존했다. 최근에는 재생 가능 에너지원(수력, 지열, 그리고 무엇보다도 풍력, 태양열 같은 것들이다)에 많은 투자가 이루어지고 있지만, 세계 전역에서 사용되고 있는 에너지의 80퍼센트가량은 화석연료를 태워서 얻는다.[103] 화석연료를 태우면 이산화탄소가 대기로 들어가 그것이 열을 대기 중에 가둬둠으로써 온실효과를 가중시키고 지구의 평균 기온을 끌어올린다.

인구 증가, 도시화의 진행, 새로운 생산 및 운송 기술과 함께 더 빈번해진 상거래는 최근 수십 년 사이 더 많은 에너지 수요를 부추기는 데 일조했다. 영향력 있는 작가 데이비드 월리스웰스David Wallace-Wells가 말했듯이 탄소 기반 연료 연소의 약 85퍼센트는 제2차 세계대전이 끝난 이후에 이루어졌다. 그리고 절반 이상이 1989년 이후의 것이다. 그 결과로 대기의 탄소는 지난 수백만 년 동안에 비해 농도가 더 높아졌다.[104]

인간의 활동이 어떻게 기후의 자연적 변화와 상호작용하고 거기에 영향을 미치고 그것을 누그러뜨렸는지는 상당한 토론이 벌어지는 문제다. 무엇보다도 복잡한 증거와 자료를 평가하는 데 기술적 난점이 있기 때문이다. 예를 들어 지구 표면 온도의 급격한 상승은 21세기 초에 둔화된 것으로 보고됐다. 표면 및 대류권 온도의 상승 추세가 이례적으로 낮고 상층 해양 저열량貯熱量과 해수면의 상승도 마찬가지다. 이것이 '지구 온난화 둔화'로 알려지게 된다. 논란이 있는 것은 그 원인에 대해서만이 아니다. 전제도 마찬가지다. 선택 또는 측정 편향성이(또는 둘 다) 결론에 영향을 주었거나, 심지어 장비의 교체가 자료를 왜곡시키지 않았는지에 관해 견해가 엇갈린다.[105]

인간의 행위가 기후에 영향을 미치지 않았다고 믿고 싶어 하는 사람들에게 확신을 줄 수 있었던 그런 논의의 부작용에도 불구하고, 2012년 이후 발표된, 학계 검토를 받은 9만 건 가까운 기후 관련 논문에 대한 조사는 인간이 원인이 된 기후 변화에 대해 이 분야에서 일하고 있는 과학자들의 동의 비율이 99퍼센트 이상이라고 주장했다. 이는 제117대 미국 의회 의원들과 뚜렷한 대조를 보인다. 상하원의 각기 4분의 1 이상(공화당은 상원의 60퍼센트 이상, 하원의 절반 이상)이 인위적 요인에 의한 기후 변화의 과학적 증거를 의심하거나 받아들이기를 거부하는 발언을 했다.[106]

사실 몇몇 가장 중요한 변화들(지구의 에너지 불균형 심화 같은)이 인간 활동의 결과가 아니라 자연적으로 일어날 가능성은 극히 낮다. 측정해봐야 개연성이 1퍼센트도 되지 않는다.[107] 나오는 연구들마다, 합쳐보면 흥미로울 뿐만 아니라 불길하기도 한 모습을 보여주는 급속한 변화를 알려준다.

예를 들어 남극의 대형 빙하 두 개는 5500년 사이 가장 빠른 속도로 녹고 있다.[108] 대략 1500만 년 전(대기 이산화탄소 수준과 지구의 기온이 이번 세기 말 전망치와 비슷한) 이후 시기에 의존한 기후 모형화는 연쇄반응의 결과로 남극의 대형 빙상이 유지될 수 없을 것임을 시사한다.[109] 이는 서남극西-南極빙상이 붕괴할 위험성이 커졌다는 얘기다. 그것은 얼음이 대량으로 녹아 세계 해수면이 3～4미터(또는 그 이상) 올라갈 것으로 전망할 수 있다는 얘기다.[110]

스웨이츠 빙하 아래의 고온의 지열 흐름이 얼음을 녹이는 데 일조하고 있지만, 이례적인 평균 기온의 이상(2020년 봄에 남극의 기온이 평균보다 섭씨 4.5도 올라 최고 기온을 기록한 것 같은)은 분명히 갑작스러운 붕괴의 위험을 가중시키고 있다.[111]

1990년대 이후 빙하 융해의 영향이 매우 커서 지구의 물 재분배가 일어난 결과로 지축이 이동했다. 게다가 새로운 연구는 이것이 지구 온난화와 극지방 기온 상승을 일으킨 인위적 요인의 결과임을 보여주었을 뿐만 아니라 극의 이동이 또한 땅에 비축된 물인 지하수 고갈의 영향을 받은 것임을 시사하고 있다. 예를 들어 인도 북부에서는 2010년에 3510억 세제곱미터의 물이 빠져 나갔다.[112]

모든 문제가 인간으로 인해 생긴 것은 아니다. 북극 지방 알래스카의 동토대凍土帶 화재는 영구동토층의 붕괴를 가속화시키고 있다. 그것은 다시 방대한 양의 동결된 동물질 및 식물질을 풀어놓아 비축 탄소를 대기로 방출함으로써 다른 온난화 요소들을 증폭시킨다.[113] 2021년 여름의 시베리아 대형 화재는 세계의 다른 모든 것을 합친 것보다도 커서 미국항공우주국(NASA)이 "광대하고 두껍고 매캐한 담요"라 부른 것을 이루어 러시아의 대부분을 뒤덮고 5억 500만 톤에 이르는 것으로 추정된 탄소를 방출했다.[114] 이것은 대체로 5년 전 아마존에서 일어난 화재와 맞먹었다. 거기서는 2015~2016년의 엘니뇨가 심한 가뭄으로 이어져 대형 화재가 일어날 길을 열었다.[115]

이런 사태들은 광범위한 다른 온난화 과정 촉진자들과 뒤얽혔고, 그것은 다시 나쁜 상황을 더욱 악화시키는 피드백 고리를 만들어냈다. 즉 대기가 더워지면서 바다, 강, 호수에서 더 많은 물이 증발해 올라가 대기로 들어가고 거기서 수증기가 더 많은 열기를 흡수해 당초의 기온 상승을 확대하는 것이다. 이런 식으로 악순환에 빠지게 되면 거기서 벗어날 가능성은 거의 또는 전혀 없게 된다. 이산화탄소 농도가 충분히 높은 수준이 되면 층적운(아열대 지역에 널리 퍼져 있으며 또한 저위도 지역의 대양 20퍼센트를 덮고 있다)이 불안정해지고 사라지며 추가적인 지구 온난화를 촉발한다.[116] 불안정한 상황이 일련의 기후 도미노 효과 속에서 갈수록 악화되는, 비슷한 '임계점'에 대해서는 많은 토론과 연구가 있다.[117]

여러 사례들이 거론될 수 있다. 빙모 융해, 산악 빙하 거의 대부분의 상실, 영구동토층 융해와 탄소 방출, 대양 순환 교란, 산불로 인한 북반구 수목 대량 손실 같은 것들이다.[118] 그린란드의 기온 상승은 이미 지난 10년 동안에만 3조 5천억 톤의 얼음이 녹아 사라지는 결과를 낳았다.[119] 미래의 얼음 상실에 관해 돌이킬 수 없는 지점은 이미 지났다. 배출을 처리하기 위해 어떤 조치를 취하느냐에 관계없이 변화는 이미 '기정사실'이 되었다.

예후는 불길하다고 어느 최근 연구는 말한다. 이 연구는 21세기 말까지 세계 해수면 상승이 최선의 결과라면 28센티미터에 그칠 것이고, 최악의 경우에는 그 세 배 가까이 될 것이라고 전망했다. 이것은 현재 해수면 위 1미터 이하의 해안 공동체에 살고 있는 수억 명에게는 무서운 결과를 가져오게 된다.[120]

대양과 기타 수역은 또 다른 사례를 제공한다. 해양에 영향을 미치는 폭염은 더 잦아지고 더 길어지고 더 강해져서 산호초, 다시마 숲, 해초 목초지가 손상되고 상실되는 결과로 이어졌다.[121] 해양 온난화는 어류와 무척추동물 개체군에 중대하고도 해로운 영향을 미쳤다.[122] 이런 손실들은 기업식 어업으로 인한 손실에 더해진 것이다. 그것은 대형 포식자 어류의 생물량을 기업화 이전 수준의 약 10퍼센트로 줄였으며, 생태계에도 심각한 결과를 초래했다.[123] 해양 온난화가 지속되면 더 많은 변화가 일어날 듯하다. 수온이 올라가면 신진대사율이 올라가 그것이 포식자들의 먹이를 늘리기 때문이고, 대형 종들이 예전의 활동 범위에서 이동할 가능성이 높기 때문이기도 하다.[124]

세계 해양과 민물 호수의 산소 수준은 급속하게 떨어져, 1980년 이후 표면에서는 5.5퍼센트, 깊은 곳에서는 20퍼센트 가까이 떨어졌다. 이것은 중요하다. 수계의 용존 산소 농도는 생물 다양성을 떠받치고 온실가스 배출 및 식수의 질을 조절하는 데서 중요한 역할을 하기 때문이다.[125]

마찬가지로 해양은 온실가스의 90퍼센트를 잡아들이고 흡수하기 때문에 지구 온난화의 결과로 뒤따라오는 탈산소화deoxygenation는 생태계에 뚜렷한 영향을 미칠 뿐만 아니라 모든 이산화탄소 배출이 당장 멈춘다고 해도 수백 년은 지속될 것이다.[126] 사실 일부 연구는 해양의 변화가 상당해 이미 되돌릴 수 없는 지점을 지났다고 주장한다.[127] 다시 말해서 기후 변화는 미래에 걱정해야 하는 어떤 것도 아니고 심지어 지금 걱정해야 하는 문제도 아니다. 이미 그 문제는 피할 수 없게 되었다.

문제의 일부는 이제 분명하다. 예를 들어 현장 실험은 밤에 기온이 높으면 벼의 수확량과 품질이 떨어짐을 시사한다.[128] 북아메리카의 주요 농작물인 옥수수와 콩은 심지어 아주 작은 변화만 있어도 수확량이 떨어졌다. 최적 기온인 섭씨 29도보다 기온이 1도 높을 때 하루에 0.5퍼센트씩 감소했다. 이는 세계가 더워지면 농작물 재배가 더 어려워지고 비용이 더 많이 든다는 얘기다. 일부 연구들은 가장 최신의 기후 모형을 바탕으로 2050년까지 막대한 재정 및 생산 손실이 있을 것임을 시사했다.[129]

해양, 호수, 강의 광합성 조류藻類는 빛이 많고 물의 온도가 높은 조건에서 번성하는데, 유독할 뿐만 아니라 먹이그물의 다른 유기체에 영향을 줄 수 있는 조화藻華; bloom를 형성할 수 있다.[130] 수천 제곱킬로미터를 뒤덮을 수 있는 이 조화는 또한 연기와 재에 실려 온 철분 연무질에 의해 촉발되고 확산될 수 있다. 2019~2020년 오스트레일리아의 산불 이후 남극해에서 확산된 조화가 그것을 잘 보여준 바 있다.[131]

더워지는 세계는 지구상의 생명체를 다른 방식으로도, 그리고 전례 없는 속도로 재배치하지 않을 수 없게 만들었다. 예를 들어 철새는 종자의 장거리 확산에 근본적인 역할을 했다. 초목의 결실 시기에 따라 남쪽 또는 북쪽을 향한 조류 이동을 통해 위도상 더 더운 쪽으로도 추운 쪽으로도 실어 날랐다. 한 최근 연구는 표본 세트의 식물 종 가운데 86퍼센트가 새에 의해 남쪽으로 확산됐고, 35퍼센트만이 북쪽으로 갔음을 보여주었다.

또 다른 연구는 봄이 일찍 시작되면 뒤영벌의 대폭 감소 위험이 커진다는 사실을 발견했다. 먹을 것을 구하기 어려워지기 때문이다. 이는 벌들이(그리고 다른 종들도) 하는 "중요한 꽃가루받이 매개"에 분명한 영향을 미친다. 특히 채소, 과일, 많은 종류의 농작물을 위해서 말이다.[132] 기후 경계가 더 서늘한 위도로 이동하면서 동식물 서식지와 생태계와 먹이사슬망은 이미 재편됐다.[133]

물론 여기에는 전염병의 확산도 포함된다. 모기는 열대 지방에서 1년 내내 활동하지만, 다른 지역에서는 추위가 찾아오면 휴지기에 들어가거나 계절적으로 잠복한다. 가을과 겨울이 따뜻해지면 모기는 연간 활동 기간을 늘리고 분포도 북쪽으로 확대한다. 많은 종들이 인간과 야생 생물에 질병을 일으킬 수 있는 병균(세인트루이스 말뇌염, 동부 말뇌염, 뎅기열, 서나일 바이러스 같은)을 나르기 때문에 중요한 사태 전개다.[134] 일부에서는 최악의 경우 2078년 무렵에 약 85억 명(세계 예상 인구의 약 90퍼센트)의 사람들이 말라리아와 뎅기열로 위험에 빠질 것이라고 진단했다. 지구 온난화와 질병대帶가 북쪽으로 확산된 결과다.[135]

2020년 발생한 코로나바이러스가 상기시키듯이 생물 종 사이를 건너가는 질병은 파멸적일 수 있다. 이 분야 전문가들은 이 대유행병이 창궐하기 오래전에, 인간이 감염되는 병의 약 60퍼센트가 동물에서 기원한 것이고 모든 새로이 발생하는 전염병의 75퍼센트 정도는 동물에서 사람에게로 건너오는 것임을 이미 알고 있었다. 현대 세계화의 등뼈를 이루는 교역망과 운송망은 상품과 사람을 이전의 어느 때보다도 빠르게 세계 곳곳으로 이동시키는 데 이바지했을 뿐만 아니라 질병 또한 이전의 어느 때보다도 빨리 확산될 수 있게 했다. 최근의 코로나바이러스 대유행이 너무도 분명하게 보여주었듯이 말이다.[136]

미래의 예방책을 둘러싼 중요한 교훈도 얻게 되겠지만, 더워지는 세계에서 질병 환경이 온도와 기후가 변함에 따라 달라질 뿐 아니라 질병 자체도 달라진다는 것을 이해하는 일 또한 중요하다. 알려진 전염병의 거의 60퍼센트가 어느 시기엔가 기후의 문제(가뭄, 산불, 폭우, 홍수, 해수면 상승 같은)로 악화되고 그것이 병원균의 특정 측면을 향상시켰다. 증식을 위해 기후에 대한 적합성을 늘리고, 생활 주기를 가속화하고, 노출될 수 있는 계절 또는 시간을 늘리고, 병원균 매개체 접촉 기회를 확대하고, 독성을 강화했다.

게다가 기후 문제는 병원균에 대한 인간의 대처 능력 저하에도 영향을 미칠 수 있다. 예를 들어 열기의 압박으로 질병에 대한 면역력을 약화시킴으로써다. 기상 이변의 결과로서 또는 영양실조를 통해 치료받을 기회가 줄어들고, 식량을 얻지 못하거나 농작물의 영양분 함유가 줄어들기(높은 이산화탄소 수준에 노출된 결과다) 때문이다.[137]

따라서 이 모든 요인을 감안하면 현재와 미래의 세계는 암울해 보인다. 여러 모형들은 그린란드의 대규모 해빙 사태의 결과로, 그리고 남극 빙상의 융해로 인해 해수면이 상승할 것으로 예측한다.[138] 또 어떤 사람들은 강력한 열대저기압이 지닌 위협이 2050년에는 두 배로 커져서 현재는 덜 노출돼 있고 인구 밀도가 높은 곳으로 확산돼 수백만 명을 위험에 빠뜨릴 것으로 예측한다. 특히 캄보디아, 라오스, 모잠비크와 여러 태평양 도서 국가 같은 저소득 국가들이다.[139] 알래스카의 기후는 이번 세기 말에 매우 심각하게 영향을 받아 뇌우의 수가 세 배로 불어날 뿐만 아니라 극단적인 기후 조건이 돌발 홍수, 산사태, 번개로 인한 산불로 이어질 것이다.[140] 이번 세기 말에 유럽에서는 많은 비를 가져오는 움직임이 느린 강력한 폭풍우가 열네 배나 자주 일어날 것이다.[141]

2053년 무렵에는 텍사스 북부와 루이지애나에서부터 아이오와, 인디애나, 일리노이까지 뻗어 있는 미국의 4분의 1에 해당하는 지역(현재 1억 명 이상의 미국인이 살고 있는 곳이다)이 섭씨 50도를 약간 웃도는 여름 기온에 노출될 것이라는 진단이 있다. 현재의 인구 분포 패턴이 유지된다면 말이다.[142] 갈수록 많은 증거들이 북반구 중위도의 여름이 이미 길어진 반면에 봄·가을·겨울은 짧아졌음을 시사하고 있다. 이런 추세는 기후 변화가 누그러지지 않고 계속돼 6개월 여름이 흔해지는 상태에 이를 것이다.[143]

북반구 일대에서 이란이나 몽골(각각 세계 18위와 19위의 면적을 지닌 나라) 크기의 지역을 뒤덮는 폭염 여럿이 동시에 생겨날 가능성이 1980년대 이후 여섯 배로 커졌다. 동시에 발생하는 사태들이 5~9월의 더운 계절에 더욱 커지고 더욱 강력해질 것이다.[144] 이탈리아기상학회 회장 루카 메르칼리Luca Mercalli에 따르면 현재의 배출과 온난화 추세가 유지된다면 밀라노의 평균 기온은 2100년에 섭씨 50도에 도달할 것이며, 이탈리아 전체적으로 현재보다 섭씨 8도가 올라갈 것으로 보인다. 지중해 일대가 극단적인 날씨에 정면으로 노출되기 때문이다.[145]

그런 기후 조건은 인공 냉각 설비(누구나 사들일 수 있고 이용할 수 있는 것이 아니다)가 없으면 인간의 생활에 엄청난 문제를 안긴다. 더운 날씨는 자살률 증가, 정신건강 악화, 인지 능력의 급속한 감퇴와 밀접한 상관관계에 있다. 언어 추리, 공간 지각, 주의 지속 시간은 특히 열기에 영향을 받는다.[146]

습도와 결합되면 사태는 위태로워진다. 지구가 약간만 더워져도 서남아시아의 인구 밀집 지역, 남아시아의 인더스강 및 갠지스강 유역, 중국 동부에서 수억 명이 '습구濕球' 효과로 위험에 처할 수 있다. 여기에 노출되면 가장 적합한 사람이라도, 그늘지고 통풍이 되는 곳에서조차 몇 시간을 견디지 못한다.[147]

과학자들에 따르면 이미 변모를 겪은 크고 작은 바다들의 구성과 성격은 장래에 추가적인 영향을 받을 듯하다. 예를 들어 북극해에는 민물이 쌓이고 있는데, 북반구 최대의 대양 민물 저수지인 보퍼트해가 그 역할을 하고 있다. 이곳의 민물은 이번 세기에 들어서 40퍼센트 이상 늘었다.

이 물이 북대서양으로 방출되는 시점과 규모, 그리고 염분 편차의 크기는 대서양자오선역전순환(AMOC)의 힘에 큰 영향을 미친다. AMOC 자체는 북반구의 기후에 중대한 영향을 미친다.[148] 최근 수십 년 사이 AMOC(멕시코만류계라고도 불린다)의 둔화를 감안하면 이는 특히 중요하다. AMOC는 최근 1천 년 사이 그 어느 시기에 비해서도 더 약해졌다. 느려진 속도는 인위적 요인에 의한 지구 온난화와 연결돼 있다.[149]

그리고 세계 최대의 내륙 수역 카스피해가 있다. 일부 전망들은 이곳의 수위가 21세기 말까지 적어도 9미터 내려갈 것으로 내다보고 있다. 그 결과로 "카스피해 전체 면적의 25퍼센트를 잃고 대략 포르투갈의 면적과 비슷한 9만 3천 제곱킬로미터의 마른 땅을 드러내게" 된다. 흥미롭게도 물 부족이 극심한 지역인 중앙아시아 일대의 빙하가 녹아 단기적으로 물의 이용이 편리해지게 되는데, 2020년대가 그 절정일 것으로 예상된다. 이미 사태가 일어날 조짐이 나타났다. 2012년 카자흐스탄의 가뭄으로 100만 헥타르의 농작물이 손실을 입었고, 2021년 이 지역 일대 넓은 지역의 더운 기후 조건은 대량의 가축 폐사로 이어졌다.[150]

히말라야산맥의 빙원氷原은 탄소 배출이 급격히 감소한다면 3분의 1이, 그러지 않는다면 3분의 2가 감소할 것으로 전망된다. 힌두쿠시-히말라야 지역 일대의 여덟 개 나라에 살고 있는 언덕 및 산악 주민 2억 4천만 명, 그리고 하류의 열 개 강 유역에 살면서 직간접적으로 빙하 자원의 혜택을 받고 있는 16억 5천만 명의 생계와 부와 다양한 문화, 언어, 종교, 전통 지식 체계가 위험에 처해 있다.[151]

일부 모형들은 앞으로 수십 년 동안 인류에게 닥칠 일들에 대해 혼란스러운 예측을 내놓고 있다. 최근의 한 연구에 따르면 설령 기후 문제를 해결하기 위한 강력한 조치가 취해진다 하더라도 약 15억 명이 과거에 사람이 살아갈 수 있는 온도 조건 밖이라고 생각했던 기후에서 살 것으로 보인다. 이 수치는 인구 증가와 기후 변화가 최악의 상황이라면 35억 명, 즉 예상 세계 인구의 30퍼센트가량으로 올라간다.[152] 아마도 당연한 일이겠지만 생각은 어떻게 대응할 것인가로 옮겨졌다. 특히 대량 이주와 폭력적 충돌이 일어날 것이라는 전망에 대해서 말이다.[153]

어느 지역과 지방이 가장 심하게(또는 가장 먼저) 영향을 받을 것인지를 추측하기는 어렵다. 문제들이 형성되고 증폭되고 확산되는 방식을 평가하는 것 역시 마찬가지다. 수자원 부족으로 가장 위험에 처해 있는 17개국 가운데 12개국이 서아시아와 북아프리카에 위치해 있다. 이곳에서는 지구 온난화가 제한적일 경우 과도한 열기의 압박에 따른 사망이 이번 세기 후반에 2~7배 증가할 것으로 예상된다. 온난화가 심하다면 훨씬 더 심각해진다.[154] 동남아시아의 경우는 2050년에 현재 5천만 명 가까운 인구가 살고 있는 지역이 매일 만조 때 물에 잠길 것이다. 해안 또는 강 삼각주 저지에 살고 있는 지역 전체 주민의 77퍼센트는 말할 것도 없다.[155]

어쩌면 세계에서 가장 취약한 곳 가운데 하나로 꼽히는 사헬 서부에 초점을 맞춰야 할 수도 있다. 이곳에서는 지난 50년 동안의 온도 상승이 보다 줄어든 강우와 극단적 기후 사태의 빈도 및 강도 증가와 어우러져 상당한 수준의 극빈, 급격한 인구 증가, 허약한 통치력을 악화시키고 있다. 이런 여러 요소는 조직범죄 파당, 테러 조직, 국가는 아닌 갖가지 폭력적 주체(ISIS와 알카이다 양쪽의 하부 조직들 포함)들에 의해 메워지고 있는 권력 공백을 설명하는 데 도움이 된다.[156]

중요한 것은 많은 정부들이 기후 변화의 영향을 어떻게 처리할 것인지 계획을 세우는 일에 나서기 시작했다는 것이다. 예를 들어 미국 국방부는 2010년 발표된 중요한 검토에서 기후 변화가 "우리가 수행하는 작전 환경, 역할, 임무를 좌우"할 것이라고 지적하고 이렇게 경고했다. "정보 쪽에서 수행한 평가는 기후 변화가 전 세계에 걸쳐 중대한 지리정치학적 영향을 미칠 수 있고 빈곤, 환경 악화, 허약한 정부의 약화 가속의 요인이 될 수 있음을 시사한다. 기후 변화는 식량과 물 부족에 일조하고 질병 확산을 가속시키며 대량 이주를 자극하거나 악화시킬 것이다."[157] 상당한 자원이, 오바마 대통령이 2016년에 이야기한 다음과 같은 사실을 다루기 위한 위원회를 설치하고 보고서를 작성하고 계획을 세우는 데 들어갔다. "기후 변화는 국가 안보에 크고도 갈수록 증대되는 위협을 제기합니다. 국내와 해외 모두에서입니다."[158]

특히 기후 변화의 시기에 미군 시설을 유지하는 비용도 또 다른 문제 중 하나다. 1990년에 이미 일부에서는 기후 변화가 군대에 대해, 그 작전과 시설과 조직에 미치는 영향에 대해 묻고 있었다. 2018년에 미국 국방부는 기지의 절반 정도가 기후 변화 관련 효과를 경험했다고 보고했다. 1년 후에 국방부는 그 시설 수십 군데에서 홍수, 가뭄, 산불, 사막화가 반복되고 있음을 인정했다.[159]

다른 나라들 역시 커다란 문제들에 직면해 있다. 러시아의 가스 생산의 80퍼센트 이상과 석유 생산의 15퍼센트, 그리고 비철금속과 희토류 금속이 북극 지방에 위치해 있고, 2500억 달러 가까운 고정자산 역시 마찬가지다. 기후 변화는 건물과 기타 기반시설 20퍼센트에 영향을 미칠 것으로 예상돼, 이 지역 상당 부분을 덮고 있는 영구동토층이 녹음에 따라 그 영향을 완화하기 위해 총 850억 달러 가까운 지출이 필요해졌다.[160]

그 원인 가운데 하나는 20세기 후반에 사용된 표준적인 철근콘크리트 말뚝의 부하負荷 능력 감소였다. 영구동토층이 약화되고 토양의 강도 속성이 변하면서 손상을 가했던 것이다.[161] 한 연구는 기온이 현재의 평균보다 섭씨 1.5도 높아지면 야쿠츠크시 전체가 뒤틀리고 인근 지역의 도로와 철도에도 영향을 미칠 가능성이 있다고 주장했다.[162] 세계의 다른 지역에 대한 연구들도 마찬가지로 온도 변화에 의해 건물의 구조적 완전성에 대해 제기되는 위험성을 주장했다.[163]

러시아 천연자원환경부의 최근 한 중요 보고서가 지적했듯이 모스크바와 기타 대도시들이 온도 상승, 수질 오염, 공해로 인해 심각한 위험에 처해 있는 데 더해 이 나라 북부 지방의 영구동토층 해빙으로 "위험한 화학·생물학·방사능 물질이 인간의 거주지로" 방출되리라는 위협을 받고 있다고 밝혔다.[164] 시베리아에서 탄저병, 진드기매개뇌염, 라임병 발생이 늘고 있는 것은 앞으로 어떤 일이 벌어질지에 대해 두려워하는 또 다른 이유다.[165]

그런 공포는 우리의 일상생활에서 실제로 작용하며 그 역할을 갈수록 키워가고 있다. 특히 자라나는 세대에 대해서다.

10개국 1만 명의 아이들과 젊은이들(16~25세)에 대한 대규모 조사에서는 절반 이상이 기후 변화에 관해 슬픔, 불안, 분노, 무기력, 무력감, 죄의식을 느끼는 것으로 나타났다. 다만 각각에 관한 정서의 상대적 수준은 개인에 따라 달랐다. 50퍼센트 가까이는 자기네의 기후 변화에 대한 느낌이 나날의 생활과 활동에 부정적으로 영향을 미친다고 말했고, 75퍼센트는 자기네가 미래에 대해 생각하는 것이 두렵다는 사실을 알게 되었다고 인정했다. 조사자들은 젊은이들 사이의 불안이 복잡한 문제이지만, 기후 위기는 심리적 긴장을 초래해 어른들이 기후 위기에 대해 손을 놓고 있는 데 대해 혼란이나 배신감, 버려진 느낌 같은 반응을 보이게 되었다고 밝혔다.[166]

이런 우려는 언제나 긍정적인 조치를 취하는 것으로 이어지지는 않는다. 대체로 젊은이들이 참가하는 영국의 음악제들은 매년 2만 3500톤의 쓰레기를 낳는다. 플라스틱 병, 버려진 천막, 음식 쓰레기 같은 것들이다. 2022년 글래스톤버리 축제에서 모든 입장권 소지자들이 '녹색 서약'에 서명하고 그레타 툰베리가 세계는 "벼랑에 다가서고" 있으며 "완전한 자연 파탄"이 눈앞에 있다고 경고할 때 많은 사람들이 환호했지만, 축제 참가자들은 약 2천 톤의 쓰레기를 남기고 떠났다. 한 사람당 10킬로그램꼴이었다.[167]

그럼에도 불구하고 일부 여론조사와 연구는 결혼한 젊은이들이 기후변화에 대한 우려 때문에 아이를 덜 낳고 있음을 보여주었다.[168] 서식스 공작과 그 부인 이야기도 같은 맥락일 듯하다. 그들은 〈보그〉와의 회견에서 "이곳은 빌린 곳"이니 "다음 세대를 위해 더 나은 세상을 남기고 떠나야" 한다면서 이렇게 말했다. "우리는 약간이라도 갚으려고 노력하고자 합니다. 그리고 갚으려 노력하면서 손상을 조금 치유하고 적어도 기후변화를 늦춰야 합니다." 이런 발언은 지구의 장기적인 이익을 위해 아이를 둘 이상 낳지 않겠다는 의식적인 결정으로 이어지는 것으로 널리 해석됐다. 특히 인구 조절에 초점을 맞추고 있는 한 영국 자선단체가 그랬다. 그들은 이 부부를 "다른 가족들의 본보기"로 칭송하며 그들에게 특별상을 수여하겠다고 발표했다.[169]

세계 토지의 40퍼센트의 상태가 악화되고 그 주민 절반이 그 영향으로 고통을 받는다면 미래에 대해 우울한 생각을 떨치기 어려울 것이다.[170] 지구 온난화를 2015년 파리기후협정에서 세운 목표인 섭씨 1.5도로 묶을 가능성은 희박하다. 어쩌면 이미 놓쳐버린 것인지도 모른다.[171] 한 최근 연구는 현재의 전망치들에 근거해 세계의 평균 온도 상승을 파리협정의 목표대로 묶어둘 수 있는 가능성을 0.1퍼센트로 보았다.[172] 2022년 여름 안토니우 구테흐스 유엔 사무총장은 파리 목표가 "산소호흡기에 의존"하고 있으며 "그 맥박이 더욱 약해졌다"고 말했다.[173]

세계 주민의 약 30퍼센트가 현재 이미 연간 20일 이상 생명을 위험에 빠뜨리는 기후 조건에 노출돼 있다. 온실가스 배출이 극적으로 감소할 경우 2100년에 그것은 50퍼센트 가까이로 올라가고, 배출이 계속 증가할 경우에는 75퍼센트 가까이로 치솟을 것이다.[174]

과학자들은 온도와 대량 절멸을 위한 변화의 시작 사이의 관계에 관한 가설을 검증하고, 서식지에 대한 약간의 기후 개변도 지구와 동물 종들에 극적인 영향을 미친다고 단언하고, 제6차 대량멸종이 그저 가능성이 아니라 이미 진행되고 있다고 진단하고, 인류의 '종반전'을 위해 더 많은 것을 생각해야 한다고 경고하고 있다. 이런 상황에서 많은 사람들이 정치가나 정책 결정자들로 하여금 그저 입에 발린 말이나 하지 말고 문제 해결에 정면으로 나서도록 압박하기 위한 보다 극적인 행동을 해야 할 때가 왔다고 느끼는 것은 전혀 놀라운 일이 아니다.[175]

그것은 공감하기 어려운 것도 아니다. 2022년 여름에 건조한 기후 조건, 물 부족, 열기의 압박이 적어도 500년 사이 최악의 상황(유럽연합 집행위원회 합동연구센터의 평가다)으로 치달았는데, 이때 유럽 일대의 기온은 기록적인 수준에 도달해 영국, 프랑스, 이베리아반도에서 섭씨 40도를 기록했으며 7월은 기록에 남아 있는 가장 건조한 달이 되었다.[176] 템스강의 근원이 말라버리고, 라인강의 수심이 30센티미터 이하로 떨어져 거룻배 수송을 도로 운송으로 대체해야 했고, 프랑스는 원자로 가동을 중지하거나 제한된 능력으로 가동했다(그 냉각에 필요한 물이 부족했기 때문이다).

이에 대응해 유럽 지도자들 가운데 에스파냐 총리는 사업가들에게 회의 때 넥타이를 매지 말라고 권고했으며, 스위스 총리는 물을 아끼기 위해 부부가 함께 샤워를 하라고 제안했다. 그리스에서는 주요 관광 명소들의 조명을 오전 3시에 껐다. 독일의 몇몇 도시에서는 공공건물, 수영장, 스포츠센터, 체육관에서 샤워할 때 온수를 공급하지 못하게 했다. 일부 국가에서는 나중에 좀 더 엄중한 조치들이 제시되기도 했지만(어떻든 대체로 에너지 가격 상승에 대한 대응이었다), 초기의 대응은 효과적인 조치가 취해졌다거나 정치 지도자들이 현재의 상황이 얼마나 심각한지 이해했다는 확신을 주기는 쉽지 않았다. 미래의 문제는 말할 것도 없었다.[177]

흉작, 식량 및 물 부족, 물가 상승, 대량 이주, 폭력 수준 증가, 전쟁 가능성 증대 등과 관련해 예측된 미래의 경제적 충격과 그에 대한 종말론적 묘사는 피를 얼어붙게 하기에 충분했다. 온실가스를 줄이는 추가적인 조치가 없다면 지구는 "수백만 년 동안 보지 못했던" 온도에 도달해 "재앙적인 결과를 맞을 가능성"이 있다고 국제통화기금은 2020년 10월에 말했다. 여기에는 경제 활동의 혼란 및 낮은 생산성과 함께 심각한 자연재해, 더 빈번한 전염병 유행, 인간의 건강 상태 악화, 생명을 잃을 가능성 등이 포함된다.[178]

한 투자은행의 고위 간부는 2022년 여름에 이렇게 말했다. "100년 후에 마이애미가 수심 6미터의 물 아래 잠긴다고 해서 무슨 상관이 있나요?" 이 은행의 "평균 대출 기간"은 7년이라고 그는 말하고 이렇게 덧붙였다. "7년 후에 지구에 무슨 일이 일어나든 그것은 사실 우리 대출 장부와는 아무 상관이 없습니다."[179] 어떤 사람들은 소식을 좀 더 침착하게 전했다. 유럽중앙은행(ECB)의 한 고위 간부는 이렇게 말했다. "기후 변화는 어떤 식으로든 통화 정책에 영향을 미치는 듯합니다."[180] 간단히 말해서 "기후 위험은 투자 위험"이라고 세계 최대의 자산 운용사 블랙록BlackRock의 로런스 핑크Laurence Fink는 말했다.[181]

인간과 여타 동식물의 존재에 대한 위협 위에 더해진 금융상의 위험이 얼마나 큰지는 여러 변수와 불확실성 때문에 판단하기 어렵다. 그러나 일부 학자들은 현재의 추세대로 기후 변화가 지속된다면 많은 나라에서 평균소득은 2100년에 75퍼센트나 감소할 것이라고 주장했다. 가장 큰 타격을 받을 나라들은 이미 가장 가난한 나라들이다. 기초적인 의료 수준에 머물러 있고, 기반시설이 잘 발달하지 못했으며, 기관들이 세계의 부유한 지역들만큼 튼튼하지 못한 나라들이다.[182]

역설적으로 위험에 가장 많이 노출된 지역은 대개 값싼 노동력과 느슨한 환경 규제에 이끌려 고소득 국가에서 옮겨온 제조업 때문에 높은 수준의 공해로 고통을 받은 나라들이다. 신식민주의라는 형태로 가난한 자들의 희생 위에 부유한 자들의 필요를 충족시킨 것이다. 예를 들어 1970년에서 2017년 사이에 전 세계적으로 2조 5천억 톤 가까운 자재가 추출돼 사용된 것으로 평가됐는데, 고소득 국가(세계은행 기준으로 분류한)가 그중 75퍼센트를 사용하고 중저소득 국가와 저소득 국가는 합쳐서 1퍼센트 미만을 사용했다.[183]

소비 불평등은 매우 심해서 뉴욕시의 에너지 사용량은 사하라 이남 아프리카의 모든 지역의 사용량을 합친 것보다 많았다.[184] 아프리카에는 세계 인구의 5분의 1이 살고 있지만 그들이 에너지 관련 이산화탄소 배출에서 차지하는 비중은 3퍼센트 미만에 불과하다. 1인당 배출량이 어느 지역에 비해서도 적다. 현대 세계에서 자원이 어떻게 이용돼왔는지에 대한 강력한 징표의 하나로서, 아프리카는 전 세계에서 최고의 태양열 자원 60퍼센트를 가지고 있지만 집열판 설치는 1퍼센트밖에 되지 않는다. 이것이 이미 이 대륙 일대에서 가장 값싼 에너지원이 되었는데도 말이다.[185]

이것은 기후, 자원, 지리적·사회경제적 불평등에 관한 더 광범위한 이야기의 일부에 지나지 않는다. 예를 들어 고소득 국가의 많은 사람들은 기후 변화가 장래에 어떤 경제적 영향을 미칠 것인지에 대해 걱정하지만, 현실은 저소득 국가가 이미 축소된 환경으로 인해 고통받고 있다는 것이다. 기후 패턴 변화 때문이기도 하고, 또한 기후 재정 부족 때문이기도 하다.

아프리카개발은행(AfDB) 평가에 따르면 아프리카는 전체적으로 기후 변화 및 관련 영향으로 인해 1인당 국내총생산(GDP) 성장의 5~15퍼센트를 잃었다. 아프리카는 세계 인구의 거의 5분의 1이 살고 있지만(그리고 상당한 천연자원이 부존돼 있지만) 시대를 통틀어 전 세계 이산화탄소 배출의 단 3퍼센트만을 차지하고 있다.[186] 세계적으로 소득에 따른 세계 인구 하위 50퍼센트가 가장 부유한 1퍼센트와 똑같은 양을 배출한다.[187]

부유한 미국인들은 돈이 별로 없는 사람들에 비해 훨씬 큰 탄소 발자국(개인 또는 단체가 직간접적으로 발생시키는 온실가스의 총량)을 남기고 있다. 주로 그들이 큰 집을 갖고 있어 더 많은 열과 빛과 에너지를 사용하기 때문이다. 매우 풍요한 교외에서는 근처 다른 교외에 비해 배출이 열다섯 배 많을 수 있다.[188] 인종과 민족에 대해서도 상당한 함의가 있다. 연구는 유색인종이 열악한 공기의 질 및 높은 수준의 건강 장해에 치우치게 노출돼 있음을 보여준다. 적어도 미국에서는 그렇다. 그들이 통상 배출의

근원 가까이에 살기 때문이다.[189]

따라서 자연재해, 엄혹한 날씨, 기온 상승으로 인한 타격이 부유하고 따라서 개개의 또는 여러 문제를 더 잘 처리할 수 있는 부유한 나라들보다 발전도상의 나라들에 치우쳐 있다는 것은 특히 불공평해 보인다.[190] 부유한 나라들이 그럴 수 있었던 것은 상당 부분 생산성에 특히 매우 적합한 위도에 위치했다는 그들의 생태적·기후학적 행운 덕분이었다. 인간의 생산성에서 최적의 온도는 섭씨 13도임이 밝혀졌다. 온도가 높아지면 생산성은 떨어진다.

따라서 가난한 나라들의 소득은 기후 변화의 결과로 급격하게 줄어들 것으로 보이는데 부유한 나라들의 소득은 사실상 증가하리라는 것은 더욱 분통 터지는 일이다. 다른 모든 것은 제쳐두더라도 지구 온난화는 불평등을 심화시킨다.[191] 사실 저소득 국가들 사이의 불평등마저도 심화시킨다. 저소득 국가 안에서 가난한 사람들은 기후 변화에 가장 심하게 영향을 받는다.[192]

2015년 채택된 파리협정의 목표, 특히 지구 온난화를 섭씨 2도로 제한한다는 목표가 충족된다 하더라도 위험한 수준의 열기에 노출되는 것은 열대 지방 상당 지역에서 50～100퍼센트 증가하고 중위도의 여러 지역에서는 3～10배 증가할 것이다. 중위도 지역은 연간 기준으로 결코 드물지 않은 치명적인 폭염이 발생할 것이다.[193] 사실 우리가 이미 문턱을 넘은 세계 기온 1도 상승은 자연계에 파멸적인 갖가지 연쇄반응을 촉발할 위험한 상황으로 우리를 밀어넣었다.[194]

그래도 성이 차지 않는다는 듯이 기후 변화는 세계 지리정치학을 재편할 심산인 듯하다. 앞으로 수십 년 동안 많은 사람들이 고통을 겪겠지만 주거지들이 변모하면서 새로운 기회 또한 열릴 것이다. 이득을 얻을 것으로 보이는 22개국 가운데 절반 이상이 구소련과 중부·동유럽에 위치해 있다. 발트 3국, 우크라이나, 아르메니아, 벨라루스, 러시아 같은 나라들이다.[195]

이런 이득은 러시아 천연자원환경부의 기초 보고서가 분명히 하고 있듯이 빠르게 또는 쉽게 얻어지지 않을 것이다. 러시아는 유행병, 흉작, 기근, 해충 창궐, 산불, 화학·생물학·방사성 물질에 대한 노출에 대비해야 한다. 아울러 지구상 최대 국가의 도시와 기반시설이 입는 손상을 처리하고 수선하기 위한 막대한 비용도 준비해야 한다.[196]

그러나 어떤 사람들은 아랫면보다는 윗면에 초점을 맞추었다. 예를 들어 푸틴은 한때 기후 변화가 좋은 일일 것이라고 빈정거렸다. 러시아인들이 모피 외투에 돈을 덜 쓰게 하고 농산물 수확도 많아져 이득을 얻을 것이라는 얘기였다.[197] 사실 기술, 효율성, 토양학에 투자한 덕에 러시아의 농산물 수출은 2000～2018년의 기간에 열여섯 배로 늘었다. 밀 수출은 2015년 이후 5년 동안에 두 배가 되어 러시아는 세계 최대의 밀 수출국이 되었다. 세계 시장의 4분의 1이 그들 차지였다.[198]

지나치게 단순화하지 않는 것이 중요하겠지만, 러시아의 과거·현재·미래의 생태적 횡재가 2022년 2월 우크라이나 침공 결정, 그리고 우크라이나와 유럽과 그 밖의 나라들을 압박하기 위해 자연환경의 혜택을 무기화한다는 전략적 결정을 내리는 데 한몫했다고 주장하는 것이 불합리하지는 않을 것이다. 이 횡재는 과거의 기후 변화로 인해 형성된 석유, 가스, 기타 천연자원과 오늘날 전 세계에서 열량 섭취를 위해 결정적으로 중요한 농작물과 기타 식료품이었다. 모두가 러시아의 환경적 카드 패는 좋아지고 남들의 패는 곤란해질 것이라는 확신에 의해 강화된 것이었다.

한 전직 고위 정보 장교가 말했듯이, 우크라이나 공격 1년 전에 "세계 생태계의 혼란은 아마도 21세기의 가장 저평가된 안보 위협"이었다.[199] 자원이 국가 또는 국가가 아닌 행위자들에 의해 통제되고 경쟁의 대상이 되고 방해를 받는지 여부나 그 방법, 시기, 장소는 다른 압박과 문제들을 악화시키는 데 일조할 것이다. 특히 기후 변화로 인해 제기되는 문제들이다. 그것들에 상당한 주의를 기울일 필요가 있다.

결론

2022년 여름은 지구 기상계에 무언가 이상한 일이 진행되고 있다는 것을 가장 회의적인 사람에게도 확신시키기에 충분했을 것이다.

- 유럽의 기록적인 폭염
- 아프리카의 수십 년 사이 최악의 가뭄
- 파키스탄의 평균치의 여덟 배 가까이 되는 강우량(이로 인해 수천만 명이 그동안 살아온 곳에서 떠났다)
- 미국 데스밸리의 돌발 홍수(1년 평균 강수량의 4분의 3이 세 시간 사이에 쏟아졌다)
- 한국의 역사상 최고 속도를 기록한 강우(시간당 150밀리미터 가까이 쏟아졌다)
- 오스트레일리아 현대사에서 가장 습한 해
- 남반구 파라과이에서 섭씨 40도 이상으로 치솟은 겨울 기온(남아프리카공화국에서도 거의 비슷했다)
- 길고도 혹독한 중국의 가뭄(그것은 기록상 가장 뜨거웠던 여름 뒤에 나타났는데, 이 폭염은 어느 곳에서 기록된 것보다도 심했고 세계 기후사에 비견될 만한 것이 없었으며 기후 변화 문제를 전 세계 신문 1면에 올려놓았다)[1]

그러나 어떤 사람들은 생각을 고쳐먹을 마음이 없었다. 영국의 유럽연합 탈퇴 협상에 나섰던 데이비드 프로스트David Frost는 "현재의 증거는 우리가 기후 '비상사태'에 처해 있다는 주장을 뒷받침하지 않는다"고 말했다. 그는 이어 "풍력 같은 중세 기술"을 현대 세계에 사용하도록 권장하는 것은 터무니없는 일이라고 말했다. "우리는 모두 정부에 의해, 그리고 지구를 구하기 위해 희생하라는 거대한 지식인 집단과 비정부기구(NGO)의 견해에 의해 괴롭힘을 당하는 데 익숙해졌다. 그들은 여행을 가지 말고, 자기 동네에서 살고, 적게 먹고, 고기를 먹지 말고, 전등을 끄고, 전체적으로 짐이 되지 말라고 얘기한다." 다시 말해서 이는 모두 말도 안 된다는 것이었다.[2]

비슷한 견해는 권력 회랑에서 찾기 어렵지 않다. 특히 언론의 자유, 표현의 자유, 출판의 자유가 있는 민주주의 국가에서는 매우 귀중할 뿐만 아니라 상당히 중요한 것이다. 미국 상원의원 테드 크루즈Ted Cruz는 기후 변화에 관한 자신의 첫 청문회를 주재하면서 이렇게 말했다. "지난 18년 동안 무슨 대단한 온난화 같은 건 전혀 없었습니다." 세계 기후 추세를 이해하기 위해 사용되는 현재의 모델들은 "심각하게 잘못돼" 있고, "증거와 자료에 부합하지 않는다"고 덧붙였다.[3] 기후 변화는 "사기"라고 도널드 트럼프 전 미국 대통령은 말했다. 그는 전에 이것이 사기가 아니라고 말한 바 있었다. 사람들은 이제 "기후 변화 이야기만 합니다. 그러나 기후는 언제나 변화하고 있었습니다." 그는 걱정할 것 하나도 없다고 말하고, 다르게 이야기하는 과학자들은 믿을 수 없다고 크루즈의 말을 받아 덧붙였다.[4]

2022년에 취임한 두 영국 총리는 청정에너지는 중요한 것이 아니라는 데 견해가 일치했다. 우리는 "우리 들판이 태양 전지판이 아니라 식량 생산을 위해 사용되도록 확실히" 해야 한다고 리시 수낵Rishi Sunak 총리는 말했다. 그의 전임자인 엘리자베스 트러스Elizabeth Truss는 이렇게 말했다. "나는 신청서를 작성하는 농민이 아니라 식량을 생산하는 농민을 보고 싶은 사람입니다. 태양광 발전소처럼 들판을 잡스러운 것으로 채우지 말고 말입니다. 우리가 원하는 것은 농작물입니다."[5] 왜 이것 아니면 저것이어야 하고, 왜 둘 다이면 안 되는지는 분명치 않았다. 그리고 어쨌든 영국 정부가 2035년까지 구현하기로 약속한 모든 태양열 용량을 다섯 배로 늘린다고 하더라도 태양열 발전소가 차지하는 땅의 총면적은 현재 농사에 이용되고 있는 땅의 0.5퍼센트 정도에 불과할 것이다. 또는 현재 골프장으로 쓰이고 있는 면적의 절반 남짓에 불과할 것이다.[6] 하고자 하는 말은 분명했다. 재생 가능 에너지, 기후 변화, 미래에 대한 우려를 심각하게 받아들일 필요가 없다는 것이었다.

이런 믿음 가운데 일부는 한 활기 넘치는 연구가 부채질한 것이었다. 그것이 커져서 오해를 불러일으키고 확대되면서 기후와 기후학에 관한 보고서들을 왜곡시켰다. 그 이유는 여러 가지인데, 장난이나 국내의 정치적 의제, 외국의 개입, 진정한 걱정 등이었다.

수백만 개의 소셜미디어 계정을 분석한 결과 평일에 트위터의 기후 변화에 관한 독자 게시물의 약 4분의 1이 소셜미디어상에서 불화의 씨앗을 뿌리려는 여러 부류의 '악동'들이 운영하는 자동 봇bot에 의해 만들어진 것으로 드러났다. 봇은 불균형적일 정도로 '부정적 연구'를 조장하는 듯하다. '사이비 과학'에 관한 트윗의 38퍼센트가 자동 생성됐다. 그런 뒤에 흔히 인간 사용자들에 의해 리트윗되고 다른 봇들도 리트윗해서 갈수록 많은 접속자를 이끌어내게 된다.[7]

일부 기후 관련 회의론자들은 미래를 들여다보는 예측들이 매우 이론적일 수 있고(맞는 얘기다), 그들이 또한 경제 성장, 새로운 기술, 적응으로 앞에 놓인 문제를 완화하거나 어떤 경우에는 심지어 문제를 풀어낼 것이라고 주장(역시 매우 옳은 얘기다)하면서 경고를 꺾으려 한다고 지적했다.[8] 그러나 그것 역시 믿음과 자신감이 필요하다. 더구나 일반적으로 역사책과 구체적으로 그 책들이 보여주는 것은 사회, 민족, 문화가 결국 적응할 수 없었던 경우가 과거에 무수했다는 이야기다. 사실 몇몇 측면에서 인간의 진보 이야기는 계속해서 계주봉을 떨어뜨리고 그것을 다른 사람이 줍는 일에 관한 것이었다.

그렇다면 문제는 적응 여부라기보다는 그 방법과 장소와 시기에 관한 것이다. 그런 의미에서 좋은 소식이 많다는 것은 분명히 진실이다. 무척 기뻐해야 할 일이고 낙관할 근거가 있는 것이다. 예를 들어 필요할 경우 적절한 투자와 규제의 뒷받침을 받아 진보적인 결정을 내리고 매년 일어나는 엄청난 자원(식량, 물, 에너지 등) 낭비를 줄이는 것은 그리 힘들지 않을 것이다. 거기에 희생이 따를 필요는 없다.

예를 들어 오스트레일리아의 물 소비 총량은 2001년에서 2009년 사이에 40퍼센트 줄었지만, 국내총생산은 같은 기간 3분의 1 가까이 늘었다.[9] 중국에서 2013년에 도입된 '국가 대기질大氣質 계획'과 이듬해 여름의 '오염과의 전쟁' 선포는 2020년까지 중국의 분진 오염을 거의 40퍼센트 줄이는 기폭제가 되었다. 베이징 한 곳의 대기 오염만 55퍼센트 감소했고, 그 결과로 시민들의 평균 기대수명을 얼추 4년 반 늘렸다.[10]

에너지를 절약하는 발광다이오드(LED)로의 전환은 이미 유럽에서 많은 절약 효과를 냈다. 그곳에서는 비효율적인 조명 체계를 금지하기 위한 정책 수단이 도입됐다. 일부 평가는 저소득 국가에서 비슷한 조치가 도입되면 연간 400억 달러 상당의 전기를 절약해 3억 2천만 톤의 탄소

오염을 막을 수 있다고 추산했다.[11]

실제로, 그리고 첨예한 비관론에도 불구하고 많은 나라에서는 상당한 진전을 이루었다. 예를 들어 유럽연합 회원국들은 1990년에서 2019년 사이 모두 합쳐 25퍼센트 가까운 온실가스 배출을 감축했다. 다음 10년 동안에는 이를 추가로 15퍼센트 감축할 수 있을 것으로 보인다.[12]

미국의 경우는 어떨까. 이곳에서는 지난 20년 동안의 진전이 현재의 연방 및 주 정책과 어우러져 이 세계 최대의 경제권이 배출을 상당히 줄여가는 과정에 있다. 이에 따라 인구 증가, 공업 생산성, 높은 수준의 세계 무역에도 불구하고 2030년에는 온실가스 배출이 2005년에 비해 적어도 24퍼센트, 많게는 아마도 35퍼센트까지 줄어들 전망이다. 물론 2015년 파리협정에서 정한 약속과 야망에 미치지는 못하지만, 그럼에도 불구하고 이는 상당한 진보의 징표다.[13] 2022년 '물가안정법'에는 기후 및 에너지에 대한 미국 역사상 단연 최대 규모의 투자가 담겨 있는데, 일부 논자들은 미래의 많은 것이 달려 있는 '녹색 이행green transition'을 가속화하는 데 이것이 중요한 역할을 할 것이라고 찬사를 퍼부었다.[14]

이런 조치들은 빠르게 누적될 수 있다. 태양열과 풍력은 많은 선진국에서 새로운 에너지 저장 능력을 추가하지 않더라도 에너지 수요의 90퍼센트까지 부응할 수 있다.[15] 실제로 2021년 봄에 캘리포니아는 재생 가능 에너지원으로부터 충분한 청정에너지를 생산해 주 내 수요의 95퍼센트 가까이를 공급했다. 디아블로캐니언Diablo Canyon 원자력 발전소를 포함하면 처음으로 그 에너지 수요의 100퍼센트 이상을 생산했다.[16] 2019년에 영국 에너지망은 거의 150년 만에 처음으로 2주 이상 동안 석탄을 태우지 않고 전력을 생산했다. 이 연속 행진은 분명히 수백만 명이 〈러브아일랜드〉 최종회를 보기 위해 텔레비전 채널을 맞추고 찻물을 끓이는 바람

에 깨졌을 것이다.[17]

200여 개국의 2만 9천 개 화석연료 발전소에 대한 조사 결과 전체의 5퍼센트에 불과한 소수의 '초다량 배출' 발전소가 전 세계에서 전기 발전으로 인해 유발되는 배출의 거의 75퍼센트를 차지했다. 이 수치는 이들이 효율성을 더 높이거나 석탄·석유에서 천연가스로 전환하면(또는 두 가지를 겸하면) 극적으로 떨어질 것이다. 이미 사용 가능한 탄소 포집 기술은 배출을 너끈히 그 절반으로 줄일 수 있다.[18]

여전히 낙관적일 수 있는 다른 충분한 이유들도 있다. 일부 과학자들은 많은 기후 모형이 지나치게 비관적이고 예상할 수 있는 최악의 상황에 의존하고 있다고 주장한다. 특히 핵심적인 녹색기술(환경기술)의 비용에 관해서 말이다. 실제로 실험을 근거로 한 최근의 한 연구는 급속한 환경친화적 에너지로의 이행이 "대기 오염이 적고 가격이 안정적이며 기후에 대한 영향이 적은 보다 환경친화적이고 보다 건강하고 보다 안전한 세계 에너지 체계"를 만들어낼 뿐만 아니라, "전체적으로 수조 달러의 순 절약으로 이어질 것"임을 보여주었다. 다시 말해서 결과가 매우 좋다는 것이다.[19]

환경에 대한 손상을 줄이는 방법에 관해 떠오르고 있는 새로운 착상들이 있다. 예를 들어 최근 연구는 항공기 비행 고도를 2퍼센트 이내로 높이거나 낮추면 비행운飛行雲(뜨거운 배기가스가 차가운 저압의 공기와 만나 형성된다)이 기후에 미치는 영향을 줄일 수 있음을 보여주었다. 일부의 비행이 대기의 복사강제력의 80퍼센트를 담당해 태양에서 나오는 복사와 땅에서 나오는 열기 사이의 균형을 바꿈으로써 기후 변화로 이어지기 때문이다. 그렇게 하는 데 드는 비용은 미미하다. 연구자들의 계산으로는 이런 전환으로 추가되는 연료 소모는 0.1퍼센트 이하다.[20]

마찬가지로 기후에 대한 영향 완화와 선박(세계 무역 운송의 90퍼센트를 담당한다)의 탄소 배출에 관한 연구들은 속도를 10퍼센트 줄이면 기관 동력에 대한 요구가 줄어든 결과로 배출이 13퍼센트 줄어들 수 있음을 시사한다. 그것은 또한 항해에 필요한 에너지가 40퍼센트나 줄어든다는 얘기다. 속도를 줄이면 수중 소음이 줄어 수생 생물에 도움이 되고 고래와 충돌할 가능성이 크게 줄며, 따라서 해양의 생물 다양성이 개선된다.[21]

그것들은 좋은 연구와 명쾌한 사고가 쉽게 할 수 있는 일을 찾아내는 데 도움을 주고 중대하면서도 즉각적인 차이를 만들어낼 수 있다는 몇몇 사례일 뿐이다. 많고 많은 다른 것들도 들 수 있다. 예를 들어 소가 아무데나 배설하면 온실가스 배출이 늘어나고 토양과 물을 오염시킨다. 가축이 풀을 뜯을 공간이 넓어지면 배출도 많아진다. 그러나 소는 훈련을 통해 그 배뇨 반사를 통제할 수 있으며, 변소를 사용해 오줌을 누게 할 수 있다. 그렇게 하면 환경과 기후에 상당한 도움이 된다.[22]

과학자들은 단백질과 산화방지제가 풍부한 식물 기반 유화제乳化劑를 개발했다. 마요네즈, 수프, 소스 등에 들어가는 달걀을 대체할 수 있고, 가금류에 대한 영향을 줄이는 데 도움이 된다.[23] 쇠고기의 20퍼센트를 식물로 만든 인조고기나, 동물 세포 또는 발효에 의한 미생물단백질로 만든 배양육으로 바꾸면 전 세계의 연간 삼림 벌채 및 그와 관련된 이산화탄소 배출을 모두 절반으로 줄일 수 있다.[24]

'영속 화학물질'(직물, 화장품, 프라이팬 같은 조리 용기를 위한 물·기름·얼룩 차단 방벽으로 사용된다)로 불리는 물질을 파괴하는, 그리고 그것을 파괴하기 위해 현재 사용되는 매우 투박한 방법을 피하면서도 해로운 부산물을 만들어내지 않는(그럼으로써 자연환경을 돕는다) 새로운 방법이 제시되고 성공적으로 검증됐다.[25] 호수의 물에 특정 세균을 많이 넣어 플라스틱 오염을 방지하고 그것들을 생태계로부터 제거하는 데 도움을 줄 수 있다.[26] 콩 작물의 광합성 과정을 생체공학적으로 가속화시키면 화학반응의 효율성을 개선해 품질을 떨어뜨리지 않고도 수확량을 늘릴 수 있다. 이는 콩뿐만 아니라 다른 농작물에도 분명한 함의를 지닌다.[27]

이런 것들이 과학 및 과학 연구의 경이이다. 하지만 이 과정은 때로 두 발 나아가고 한발 물러서는 일 가운데 하나일 것이다. 예를 들어 화석연료에서 다른 것으로 전환하는 것은 여러 가지 자원과 물질에 대한 압박을 증가시킬 수 있는데, 이는 명목상 탄소중립 기술로 전환한다는 사실에 들떠 쉽게 간과될 수 있다. 따라서 풍력 같은 재생 가능 에너지로 옮겨간다는 천명된 의도는 가상하지만, 세계 에너지의 4분의 1을 이런 방식으로 생산하려면 적어도 4억 5천만 톤의 강철이 필요하고 그것을 위해서는 다시 6억 톤 이상의 석탄에 해당하는 화석연료가 필요하다는 사실을 잊기(또는 전혀 인식하지 못하기) 쉽다.[28] 아마도 한 가지 해답은 신소재에 있을 것이다. 미시간주립대학 연구자들은 터빈 날개를 위한 복합수지를 만들었다. 그것은 파쇄해 다시 곰 젤리로 만들 수 있다.[29]

마찬가지로 많은 나라, 주, 도시에서 전기자동차(EV)로 전환하는 것은 충전과 재충전 때문에 전기 수요를 늘리는 결과를 가져오며 전기자동차가 높은 수준의 오염을 초래한다는 사실을 잊기 쉽다. 사실 합성 차바퀴는 미세플라스틱의 주요 원천이다. 미세플라스틱은 길가는 물론이고 강, 바다, 심지어 북극 지방에도 많이 집적돼 있다. 차바퀴와 자동차 제동기 같은 비연소非燃燒 근원에서 나온 700만 톤 가까운 입자들이 매년 방출된다.[30] 실제로 자동차 바퀴는 오늘날 자동차의 배기가스보다도 훨씬 많은 입자 오염을 초래한다. 아마도 1800배나 더 많을 것이다.[31] 이것은 중요하다. 완전히 충전하면 500킬로미터까지 갈 수 있는 큰 배터리를 장착한 차종은 휘발유나 경유를 쓰는 차종보다 훨씬 무겁고, 그 결과로 미세먼지를 최고 8퍼센트 더 배출한다.[32]

분명히 기후 변화에 관해, 천연자원의 과잉 개발에 관해, 세계가 우리 눈앞에서 변모하는 것에 관해 생각하는 것은 심지어 현실적이고 하찮아 보이는 문제로까지 뻗어갈 수 있다. 우리는 여전히 야외에서 벌어지고 좋은 날씨에 의존하는 크리켓(세계에서 두 번째로 많은 경기 인구를 가진 스포츠이지만, 기후 변화로 모든 주요 야외 스포츠 가운데 가장 큰 타격을 입을 것이다) 같은 스포츠에 참여하고 관전할 수 있을까?[33] 알프스의 눈이 사라질 것으로 전망되는데 유럽의 겨울 스포츠는 모두 사라지게 될까?[34] 그린란드 빙상 110조 톤 융해의 영향으로 인해 해수면이 27~78센티미터 상승할 것이 거의 확실한데 해변 부동산을 사는 사람이 있을까?[35]

에스파냐의 기온이 높아져 다른 곳들이 춤추고 모임을 갖는 데 더 합리적이고 유쾌할 뿐만 아니라 생존 가능성도 높은 상황에서, 유명한 이비사 섬의 나이트클럽들은 과거의 유물이 될까?[36] 카리브의 푸른 바다는 유해 조화藻華가 아프리카에서 이미 줄지어 확장해 바로 대서양을 건너 계속 확산되고 있는 마당에 여전히 그림엽서 같은 아름다움을 유지할까?[37] 비가 오지 않고 폭염이 덮쳐 흉작이 되는 바람에 올리브기름의 가격이 치솟아 우리가 '지중해 식단'으로 알고 있는 것이 사라질까? 만약 그렇다면 이것이, 어떻게 살고 무엇을 먹느냐가 수명과 관계된다고 오랫동안 생각해왔던 사람들의 기대수명에 영향을 줄까?[38]

관광객들은 타지마할, 중국의 만리장성, 페트라를 찾는 것이 생명을 위태롭게 하는데도 여전히 그곳들을 찾을까? 하지(이슬람 신앙의 기둥 가운데 하나인 메카 순례로, 성스러운 카바 주위를 도는 것이 포함된다)가 비현실적일

2100년까지의 대기 이산화탄소 농도 및 기온 상승 전망

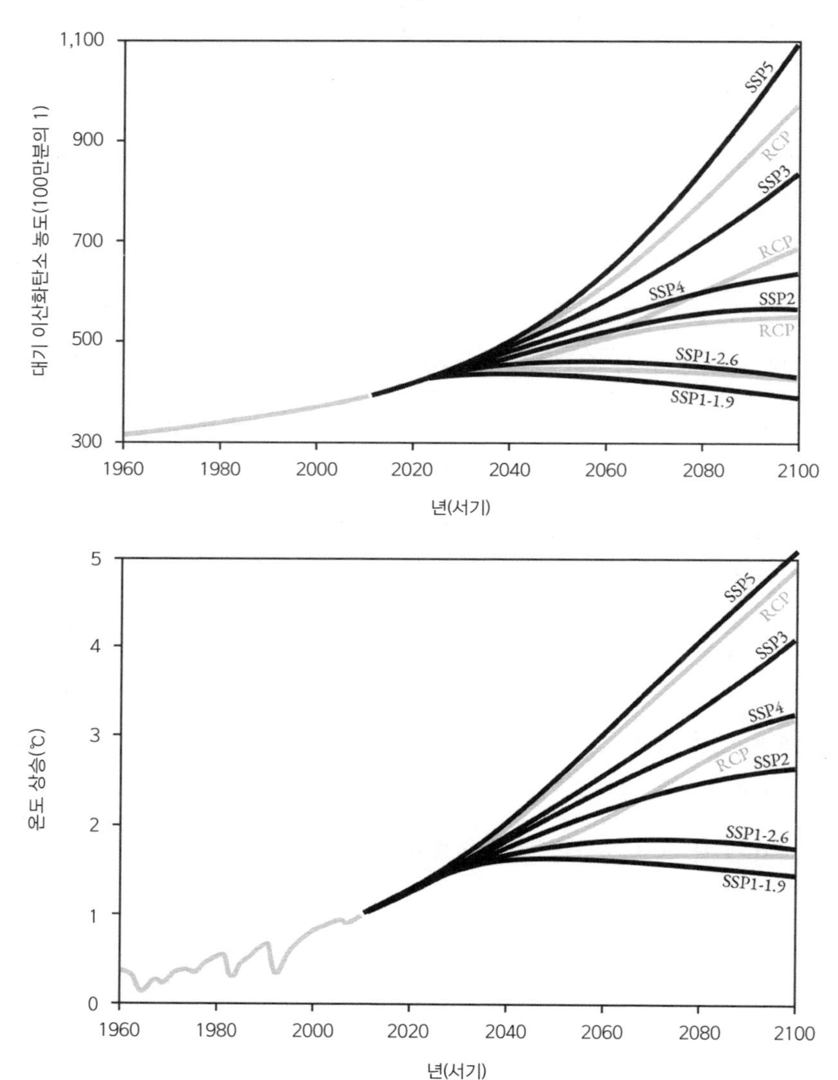

자료: O'Neill et al, 2016

뿐만 아니라 지나치게 높은 기온으로 인해 위험하기까지 하다면 이슬람의 의미는 어떻게 될까? 성스러운 갠지스강이 개울로 전락하거나 정말로 아예 말라버린다면 인도의 쿰브멜라는 어떻게 될까?[39]

어떻게 급격하게 떨어지는 대다수 선진국의 출생률을 고려해, 세계의 인구가 감소하면서 많은 변화를 겪게 될 결정을 내릴 수 있을까? 적어도 세계의 보다 온화한 지역에서 그렇게 할 수 있을까? 인구 감소가 상당한 자원 수요 감소, 환경에 대한 압박 감소, 에너지 수요의 감소로 이어질 수 있을까? 만약 그렇다면 어떻게, 언제 그렇게 될까?

그런 질문들은 적절치 않게 될 것이다. 우리의 생존에 가장 큰 위협을 불러오는 것은 기후 변화와 이번 세기의 나중 시기에 찾아올 무서운 일이 아니기 때문이다. 기후 전망은 2100년과 그 이후로 이어질 진전이 선형線形이라는 가정에 의존하고 있다. 이는 그러한 전망이 현재의 요인과 추세가 우리를 인도하고 있는 듯한 곳에서 미래를 내다보고 있다는 얘기다. 그러나 기후 변화에 관한 모든 전망을 한 방에 무너뜨릴 수 있는 많은 일들이 일어날 수 있다. 그중 하나는 큰 전쟁이 일어날 가능성이다.

점점 더워지는 세계와 폭력의 관계에 대해(특히 미래의 '물 전쟁'에 관해) 근년에 많은 토론이 이루어졌다. 각국이 지구 온난화나 과소비에 의해(또는 그 둘 다에 의해) 한계에 봉착한 자원을 둘러싸고 다툼을 벌이면서다.

진지하게 생각한 적이 별로 없는 것이 핵무기 사용 가능성이었다. 적어도 러시아의 푸틴 대통령이 우크라이나 침공 초기에 핵무기 준비령을 발동하기 전까지는 말이다. 지난 30년 동안 핵무기 사용은 생각조차 할 수 없는 것으로 여겨졌다. 대체로 그것이 가져올 참혹한 결과 때문이었다. 그러나 또한 많은 사람들이 냉전의 종말을, 제2차 세계대전 이후 대부분의 기간에 미국과 소련 양쪽의 전략적 사고를 특징지었던 '양패구상兩敗俱傷; mutually assured destruction'〔핵을 가진 상대를 핵으로 공격하면 보복 핵 공격을 받아 양쪽이 모두 치명상을 입게 되므로 핵전쟁을 도발하지 못한다는 이론〕의 위협에 대한 결정적 종식의 표지로 여겼기 때문이기도 했다.

그러나 안토니우 구테흐스 유엔 사무총장이 2022년 8월에 어느 연설에서 말했듯이, 핵 대결의 위협은 냉전 시기만큼이나 높아졌다. 그는 이렇게 강조했다. "인간애란 핵 절멸을 염두에 두지 않은 하나의 그릇된 이해이고 하나의 그릇된 계산일 뿐입니다."[40] 최신 기후 모형을 사용한 새로운 분석은 상당한 양의 핵탄두 사용에서 나오는 연기가 15년에 걸쳐 오존층 상당 부분을 파괴할 것임을 보여주었다.[41] 인도와 파키스탄의 국지전 같은 비교적 소규모의 핵전쟁을 가상한 경우에도 농작물에 영향을 주는 것으로 나타났다. 세계의 열량 섭취가 7퍼센트 줄고, 특히 미국과 러시아 같은 중·고위도 국가들의 농작물에 영향을 미치게 된다.[42]

지구상의 인간 생명에 심각한 영향을 줄 수 있는 다른 사건들도 있다. 지구 자기권에 상당한 영향을 미치는 태양풍과 전력망의 변압기를 파괴할 수 있는 태양폭풍 같은 것들이며, 미국 경제에 1조 달러 이상의 손해를 끼치고 회복에 몇 년이 걸릴 수도 있다. 위험 수준이 너무 높아 미국은 공식적으로 "태양 표면 폭발, 태양 에너지 입자, 지자기 동요" 같은 형태의 우주 기상 사태를 "예측하고 탐지"하기 위한 법을 통과시켰다. 2016년 오바마 대통령의 '국가가 우주 기상 사태에 대비하기 위한 통합적 노력'에 관한 행정명령은 국방부, 국토안전부, 내무부, 상무부, 에너지부 장관과 항공우주국 국장이 "경제적 손실과 인간의 고난의 정도를 최소화"하기 위해 협력할 것을 주문했다.[43]

태양폭풍은 큰 문제다. 2012년 7월의 코로나 대량 방출은 초기 속도가 초당 2500킬로미터 정도로 측정됐다. 그것이 일주일 일찍 일어났다면 지구를 훨씬 가깝게 지나갔을 것이고, 인공위성, 항공기, 전력 계통, 그리고 아마도 인간 사회 전체에 상당한 영향을 미쳤을 것이다. 우리가 어떤 형태의 전자기 교란에도 극히 취약한 현대적 기술에 의존하고 있기 때문이다.[44]

그리고 달이 일으키는 홍수의 위험이 있다. 미국항공우주국은 그것이 2030년대 중반에 일어날 것으로 예상한다. 달의 주기가 해수면 상승을 증폭시키고 만조 때 홍수를 자주 일으켜 저지 지역을 덮치며, 지진이 일어나 큰 혼란을 초래할 수 있다. 세계의 주요 해양이나 심지어 지중해에서도 지진해일이 일어날 수 있다. 유네스코(UNESCO)는 위험에 처해 있는 해안 지역에 2030년까지 지진해일이 덮칠 가능성이 100퍼센트라고 말했다.[45]

'충돌자'의 위협 또한 매우 현실적인 것이다. 예를 들어 처음에 1989FC로 명명됐다가 '4581아스클레피오스Asclepius'로 개명된 소행성은 1989년 3월 지구에서 68만 킬로미터 떨어진 곳을 지나갔다. 만약 여섯 시간 일찍 접근했다면 지구에 부딪쳐 엄청난 결과를 가져왔을 것이다(충돌의 각도와 위치는 그 사태가 얼마나 참혹했을지를 결정하는 데 관여했을 것이다).[46]

또 하나의 소행성 '99942아포피스Apophis'는 2004년 발견된 이후 지구에 가장 위험스러운 존재 가운데 하나로 밝혀졌다. 최근에 미국항공우주국은 이 소행성이 지구에 충돌하지 않을 것이 확실하다고 결론지었다. 적어도 앞으로 100년 동안은 그러리라는 것이었다.[47] 그럼에도 불구하고 항공우주국이 2021년 말 행성 방어망인 쌍소행성궤도변경실험(DART)을 개발하고 배치한 것은 외계 물체가 제기하는 위협의 수준을 알 수 있게 해준다.[48]

그러나 지구 기후에 단연 가장 큰 위협은 화산으로부터 온다. 더워지는 세계에 대해서는 상당한 고려와 관심이 기울여졌고 기울여지고 있지만, 대규모 화산 분출의 잠재적 함의에 대해서는 시간, 계획, 자금의 투자가 거의 없다. 새로운 증거가 화산폭발지수(VEI) 규모 7의 분출이 약 625년(같은 지수 규모 8의 분출은 약 1만 4300년) 만에 한 번 일어나는 것을 보여주어 이전에 생각했던 것보다 더욱 잦다는 사실이 밝혀졌는데도 말이다.[49]

규모 7의 마지막 분출이 1815년 탐보라산에서 일어났으니 시간이 다가오고 있다. 그 째깍거리는 소리는 이전에 비해 더 빨라질 것이다. 또한 최근 연구는 화산 활동이 빙상 융해 및 해수면 상승과 밀접하게 연관돼 있음을 보여주었다. 그것이 지각 및 맨틀에 대한 압력과 인과관계가 있음을 시사하는 것이다.[50]

이것이 정말로 옳다면 다음 대형 분출의 시간표가 빨라지고 있는지도 모른다. 많은 양의 재와 가스를 대기로 뿜어내 기후 변화에 대한 논의를 허사로 만들고, 기온이 갑자기 떨어지고 흉년이 들며 동식물이 죽어 수백만 명, 심지어 수억 명이 희생될 수 있다. 일부 평가는 2100년 이전에 대규모 분출이 일어날 가능성을 6분의 1로 보고 있다. 다시 말해서 소행성과 혜성이 와서 충돌할 가능성을 합친 것보다 수백 배 높다는 것이다.[51]

실제로 화산의 영향에 관한 일반적 지식이 매우 빈약했기 때문에 2022년 1월 15일 통가의 훙가통가-훙가하아파이Hunga Tonga-Hunga Ha'apai섬의 대규모 수중 분출 소식이 전 세계에 보도됐지만 무슨 일이 일어났는지에 대한 과학적 분석은 잘 다루어지지 않았다.

이 분출은 1945년 히로시마에 떨어진 원자폭탄 100개가 동시에 폭발한 것 이상의 폭발력이었다.[52] 재와 먼지의 버섯구름이 대기로 뿜어져, 기록된 것 중 가장 높이 치솟았다. 항공우주국 과학자들에 따르면 화산열과 해양에서 온 과열된 수분이 "초대형 뇌우를 위한 초특급 연료" 구실을 했다. 그것이 사흘 동안 거의 60만 회의 벼락을 쳤다.[53] 이는 현대에 일어난 가장 강력한 분출에 그치지 않았다. 냉각 현상을 일으키는 대부분의 육지 화산들과 달리 훙가통가의 경우는 매우 많은 수분이 증발해 대기로 들어감으로써 표면의 기온이 올라가고 기존의 기후 추세를 강화했던 듯하다.[54]

문제는 대형 화산 분출이 앞으로 일어날 것이냐가 아니라 언제 일어날 것이냐다. 2021년 3월, 미국 지질조사소(USGS)는 세계 최대의 활화산인 하와이 마우나로아가 "그 잠에서 깨어나는 과정에 있다"고 경고했다. 그들은 분출이 "임박하지는 않았고, 지금은 개별적인 분출에 대한 계획을 재논의할 때"라고 지적했다. 불길하게도 그 수정판은 벤저민 프랭클린을 인용하며 첫머리에 이렇게 썼다.

화산 감시 —

"준비하지 않으면 실패를 예비하는 것이다."[55]

게다가 대중의 머릿속에는 단일 화산의 거대한 분출이 생생하게 각인돼 있겠지만, 작은 활화산들의 비교적 규모가 작은 분출이라도 여럿이 한꺼번에 터지는 것이 더욱 걱정스러운 일이고, 지구의 기온, 공급사슬, 여행 및 통신망에 더 심각한 위협을 제기할 가능성이 있다.[56]

다른 현상들 역시 기후 변화에 대한 현재의 전망, 방향, 실제에 영향을 줄 것이다. 50여 개국이 기후 변개 계획을 진행하고 있다. 안개를 흩어버리고, 예를 들어 비나 눈을 더 많이 내리게 하고, 우박을 억제하는 것 따위다.[57]

사우디아라비아 국가기상센터 소장 아이만 굴람Ayman Ghulam은 연간 평균 강우량이 100밀리미터인 나라이자 기후 변화에 가장 큰 영향을 받게 될 듯한 나라 가운데 하나인 자국에 관해 이야기하면서 이렇게 말했다. "비구름 파종이 사우디아라비아에 가장 유망한 해법 가운데 하나입니다."[58] 러시아는 2016년 5월 노동절 축전 때 모스크바 상공이 맑게 개도록 보장하기 위해 비구름 파종 기술을 사용했고, 중국 역시 베이징 올림픽 직전 기후 조건을 경기자와 관람자들에게 이상적인 상태로 만들고 나라를 가장 보기 좋게 만들기 위해 같은 일을 했다.[59]

중국은 기후 및 기상 변개에 특히 적극적이었다. "저주파 고강도의 음파"를 발사해 "구름 덩어리를 자극하고 진동"시킴으로써 비구름 입자를 활성화시키는 기제를 개발했다. 이 과정은 원격 조종할 수 있고 비용도 저렴했다.[60] 중국에서는 2012년에서 2017년 사이에 인공강우로 2300억 세제곱미터 이상의 강우량 증가를 기록했는데, 국가 당국은 그런 활동을 대대적으로 추가 수정하고 확대하겠다고 발표했다. 2020년 대담하게 발표한 "550만 제곱킬로미터의 지역에 비와 눈을 내리고 58만 제곱킬로미터의 지역에서 우박을 억제하는 핵심 기술에 대한 근본적 조사와 연구·개발에서의 (여러 가지) 도약" 같은 것들이었다. 그것들은 한데 어우러져 "생태계 보호와 복원"에 도움이 될 것이고, 또한 산불에 대한 대규모 비상 대응에 필수 요소가 될 뿐 아니라 고온과 가뭄의 영향을 완화할 수 있다.[61]

여기서 중요한 요소는 자연을 '길들여야' 하는 어떤 것이라는 틀 안에 가두는 것이다. 다시 말해서 환경의 경계를 설정하거나 적응해야 하는 것이 아니라 마음대로 통제할 수 있는 어떤 것으로 보는 것이다. 예를 들어 구름을 "공중의 저수지"로 묘사하는 것은 날씨, 기후, 자연이 전체적으로 인간의 필요에 부응하도록 사용될 수 있고 또 그래야 한다는 관념을 드러낸다. 이는 생태계가 '현대화'되고 있고 창의력과 기술과 결연한 의

지가 대규모 환경 문제를 완화하고 심지어 제거할 수 있다는 더 폭넓은 주장에 포괄된다.[62]

언어 선택은 다른 지역의 과학자들에게 중요한 것으로 드러났다. 2015년 미국 국가과학원이 내놓은 한 주요 연구는 '지구공학'이나 '기후공학'이나 변개라는 말 대신에 '기후 간섭'이라는 말을 선택했다. 날씨를 통제할 수 있는 능력을 주장하기 위해서가 아니라, 대기 조건에 변화가 일어날 때 그 결과의 부정확성과 불확실성을 더 잘 포착한 것이기 때문이다.[63]

미국의 기상 변개 분야에서는 상당한 활동이 이루어지고 있다. 2000년 이후 850건 이상의 연방정부 외 사업이 추진됐다(그 상당 부분이 완료됐다). 법에 정해진 바에 따라 국가해양대기청(NOAA)을 거쳐 상무부 장관실에 등록된 것이 그렇다.[64]

일부 학자들은 보고서들이 흔히 만들어진 강우의 양을 과장하는 듯하고 그런 활동들이 환경 악화(비구름 파종에 사용된 요오드화은에 의한 오염 같은 것이다)를 그다지 초래하지 않는다고 지적했지만, 연구들은 비용이 물의 가치에 비해 상대적으로 낮음을 시사한다. 다시 말해서 전반적인 편익이 부정적 측면을 능가하는 듯하다는 것이다.[65]

많은 비구름 파종 작전은 기밀이었고, 그 목적·범위·방법은, 그리고 자기네 기후계(특히 강우 수준)가 비자연적 변화의 영향을 받게 될 다른 나라와 지역에 어떤 영향을 미치게 될지는 분명하지 않았다.[66] "공중의 많은 양의 수분을 그것이 많은 곳에서 건조한 다른 곳으로 이동시키기 위해 기상 패턴을 변개"하는 계획이 두 지역 모두의 생태계와 더 나아가 다른 지역에도 큰 영향을 미칠 수 있다는 것은 말할 필요도 없다.[67]

최근의 한 보고서는 "현재의 관측 체계가 (변개 계획의) 효과를 계량화하는 데 불충분"하다는 사실은 차치하고라도, 투명하지 않은 "정치적·사회적·법적·경제적·윤리적 측면"도 상당히 있다고 지적했다. 무엇보다도 인간의 자연 기상계 개입으로 인해 나타날 수 있는 "예기치 못하고 제어할 수 없으며 후회할 수 있는 결과가 초래될 가능성이 크다"라고 연구자 고위 집단은 결론지었다.[68] 다시 말해서 기후에 영향을 미치고 그것을 변개하고 통제하려는 시도는 결국 사태를 악화시킬 수 있다는 것이다.

비밀리에 이루어진 최신의 첨단 연구가 과연 어떤 위치를 차지하고 있는지는 분명하지 않다. 30년 전만 해도 지구 온난화의 영향에 대응하는 방법을 찾기 위한 제안들이 있었다. 1992년 여러 분야에 걸친 미국 학자들이 공동 작업으로 만들어낸 한 광범위한 정책 문서에는 영향을 완화하기 위한 다양한 제안들이 제시됐다. 에너지 효율이 높은 조명 도입에서부터 자동차와 대형 트럭을 위한 연료 효율 개선 계획까지, 그리고 청정하고 재생 가능한 에너지 사용에서부터 논벼 재배 금지, 질소 비료 사용 축소, 반추동물 수효 감축, 천연가스관 누출 해소까지 매우 다양했다.

여러 가지 다른 창의적인 추가 제안들 역시 제시됐다. 그중에는 지구의 궤도에 햇빛을 반사시키기 위한 '우주 거울'을 만드는 것, 햇빛 반사를 늘리고 이를 통해 지구의 온도를 낮추기 위해 총으로 입자를 쏘아 성층권에 티끌구름을 만들어내고 유지하는 것, "알루미늄을 입히고 수소를 채운 기구 수백만 개를 성층권에" 띄워 햇빛이 지구에 도달하지 못하게 하는 반사막 비슷한 구실을 하게 하는 것, 햇빛을 반사시키기 위해 "선박이나 발전소에서" 유황을 태워 해양의 하층 구름이 일어나게 하는 것, 철을 바다에 집어넣어 이산화탄소를 흡수하는 식물성 플랑크톤의 생성과 성장을 자극하는 것 등이 있었다. 이 미국 보고서는 이렇게 말했다. "우리는 이것들에 대해 더 알 필요가 있다. 온실 온난화가 일어날 경우 이런 수단들이 중요할 것이기 때문이다." 게다가 "모두가 환경에 미치는 부작용에 대해 미지의 부분"이 많지만, "이들 방안 가운데 일부는 실행에 비교적 많은 돈이 들지 않는다"는 것은 주목할 필요가 있다고 이 보고서는 이어갔다.[69]

2003년까지 새로운 발상 가운데 가능성을 보인 것은 별로 없는 듯했다. 국가연구위원회는 "각국의 기상 변개 노력의 유효성에 대한 설득력 있는 과학적 증거는 아직 없"으며, 약간의 희망적인 조짐이 있지만 증거는 아직 확실하게 검증되지 않았다고 조심스럽게 선언했다. 그럼에도 불구하고 근년에 "숱한 유망한 발전과 진전"이 이루어졌다.[70] 이에 따라 위원회는 기상 변개와 새로운 기술 및 도구를 사용하면서 초래할 수 있는 의도치 않은 결과까지도 살피기 위해 국가적인 협력 프로그램이 개발돼야 한다고 권고했다.[71]

10여 년 후, 기후 변개의 영향을 기술적으로 평가할 수 있도록 하는 충분한 진전이 이루어졌다. 한 대규모 연구는 대기에서 이산화탄소를 제거(탄소 포집으로 알려져 있다)하는 것에 관한 아이디어와, 또한 태양복사에 대한 반사를 늘려 지구를 냉각시키는 방법에 관한 최신의 구상을 살짝 보여주었다. 후자를 실현하기 위한 시도는 "지금 추진해서는 안 된다"고 2015년에 발표된 이 보고서는 밝혔다. 연구자들은 지구 온난화에 대처하기 위한 별도의 조치들이 긴급히 모색돼야 한다고 조언했다. 그들은 지구 온난화를 늦추거나 역전시킬 수 있는 방법에 대한 추가 연구가 이루어져야 한다고 권고했다. 그러나 이산화탄소 배출을 극적으로 감축하는 것이 여전히 최선의 길임은 분명했다.[72]

2021년에 나온 후속 연구가 밝혔듯이, 햇빛을 반사하는 지구공학이 가능하다 하더라도 그것이 기후 변화나 지구 온난화의 원인(즉 대기의 온실가스 농도 증가다)을 제거하지는 못하고, 해양 산성화 같은 연관된 문제도 풀지 못한다.[73] 이것이 사실이기는 하지만, 대규모 변개에 대한 추가 연구가 진행되고 있다. 지구의 모든 생명체에 미칠 수 있는 영향에 대한 연구 같은 것들이다.[74]

앞으로 연구 물량은 급격하게 늘어나 최악의 경우가 일어나는 것을 막기 위해 무엇을 해야 할 것인가에 대한 더 많은, 그리고 아마도 더 나은 제안들로 이어지리라고 생각하는 것이 합당할 것이다. 또한 앞으로 몇 년 또는 몇십 년 후에 일부 국가(또는 국가 아닌 행위자)가 지구상의 다른 사람들에게 해로운 결과를 남길 해법을 제공하는(또는 제공하는 듯한) 전략을 검증하고 심지어 실행하는 선택을 할 수 있다고 결론짓는 것 역시 합당한 일일 것이다.

물론 오늘날 우리가 마주하고 있는 문제와 도전은 여러 가지로 인류 초기의 우리 조상들이 마주했던 것들과는 완전히 다르다. 그러나 여전히 같은 것이 하나 있다. 우리 주위의 자연환경과 그것을 떠받치는 기후가 우리의 존재를 틀 짓는다는 것이다. 그럼에도 불구하고 우리는 기술이 우리의 한계를 극복하게 해준다고, 우리가 자연을 변형시키고 개조하면 모든 장애물과 장벽(그것이 우리가 어디서 살 것인지뿐만 아니라 어떻게 살 것인지까지 규정한다)을 누그러뜨리거나 우회하거나 극복할 수 있다고 믿게 되었다.

그런 자신감에는 희생이 따른다. 유엔에 따르면 전 세계 땅의 40퍼센트가 지금 지력이 떨어졌다. 현재의 속도대로라면 2050년까지 남아메리카만 한 크기의 지역이 지력이 떨어질 것이다.[75] '생태용량 초과일'(매년 자원 소비가 지구의 재생 능력을 넘어서는 날을 표시하는 추상적인 기준점으로 사람들의 생각을 지속 가능성 쪽으로 모이게 하기 위한 것이다)은 한 해 중에 계속

해서 더 이른 시기로 당겨져, 1990년대에 10월 무렵이던 것이 2022년에는 7월 말이 되었다.[76]

물론 인간이 적응할 수 있음을 보여주는 것은 불가능한 일이 아니다. 아마도 우리가 사는 방식이나 우리가 하는 선택을 변화시킴으로써, 아마도 새로운 기술과 착상 덕분에, 아마도 협력(발달한 통치에 의한 것이든 위기와 필요에 의한 것이든) 수준을 높임으로써일 것이다. 그러나 인류 역사의 상당 부분은 우리 주위의 물리적 세계와 자연계의 상황 변화를 알지 못하거나 거기에 적응하지 못한 일에 관한, 그리고 그에 이어진 결과에 관한 것임을 염두에 둘 필요가 있다.

따라서 그런 의미에서 환경 요인(기후 포함)은 인류 이야기에서 행위자(때로 개입을 해서 제국을 멸망시키고 사회 붕괴를 일으키고 불시에 사람들을 붙잡아가는)가 아니다. 대신에 그것은 우리의 존재가 펼쳐지는 무대 자체를 제공해 우리가 하는 모든 것과 우리가 누구인지와 우리가 어디서 어떻게 사는지를 규정한다. 많은 사람들은 그저 공연장 위에서 무슨 일이 일어나는지만(주인공이 행동하고 말하는 것만) 생각하기 일쑤다. 무대장치 자체의 구조에 대해서는 생각하지 않고 말이다. 배우는 왔다가 간다. 그러나 극장이 문을 닫거나 무너지면 그것은 우리 모두에게 종말을 의미한다.

모든 동식물과 마찬가지로 인간은 자기네에게 적합한 주거지에서 번성을 누렸다. 모든 동식물은 적합하지 않은 서식지에서는 삶이 힘겹고 심지어 불가능할 수도 있다. 우리는 우리 자신의 필요에 따라 그 주거지를 변형시키고 자연을 개조하는 방법을 찾는 데 독특하게 재주가 있었다. 도시를 건설하기도 했고, 농작물이 자랄 수 없는 곳에서 그것을 재배할 수 있게 해주는 인공 수로를 건설하기도 했고, 혁신과 시행착오를 통해, 혹독한 기후 조건을 조절할 수 있게 해주는 기술 개발에 의해 인공 생태계를 만들기도 했다. 우리의 이야기는 재주와 탄력과 적응으로 점철돼 있다.

그러나 그런 자질은 허위 안도감으로, 힘겨운 시기는 언젠가 정상으로 되돌아갈 것이라는 환상으로 이어질 수 있다. 그것은 한 역사가가 일깨워주듯이 희망적 사고라는 신기루에 지나지 않는다. 현재와 미래 문제의 핵심에는 우리가 가진 수단이 한계에 다가서고 있으며, 제대로 가기 위해 모든 것에 의지하지만 조금만 삐끗하면 잘못될 수밖에 없다는 사실이 놓여 있다. 이것이 과거에 취약성과 허약함과 위험을 만들어냈고(이 책은 그것을 보여주기 위해 노력했다), 현재에도 그것은 마찬가지다.

인류는 지구가 존재한 시간의 극히 일부 동안 그 일부였다. 우리는 자연계의 역사에서 대량멸종을 머릿속에 그리고 이를 대단히 공포스럽게 생각하지만, 현실은 자연이 누가 이기고 누가 지는지에 관심도 없고 한 생물을 버리고 다른 생물을 선택하지도 않는다는 것이다. 문제는 언제나 적응과 생존에 관한 것이다. 우리가 지구상에 존재하는 것은 지구를 우리 생존에 매우 적합하게 만든 이전의 극적인 기후 변화와 우연한 환경 덕분임을 기억해둘 필요가 있다.

기후는 지구의 탄생 이래로 그 존재를 좌우해왔다. 그 장기적인 패턴 변화가 인간에 의해 그 유용성이 발견된 자원과 물질(석탄, 석유, 천연가스 같은)의 존재 위치를 결정했다. 그러나 그것은 다른 행성이나 동물에게는 아무런 의미가 없다. 우리가 그들을 이용하는 방식의 결과로서 외에는 말이다.

이 세계가 계속해서 그 축을 중심으로 돌고 태양 주위를 돌 것임은 말할 것도 없다(적어도 그래야 한다). 얼마나 많은 사람들이(또는 얼마나 적은 사람들이) 그것을 입증하고 즐기든 상관없이 말이다. 한 가지는 매우 분명한 사실이다. 우리와 미래 세대가 지구 온난화를 막거나 그에 적응하지 못한다면 우리는 과거의 다른 수많은 생물 종들이 갔던 길을 가야 한다는 것이다. 우리의 손해는 다른 동식물들의 이득이 될 것이다.

〈실낙원〉에서 존 밀턴은 에덴동산에서 쫓겨난 것이 중요했다고 썼다. 인류의 공통 조상 아담과 하와의 근시안, 탐욕, 불복종이 신을 너무도 화나게 해서, 신은 "그의 힘센 천사들을 호명해 불러내" 그들에게 지구의 축을 이동시키라고 명령했다. 그래서 날씨가 변해 지구에는 "견디기 힘든 추위와 더위"가 닥쳤고, 천둥이 "무시무시하게 쳤다." 낙원의 기후는 완벽해서 "살을 에는 추위와 타는 듯한 더위"가 없었다. 다시 말해서 인간이 오래전부터 겪은 기후 악화는 자업자득이었다.[77]

낙원으로 돌아오는 것은 밀턴 역시 생각한 것이었다. 그의 〈낙원 귀환Paradise Regained〉이 이를 잘 보여준다. 그는 오랜 전통을 따랐다. 서기 2세기의 에이레나이오스Eirēnaios 성인은 예수의 재림을 상상하며 그것이 가져다줄 기쁨과 신자들이 맞게 될 풍요를 이야기했다. 주님은 분명히 이렇게 말하곤 했다고 그는 썼다. "밀 한 톨이 1만 개의 이삭을 만들어내고, 이삭 한 개에는 1만 톨의 낟알이 달리며, 낟알 한 톨을 빻으면 10파운드의 깨끗하고 순수하고 고운 밀가루가 된다. 포도나무에는 1만 개의 가지가 달리고, 각 가지에는 1만 개의 잔가지가 달리고, 각 잔가지에는 1만 개의 싹이 나고, 각 싹에서는 1만 개의 송이가 자라고, 각 송이에는 1만 개의 포도가 달릴 것이다." 그 포도는 모두 즙이 매우 많을 것이며, "다른 모든 열매 맺는 나무와 구근球根과 곡식은 비슷한 비율로 수확을 하게" 된다. 아무도 굶주리지 않는다는 얘기다.[78]

비슷한 풍요의 약속은 세계의 거의 모든 주요 문헌들에서 발견된다. 특히 우파니샤드는 이렇게 선언한다. "땅은 모든 생물을 위한 꿀과 같고,

모든 생물은 이 땅을 위한 꿀과 같다." 또 〈쿠란〉은 낙원에는 "그늘진 숲"에 "푹신한 벤치"가 마련돼 있고, 기쁨에 넘친 부부들이 가득 들어차 자기네가 좋아하는 과일과 모든 것을 즐긴다고 썼다.[79] 토머스 모어의 허구적인 〈유토피아Utopia〉에서는 먹을 것이 "어느 곳에서나 가꾸지 않아도 자란다"고 되어 있고, 북아메리카의 일부 토착민들은 이상화된 지역인 낙원이 별개의 지역이나 내세에 있는 것이 아니라 같은 장소의 이전 시기(먹을 것과 자원이 보다 풍부했던 시기)에 있었다고 생각했다.[80]

그러나 실제 세계에서 우리는 미래에 관해 엄청난 위험을 안고 있다. 인간은 음식, 물, 거처를 위해 자연의 자원으로부터 혜택을 입고 있다고, 2021년 봄 발표된 생물 다양성의 경제학에 관한 한 중요 보고서는 말한다. 그러나 우리는 또한 자연을 우리의 폐기물(이산화탄소, 플라스틱, 오염물질 등)을 버리는 수채통처럼 사용한다. 이것은 그저 근시안적이어서만이 아니고 어리석기 때문이기도 하다고, 이 보고서의 저자 파타 다스굽타Partha Dasgupta는 말한다. "거의 모든 나라의 정부는 사람들에게 자연을 보호하기보다는 개발하게 하고 지속될 수 없는 경제 활동을 우선시하게 함으로써 문제를 악화시킨다."[81]

사실 이 보고서가 이어서 말하고 있듯이 우리는 분에 한참 넘치는 생활을 하고 있다. 지금 "세계의 현재 생활수준을 유지하기 위해서는 1.6개의 지구가 필요"하다. "뿌리가 깊고 광범위한 기관 실패"를 드러내는 문제와 맞서 싸우는 데 얼마나 생각이 미치지 못하고 얼마나 행동이 모자라는지 하는 치명적인 결점을 보여주는 평가다.[82]

그러나 영국 정부의 예산책임성사무국(OBR)이 최근 밝혔듯이, 마지막 분석에서 기후 변화의 문제가 어떻게 풀리는지에 대해 답변하기는 쉽다. 결국 순 배출을 0 쪽으로 끌어가는 것은 인간의 행동이 아니라 자연일 것이다.[83] 자연은 파멸적인 인구 말살을 통해 그 일을 할 것이다. 기근이든 질병이든 전쟁이든 말이다.

우리 가운데 연료를 태우고 삼림을 벌채하고 지각에서 광물을 떼어내는 사람이 줄어들면 인간의 발자국은 급격하게 줄어들 것이다. 그리고 우리의 공상적인 과거의 지속 가능하고 푸른 낙원으로 한발 더 다가설 것이다.[84] 아마도 우리는 평화적인 방법으로 그곳으로 돌아가는 방법을 찾을 것이다. 역사가는 이에 대해 내기를 하지는 않을 것이다.

감사의 말

이 책 작업은 아주 멋진 과정이었다. 다른 많은 사람들과 마찬가지로 나는 기후 변화에 대해 오랫동안 생각해왔고 지구 온난화가 앞으로의 시기와 미래 세대에 어떤 영향을 미치게 될지 이해하려 노력했다. 기후 변화의 역사, 극단적인 기상과 긴 안정기가 과거에 했던 역할에 관해 생각하고 읽고 연구할 수 있게 된 것은 커다란 즐거움이었을 뿐만 아니라 매우 자극적이고 유익한 여정이기도 했다.

이 책을 쓰는 과정은 나로 하여금 새로운 유형의 원천 자료(특히 과학 쪽의)를 접하고 그것을 해석하는 방법을 배우지 않을 수 없게 했다. 이 책은 나로 하여금 내가 이전에 아주 상세히는 연구하지 않았던 지역의 민족과 장소들의 역사를 들여다보게 떠밀었고, 그 과정에서 내 시야를 상당히 확대하게 하고 나를 더 나은 역사가로 만들었다. 나는 역사가로서 내가 세계 유수의 대학 가운데 하나에 몸담아 나의 생각을 발전시키고 동료들과 소통하며 내가 어떤 주제를 다룰 것인지에 대한 야망을 펼칠 자유를 누릴 수 있다는 특혜에 대해 잘 알고 있다.

이 책은 수십 년에 걸쳐 숙성된 것이다. 그러나 나는 우선 로스앤젤레스 게티센터Getty Center 소장 짐 쿠노에게 감사를 드려야 한다. 그는 2017년 나를 미국에 초청해 소장의 카운슬 펠로로서 센터의 엄청난 자원의 혜택을 입게 하고, 기후사에 대해 연구하며, 예비 강의의 기회를 주어 내 생각을 정리하고 내 아이디어를 명료하게 할 기회를 제공했다. 모든 아이디어는 촉매와 맥락이 필요하며, 나는 게티센터와 그 관계자들이 영광스럽고 너그러운 무대를 제공해준 데 대해 매우 감사한다. 그것이 이 일을 구상에서 내가 어느 때 상상했던 것보다 더욱 야심찬 무언가로 발전하도록 돕는 데 핵심적이었던 것으로 드러났다.

나는 옥스퍼드대학교의 동료와 학생들이 끊임없는 자극의 환경을 제공해준 데 대해, 보들리 도서관 직원들이 세계 최고 수준의 장서를 제공하고 흔히 모호하고 찾기 어려운 자료를 찾는 나를 돕기 위해 거의 끝없는 인내심을 발휘해준 데 대해 감사한다. 나는 옥스퍼드 우스터칼리지의 학장과 펠로들, 고전기 말과 동로마학, 세계 및 제국사, 그리고 관련 분야를 연구하는 친구와 동료들이 여러 해에 걸쳐 도와주고 지원해준 데 대해 감사를 드려야 한다. A. G. 레벤티스 재단과 스타브로스 니아르코스 재단의 비슷한 수준의 지원은 중요했다. 두 재단 관계자들이 계속 격려해주고 지원해준 데 대해 매우 감사한다.

나는 또한 옥스퍼드 킹스칼리지 학장과 펠로들, 특히 로빈 오즈번 교수, 로레인 헤던, 데이비드 굿 교수, 케이티 캠벨 박사, 앨리슨 트라웁과 스티븐 투프 교수에게 대단히 감사한다. 그들은 실크로드의 민족, 문화, 국가들에 대한 연구를 지원하는 데 중요한 역할을 했으며 전체적으로 내 연구와 특수하게는 이 책을 쓰는 데 도움을 준 새로운 문을 열어주었다.

언제나 그렇듯이 나의 에이전트 캐서린 클라크와 조 파그나멘타는 나의 수호천사였으며, 나이트에이튼의 팀도 마찬가지였다. 언제나 나를 격려해 내가 실제로 그런 것보다 더 흥미롭고 더 능력 있다고 스스로 생각하게 만들었다. 편집자인 알렉시스 커시바움과 마이클 피시윅은 과거 놀라운 일을 만들어냈던 따스한 응원과 냉철한 비판의 완벽한 균형을 제공해주었다. 두 사람에게 감사한다. 교열자 피터 제임스에게도 감사한다. 세세한 데 미치는 그의 날카로운 눈을 나는 예전에 알아보고 존경해왔다.

로런 와이브로, 제니스타 테이트알렉산더, 헤일리 캐미스, 조니 카워드는 함께 일하기 즐거운 사람들로, 이 책을 잘 읽히고 멋진 모습으로 만들어주었다. 나는 마이크 애던슨이 멋진 지도를 만들어준 데 대해 매우 감사한다. 조 칼릴은 도판용 사진을 훌륭하게 찾아주었다. 그리고 특별한 감사는 나의 지난번 책과 마찬가지로 근사한 표지를 만들어준 에마 유뱅크에게 돌아가야 한다. 그들은 독자들이 표지를 보고 책을 판단해서는 안 된다고 말한다. 이번 책에 대해서도 나는 독자들이 그래준다면 좋겠다.

나는 여러 해 동안 블룸스버리와 함께 크노프, 스펙트럼, 로볼트 베를린, 그리고 내 책을 출판해준 전 세계의 출판사들 덕분에 즐거웠고, 그들 모두가 계속해서 믿고 지원해준 데 대해 감사한다.

나는 또한 너그럽게도 인류의 진화에 관한 귀중한 조언과 평을 들려준 크리스 스트링어 교수와 서기 431년 일로팡고 분출의 시기에 관해 나를 인도해준 비키 스미스 박사에게도 감사한다. 미셸 슈발리에에 대해 알려준 우스터칼리지 동료 마이클 드롤렛에게도 감사한다.

나는 내 아이들의 지원과 격려와, 이것을 쓰려면 얼마나 오래 걸리는지 아느냐느니 식사 때마다 왜 같은 이야기가 나오고 또 나오는 것 같느냐느니 하는 이따금씩의 놀림이 없었다면 이 책을 쓸 수 없었을 것이다. 고맙다, 카타리나, 플로라, 프랜시스, 루크. 너희 모두 내가 이 책을 시작했을 때보다 많이 컸구나. 아직 얼마나 더 써야 하느냐고, 그리고 마지막 장은 언제 쓰느냐고 묻던 너희들이 그리울 거다. 내가 더 이상 책을 쓰지 않겠다고 한 약속을 지킬 수 있을지 모르겠구나. 그러나 너희는 모두 너희가 생각한 것 이상으로 나를 도와주었다.

나는 2018년에 아버지를 여의었다. 하루도 그분을 그리워하지 않은 날이 없었다. 나는 그분께 매일 역사, 정치, 그리고 그분이 정말로 열정을 가졌던 지질학에 대해 이야기하곤 했다. 이 책을 쓰는 동안 그러지 못해 유감스럽다. 나는 또한 2020~2022년 세계적 대유행병으로 갇혀 지내던 시기에 어머니와 동기간들을 몹시 그리워했다. 그때는 몇 달씩 직접 보지 못하고 지냈다.

그러나 이 책은 내 일생의 사랑 제시카에게 바친다. 30년이 넘게 내가 설익은 착상을 보다 그럴듯한 것으로 바꾸어나가는 모습을 지켜봤고, 언제나 내가 할 수 있다고 말해주며 그것을 더 잘할 수 있는 방법을 제시해주었다. 무엇보다도 날이면 날마다, 비가 오나 해가 뜨나 지지와 행복과 웃음의 기둥이었다. 제시카는 그 수많은 해 동안 매일 나에게 자극이 되었고, 언제나 적절한 때에 적절한 이야기를 해주었다. 이 책과 나의 일생이 올라앉은 반석이었다. 제시카의 지원과 격려가 없었다면 이 책을 쓰지 못했을 것이다. 언제나 낙관과 용기를 가지고 미래를 바라보았으며, 나에게도 그렇게 하도록 일깨워주었다. 나는 아내의 손과 우리 아이들의 손을, 언제나 굳게 잡을 것이다. 우리는 언제나, 심지어 우리 모두가 불확실한 미래로 향하게 되더라도 희망을 가져야 한다는 제시카의 촉구에 고무돼서다. 그런 이유로, 그리고 더 많은 이유로 이 책을 아내에게 바친다.

옮긴이의 말

빅히스토리Big History는 역사가 데이비드 크리스천David Christian이 1989년부터 오스트레일리아 매쿼리대학에서 이런 이름의 강의를 시작했다고 하니, 30여 년의 역사를 지니고 있다. 우리나라에도 크리스천과 신시아 브라운Cynthia Brown 등의 저서가 번역돼 소개된 지 오래다.

마침 옮긴이의 지인 가운데 한 사람이 빅히스토리 '전도사'여서 그런 책 두어 권을 본 적이 있는데, 아마추어 입장에서 잘 납득이 되지 않았다. '빅뱅Big Bang(대폭발)부터 현재까지'의 역사를 한데 묶는다는 게 어떤 의미가 있는지 의문스러웠다. 물리학 내지 지구과학으로 시작해 화학과 생물학을 거쳐, 고고학과 전통적인 역사학이 나서 이어달리기를 하는 셈이었다. 그러다 보니 관심이 하나로 꿰이지 않고 토막토막 따로 논다는 느낌이었다. 전문가들이야 나름의 이유가 있겠지만, 그리 와닿지는 않았다.

이 책 역시 빅히스토리의 범주에 든다. 시간대를 '대폭' 줄여서 지구의 탄생부터 현재까지다. 빅뱅이 138억 년 전, 지구 탄생이 45억 년 전이라니 단순 시간 기준으로 '대폭'이기는 하지만, 다른 빅히스토리라고 해서 이 빅뱅부터 지구 탄생까지를 다루는 분량이 '대폭'인 건 당연히 아니다. 어떻든 약간 '단축'된 빅히스토리인 이 책을 번역하면서 얻은 것 가운데 하나는 토막토막 따로 놀지 않는 빅히스토리를 만났다는 것이다.

그 비결은 주제에 있는 듯싶다. 이 책은 기후를 다룬다. 기후가 지구와 인간의 역사에 어떤 영향을 미쳤는지를 파고든다. 빅히스토리판 '분야사'다. 기후는 지구의 탄생 이래 지금까지 계속 있었던 것이고, 인류나 문명이 없던 시절에 대해서도 기후사는 쓸 수 있다. 또한 인류와 문명이 등장한 뒤에도 그 영향에 대해 할 이야기가 줄어드는 것은 아니고, 오히려 더 많아진다고 할 수 있다. 그러니 기후는 빅히스토리라는 틀에서 책 전체의 일관성을 유지할 수 있는 좋은 주제인 듯하다.

빅히스토리만큼이나 따로 놀던 것은 또 있었다. 학교에서 배우던 '세계사'다. 그냥 서양사와 동양사를 왔다 갔다 하면서 붙여놓은 것이었다. 그것도 서양사는 그리스-로마를 뿌리로 한 유럽 중심, 동양사는 중국 중심이었다. 이슬람권이나 일본, 아프리카나 인도의 역사를 다루게 되면 또 별개의 것을 그냥 조금 갖다 붙였다. 역사가 지역마다 따로따로 전개됐으니 불가피한 측면이 있기는 하지만 하나로 묶이지 않는 것이 아쉬웠다.

이 책은 빅히스토리이면서 세계사이기도 하다. 기후에 국경이 없으니 당연한 일이고, 그렇기 때문에 세계사를 통합적으로 살피는 데도 기후는 안성맞춤의 주제다. 책 전체에 걸쳐 오대양, 육대주를 훨훨 뛰어다닌다. 몇 년 전 옮긴이가 번역한 〈실크로드 세계사〉에서 실크로드와 교류라는 틀을 통해 통합적인 세계사의 진수를 보여줬던 프랭코판은 이 책에서 더욱 너른 물을 만난 고기가 됐다.

사실 기후는 역사의 흐름을 좌우하는 매우 중요한 요소다. 가장 비근한 사례가 폭동과 정권 붕괴다. 예컨대 이상기온으로 식량 생산에 차질이 빚어지면 사회 불안과 폭동이 일어나 정권이 붕괴할 수 있다. 홍수나

가뭄 같은 직접적인 타격의 경우에는 말할 것도 없다. 먹을 것이 부족해지면 자포자기적 봉기가 일어나는 것이 자연스러운 일이고, 그것은 지배자의 직무 유기 내지 능력 부족에 대한 저항으로서 정당화됐다. 지배자는 기상을 관장하는 신과의 소통을 담당한 사람으로 간주되었기 때문이다.

비단 정치뿐만이 아니다. 기온 하락이 유대인 박해의 가능성을 높인다는 것이 이 책에 구체적인 수치로까지 제시된다. 말하자면 기온 하락이 유대인 박해의 선행지표라는 얘기다. 불교가 한국과 일본에 전해진 것이 화산 분출로 인해 만들어진 먼지막이 가장 심할 때와 정확하게 일치한다는 이야기도 나온다. 베트남 전쟁 같은 실전에서 인공 강우가 사용되고 그것이 군사적 이용을 위해 진지하게 연구되기도 했다. 이런 식으로 기후는 인류사에 속속들이 영향을 미쳤고, 이 책은 그 내용을 상세히 전하고 있다.

이 책이 관심을 기울이고 있는 또 한 부분은 환경 및 기후와 인류의 미래다. 암울한 이야기가 많다. 지구 온난화를 막기 위한 조치들은 시행이 지지부진하다. 이에 따른 최근의 전 세계 기상이변 현상 가운데 하나로 이 책은 우리나라의 2022년 여름 사상 최고 속도를 기록한 강우(시간당 150밀리미터 가까이 쏟아졌다)를 들고 있다. 여기에 핵전쟁의 가능성은 다시 고개를 들고 있고, 화산 분출이나 외계 물체의 충돌 가능성도 전 세계 기후에 엄청난 악영향을 미칠 수 있는 요인으로 꼽힌다. 그것도 확률이 많이 높아진단다. 프랭코판의 대작을 다시 번역하면서 내내 재미있었으나, "결국 순 배출을 0 쪽으로 끌어가는 것은 인간의 행동이 아니라 자연일 것"이라는 결론을 보면서 마음이 무거워졌다.

이재황

도표 출처

1900~2019년 해저 분지들에서의 해양 이상열기 종합 빈도 (41쪽)

K. R. Tanaka and K. S. Van Houtan, 'The recent normalization of historical marine heat extremes', PLOS Clim 1(2) (2022)

고신세부터 현대까지의 심해 온도 변화 (66쪽)

graph by Hunter Allen and Michon Scott, using data from the NOAA National Climatic Data Center © NOAA Climate.gov

지난 2만 4천 년 동안의 평균 지구표면온도 변화 추이 (118쪽)

M. B. Osman, J. E. Tierney, J. Zhu et al, 'Globally resolved surface temperatures since the Last Glacial Maximum', *Nature* 599, 239-244 (2021) © Springer Nature

이탈리아 세 곳의 서기전 1000년~서기 1000년의 동위원소비 분석표 (273쪽)

M. Bini, G. Zanchetta, E. Regattieri, I. Isola, R. N. Drysdale, F. Fabiani, S. Genovesi, J. C. Hellstrom, 'Hydrological changes during the Roman Climatic Optimum in northern Tuscany (Central Italy) as evidenced by speleothem records and archaeological data', *Journal of Quaternary Science* 35 (2020) © 2020 John Wiley & Sons, Ltd

북대서양 6개 지점의 서기전 200년~서기 2000년 온도 개요 (377쪽)

T. Cronin, K. Hayo, R. Thunell, G. S. Dwyer, C. Saenger, D. Willard, 'The Medieval Climate Anomaly and Little Ice Age in Chesapeake Bay and the North Atlantic Ocean', *Palaeogeography, Palaeoclimatology, Palaeoecology* 297 (2010)

기대수명 관련 도표들 (846쪽)

B.C. O'Neill, C. Tebaldi, D. P. van Vuuren, V. Eyring, P. Friedlingstein, G. Hurtt, R. Knutti, E. Kriegler, J.-F. Lamarque, J. Lowe, G. A. Meehl, R. Moss, K. Riahi and B. M. Sanderson, 'The Scenario Model Intercomparison Project (ScenarioMIP) for CMIP6', *Geosci. Model Dev* 9 (2016)

2100년까지의 대기 이산화탄소 농도 및 기온 상승 전망 (886쪽)

'Air Quality Life Index Annual Update', June 2022, awli.epic.uchicago.edu

찾아보기

ㄱ

가게유코지 쓰네미쓰 407
가나 제국 258, 342, 410
가데이 343
가뭄 27, 35, 37, 100, 126, 139, 151, 152, 157, 158, 163, 186, 196, 198, 206, 227, 292, 295, 299, 302, 307, 314, 316, 332, 353~355, 358, 360, 380, 381, 387, 392~396, 412, 413, 421, 446, 450, 451, 456, 483, 521, 551, 555, 558, 560, 568, 590, 604, 610, 637, 665, 696, 712, 723, 733, 736, 744, 746, 765, 796, 808, 818, 823, 848, 854, 858, 862, 864, 866, 877, 892
〈가사〉 221
가오 343
가오사네이 343
가이바라 에키켄 280
가이우스 솔리누스 394
'가자 포도주' 하향세 320
가지 하산 파샤 607
가황(加黃) 523, 652
간디, 마하트마 679, 680
간디, 인디라 793, 794, 818
갈릴리호 348
갈색나무뱀 840
감자 381, 472, 591~594, 658~660
감자 병충해 658, 659
갑골 204
강가이콘다촐라푸람 386, 387
강도질 569, 571, 607
강제노동 143, 280, 352, 462, 468, 482, 487, 501, 509, 512~515, 526, 533, 589, 647, 648, 717, 718
강털소나무, 샌프란시스코산맥의 310
개신교/개신교도 443, 539, 540, 553, 565, 578, 594, 595
갠지스강 226, 312, 691, 756, 757, 863, 887
갠지스 운하 665
갤브레이스, J. K. 788
'거대 산' 60
건륭제(청 왕조) 586
'검정매 전쟁' 682
겉보리 109
견과 32
결핵 161, 254, 549
겸상적혈구 형질 510
계급 제도 180, 666
계몽시대 520, 681
계약 노동 489, 493, 494, 497, 512, 523, 526, 661
계절풍 29, 36, 41, 82, 99~101, 108, 121, 125, 158, 160, 253, 262, 365, 381, 383, 390, 396, 412, 413, 504, 712, 807
'계절풍 숙달' 262
고(古)말라얄람어 383

고구려 330
고구마 358, 401, 503, 594
고다바리강 665, 691
고대 그리스 우주론 139, 218, 219, 229
고대DNA →aDNA
고도불포화지방산(PUFA) 81
고드윈, 모건 512
고래 283, 523, 654, 883
고르바초프, 미하일 824~826
고리키, 막심 720
고무 474, 523, 651, 652~654, 658, 662~664, 672
'고신세-시신세 극대온난기' 67
고조 이연(황제) 329, 330
고추 462, 472, 589
곡물법 623, 645
골관절염 116
'골디락스 기후 급변' 121
'골디락스 존' 57
골스턴, 아서 790
골이자르드 동굴 157
'공격적 문화의 승리' 150
공룡 64, 68
공업혁명 40, 42, 50, 68, 72, 281, 545, 549, 591, 596, 621, 632, 633, 654, 676, 797, 803
공자 209, 227, 570
과들루프 515, 516
과리타 시기 381
관개 124, 137, 143, 147~150, 156, 162, 184, 197, 199, 208, 241, 242, 252, 253, 302, 316, 337, 349, 351, 392, 434, 450, 607, 636, 649, 665~671, 727, 751, 758, 771, 779, 797, 800, 836
광합성 59, 107, 310, 884
광합성 조류(藻類) 860
괴베클리테페 석비 111
괴혈병 658
교토 협정 829
구(舊)가이 343
구리 130, 148, 155, 171, 172, 186, 212, 240, 379, 453, 500, 664, 697, 702, 705~708, 833, 840
구비전승 449
구알 원주민 483
〈구약〉 136, 177, 188
9·11 공격 835
구테흐스, 안토니우 27, 869, 888
구텐베르크, 요하네스 436
구티인 157
국립공원과 보호구역 639, 640, 727
국제연맹 693
국제층서위원회(ICS) 158
국제통화기금(IMF) 43, 870
'군인의 세기' 546
굴람, 아이만 891
굿이어, 찰스 651
귀금속 75, 324, 473, 476, 477, 495
권터, 콘라트 728
그라스버그 광산 705
그랜드캐니언 53
그레구아르, 투르의 323
그레이트배리어 산호초 127
그리피스, 조지 686
그린, 모니카 411
그린델발트 파동 551
그린란드
그린란드 빙상 687, 885

스칸디나비아인 정착 369~373
얼음 시료 자료 32, 101, 130, 269, 277, 331, 804
캠프센추리 804
해빙 사태 862
극광 91
극대빙기(LGM), 마지막 92, 93, 98, 107
극지 얼음반사율 피드백 805
극지 연구 804
'근면혁명' 473, 517
금(상품) 75, 177, 341, 342, 343, 390, 453, 462, 467, 477, 493, 705, 708, 717, 833
금강앵무 379
금성, 관측 616
금 왕조 406, 408
금융위기, 2008년 153, 567, 603, 625, 835
'금지 초목' 304
금 채굴 75, 664, 705
기근 26, 28, 151, 157, 165, 167~169, 172, 196, 203, 207, 208, 267~269, 287, 297, 300, 310, 314, 315, 332, 352, 354, 378, 393, 407, 413~415, 431, 441, 450, 451, 521, 538, 550~558, 562, 568, 573, 591, 592, 602~610, 619~625, 646, 647, 659, 660, 665, 667, 675, 691, 701, 717, 732, 733, 746, 762, 767, 781, 782, 808, 823, 901
마홀라툴레 기근 610
'세토치틀리 기근' 450
아마르티아 센과 기근의 원인 172, 733
아일랜드 감자 기근 657~660
우크라이나 기근 717
인도의 기근 601~603, 605, 646, 650, 665, 732, 733
기니 504, 533, 608, 833
기대수명 287, 339, 382, 430, 496, 511, 589, 687, 717, 846, 880, 885
분진 공해의 영향 880
카리브해 지역 496
기독교 23, 136, 144, 152, 153, 166, 188, 196, 222~224, 260, 300, 305, 316, 317, 324, 325, 342, 347, 348, 418, 442, 444, 445, 489, 512, 533, 563, 595, 625, 653, 666, 680, 717
식민지 확장 653, 666
종말 예언 324
팽창 317, 325
기상학의 발전 741
기생 식물 842
기욤, 티레의 394
기우제 228, 229, 306, 336, 563
기자 대피라미드 141
기후 변화
언론 보도 853~854
이론 616~621, 685~687, 726, 736, 737, 804~806
전쟁 853
회의론 856
길가메시 166, 175, 198
김일성 776
'깃털 달린 뱀' 피라미드 302
깔따구 86
꽃가루 자료 93, 97~99, 125~127, 189, 272, 319, 395, 456

ㄴ

〈나가라크르타가마〉 447, 448
나가르(텔브라크) 136
나가사키 77, 734, 735
나람신 156, 164, 165, 197
나병 161, 254, 409, 592
나이만 404
나이저강 만곡부 607
나이저강 삼각주 105, 257, 513
나일강 범람 148, 169, 268, 269, 272, 353, 418, 607
나일강 유역 112, 118, 119, 125, 133, 135, 137, 146, 148, 149, 170, 178, 184, 185
나카다 137, 145
나폴레옹 35, 612, 613, 757
나폴레옹 전쟁 622, 623, 626
나폴리 왕국 566
나푸드사막 114
나환자 410, 417
난징 대학살 773
날씨 변개 743, 745, 746, 752~754, 815~820, 891~896
남극 빙상 41, 862
〈남사〉 309
남아프리카공화국 79, 89, 99, 577, 608, 627, 680, 754, 837, 877
  간디의 이상 공동체 680
남조세균 59, 60, 360
남중국해 93, 340, 853
남캘리포니아, 식량 부족 483
〈내셔널 지오그래픽〉 791
냉전 24, 27, 29, 708~710, 744, 758, 762, 769, 772, 773, 785, 803, 828, 834
네게브 고원 320
네덜란드공화국 창설 553
네덜란드 동인도상사(VOC) 564, 576, 652
네덜란드령 동인도 698
네덜란드 자본주의, 가속화 555
네루, 자와할랄 732, 733, 764, 765
네안데르탈인 83~87, 90~92
네켄(히에라콘폴리스) 137
넬슨, 게일로드 792
'노르드인의 시대' 323
노르웨이 해안 붕괴 123, 124
노르테치코 146, 147
노벨, 알프레드 656
노브고로드 407, 425, 719
노예/노예무역 50, 73, 135, 143, 170, 185, 220, 223, 225, 261, 262, 342, 343, 370, 406, 433, 451, 462, 468, 470, 475, 478, 482, 487~491, 494~504, 506~516, 521, 525~534, 545, 581, 591, 628, 633, 660~662, 676
  '경제 노예' 761
  노예제 폐지 647, 662
  면화 생산 647~650
  성별 531, 532
  종모법(從母法) 513
  종(Zong)호 사건 506
  출산 통제 514
노이만, 존 폰 752
노자 209, 227
녹색혁명 797, 799, 800
〈농사직설〉 458
농약 47, 762, 787, 788, 799, 800, 803, 836, 842

뇌 크기 증가 81, 82
뇌우 91, 563, 862, 890
누룻딘 393
누벨칼레도니 69, 192, 833
누비아 146, 178, 181
누에 76, 678
누에스트라세뇨라 드라콘셉시온호 572
눈보라 415, 424, 599
뉘른베르크, 유대인 박해 418
〈뉴스라운드〉 24, 27
뉴욕의 에너지 사용 871
〈뉴욕 타임스〉 741, 745, 789, 792, 793, 815
뉴질랜드(아오테아로아) 69, 99, 294, 374, 400, 401, 630, 639, 661, 697, 721
뉴턴, 존 502
뉴펀들랜드곶 370, 515
니네베 151, 177, 199, 202, 327
니제르 해안 보호령 677
니푸르 136, 141, 143, 165
닉슨, 리처드 770, 792, 793, 798, 807, 809, 810, 811, 813, 834
닌투(여신) 196

ㄷ

다가마, 바스쿠 471, 474
다르네마 257
다마스쿠스 366, 410, 416, 431
다빌라, 미겔(온두라스 대통령) 710
다스굽타, 파타 900
다스타기르드 327
다신교 거부 224
다우드, 모함메드 759
다원커우 문화 135
다이너마이트 656
다이비엣 340, 387, 389, 403, 458
다이아블로캐니언 원자력 발전소 881
다축방적기 597
다트머스 회의 819
다호메이 왕국 530
'단테 이상기후' 416
달 61~63
담배 465, 487, 495, 500, 501, 503, 507, 516, 518, 520, 589, 600, 633, 634, 653, 660
대(大)짐바브웨 389
대공황 707
대량생산 622, 645, 653
대량 이주 28, 132, 332, 630, 865, 866, 870
대륙회의 600
대리 왕국 384, 403, 406
대멸종 63
대분기 72, 523, 594
대서양수십년진동(AMO) 712
대서양자오선역전순환(AMOC) 40, 545, 551, 687, 864
대승불교 229
대영제국 74, 500, 648, 675, 679, 721, 725
대우(왕) 162
대운하(중국) 330, 585
'대폭발의 순간' 376, 411
대형 동물 사냥꾼 641
대형 동물의 멸종 94~95
댐 747, 751, 755~760, 766, 779
'더피 음성' 185

던롭, 존 652
덩자바오 780
데니소바인 86
데스밸리 돌발 홍수 877
〈데일리 텔레그래프〉 651, 677
데칸 폭동 649
데파우, 코르넬리스 466
델리 약탈 457
뎅기열 861
도(道) 209, 214
도거랜드 123
도곤고원 113
도나우강 122, 329, 756
도시화 129~154 ('문명'도 참조)
  가부장제 150
  거대 유적지 130, 147
  관료제의 등장 143, 144
  국가의 출현 136, 149
  '국한된 곳' 83
  근세 547~550
  신앙 체계의 발전 137~139
  신전과 종교 건물 136~141, 146, 156
  19세기 687, 688
  왕권 149
  위계의 등장 136~142
  유목민과의 접촉 241~243
  21세기 843~845, 855, 856
  이주와 인구 유지 142, 143
  인구 밀도 146
  '인도 촌락의 죽음' 679
  자기수양으로의 이동 226, 227
  중세 368
도자기 113, 114, 122, 359, 385, 388, 389
독일
  나치 시기 728~735
  녹색운동 731
  독일의 식량 부족 695
  연합군 폭격 735
  정치적 극단주의 694
독일령 동아프리카 639
돌궐 328~338
돌라비라 161
동굴 침적물 자료 97, 162
동독 대중 봉기 770
동로마 제국 304, 309, 311, 318, 324, 339, 346, 366, 369, 430, 442, 904
동성애 167
동아프리카 식민지에 대한 의회 조사위원회 670
동정녀 마리아 323, 328, 568
동중국해 93
동토대 화재 857
동판 383, 386
돛배 177
돛자리(별자리) 98
두르샤루킨 199
두샨, 스테판 442
둔황 305
뒤비, 조르주 251
뒤영벌의 감소 860
드니프로강 130
등자 247
〈디가 니카야〉(장부(長部)) 217
디아 395
디오도로스 시켈리오테스 615
디오클레티아누스(황제) 283
디온 카시오스(카시우스 디오) 283

디종, 전염병 발생 429
디즈레일리, 벤저민 674
디킨스, 찰스 615, 641, 646
디포, 대니얼 527, 597, 599
딩고 171
따까우빠 383
따웅우 제국의 붕괴 561, 562
땅콩 120, 472, 800

ㄹ

라가시 141, 148
라고스상사 462
라그나로크(신들의 최후) 311
라니냐 36, 605, 608, 7234
라르센-C 빙붕 43
라리사 278, 279
〈라마야나〉 212
라벤타 255
라사강 212
'라샹 일탈' 90
라슈트라쿠타 386
라스카사스, 바르톨로메 데 478, 482
라오후산-다커우 문화 163
라이다(LIDAR, 광학탐지측정기) 30, 96
라인강 251, 278, 565, 870
라임병 867
라파누이(이스터)섬 34, 262, 374, 401
라피타 문화 192
라허제 화산 99
람비테코 315
람세스 3세(파라오) 189
람세스 5세(파라오) 176
랑고바르드인 313
랑그도크 유대인 박해 417
랑스오메도 370
랜드(RAND) 연구소 736
랭글리, 새뮤얼 685
랭뮤어, 어빙 743
량주 문화 138, 145, 162
러스크, 딘 817
러시아 ('소련'도 참조)
    감자 도입 592, 593
    국가(國歌) 833
    기후 변화에 대한 취약성 866, 867, 874
    동토대 화재 857
    면화 생산 649
    삼림 보호 637
    스무트노예 브레먀('대동란기') 559~561
    식량 공급 위기 695, 696
    우크라이나 침공 704, 717, 874, 887, 888
    인구 증가 630, 631
    인플루엔자 유행병 692
    자결권 678
러시아 혁명 714
레 왕조 458
레닌, 블라디미르 714, 768, 771
레몬 644, 658
레반트상사 499
레베용 반란 612
레슬리, 존 620
레오 3세(교황) 366
레오폴드 2세(벨기에 왕) 676
레위니옹 656
레이건, 로널드 814, 824~826
레이날, 기욤 466

레이놀즈, 존 682
레이던 포위전 553
렙토스피라병 491
로건, 존 769
로렌타이드 빙상 85, 91, 121
로마 공화국 270
로마 기후 최적기(로마 온난기) 39, 272, 302, 855
로마 약탈 203
로마 제국 33, 34, 190, 259, 276, 277, 281, 288~294, 304, 311, 322, 324, 327, 336~339, 366, 442, 505, 594, 598
  공민의식 275, 291, 292
  기대수명 하락 287
  도로 시설 594
  동로마 제국 311, 324, 339, 366
  메뚜기 창궐 300
  멸망 34, 190, 291~294, 303, 304, 322, 323, 366
  '빵과 곡예' 277
  생태계 압박 280, 281
  쓰레기 수거 320
  아라비아 팽창 337
  언어의 다양성 271, 292
  이집트 합병 270~274
  페르시아와의 전쟁 327, 328, 334~336
  '평화 배당금' 278
로미토 동굴 93
로슨, 세사르 531, 532
로아, 라울 782
로어노크 식민지 484
로이드 조지, 데이비드 580
로제타석 268
로크 성인 432
로크, 존 534
로키산맥 70, 568, 836
록펠러, 넬슨 731
록펠러재단 693, 796
루갈반다 175
루베르튀르, 투생 612
루빈, 이시도어 762
루스, 헨리 763
루스벨트, 시어도어 53, 673
루스벨트, 프랭클린 773
루신, 니콜라이 750
루오족 457
루이 16세(프랑스 왕) 611
루이지애나 매입 520, 613, 642
루이지애나 사탕수수 농장 473
루제, 에마뉘엘 드 188
루카의 식량 부족 419
루크레티우스 카루스 279
루터, 마르틴 595
룸프, 게오르크 576
룽먼 동굴 296
룽산 문화 138
뤄양 296
뤼순 양도 773
르네상스 459
〈리그베다〉('지식의 시') 152, 180, 210, 237
리넨캠퍼, 빌헬름 728
리벨, 로저 803
리비히, 유스투스 폰 644
리빙스턴, 데이비드 653
리센코, 트로핌 715

리어리, 티머시 786
리오비에호 315
리워드제도 491
리처즈, 라이샌더 686
리치, 마테오 557
리투아니아 대공 441
린드, 제임스 658
릴리엔솔, 데이비드 757
림포포강 389

ㅁ

마네톤 181
마니촉 충돌공 64
마다가스카르 263, 390, 855
  왕의 목욕 의식 228
마데이라 462, 468, 473
마르두크(신) 165, 176
마르코스, 페르디난드 799
마르크스, 카를 647, 663, 683, 714, 768
마르킨, 아르카디 748, 750
마르티니크 516, 518
마리브 제방 320
마리차 전투 442
마멋 411, 421
마법/마법사 152, 256, 261, 428, 438, 491, 543, 578
마사이족 640, 690
마셜, 조지 774
마셜플랜 758
마시, 조지 퍼킨스 680
마아냔어 263
마야 34, 229, 274, 315, 355~360
  창조 설화 256
마야크 핵 시설 754
마야판 451
마오쩌둥 773~781, 801, 802
마우나로아 관측소 42
마일스, 리처드 509
마자파힛 왕국 447, 448
마제드베베 바위굴 92
마카오 571
마풍구브웨 사회 변화 31
마풍구브웨 왕국 389
〈마하바라타〉 210, 314, 345
〈마하프라티사라 마하비디아라지니〉 306
마환 446, 447
마홀라툴레 기근 610
만나 347
만리장성(중국) 330, 885
만사 무사(황제) 419
만주 248, 404, 573, 598, 631, 667, 773, 773
'만주 성세' 598
만찬(Manchan) 452
말
  말 인플루엔자 689
  사육 235~240, 247, 251
  아메리카 정복 477
  희생 238, 259
말 인플루엔자 689
말뇌염 861
말라가시어 263
말라게타('천국의 열매') 462
말라리아 117, 185, 254, 282, 300, 301, 469, 497, 510~514, 545, 557, 653, 670, 733, 756, 846, 861
말라바르 해안 446, 457

매더, 스티븐 727
매독 543, 545
매사추세츠의 기후 492
매장 풍습 102, 108, 111, 112, 137, 138, 177, 181, 240
올메카의 '거대한 공물' 255
매콜리, 토머스 배빙턴 580, 581
맨체스터, 엥겔스가 묘사한 668
맨틀기둥 69
'맨해튼 프로젝트' 708, 734, 742, 811
맬서스, 토머스 619, 795
맹금류 422
맹원로 403
머리, 윌리엄 507
'메가니뇨' 608
메갈라야기 158
메디네트하부 사당 189
메뚜기 201, 203, 299, 300, 306, 354, 424, 425, 450, 551, 552, 556, 568, 590
메르넵타(파라오) 188
메르칼리, 루카 863
메르키트 부족 405
메리(왕비) 721
메마 257
메소포타미아
관료제와 문자 체계 143~145
나람신 치세의 개혁 164, 165
노예 낙인 261
도시들 사이의 경쟁 148, 149
'대반란' 165
말의 도입 236
메뚜기 창궐 300
무역 감소 172
밀 수확량 감소 351, 352
법전 176
삼림 파괴 198
종교 관념의 흡수 182
지배 계급 등장 140~142, 145
천문 일지 202, 207
흉작 156
메속자 보호구역 640
메시나기 염분 위기 71
메이슨-딕슨 선 514
메이플라워호 526
메카 335, 347, 419, 691, 885
메콩강 251, 666, 757, 758
멕시코만류 686, 687, 744, 864
멕시코만 무역 255
멕시코 분지 274, 450, 496, 568
멘디에타, 헤로니모 데 482
면양 옴 414
면역 46, 47, 70, 84, 116~118, 185, 318, 382, 420, 435, 469, 480, 496, 510, 541, 674, 690, 694, 862
면역 체계 약화 46, 420, 541
면화 73, 463, 468, 474, 500, 501, 516, 520, 581, 633, 634, 647~651, 660, 672
멸종 28, 48, 49, 61~68, 73, 76, 81, 94, 95, 99, 100, 103, 283, 372, 522, 523, 640, 822, 840, 869, 898
모다 폴스카(의류 상표) 771
모래폭풍 157, 394, 723~725
화성의 모래폭풍 821
모리셔스 474, 656, 661
모사데크, 모함마드 759
모세 오서 144, 223, 261, 280
모스크바 35, 559, 604, 716, 747, 765,

769, 770, 801, 819, 820, 845, 892
나폴레옹의 침공 35
사망률 559
소콜리니키 공원 전람회 769
현대화 716
모어, 토머스 900
모체 문화 255, 316
모카 444
모턴, 토머스 492
모테쿠소마 1세(왕) 450, 657
모헨조다로 105, 145, 160, 755
모후차한거우커우 242
목공, 선 230
목성 65
목축민 50, 52, 122, 135, 146, 240, 241, 243, 285
몬테알반 문화 359
몬트리올 의정서 826, 830
몽골 102, 132, 238, 239, 252,328, 336, 348, 395, 404~411, 415, 419, 439, 457, 460, 573, 580, 586, 631, 797, 863
잠치 통신 체계 408
킵차크칸국 423, 425, 426, 430, 432, 433
몽테뉴 540
몽테스키외 504~506, 673
무명 셔츠 제조에 필요한 물 850
무역청 477
무종(원 왕조) 416
무주지 원칙 535
무함마드(선지자) 280, 312, 335~339, 489, 691
묵자 209
문명 51, 103, 134, 843
〈문명의 책〉 669
문신 261, 262, 325
문자 체계 58, 103, 128, 144, 145, 150, 247, 250, 275
문제(수 왕조) 314
'문화적 결정화'의 시대 226
물가 상승 172, 188, 262, 269, 361, 412, 416, 558, 560, 774, 809, 870
물뇌증성 수막염 557
물 부족 28, 92, 126, 169, 199, 267, 269, 365, 636, 844, 850, 864, 866, 869, 870
믈라카 251, 444, 571, 652
믈라카해협 340, 386
미국
경제 성장 835
군사 개입 74
기후 변화 이론 616~621
기후 변화 회의론 856
내전 647, 649, 660
노동생산성 714
녹색운동 786, 787, 824~826
농업 위기 722~724
대통령 선거 74, 514
대학 526
도시 성장 713, 714
도시화 51, 72
〈독립선언〉 600, 617
면화 생산 647~649
문자 해득 수준 659
물가안정법 881
민권 운동 571
밀 수출 645
반미 정서에 대한 우려 808, 809
범람 위험 43

범람 지역의 주택 건설 849
변경 이주 611, 612
블랙벨트 지역 73
소련과의 관계 819~826
수자원 확보 301~302
식량 계획 763, 764
앵글로색슨족 정착 673, 674
에너지 가격에 대한 불안 704
에너지 위기에 대한 대응 809~815
열 관련 사망자 감소 847
영아 사망률 514
영토 확장 642, 643, 657
온실가스 배출 감소 881
외국에 대한 개입 707~709, 758~765
이주 626~628, 659, 660
인디언 제거법 629
자영농지법 535
전후 소련과의 경쟁 758~766, 768~770
종교와 교육 성과 595
철도 72
첫 번째 경기 침체 625
토착민 제거 628, 629, 681~683
투표권법 73
포경산업 654, 655
황열병과 정치적 분열 610
미국 국가과학원(NAS) 752
미국 국가연구위원회 895
미국 국립공원관리국(NPS) 727
미국 국무부 766, 807, 817
미국 국방부 803, 817, 853, 866, 888
미국 기근응급위원회(FEC) 762
미국기상학회(AMS) 741
미국 농업부 740
미국 도로교통안전관리국(NHTSA) 44
미국 독립전쟁 601, 619
미국석유학회(API) 805
미국 수정 헌법 815
미국 에너지부 813, 888
미국 원자력위원회(AEC) 736, 757
미국의 멕시코 합병 642, 657
'미국의 바닥' 지역 376, 456
'미국의 세기' 763
미국 전쟁부 681, 751
미국 중앙정보국(CIA) 710, 711, 759, 795, 807, 808
미국항공우주국(NASA) 858, 888~890
고더드 우주학연구소 827
미국 해병대 657
미국 해양대기청(NOAA) 893
미국 환경보호청(EPA) 793
미드, 마거릿 785
미드웨이환초 657
미시시피강의 얼음 604
미시시피 문화 344
미추린, 이반 716
미케네 177, 192
미코얀, 아나스타스 770
미탄니 왕국 177, 182
미토콘드리아 DNA 84, 85, 133, 263, 370, 510
밀 가격 33, 412, 419, 550, 553, 685, 724
밀, 키 작은 품종 797
밀 혹파리 619
밀라노 427, 436, 863
'밀란코비치 순환' 60
밀턴, 존 23, 467, 581, 899

ㅂ

〈바가바드기타〉 210
바그다드 347, 349, 352, 369, 410
'바나나 공화국' 710
바너드, 체스터 796
바누아투 192, 373
바다코끼리 371, 372, 399
바다 표면 온도 41 ('해양 온난화'도 참조)
바데, 앙리 804
바라하미히라 289, 313
바루아스 251
바르다마나, '위대한 영웅' 216
바르셀로나, 음용 습관 851
바리도아브 수로 757
바리토강 263
바버, 제임스 681
바베이도스 491, 493~496, 500, 507, 509, 521
바벨탑 223
바부르(황제) 252, 254, 448
〈바부르 이야기〉 145, 252
바빌론(바빌로니아 제국) 136, 139, 145, 151, 165, 166, 176, 177, 188, 195, 202, 202, 262
  공중 정원 202
  바빌로니아 문헌 166
  〈바빌로니아 탈무드〉 139, 145, 151, 166, 276
  바빌론 억류, 유대인의 223
  신바빌로니아 제국 220, 222
바빌론의 공중정원 202
바스티유 습격 612
바알벡 393
바오둔 145
바운티호, 영국 해군의 609
바이런, 조지 고든 624, 823, 824
바일 증후군 491
바카족 53, 85, 640
바크라낭갈 댐 757
바타라네슈바라 신전 386
반투어 263, 303
반투족 117, 185
반포 120
'발견의 시대' 443, 445, 452, 455, 470, 517, 528
발광다이오드 880
발루에프 위원회 637
발리, '극장 국가' 228
발발 석상 405
발트하임, 쿠르트 793
발트해 동결 552
발트해 무역 634
배기가스 726, 727, 807, 838, 845, 882, 884
백년전쟁 441
백악기 73
'백인의 무덤' 185
백해(白海) 399, 717
백해 운하 720
뱅크스, 조지프 620
버뮤다 491, 519
버지니아 483, 491, 493, 507, 511~513, 526, 617
버츠, 얼 809
버크, 윌리엄 515
번개 306, 327, 416, 543, 625, 862
벌목 358, 370, 616, 634, 637, 651, 652,

719, 800, 825, 837
범람원에서의 건설 849
베네수엘라
미국의 개입 761, 765
석유 부존 703
'작은 베네치아' 528
베네치아 424~426, 430, 444, 460, 463, 555, 566, 567, 576, 852
베닌 왕국 469, 677
베닌시티 508
'베닌 청동판' 677
베다 문헌과 종교 152, 180~182, 210, 211, 214, 218, 232, 238, 280
베라르 649, 650
베르됭 367
베르베르인 313, 343
베른, 쥘 687
베를린, 나치의 건설 공사 729
베를린 장벽 붕괴 830
베를린 회의 676
베버, 막스 698
〈베산타라 본생담〉 304
베수비오산 306
베스티, 윌리엄 644
베스푸치, 아메리고 528
베이징 올림픽 892
베트남 전쟁 783, 785, 790, 792, 815
제초제 사용 790
벡퍼드, 윌리엄 499, 516
벨, 거트루드 674
벨기에령 콩고 662, 663, 676
벵겔라해류용승계 365
벵골 기근 601~603, 619, 732, 733
벵골만 262, 278, 383, 625, 673
벽돌난로 538
보그트, 윌리엄 796
보르테 405
보리 109, 118, 141, 156, 160, 171, 201, 203, 239, 240, 262, 351, 353, 552, 591, 800
보스턴 화재 690
보스포루스해협 봉쇄 695
보우소나루, 자이르 837
보크사이트 광산 833
보타이인 236
보팔 가스 누출 77
보퍼트 864
'보편 위기', 17세기 538, 574
보하이만 378
복혼(複婚) 590
본더르크라터르 99
〈본생담〉 262
볼가불가리아국 369
볼가불가리아어 434
볼로그, 노먼 798, 801
볼로냐 인구 감소 554
볼리바르, 시몬 783
볼스, 체스터 756
볼테르 23, 467, 579, 588
'봉건 혁명' 367
부디코, 미하일 804, 805
부르고뉴 공국 441
부르고스 법 478
부분핵실험금지조약(PTBT) 735, 754
부소브, 콘라트 559
부시, 버니바 742
부시, 조지 H. W. 827~829
부에노스아이레스 봉쇄 657

부여 248
북대서양 심층수 형성 86
북대서양진동(NAO) 36, 157, 325, 351, 364, 413, 604
불가르인 369, 434
불가린, 파데이 686
불교 213~217, 227~232, 260, 262, 296, 304, 305, 324, 337, 340, 387, 398, 458, 564
  동굴의 중요성 305
  북위의 멸망 295, 296
  '용왕' 229
  윤회 398
  자연계에 관한 모호함 304, 305
불바람 25, 65
불상, 의례로서의 매장 397
붓다의 눈물 447
뷔퐁, 조르주루이 르클레르 드 466
브라운, 해럴드 812
브라질
  사탕수수 농장 473, 474, 488
  삼림 파괴 837
  콩 농장 838
브라흐만 212, 214, 217
브레클랜드 413
브렉시트 123
브로델, 페르낭 29
브룩스, 바이런 686
브룬램지, 제임스 667
브뤼허 441, 459
브뤼헐, 피터르(아버지) 539, 543
브리하드라타(왕) 211
블라이, 윌리엄(선장) 609
블라이스, 월터 587
블레셋인 188
블레어, 앤서니 829
블롬보스 동굴 89
비금도, 신안 121
비료 458, 588, 655, 656, 722, 760, 762, 776, 797, 799, 842, 894
비르카 367
비버 모피 522
비비하눔 이슬람 사원 457
'비옥한 초승달 지대' 108, 109, 120, 134, 144
비쿠냐 522
비타민 C 591
비타민 D 119, 318
비트루비우스 505
비트바테르스란트 금광 664
비프킹위르겐스만, 하인리히 731
비행운 882
빈 협약 826
빈, 포위전 442
빈센트, 필립 492
빙결 71, 88
빙모 43, 84, 370, 748, 750, 858
빙하 32, 43, 60, 85, 87, 91, 93, 95, 97, 101, 124, 125, 130, 160, 288, 301, 537, 540, 542, 551, 712, 727, 806, 855~858, 864

ㅅ

'사교 두뇌 가설' 81
사냐 계곡 316
사라스바티강 160, 691
사라이 432

사람족 58, 79~84, 92, 103
사르곤(왕) 155, 156, 165, 168
사마르칸트 333, 457
사무드라 290
사산 제국 29, 311, 322, 346, 351
사슴 이빨 112
사영운(〈산거부〉) 304
사이드파샤 649
사제 요한 320
사파비 제국 443
사하라 사막 125, 159, 258, 686, 751
　사하라 횡단 금 교역 341
사하라 이남 아프리카 37, 83, 126, 257, 342, 426, 432, 510, 551, 638, 806, 809, 836, 841, 844, 871
사해(死海) 189
사헬 257, 263, 604, 865
산성비 24
산소대폭발 사건(GOE) 60
산스크리트어 152, 180, 214, 280, 306, 346, 581
　아라비아어로 번역 346
산족(부시맨) 53
산토도밍고, 아메리카 첫 대학 설립 577
산호 62, 127, 157, 390, 859
산호세호 504
산화방지제 883
살비우스, 요한 아들레르 565
삼림 파괴 47, 129, 198, 278, 281, 358, 372, 400, 456, 461, 479, 487, 521, 581, 585, 616, 636~638, 684, 689, 782, 825, 837, 838
30년전쟁 522, 565, 587
삼장 260
삼첩기 63, 64
〈상서〉 227, 261
상아 172, 260, 317, 343, 371, 389, 390, 399, 523, 640, 641
상투메 468, 469, 473
샌더스, 랠프 750
샌타바버라 유정 파열 791
생도맹그 518, 612
생물 다양성 39, 46, 49, 51, 53, 67, 264, 281, 348, 670, 683, 827, 838, 859, 883, 900
생물 다양성 협약(CBD) 827
생물학전 751
생석회 358
생태용량 초과일 896
샤를마뉴 → 카롤루스 대제
〈샤타파타 브라흐마나〉 238
〈샤흐나메〉 345
샤르우르파 112
서기전 2200년의 '붕괴' 159~175, 184
서나일 바이러스 861
서남극빙상 857
서먼드, 스트롬 772
서요(카라키타이) 411
서태평양 난수역 373
서하 왕국 406, 408
석순 자료 121, 127, 157, 364
석유수출국기구회의(OPEC) 810, 814
석유와 천연가스 44, 71, 72, 74, 702, 704, 707, 708, 813, 845, 874, 882
석탄 42, 44, 72, 73, 283, 588, 632, 633, 643, 666, 687, 690, 694, 702, 813
석탄기 72
선문자 A, B 177

선신세 42, 68
선왕(주 왕조) 206
설탕 328, 469, 473, 474, 487, 489, 495, 500, 501, 516~520, 527, 581, 613, 633, 634, 660, 720
'섬들의 바다' 445
섭소원 569
성상 파괴 553
성(聖)십자가 반환 328
세계기상기구(WMO) 854
세계대전, 제1차 74, 646, 652, 674, 679, 694, 695, 697, 699, 701, 720, 722, 724, 730, 773
　식민지 징병과 제국의 종말 697~699
　'1918년 대유행 인플루엔자' 693~695
세계대전, 제2차 74, 77, 123, 226, 657, 684, 703, 707, 710, 730~737, 742, 746, 758, 759, 762, 766, 767, 773, 783, 810, 815, 856, 887
세계무역기구(WTO) 835
세계보건기구(WHO) 845, 846
세계은행(WB) 46, 800, 801, 871
세계자연기금(WWF) 640
세계화 50, 52, 72, 77, 171, 187, 259, 260, 361, 383, 423, 471, 522, 575, 645, 654, 683, 698, 702, 815, 831, 840, 861
　'보이지 않는 세계화' 522
세네카(아들) 277
세단 수소폭탄 폭발 754
세로블랑코 316
세르비아 제국 442
세바스티아누스 성인 432
세인트아이브스 414
세인트일라이어스산 54
세인트조지 753
세종대왕 458
세하두 838
센, 아마르티아 172, 733
센나케리브(왕) 199~202
센카 덴노 310, 312
셰익스피어, 윌리엄 189, 467, 556, 854
셸리, 메리 624, 625, 824
소그드 상인 345
소돔과 고모라 167
소련
　계획경제 714~720
　기근 746
　나치 침공 35, 732
　날씨 변개 계획 744~753, 892
　녹색운동 824, 825
　농업 집산화 717
　문화적 중앙집중화 678, 679
　'미개척지 개간' 계획 766
　미국 곡물 수입 772
　미국과의 관계 819~826
　봉기에 대한 공포 770
　불리한 기후 768, 769
　붕괴 190, 830, 834
　삼림 보전 718, 719
　성별 균형 766, 767
　소련과 공산 중국 776~778
　식량 체계 재편 834
　영공 개방 834
　유형지 717
　전후 미국과의 경쟁 758~770
소분기 476, 567
소빙기 39, 537~574, 855
소 숭배 112

소 역병 419
소포클레스 581
소행성 57, 64, 68, 99, 438, 705, 889, 890
소행성 충돌(칙술루브) 64~67
손택, 수전 797
솔로강 251
솔로몬(왕) 260
솔로몬 왕조 444
송가이 제국의 붕괴 557
쇠니헨, 발터 729
쇼, 네이피어 741
쇼나족 551
수낵, 리시 879
수단 왕국들 284
수레, 마차 116, 182, 200, 211, 236, 237, 437, 645, 669
수렵채집인 33, 52, 53, 90, 102, 109, 114, 115, 135, 375
〈수메르 왕 명부〉 129, 136
〈수메르 홍수 이야기〉 166
수브라마니암 801
수스, 한스 803
수아레스 데 톨레도, 알론소 484
수에즈 운하 643, 691
〈수타니파타〉 214
술드(국가의 상징) 405
숭정제 570
쉐산도 사원 398
슈메이커-레비9 혜성 65
슈바이처, 알베르트 788
슈발리에, 미셸 637
슈비치, 믈라덴 442
슈스터, 아서 685
슈페어, 알베르트 734
슐레진저 2세, 아서 788
스노, 존 692
스리위자야 340, 384~386
스미스, 셀비 836
스미스, 애덤 474, 475, 593, 595
스발바르제도 31, 727
스웨이츠 빙하 857
스칸디나비아
대서양 횡단 팽창 369~373
정착 방식 변화 311, 323
제물 봉헌 226
스키타이인 241, 243
스타인벡, 존 723
스타일스, 에즈라 616
스탈린, 이오시프 717, 718, 746~748, 766, 770, 773~778
스탈린그라드 전투 732
스탠더드오일 703
스테르크폰테인 동굴 79
스토더드, 새뮤얼 534
스토아 철학 227, 277
스토크스, 칼 791
스트라본 221, 278, 505
스파르타 192
스푸트니크호(인공위성) 745
스피츠베르겐 727
슬로컴, 하비 757
승문토기 문화 133
〈시경〉 205, 206
시기르 토탄 습지 112
시나이 305
시드니만 609
시량 693
시로몰로토프, 페도르 719

시리아어 434
시마오 183
시바 숭배 386
시베리아 36, 37, 63, 83, 84, 96, 179, 413, 592, 636, 664, 667, 705, 714, 766, 858, 867
〈시불라서〉 300
시안화수소(청산) 590
〈시편〉 195, 224
시에라리온 799
시진핑 28
시질마사 343
시칠리아 마피아 658
시탈라 숭배 382
식물성 플랑크톤 38, 894
〈신명기〉 223
신성로마 제국 566
신자이 162
신콜로브웨 우라늄 광산 707, 708
실크로드 289, 345, 382, 455
십자군, 제1차 417
싱, 다타르 755
싼먼샤 댐 779
쌍소행성궤도변경실험(DART) 889
쐐기문자 141, 188, 202, 262
쑤저우 569
쑨원 775
쓰레기 매립지 52, 844, 845, 850
쓴살갈퀴 109

ㅇ

〈아가〉(기독교 성서) 260
아궁(술탄) 564
아그라 304
아나사지(고(古)푸에블로) 문화 311, 344, 378, 379, 483
아나왁 450 ('멕시코 분지'도 참조)
아나톨리아 32, 109, 111, 114, 119, 122, 134, 149, 176, 180, 182, 339, 364, 395, 550, 558
아난, 코피 826
아난다 신전 398
〈아누와 엔릴의 날에〉 198
아다브 143
아덴 444
아디바시인 53
아라비아의 팽창 337~344
아라와크족 495
아라카와 아키오 736
아랄해 351, 364, 771, 772, 824
아레니우스, 스반테 685, 686
〈아르놀피니 부부의 초상화〉 459, 473
아르다시르 1세(페르시아 왕) 289, 290
아르달레스 동굴 90
아르마눔 164
아르벤스, 하코보 711
아리스토텔레스 52, 220, 341, 464
아리아바르타 290
아리야바타 289
아마존 우림 30, 664, 839
아마존 화재 858
아메리카(남·북 및 카리브해 지역)
  비(非)원산 종(種)의 도입 479
  삼림 파괴 479, 480, 486, 487
  식민 활동 462~498
  식민 활동과 생태계 악화 581~583
  에스파냐 및 포르투갈 학문 577, 578

원산 식물 472
인쇄 시설 577
1650년 이후 토지 침탈 486
초기 정착자들 96, 97
코콜리스틀리 대유행병 480
콜럼버스 교환 497, 589~561
토착민 연합 583, 584
토착민의 '떼죽음' 485, 486
토착민 이주 610
〈아묵타말라다〉 461
아바르인 313, 329
아바리스 181
아바스 제국 29, 31, 345, 352
아베르캄프, 헨드릭 543
아불파즐 537, 558
아비두스 137
아산화질소 42, 45, 806, 839
아삼 535
아샨티 왕국 530
아쇼카(황제) 230~232, 251
아슈르 177
아슈르나시르팔 2세(왕) 201
아슈르바니팔(왕) 201, 207
아스완하이 댐 766
아스테카 왕국 450, 451, 467, 476
아스티예로산맥 96
아시리아 제국 176~178, 198~203, 222
언어 202
왕실 미술 200
아시아알락하늘소/유자알락하늘소 841
'아시아 위기' 835
아시아 의회 설립 요구 678
아우구스투스(옥타비아누스) 황제 273
'아이들의 고질적인 고통' 382
아이마라어 183
아이슬란드
'모두하르딘틴'(안개 고난) 603
스칸디나비아인 정착 369~373
〈아이슬란드인의 책〉 371
ISIS 866
아이젠하워 743, 749, 757
아이타족 115
아이티 혁명 612
아일랜드 감자 기근 657~660
아조레스 고기압 564
아조레스제도 36, 369, 462, 468
스칸디나비아인의 정착 369
아조프해 409
아즈파치 와알 357
아지타 케사캄발라 215
아카드 제국 158, 164, 165, 167, 168, 197
〈아카드의 저주〉 155, 156, 164, 165, 168
〈아카랑가 수트라〉 216
아케메네스 왕조 202
아코마푸에블로 483
아코스타, 호세 데 464
아쿨라누 207
아쿰부 공동체 395
아크로크로와 410
아크바르(황제) 551, 558, 584
아타카마 사막 99, 656, 657, 850
아테네 왕국 192
〈아트라하시스 서사시〉 166, 195, 196
아파마르가(토우슬) 210
아편전쟁, 제1차 673
아프가니스탄 45, 253, 759, 824, 853
아프리카개발은행(AfDB) 872

아함의 타밀어 시 260
아황산가스 37
아후라마즈다 221, 222
악숨 왕국 317, 321
악조우트 지역 179
안데스 105, 124, 133, 147, 148, 182, 183, 255, 301, 316, 379~381, 476, 484, 522, 577, 653, 659
감자 재배 592
빙하 퇴각 855
빙하 확대 91
유럽인 도래 이전 주민 453
형성 70
안데스오리나무 379
안장 246, 247
안트베르펜 약탈 553
알곤킨 사회 485
알레포 416, 431
알레포소나무 94
알렉산드로스(대제) 262, 267, 757
알렉산드리아 427, 428
알리 이븐이사 352
알마수디 341, 385
알무타와킬(칼리파) 348
알바라도 테조조목, 에르난도 데 486
알비루니 382
알싱기 371
알와시크(칼리파) 350
알이스타흐리 327, 343
알자히즈 341, 347
알카이다 866
알타이계 언어 337
알타이산맥 31, 308, 331, 351, 604
알하킴(칼리파) 353
암각화 102
암리차르 대학살 675
암면미술 102
〈암본 식물지〉 576
암브로시아 301
암하라어 445
암흑시대 157, 190, 293
압둘라티프 알바그다디 394
앙카시 고원 379
앙코르 340, 384, 387~389, 393, 396~398
앙크티피 새김글 168~170
애덤스, 존 600
애제(당 왕조의 마지막 왕) 355
애팔래치아산맥 61
앵글로색슨족 636, 673, 674, 692
야스퍼스, 카를 226
야자기름 672, 837, 838
〈야주르베다〉 180, 210, 211, 280
야쿠츠크 867
약탈자 355
얌나야 문화 132
양극성 장애(조울증) 63
양사오 문화 138
얼리강 184
얼리터우 문화 162
얼음 시료 32, 101, 124, 130, 269, 277, 288, 301, 307~309, 331, 364, 407, 426, 487, 542, 554, 804
에게해 133, 134, 177, 190, 192, 244, 262, 366
〈에누마 엘리시〉 151
에덴동산 23, 24, 153, 224, 280, 593, 629, 637, 672, 776, 899

에드워드 1세(왕) 415
에디아카라 생물군 시기 61
에르난데스, 프란시스코 577
에리두 136, 145
에마르(텔메스케네) 188
에머밀 109, 156
에머슨, 랠프 월도 680
에버렛, 에드워드 674
에버하르트, 잘츠부르크의(대주교) 460
에벌린, 존 549
에블라 164, 177
에스파냐 대서양 횡단 무역, 축소 567
에스파냐령 플로리다 484
에스파냐 무적함대 541
에스파냐 왕위계승전쟁 599
에스파뇰라섬 463, 478, 489, 504
에스피, 제임스 739
에어컨 847, 848
에얼리크, 폴/앤 796, 801
에우게니우스 4세(교황) 444
aDNA(고대DNA) 382
에이리크, '붉은 수염' 371
〈에제키엘〉 225
에티오피아 32, 79, 83, 120, 169, 316, 410, 432, 444, 445, 489, 518, 765, 823
F-35A 전투기 853
엑손발데스호 원유 유출 77
엔릴, 신 195
엔메르카르 136, 137, 175
〈엔메르카르와 아라타의 영주〉 223
〈엔키와 세계 질서〉 151
엔히크 왕자, '항해자' 462
엘니뇨 36, 316, 381, 412, 511, 544, 564, 604, 608, 858
엘니뇨-남방진동(ENSO) 36, 82, 125, 126, 294, 364, 413, 453, 568, 605
엘레우시스 밀교 229
엘레판타섬 305
엘리엇, 휴 464
엘리자베스 1세(여왕) 490, 504, 588
엘미나 462
엘스버그, 대니얼 815
엘팔마르 357, 852
엘팔미요 315
엠페도클레스 261
엥겔스, 프리드리히 647, 688
여불위 250
여진족 403, 404
연료 효율 44, 894
열대림 67, 638, 837
〈열등인〉 731
염소 102, 108, 109, 117, 118, 120, 125, 168, 201, 217, 231, 235, 239, 422, 479, 663, 690, 695
염소가스 695
염화불화탄소(CFC) 806, 826
엽랍 생물지표 374
영거 드라이아스기 98~103
영구동토 84, 839, 857, 858, 867
영국
노동 생산성 597, 598, 714
노예무역 499~509
노예제 폐지 647
로마 치하 브리타니아 283, 313
면화 도시 폭동 647
생활수준 향상 645
성별 차이 596
스코틀랜드와 잉글랜드의 전쟁 430

식민지 팽창 641, 642
식민지에 관한 자부심 674, 675
식생활과 제국의 식량 720~722
'신세계' 식민화 491~496
우역 419, 420
유럽 대륙과의 분리 123
직물업 647
탄전(炭田) 632
폭풍우 438
해외 이주 627, 628
흉작과 기근 413~415
영국 동인도상사(EIC) 499, 518, 601~603
영국령 버진아일랜드 519
영국 에너지 기반시설 43
영국영화텔레비전예술아카데미(BAFTA) 854
영국 해군 500, 515, 599, 609, 616, 658
영락제(명 왕조) 447
영아 사망률 492, 687, 694, 795
영어권의 성장 642
영장류의 밤 활동 62
예니체리 군단 559
예루살렘 418
순례 368
신전 파괴 223
아바스 시기 31
아시리아의 포위전 200, 201
약탈 223
예방주사제 853
예산책임성사무국(OBR), 영국 900
예카테리나(대제) 607
오갈랄라 대수층 836, 837
오궁 314
오드와이어, 마이클 675
오르도비스기 61
오르콘강 유역 405
오르트 구름 65
오바마, 버락 866, 888
오반도, 니콜라스 데 489
오비디우스 615
오빌, 하워드 743~745
오스만 제국 430, 459, 558, 559, 565, 606
노예무역 529
식량 공급 위기 695
유럽인 상상 속 580
전염병의 영향 431, 436
오스트랄로피테쿠스 79, 80
오스트랄로피테쿠스 표본(루시, 리틀풋) 79
오스트레일리아
산불 860
정착 608, 609, 629, 630, 636
토착민 제거 629, 630
오염
금속 찌꺼기 664, 706
납 오염 277, 281
대기 오염 44, 45, 687
미립자(차바퀴) 884
미세플라스틱 47, 884
배설물 오염 117
분진 845
중금속과 플라스틱 836
오요 왕국 469, 530
오존층 99, 806, 820, 826, 827, 830, 852, 888
오즈번, 페어필드 796
오호츠크해 717

옥 138, 183, 256, 357, 404
옥수수 120, 124, 147, 255, 256, 358, 359, 378, 381, 396, 453, 463, 554, 589, 590, 591, 723, 767, 772, 841, 860
마야 창조 설화 256
온난화, 20세기 초 712, 723, 735
온두라스 710, 808
온실효과 685, 827, 855
온타리오의 인구 증가 630
올두바이 협곡 81
올드포인트컴퍼트 526
올라데비 626
올메카 255
와리 255, 316, 380, 381
Y-염색체 85, 126, 263, 370
와이트, 린 680
와하카 274, 359, 360
'왕가의 계곡' 188
왕권 135, 137, 149, 163, 165, 232, 285, 340, 359, 547
왕립아프리카상사 499, 509
외알밀 109
요(遼) 242
요(황제) 207
요르단열곡 87
요셉 이야기 223
요안네스 22세(교황) 418
요안네스 리도스 309
욕발룸 동굴 358
욤키푸르('속죄일') 전쟁 810
우가리트 188
우간다 672, 722, 725
우드, 찰스 675
우라남마 141
우라늄 90, 157, 707, 708
우라이유르 387
우루크 129, 136, 137, 142, 143, 145, 175, 198
우르 141, 143, 145, 164, 175, 197
우르남무 176
우마이야 왕조 345
우박 324, 416, 493, 539, 543, 611, 820, 891, 892
우역 420, 690
우주론 111, 122, 139, 182, 202, 205, 213, 216, 222, 229, 635
우즈, 조지프 527
우카이르 145
우크라이나 25, 767, 874
기근 717
러시아의 침공 704, 717, 874, 875, 887
우파니샤드 211, 218, 300, 899
운하 329, 330, 448, 585, 635, 643, 665, 666, 686, 691, 717, 720, 724, 779 ('갠지스 운하', '대운하(중국)', '파나마 운하', '수에즈 운하', '백해 운하'도 참조)
〈울라 연대기〉 310
울루그벡 마드라사 457
움마 143, 145, 148
워싱턴, 조지 627
워즈워스, 윌리엄 689
원(原)인도유럽어 179
월리스, 윌리엄 415
월리스, 헨리 783
월리스웰스, 데이비드 856
월스트리트 주가 폭락 723
월폴, 호러스 602
웨이허 244, 330

웹스터, 노아 618, 619
위구르 411
〈위서〉 295
위컴, 헨리 523
위트니 조면기 520, 648
위트레흐트 동맹 553
위푸춘 145
윈스럽, 존 492
윈체스터 국제 특설시장 414
윌, 조지 809
윌리엄 피트(아버지) 516
윌리엄스, 새뮤얼 618~620
윌리엄스, 에릭 521
윌리엄슨, 휴 618
윌슨, 우드로 698
유가 상승 811~815
유각아메바류 158
유나이티드프루트(UFC) 710
유네스코(UNESCO, 유엔교육과학문화기구) 889
유니세프(UNICEF, 유엔국제아동긴급기금) 43
유니언 오일 791
유달, 스튜어트 789
유대교 153, 222~224, 260, 305, 324, 342, 347, 348
  종말 예언 324
유대교 저작 260~262
유대-기독교 세계관 680
유대인 33, 222~224, 417, 418, 435, 560, 578, 628, 716, 733, 788
유대인 대학살(홀로코스트) 733
'유라시아 횡단 교환' 240
유라시아 횡단 언어 전파 179
유럽연합(EU) 123, 837, 850, 881
유럽연합 집행위원회 합동연구센터 869
유럽중앙은행(ECB) 871
'유령경지' 521
유목민 33, 50, 52, 53, 103, 157, 179, 239~265, 292, 294, 295, 308, 325, 329~336, 395, 403, 405, 432, 534, 631
  광역 집단으로의 재편 247, 248
  도시민들의 비방 241~243
유베날리스 277, 615
유성과 운석 49, 60, 68, 75, 99, 103, 167, 324, 705
유스티, 요한 폰 587
유스티니아누스(황제) 322
유엔(UN, 국제연합) 27, 46, 749, 757, 764, 793, 798, 807, 819, 824, 826~828, 869, 888, 896
유엔 기후변화기본협약(FCCC) 828
유엔 기후변화회의 제26회 당사국총회(COP26) 840
유엔 식량농업기구(FAO) 764
유엔 환경개발회의(UNCED, 지구정상회의) 828
유엔환경계획(UNEP) 838, 849
유카(마니옥/카사바) 590, 591
유프라테스강 146, 148, 151, 152, 351
유행병 300, 320~322, 382, 407, 409, 419, 423, 427~429, 433~436, 439, 441, 446, 480, 481, 496, 497, 511, 514, 540, 551, 557, 558, 573, 689~695, 780, 823, 835, 861, 874, 906 (개별 질병명 항목들도 참조)
'유행병 고속도로' 38

육류 소비 증가 644, 645
음식 낭비 849
의류업 850
이누이트 140, 399
이누족 563
이든, 리처드 465
이라와디강 251, 666, 757
이라크 전쟁 835
이란에 투자, 미국의 758, 759
이로쿼이 485, 583
이르쿠츠크 664
'이뵤' 407
이븐바투타 252, 390
이븐알나딤 347
이븐알아시르 363
이븐쿠타이바 342
이븐파들란 52
이비사 나이트클럽 885
이사벨(카스티야 여왕) 463, 478
이샤야 223
〈이사야서〉 262
이성계 457, 458
'2세기 가뭄' 301, 302
이스마일 1세(샤) 443
이스트, 에드워드 머리 795
이스트먼코닥 상사 736
이슬람교 153, 224, 260, 280, 305, 337, 338, 343, 346, 348, 369, 390, 391, 418, 433, 443, 447, 462, 463, 489, 490, 564, 585, 691
'이슬람 녹색혁명' 338
이슬람식 태음력 564
이자성 569
이질 431, 488
이집트
노예 낙인 261
농작물 수확량 감소 269
로마에 합병 270~274
맘루크 치하 430, 435, 607
메뚜기 창궐 300
면화 생산 649
서기전 2200년의 '붕괴' 168~170
성별 불균형 181, 182
소수자 박해 418
식량 부족 188, 189
신왕국의 팽창 236
오스만 치하 443, 606, 607
왕권의 진화 137, 138
전염병의 영향 431, 434, 435
중왕국 146
지배 계급 등장 140~142, 145
천연두의 영향 186
파티마 치하 390
포도주 소비 증가 289
프톨레마이오스 왕가의 지배 267~271
힉소스 왕조의 등장 181, 182
이청조 404
이크타 제도 354
이키토스 664
이킨 찬카위일 357
〈이푸웨르의 훈계〉 169, 170
인간면역결핍바이러스(HIV) 533
인간의 진화 79~105
가축 사육 70, 103, 109
네안데르탈인 멸종 91, 92
농경의 출현 109~112
도구의 사용 80, 81, 97, 102, 112
문화적 복잡성 증대 102

불의 통제 82
상징적 표현 89~91, 110~112
아프리카 밖으로의 분산 86~88
정착 생활의 확대 103, 108~115
인공 물질량 52
인구 증가와 조절 795~798, 800~802, 855, 856
인권 침해 800
인더스강 유역 문명 161, 179
인도
공업 생산 감소 601
교육 580
굽타 왕조 251, 289, 290, 312, 313, 383, 386
그리스의 행성계 모형 채택 261
기근 601~603, 695, 646, 650, 665, 732, 733
도시의 불안정성 252, 253
독립 이후 755~758, 762, 764~766, 793, 796, 798~801
무굴 왕조 252, 254, 304, 448, 551, 558, 584, 585
수로와 철도 665~670
에너지 수요 704
영국령 인도 665~670
왕국들의 중앙집권화 217
유행병 691, 692
직물업 646
촐라 왕조 384~386
토지 국유 638, 639
파키스탄과의 전쟁 위험 888
팔라바 왕조 385
해외 이주 660~601
화폐 주조와 관료적 통제 386, 387
인도기근대책위원회 665
인도대평원 호우 38
'인도삼림헌장' 638
인류세 42, 58
일릭 330, 333
일본
기근 407, 605, 606
덴메이 대기근과 임금 606
도자기 생산 113
도쿠가와 막부 573
메이지유신 644
사찰의 자원 통제 305
식목 683
에너지 한계 704
연합군 폭격 735, 736
원나라의 정복 시도 35
육류 소비 644, 645
인구 감소 100
중세 온난기 382
하나미('꽃구경') 축제 31
일부다처 533
일식/월식 207
임상 우울증 540
잉글랜드 내전 495
잉카 453~455, 467, 476
카팍냔('왕도(王道)') 454

ㅈ

자그레브 무역 박람회 769
자그로스산맥 109
자니벡(칸) 425
자라투스트라교 221, 222, 260
자메이카 495, 496, 515, 518, 600, 833

자바섬 83, 251, 388, 389, 447, 473, 518, 553, 564, 624
자살 540, 863
자선단체 611, 640, 868
자야바르만 7세(왕) 397
자이나교 216, 227, 305, 314, 584
자이페르트, 알빈 731
자주개자리 303
자지라 353
자패껍데기 244
잔클레 홍수 71
잘랄라바드 제방 760
〈잠언〉 107
잡곡 171, 240, 423
장공근 331, 332
장안 330, 333
장자 209
장제스 773, 774
장티푸스 688
장헌충 569
잭슨, 앤드루 629
쟁기 사용, 과도한 722, 723
저온 물류 853
저우언라이 782
전기자동차 706, 812, 884
전략무기 제한 회담(SALT) 819
전략방위구상(SDI) 824
전신세 101~110, 113~118, 144, 236, 288, 309
전염병 32, 42, 117, 131, 151, 161, 196, 251, 254, 269, 303, 308, 318, 321~325, 336, 382, 410, 411, 422, 423, 426, 469, 481, 482, 487, 491, 503, 541, 542, 557, 558, 565, 566, 580, 610, 621, 689, 691~693, 861, 870
　안토니누스 전염병 288
　유스티니아누스 전염병 300, 318~320
　키프리아노스 전염병 288
　흑사병 300, 320, 410, 411, 421~423, 427~437, 441, 449, 554
점토판 144, 188, 195
정부간기후변화협의체(IPCC) 542
정초 354
정치적 암살 709
정화 446, 447
제(帝), 최고신 203, 204
제너럴 일렉트릭(GE) 연구소 742
제노바 424~426, 430, 555, 566, 567
제라드, 존 466
제르베, 폴 101
제머리, 새뮤얼 711
제방 121, 162, 191, 199, 253, 320, 358, 378, 392, 434, 451, 665, 748, 779
제번스, 윌리엄 685
제신(帝辛) 192
제임스 1세(왕) 491, 522, 548
제켄도르프, 루트비히 폰 587
제퍼슨, 토머스 467, 617, 618, 625, 629
젠네 이슬람 대사원 395
조개껍데기 316, 244
조분석 655~658, 661
조선 248, 458
조지 3세(왕) 600
조지 5세(왕) 721
존스턴, 해리 672
존스턴환초 754
존슨, 린든 744, 758, 789, 790, 793, 815, 818

존슨, 새뮤얼 617
졸로프연방 530
종(Zong)호 사건 506
종교 ('우주론'도 참조)
  기원 137~141
  동굴과 오지의 중요성 305
종교개혁 443, 578
종교재판 578
종교친우회('퀘이커') 527
종이
  가격 하락 436
  중국으로부터의 도입 346
종형배 문화 133
주석 148, 171, 177, 186, 240, 654, 664, 708
주원장 446, 458
주치 405
주황색제 790
줄루 왕국 610
중국
  감귤류 재배 658
  경제 성장 834, 835
  고구마 전래 595
  공산당 지배기 773~782, 802, 830
  관세 조직 375
  국가 통일 249, 250
  날씨 변개 892
  남조 송(宋) 왕조 285
  낮은 경제 성장 598, 631, 632
  당(唐) 왕조 297, 309, 314, 330, 339, 354
  도시화 51, 843
  동시 발생 문화 138
  동주(東周) 왕조 209
  메뚜기 창궐 299, 300
  명(明) 왕조 249, 296, 446, 447, 570~573, 598
  '바이넨궈츠' 519, 774
  북위(北魏) 왕조 284
  산악의 위치 249, 250
  삼국(三國)시대 289
  상(商) 왕조 184, 186, 192, 203
  서주(西周) 왕조 206
  세계 시장 편입 834, 835
  세습 지위에 대한 관념 140
  송(宋) 왕조 384, 391, 403, 409, 446, 460
  수(隋) 왕조 314, 329
  신해혁명 773
  아편전쟁 673
  에너지 수요 704
  역(驛) 통신 조직 408
  영토 확장 586, 598
  오대십국 시대 355
  '오염과의 전쟁' 880
  오호십육국(五胡十六國)시대 289
  원(元) 왕조 418, 446, 457
  유목민과의 상호작용 245, 246
  육류 소비 644, 645
  이례적으로 혹독한 날씨 332
  이자율 596
  인구 관리 801, 802
  일본 정복 시도 35
  전국(戰國)시대 245
  전염병의 영향 426
  제국의 정치 이념 208
  제자백가(諸子百家) 209
  주(周) 왕조 205, 237

중세의 기근과 질병 415, 416, 445, 446
진(秦) 왕조 145
질병 예방 693
참새 박멸 739, 781
청(淸) 왕조 519, 573, 585, 586, 673
초기 농경 증거 110, 111, 120
탄전 632
톈안먼(天安門) 광장 대학살 830
플라스틱 포장 852
하(夏) 왕조 162
한(漢) 왕조 233, 273, 573
해외 이주 661, 662
핵실험 735
중국 여성 662
중금속 75, 799, 836
중세 기후 이상 39
쥐 개체수 320, 321, 428
증기선 627, 643, 656, 691
증우(왕) 568
지각판 69
지구
'눈덩이 지구' 60
생명체의 발전 59~62
에너지 배분의 불균등 36
자기장 91
지각 변형 95
지구의 축 36, 108, 687, 857, 898, 899
태양 주위 궤도 36, 60, 125
형성 59
〈지구 강탈〉 725, 726
지구의 날 792, 793
지브롤터해협 71
〈지빌레〉 771
지중해의 형성 71
'지중해화' 126
지진 38, 65, 123, 124, 162, 185, 190, 278, 306, 307, 323, 324, 570, 623, 820, 889
지진해일(쓰나미) 65, 123, 124, 185, 306, 623, 820, 889
진드기매개뇌염 867
진사 359
진주만 704
질산염 622
집시 628
쪽(indigo) 500, 515, 527

ㅊ

차(茶) 515, 518~520, 527, 602, 721
차빈 데완타르 183
차차포야 문화 381
차코캐니언의 '대옥(大屋)' 체제 379
차탈회위크 122
차풀테펙 성 657
찰루키아 386
찰스 2세(왕) 499
참게 344
참파 340, 385, 388, 389, 392, 401, 447
참파 벼 392, 401
〈창세기〉 23, 57, 152, 166, 167, 223, 342
'함에 대한 저주' 342
창장 100, 105, 110, 133, 145, 151, 158, 161, 162, 226, 299, 392, 415, 632, 756, 775
채식주의 231, 350, 584, 645, 680
채찍효과 190
처치, 아치볼드 670

처칠, 윈스턴 672, 673, 773
천(天) 개념 205
'1918년 대유행 인플루엔자' 693
천문학 182, 261, 305, 346, 413, 778
천연두 117, 185, 186, 254, 382, 383, 426, 480, 488, 492, 497, 502, 556, 610
1848년 혁명들 647
철도 72, 423, 633, 643~648, 657, 662~667, 672, 679, 683, 684, 702, 706, 710, 713, 714, 722, 773, 775, 867
철새 422, 860
청금석 171
청동기시대, 붕괴 198, 203
'청동화' 171
체르노빌 재난 25, 77, 754, 823
체서피크만, 얼음 증가 604
체임벌린, T. C. 685
체펠린 비행선 740
체호프, 안톤 682
첸첸 380, 381, 452
　아우디엔시아 452
초(楚) 왕조 139
〈초기 왕들의 연대기〉 155, 165
초기 우드랜드 시기 191
'초기 인위 가설' 130
초대륙 해체 71
〈초사〉 233
초신성 75, 98
'초월시대' 226
초콜릿 503, 515
촐라 340, 384~386
촐룰라 302
최상위 포식자의 소멸 651
추이강 유역, 매장 422
'추축시대' 226
축융(불의 신) 139
출산 435, 438, 514, 533, 631, 646, 801
　암양 438
　조절 514
〈출애굽기〉 223
치말파인, 돈 도밍고 486
〈치말파인 연대기〉 441, 451
치무 381, 452, 453
치아 자료 87, 116, 124, 181, 241, 282
치아파데코르소 256
치자 문화 163
치자트, 렌바르트 540
치차(잉카의 술) 453
치첸잇사 451
친링산맥 161
친족 102, 111, 210, 244, 361, 485
친초로 문화 261
7년전쟁 515
칠레초석 656~658
칠면조 310, 483, 583, 589, 748
침수 162, 550, 670, 695
칩사이드 부동산 임대가 하락 414
칩코 운동 825
칭기즈칸 35, 406~409, 430

ㅋ

카가노비치, 라자리 716
카나리아 제도 462, 473, 489
카니시카 254
카라야스즈('검은 필사공') 558
카라지 댐 759
카라코룸 409

카랄 146
카롤루스(샤를마뉴) 대제 366
카르타고 272, 342
카리아코 분지 358
카마(왕) 641
카마르고, 디에고 무뇨스 471, 481
카바 335, 885
카보토, 조반니(존 캐벗) 464
카브랄, 페드루 576
카슈미르 757
카스마강 452
카스타녜다, 페르낭 로페스 드 462
카스트로, 피델 782
카스피해 132, 292, 330, 430, 635, 702, 864
카슨, 레이철 787, 788
카시트 177
카야호가강 791
카우삼비 290
카우틸랴 232, 253
카이로 419, 428, 429, 431, 457, 483
카이사레아 306
카이사르, 율리우스 270
카이펑 385, 392, 403, 410
카자크 598
카자흐스탄 32, 236, 238, 766, 771, 864
카카오 379, 474, 589
카터, 제임스(지미) 812~814, 835
카파, 전염병 전파 432
카피차, 세르게이 823, 824
칼 12세(스웨덴 왕) 544
칼리 626
칼리다사 29, 289
칼리만탄(보르네오) 주민 이주 263
칼후(님루드) 201
캄파넬라, 톰마소 577
캉가온 648
캐나다 원주민(퍼스트네이션) 629
캐리, 프랭크 744
'캐링턴 사건' 684
캐스캐스키아강 376
캘런더, 가이 726, 727, 737
캘리포니아, '비옥한 초승달 지대'와의 비교 120
커밍, R. G. 641
커피 474, 515, 518~520, 581, 613, 633, 653, 660, 672
커호키아 376, 395, 396, 456
케네디, 에드워드 823
케네디, 존 F. 753, 754, 786, 788, 789, 794, 797
케레이트 404
케루악, 잭 785
케이맨제도 519
케추아어 183, 655
코끼리 94, 232, 260, 388, 523, 640, 641
코럴리 375
코로나바이러스 835, 843, 861, 888
코로만델 해안 446, 457
코르도바 345, 366
코마키오 366
코모로제도 390
코보, 베르나베 465
코뿔소 94, 218, 388, 389
코소보 전투 442
코카콜라 851
코키개구리 840
코토시 105

〈코헬렛 랍바〉 280
코흐, 로베르트 692
콘래드, 조지프 656
콘스탄티노폴리스(이스탄불) 286, 304, 318, 319, 323, 325, 327~329, 366, 369, 418, 422, 442
수자원 체계 286
유럽인의 관념 580
함락 442
콘스탄티누스(황제) 286
콜럼버스, 크리스토퍼 117, 463, 464, 471, 474, 477, 497, 528, 533, 546, 582, 589
콜레라 625, 626, 691, 692
콜로라도고원, 사회경제적 재편 310
콜루멜라 279
콩고 321, 469, 662, 663, 676, 707~709, 750, 837, 846
메속자 보호구역 640
우림(雨林) 94, 303, 321
콩고 왕국 469
콩기라드 404, 405
콩키스타도르(정복자) 467, 653
〈쿠란〉 144, 167, 347, 348, 564, 900
쿠바 473, 782
쿠바 미사일 위기 754, 783
쿠바르 317
쿠빌라이 카간 35
쿠사이 181
쿠샨 제국 254
쿠스코 379, 453
쿠시 왕국 146, 178, 285, 293, 321
물 저장 체계 285
쿠에요 256
쿠치 333
쿠크, 앨리스테어 793
쿡, 제임스(선장) 449, 616, 617
쿡, 토머스 644
쿡제도 374
쿨리코보 전투 441
쿰브멜라 축제 691, 887
큐 식물원 523
크레타 118, 177, 185, 307
크론병 435
크롬웰, 올리버 495
크루즈, 테드 878
크뤼천, 파울 42
크리슈나 데바라야(툴루바 왕) 461
크리스머스, 리 710
크림반도 442, 607
크메르루주 24
크메르 제국 397
크세노폰 220, 233
크테시폰 336
클라이브, 로버트 575, 603
클레오파트라(이집트 여왕) 269~271
클린턴, 빌 829
키니네(기나나무 껍질) 653
키루스(왕) 220, 223
키시 143
키신저, 헨리 807
키케로 259, 276
킬와섬 390
킹, 마틴 루서 783, 786

ㅌ

타브리즈 함락 443
타슈켄트 30

타이노족 496
타이완 38, 132, 474, 586, 819
타이후 평원 162
타조알 껍데기 89, 114
타지마할 885
타카르코리 바위굴 113
탄소 순환 67
탄자부르 387
탄저병 420, 867
탄호아성 274
탈라스 전투 339
탈린의 항구 기록 31
탈산소화, 해양과 호수의 859
탓빈뉴 사원 398
태양 전지판 814, 878
태양 피라미드 275
태양 활동
  돌턴 극소기 538
  몬더 극소기 37, 537
  슈푀러 극소기 437, 537
  오르트 극소기 383
  울프 극소기 413
  태양 대(大)극소기 542
  태양폭풍 684, 888
  태양 흑점 37, 542, 624, 685
태종(당 왕조) 333
태평양십년진동(PDO) 712
태평양 전쟁 658
태풍 27, 38, 65, 415, 521, 572, 599, 600, 619, 656, 743, 782, 818, 820
터코, 리처드 821, 822
테네시강 유역개발공사(TVA) 758
테노치티틀란 450
테무친 404~406
테베레강 282, 615
테오티와칸 계곡 274, 302, 315, 316, 356
테오프라스토스 220, 278
테와칸 계곡 96
테일러, 재커리 688
테티스해 71
테프라(화산쇄설암) 88
텍사스, 미국에 합병 520
텔러, 에드워드 749, 750, 753
텔레일란 157
텔사비아비야드 122
텔엘함맘 167
템스강의 '빙상 특설시장' 556
톈산산맥 411
토고 533, 590
토론토 대기변화 회의 853
토르첼로 366, 367
토르케마다, 후안 데 481
토리캐니언호 재난 791
토마토 472
토머스, 에런 527
토양 비옥도 67, 284, 469, 521, 541, 587, 635
토양 습도 413, 538, 769, 863
토양 침식 88, 282, 345, 372, 374, 456, 479, 640, 651, 725, 726
토종 쌀 품종의 소멸 800
토지세 387, 602
토착민 52, 53, 62, 117, 132, 180, 235, 370, 426, 462, 466~471, 478, 481, 482, 485~490, 495~497, 528, 534, 535, 563, 578, 583, 590, 610, 628, 629, 639, 669, 670, 676, 681, 682, 705, 711, 900

톨스토이, 레프 145, 680
톰프슨, 워런 795
통가 192, 373, 449, 556, 890
통북투 557, 579
통야브구 328, 330, 333, 337
퇴빙 118
투루판 333, 411
투르게네프, 이반 823
투르크메니스탄 강우연구소 742
투이통가 449
투추족 456
투츠웨모갈라 왕국 389
투키디데스 246
투탕카멘(파라오) 237
〈투트모세 3세 연대기〉 237
툰베리, 그레타 28, 868
튁센, 라인홀트 730
트라브존 431
트라야누스 황제 283
트러스, 엘리자베스 879
트럼프, 도널드 878
트로츠키, 레프 716
트루먼, 해리 756, 761~763, 774, 795, 796
트리필랴 문화 130, 147
틀라파코야 105
틈바얏 564
티그리스강 146, 148, 151, 152, 410, 757
티글라트필레세르 3세(왕) 200
티라(산토리니) 화산 185, 189
티모노프, 셰볼로트 679
티무르 457
티무쿠아인 563
티베트, 중국의 팽창 586
티시트 문화 257, 358
티아우아나코 255, 316
티칼 286, 287, 356, 357
〈티토갈리〉 314
틴들, 존 685

ㅍ

파간(아리마다나푸라) 384, 387, 392, 397, 398, 458
파나마 운하 686, 724, 779
파라고무 종자 652
파라마라 386
파르물라리우스 81
파르판 452
파리 519, 548, 549, 604, 611
파리기후협정 869, 873, 881
파버티포인트 문화 191
파사냐, 란사로트 462
파우사니아스 261
파울루스 3세(교황) 478
파치니, 필리포 692
파타칸차 계곡 301, 454
파탈리푸트라 312
파푸아뉴기니 31, 127
파프리카 472
팍스 몽골리카(몽골의 평화) 409
판자켄트 344, 355
팔렘방 251, 340
팔로스 데라프론테라 463
패트릭 성인의 날 659
패환 132
페구 562
페로제도, 스칸디나비아인 정착지 369, 373

페루의 천연자원 655~657
페르가나 분지 119
페르난데스 데 오비에도, 곤살로 478
페르난도 2세(아라곤 왕) 463
페르시아 제국
로마와의 전쟁 327, 328, 334~336
아라비아의 팽창 338, 339
페르시아어, 유대계 383
페르시아어, 중고(中古) 383
페름기 63, 72
페스트균 131, 320, 411, 422
페트라 885
페트라르카 403, 426, 427, 436
페티, 윌리엄 588
페피 2세(파라오) 169
펜, 윌리엄 528
〈펜타곤 문서〉 815, 816
펠, 클레이본 819
펠루시움 318
펠리페 2세(에스파냐 왕) 484
〈평오대고〉 458
포강 유역의 인구 감소 554
포도주 동결 437
포도주 판매 금지, 모술의 393~394
포드재단 758, 796
포드 T모델 703
포뮬라 원 704
포코너스 지역 378
포크, 제임스 688
포클랜드제도 523
포토시 은광의 몰락 565, 571
〈포폴 우흐〉 256
폭염 27, 712, 724, 859, 863, 873, 877, 885
폭풍우 34, 35, 49, 139, 360, 400, 412, 414, 416, 438, 483, 539, 541, 556, 563, 598, 599, 608, 624, 625, 740, 742, 808, 820, 849, 855, 862
폴란드
나치 침공 730, 731
대중 봉기 770
분할 547
폴리네시아 373, 374, 400, 449, 661
폴리네시아쥐 400
폴리비오스 235, 259, 308
폴타바 전투 544
표도로프, 예브게니 804
표준튀르크어 434
표트르 1세(차르) 561
푸라나 386
푸리에, 조제프 685
푸에블라 계곡 274, 302
푸이(황제) 773
푸트, 유니스 685
푸틴, 블라디미르 830, 874, 887
풍요 의례 229
프라이어, 존 579
프라자파티(최고신) 213, 232, 238
프라하 191
프란치스코(교황) 27
프랑스
군대 사상자 622
노동 생산성 597
문자 해득률 상승 643
삼림 벌채 697
저항과 혁명 611~613
핵실험 735
프랑스 식민회의 507

프랑스 혁명 612
프랜시스 베이컨 493
프랭클린, 벤저민 604, 616, 891
프로스트, 데이비드 878
프로코피우스 309, 318
프리드리히 2세(대왕) 588
프톨레마이오스 3세(이집트 왕) 268
플라스틱 병 851, 868
플라톤 219, 220, 261, 278
플로라 782, 904
플로리다, 미국의 점령 642
플로리다 해류 687
플루타르코스 259
플리니우스(양부) 276, 278, 504
플릿, 리라 750
피그미, 비아카/음부티/에페 85
피렌체 419, 424, 426, 430, 445
피렌체 공의회 445
피부색 119, 342, 580
피사 419, 430
피아노 523, 641
피우스 5세(교황) 552
피지 192, 263, 383, 474, 690
피타고라스 219
피털루 학살 623
핀란드 점령, 러시아의 541
필리핀의 인구 감소 557~558
필립스, 제임스 677
핌불베트르(혹독한 겨울) 311, 554
핑청(다퉁) 295, 296
핑크, 로런스 871

ㅎ

〈하늘소 이야기〉 166
하라파 105, 145, 160
하바수파이족 53
하사우 찬카위일 358
하얌 우룩(왕) 447
하와이 42, 77, 374, 400, 449, 450, 661, 804, 840
　코키개구리 창궐 840
하월, 제임스 567
하이에나, 멸종 94, 422, 651
하이허강 295
하인리히 7세(독일 왕) 460
'하인리히 현상' 85
하자르인 339
하자족 85
하트, 로버트 662
하티 177
한국전쟁 776
한자동맹 634
할리에사 315
할슈타트 주기 124
함무라비 176
합성궁 182, 247
항생제 763, 842
해들리 환류권 736
해들리, 존 616
해리슨, 윌리엄 688
해리엇, 토머스 490
해리향 523
해민(海民, peuples de la mer) 188, 189
해밀턴, 알렉산더 466
해빙 31, 33, 37, 95, 98, 99, 101, 108,

125, 542, 545, 862, 867
해수면 37, 42, 43, 49, 61, 64, 69, 70, 73, 86, 88, 93, 95, 96, 102, 121, 123, 127, 159, 331, 373, 375, 377, 401, 619, 624, 687, 744, 849, 856, 857, 859, 862, 885, 889, 890
해양 산성화 64, 896
해양 온난화 859 ('해수 표면 온도'도 참조)
해클루트, 리처드 494
핵무기와 전쟁 25, 77, 735~737, 745, 752, 754, 786, 802, 809, 819, 821, 824, 887
핸슨, 제임스 827
햇필드, 마크 823
햇필드, 찰스 740
행키, 모리스 703
향나무 나이테 292
허드슨만 121
허드슨해협 86
허리케인 782
허셸, 윌리엄 685
허시, 시모어 816
허후 107
헌제(한 왕조) 289, 290
헝가리 대중 봉기 770
헤겔, 게오르크 580, 635
헤라클리우스(황제) 327, 328
헤로도토스 218, 221, 241, 243, 258, 482, 504, 581
헤시오도스 208, 220
헤케테페케강 유역 316, 452
헨리 3세(잉글랜드 왕) 412
헨리 8세(잉글랜드 왕) 461
현장(玄奘) 334
혜성 64, 65, 76, 99, 167, 705, 890
호두 264
호라티우스 615
호리비단벌레 841
호메로스 467
〈일리아스〉 219
호메이니(아야톨라) 759
호모 루돌펜시스 80
호모 에렉투스 80, 83
호모 하빌리스 80
호모 하이델베르겐시스 80
호수
말라위호 100
미드호 854
바이칼호 824
보덴호 550
보숨트위호 100
빅토리아호 456
아가시호 121
오네가호 112
오지브와호 121
요아호 125
응가미호 608
차드호 608, 750
칭하이호 100
칼라보나호 375
탕가니카호 100
파월호 854
호킨스, 존 504
호턴, 헨리 745
호프먼, 폴 758
홀, 대니얼 725
홀로코스트 → 유대인 대학살
홀링워스, 조지프 628

홍강 삼각주 274
홍수 27, 35, 37, 71, 95, 139, 142, 161, 162, 166, 169, 186, 191, 196, 198, 223, 295, 299, 308, 312, 314, 316, 320, 324, 344, 353, 354, 378, 387, 407, 414, 415, 456, 550~557, 565, 579, 624, 626, 645, 744, 808, 849, 855, 862, 866, 877, 889
  달이 일으키는 홍수 889
  대홍수 이야기 166, 196, 223
홍수(紅樹) 외피 161
홍역 426, 480, 690
홍콩 519, 691
홍해 88, 157, 259, 317, 318, 321, 322, 335, 340, 444, 463, 471, 529
화산 활동
  라키 화산 331, 603~606
  레이캬네스산 407, 412
  마욘산 624
  사말라스 화산 411~413
  수프리에르산 624
  아사마산 605
  오크목 화산 269~272
  와이나푸티나산 484, 554
  크라카타우산 684
  탐보라산 438, 623, 624, 823, 824, 890
  토바산 87, 88
  티라(산토리니) 화산 185, 189
  티에라블랑카호벤 화산 307
  피나투보 화산 37, 68
화산폭발지수(VEI) 890
화석연료 발전소 43, 882
화성 59, 61, 203, 821
화약 335, 546, 600, 622, 737
화이트라이언호 526
화이허강 110, 299, 392
화전민 33
환각 91
황금 해안 512
황소 이용 116
황열병 469, 496, 497, 545, 610, 613
황완리 779
황허강 120, 135, 145, 151, 162, 226, 244, 296, 310, 378, 415, 585, 775, 779
  '중국의 슬픔' 779
  홍수 378, 415
효문제(북위) 296
'후다이비야 화약(和約)' 335
후르리어 182
후버, 허버트 762
후스로 2세(샤) 327~329
후쿠시마 재난 123, 754
〈후한서〉 332
훈족 292, 293, 308, 313
훈족 아틸라 293, 308
훌라구 410
훔볼트, 알렉산더 폰 636, 655
훙산 문화 135, 138
휘종(황제) 404
휴 드크레싱엄 415
흄, 데이비드 581, 615
흉노 242, 248, 332
흉작과 식량 부족 35, 157, 172, 190, 207, 279, 296, 308, 318, 353, 378, 413~421, 437, 450, 538, 539, 552, 553, 568, 592, 594, 599, 603, 605, 607, 619~625, 765, 808, 870, 874, 885
흐루쇼프, 니키타 747, 748, 766~770,

776~778, 801
흐샤야르샤(크세르크세스) 왕 34
흑해 36, 132~134, 239, 250, 292, 313, 328, 409, 423, 425, 430, 433, 442, 607, 615, 635
흑해-카스피해 스텝 132
희망봉 474, 576, 577
희생
동물 202, 203, 231, 452
말 237, 259
인간 140, 183, 204, 229, 453
카팍후차 의식 453
히긴슨, 프랜시스 492
히로시마 77, 185, 734, 735, 790
히마족 456
히말라야산맥 48, 70, 160, 212, 337, 825, 864
히자즈 337
히타이트 177, 182, 188, 189, 237
히틀러, 아돌프 35, 694, 701, 728~730, 734
히파르코스 261
히포크라테스 341
힉소스 181, 182, 224
힌두교 180, 213, 305, 382, 387, 447, 564, 675, 691, 757
힌두교 축제 691
힘러, 하인리히 730, 731
힘야르 317, 321

기후변화 세계사

지구 생성부터 기후 재앙 시대까지

1판 1쇄 2023년 11월 30일

지은이 | 피터 프랭코판
옮긴이 | 이재황

펴낸이 | 류종필
편집 | 이정우, 권준, 이은진
경영지원 | 김유리
표지 디자인 | 석운디자인
본문 디자인 | 박애영
교정교열 | 최연희, 오효순

펴낸곳 | (주) 도서출판 책과함께
주소 (04022) 서울시 마포구 동교로 70 소와소빌딩 2층
전화 (02) 335-1982
팩스 (02) 335-1316
전자우편 prpub@daum.net
블로그 blog.naver.com/prpub
등록 2003년 4월 3일 제2003-000392호

ISBN 979-11-92913-51-3 04900 (세트)